D0513927

Brandbaar

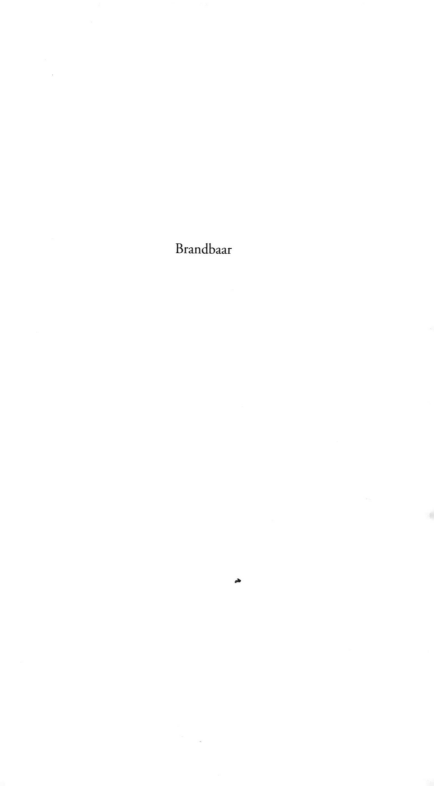

Van Jane Casey verscheen eveneens bij uitgeverij Anthos

Spoorloos

Jane Casey

Brandbaar

Vertaald door
Iris van der Blom

Anthos|Amsterdam

MIX
Papier van
verantwoorde herkomst
FSC® C004472
www.fsc.org

De vertalers ontvingen voor deze vertaling een werkbeurs van
het Nederlands Letterenfonds.

ISBN 978 90 414 1534 9
© 2010 Jane Casey
© 2011 Nederlandse vertaling Ambo|Anthos *uitgevers*,
Amsterdam en Iris van der Blom
Oorspronkelijke titel *The burning*
Oorspronkelijke uitgever Ebury Press,
een imprint van Ebury Publishing
Omslagontwerp Studio Jan de Boer
Omslagillustratie © Michael Prince/Corbis/Hillcreek Pictures
Foto auteur Eliz Huseyin

Verspreiding voor België:
Veen Bosch & Keuning uitgevers n.v., Antwerpen

Voor Philippa

De zekerheid te sterven gaat gepaard met vele onzekerheden, aangaande tijd, wijze waarop en plaats.

– Sir Thomas Browne, *Urn Burial*

Een stoffelijk overschot dat na een brand is geborgen stelt de onderzoeker voor vergelijkbare problemen als een stoffelijk overschot dat uit water is geborgen. In beide gevallen is de integratie van informatie die is verkregen uit onderzoek van de vindplaats, onderzoek van de resten en de achtergrond van de overledene van zeer groot belang.

– Derrick J. Pounder

Ze had tegelijk met de anderen naar huis moeten gaan.

Kelly Staples staarde in de spiegel vol barsten en verweerde plekken naar haar spiegelbeeld en probeerde te begrijpen wat ze daar zag. Het gezicht dat haar loensend aankeek kon toch niet haar eigen gezicht zijn? Haar mascara was uitgelopen, waardoor er donkere vegen met kleine zwarte stipjes onder haar ogen zaten, die maar niet verdwenen, hoe hard ze ook wreef. Rondom haar neus en op de huid van haar voorhoofd, die er droog uitzag, zaten nog wat vastgekoekte restjes foundation. Haar gezicht was rood en ze had een pukkel op haar kin die er zeker niet had gezeten toen ze zich klaarmaakte om uit te gaan, dacht ze. Haar mond was slap en vochtig, en er zat iets op haar topje... Moeizaam boog Kelly haar hoofd om de schade op te nemen. Wijn, dacht ze versuft. Ze had rode wijn op haar kleren gemorst. Ze herinnerde zich vaag dat ze hysterisch had gelachen en de natte stof van zich af had gehouden, en iemand – een man die ze nooit eerder had ontmoet – had aangeboden eraan te zuigen om de wijn niet te verspillen, voordat Faye haar van hem had weggetrokken en nijdig in haar oor had gesist dat ze zich moest gedragen. Maar Kelly had haar erop gewezen, voor zover ze daarin was geslaagd, dat het leuke van deze avond juist was dat ze zich niet hoefde te gedragen, nu ze met de meiden een avond kon losgaan, op kroegentocht in Richmond. Opgetut, bezopen en in voor een feestje. Het was bijna vakantie; ze waren er allemaal aan toe geweest. Vooral zijzelf, nu ze het drie weken geleden had uitgemaakt met P.J. Hoewel, om precies te zijn had hij het uitgemaakt met haar. Twee jaar waren ze samen geweest, en hij had alles vergooid om achter Vanessa Cobbet aan te gaan, die dikke slettenbak. Door de restanten van haar make-up heen gleed er een traan over Kelly's wang.

Ze waren thuis begonnen met witte wijn, terwijl ze zich aan het opmaken waren, en Kelly had toen al een paar glazen gedronken. Die kon ze wel gebruiken, tegen de zenuwen. Het was een goed begin van de avond geweest.

De toiletruimte achter haar draaide en schommelde. Kelly sloot haar ogen en leunde zwaar op de wastafel terwijl ze wachtte tot ze zich beter voelde. Ze had al overgegeven; ze had gedacht dat dat wel zou helpen. Achter haar werd een toiletdeur hard dichtgeslagen. Er schoof een magere vrouw van middelbare leeftijd langs haar heen met een tersluikse blik waaruit sprak: je bent veel te jong om er zo aan toe te zijn. Kelly dacht, maar had het lef niet om het te zeggen: en jij bent veel te oud om hier rond te lopen.

Het damestoilet, dat bestond uit twee wc-hokjes en twee wastafels, was heel krap en bevond zich in een afgeschot hoekje van het café. Het stonk er onbarmhartig naar luchtverfrisser en zurig zoete uitgebraakte wijn – dat laatste was Kelly's bijdrage geweest. Aan de inrichting kon je aflezen dat er sinds de jaren tachtig geen renovatie meer had plaatsgevonden: roze porseleinen sanitair en roze met bruine bloemetjesgordijnen die slap langs het matglas van het raam hingen. De rest van het café was er niet veel beter aan toe, hoewel het gedempte licht in de avonduren het allerergste aan het oog onttrok. De Jolly Boatman had betere tijden gekend, zo ook het merendeel van de clientèle, maar toch was het er druk met mensen die een avond uit drinken waren. De kroegen aan de rivier zaten allemaal vol; het was donderdagavond, het officieuze begin van het weekend, en iedereen zocht, net als Kelly, de gezelligheid op. Maar op een bepaald moment was het helemaal misgegaan. De anderen waren vertrokken, herinnerde ze zich flauw, en hadden haar gezegd een taxi te nemen als ze naar huis wilde gaan. Ze was toen met iemand aan het dansen, iemand die ze niet kende, en Faye had nog geprobeerd haar mee te krijgen, maar ze had geweigerd. Op dat moment leek het een goed idee. Nu kon ze zich eens laten gaan, had ze kans op een leuke avond. Ze hadden niet langer aangedrongen en hadden haar achtergelaten. Kelly snapte niet wat haar bezield had toen ze hen liet gaan.

'Ik ben straalbezopen,' zei ze hardop terwijl ze probeerde oogcontact te krijgen met de benevelde figuur in de spiegel. 'Ik moet naar huis.'

De inhoud van haar tas was in de wasbak terechtgekomen. Het leek ontzettend lang te duren voordat ze alles weer bij elkaar had; haar handen deden niet wat ze wilde en er lag zoveel: een pen, make-up, haar sleutels, een buskaartje, wat los muntgeld, drie sigaretten die uit het pakje waren gevallen en nu vol vochtige plekken zaten van de wastafel. Het dopje van de lipgloss was eraf en toen Kelly het moeizaam wilde oppakken, bleef er een kleverige rode drab op het roze porselein zitten. Heel even leek het wel bloed.

De herrie en de warmte sloegen haar letterlijk tegemoet toen ze de deur opentrok, en ze wankelde even terwijl ze probeerde te bedenken welke kant ze op moest. De deur naar de buitenwereld bevond zich ergens links, herinnerde ze zich vaag, waarna ze zich een weg door de menigte baande. Ze liep doelbewust, alsof ze nuchter was, met haar schouders naar achteren en haar hoofd omhoog. Niemand behalve Kelly zelf trapte erin.

Het was nog drukker in de buurt van de deur, waar rokers van en naar het terras met uitzicht op het water liepen.

'Sorry,' mompelde Kelly, toen ze er niet in slaagde zich met haar schouders een weg te banen langs een zwaargebouwde man, maar hij leek haar niet te horen en had kennelijk niet eens gemerkt dat ze tegen hem was opgebotst.

'Zoek je een taxi, meisje? Laat me je helpen,' zei een stem bij haar oor, terwijl ze een arm om haar middel voelde glijden. 'Het is tijd om naar huis te gaan, jongedame.'

Zonder er bewust in toe te stemmen, merkte ze dat ze voortgang boekte en vlot en handig door de menigte werd geleid tot ze met haar begeleider in de koele buitenlucht stond. De nacht was helder, stil en koud, en het vroor al een beetje.

Ze draaide zich om, wilde haar redder in nood bedanken, en zag een vreemde, een man van haar vaders leeftijd of ouder. Kelly spande zich in om hem scherp in beeld te krijgen, want het gezicht van de man danste voor haar ogen. Ze zag een bril zonder montuur, haar dat onnatuurlijk donker was, en een snor boven een mond die glimlachte, die bewoog en zei: 'Waar woon je mijn taxi staat vlak om de hoek kom toch mee dan breng ik je naar huis het is geen moeite het is niet ver ik heb niks beters te doen geef me je tas maar goed zo zijn dit je sleutels ik zorg wel dat je thuiskomt maak je geen zorgen. Je wilt nu toch niet alleen de straat op niet nu dat is immers niet veilig?'

Kelly merkte dat ze de man braaf volgde. Ze wilde eigenlijk haar tas terugpakken en zelf proberen thuis te komen, maar het leek makkelijker om met hem mee te gaan. Alleen al omdat haar voeten pijn deden; de laarzen met plateauzolen die er zo prachtig hadden uitgezien voordat ze van huis ging waren te krap bij haar tenen en haar hielen, en de schacht van haar rechterlaars zat te strak om haar kuit. Ze hadden veel te hoge hakken om er de lange weg naar huis mee af te leggen. En hij had gelijk; het was waarschijnlijk niet veilig om alleen over straat te gaan.

De man was aardig, dacht Kelly beneveld. Hij was beleefd, welgemanierd, attent. Zoals alle oudere mannen, toch? Ze wisten zich als een heer te gedragen. P.J. had haar hand nooit vastgehouden. P.J. had het autoportier nooit voor haar opengehouden en pas weer dichtgedaan als ze was gaan zitten (of neergezegen, om de waarheid te zeggen, maar ook toen was hij een echte heer gebleken, want hij had zijn blik vooruit gericht en niet op haar rok, die was opgekropen).

Meestal ging ze achterin zitten als ze een taxi nam, maar hij had het voorste portier opengedaan en ze wilde niet onbeleefd zijn.

Hij stapte in en startte de motor, en voordat hij wegreed hielp hij haar met haar gordel. Hij liet de motor onnodig grommen, en het geluid weerkaatste tegen de gebouwen aan weerskanten van de weg.

'Mag ik roken?' vroeg Kelly nogal baldadig, en ze keek ervan op dat hij knikte. De auto rook naar pepermunt en luchtverfrisser met dennengeur, twee sterke geuren die de zweem van benzine niet helemaal overvleugelden, alsof hij er bij de laatste tankbeurt wat van op zijn schoenen had gemorst. Ze vermoedde dat hij zelf niet rookte. Maar hij had het goed gevonden, dus heel bezwaarlijk zou hij het niet vinden.

De enige droge peuk in het pakje was de gelukssigaret, de laatste, degene die Kelly altijd omdraaide als ze een nieuw pakje openmaakte, zodat hij als een wit soldaatje afstak tegen de lichtbruine filters van de andere. Ze stak hem tussen haar lippen en vormde met haar hand een kom rondom het vlammetje van haar aansteker, een automatisme waarmee ze zich beschermde tegen een windvlaag die er niet was. Ze had de aansteker te hoog gedraaid; het vlammetje brandde haar pony er bijna af.

'Kut.' Ze knipperde een paar keer verschrikt en wierp de vreemdeling toen een schuldbewuste blik toe. 'Sorry. Zulke woorden moet ik niet gebruiken.'

Hij haalde zijn schouders op. 'Maakt mij niks uit. Hoe heet je?'

'Kelly.' Ze trok de zonneklep omlaag en bekeek zichzelf in het spiegeltje, plukte aan haar pony. 'En u?'

Hij aarzelde even. 'Dan.'

'Waar kom je vandaan, Dan? Birmingham?' Zijn accent kwam uit de Midlands, dacht ze, maar hij schudde zijn hoofd.

'Hier uit de buurt.'

'O ja?'

Hij knikte met zijn blik op de weg gericht. Kelly keek ook naar buiten en tuurde naar de winkels die ze voorbijreden. Ze fronste.

'Dit is niet de goede weg.'

Hij antwoordde niet.

'Dit is niet de goede weg,' zei ze nogmaals, gegeneerd dat ze zich beklaagde terwijl hij zo hulpvaardig was. 'Je bent verkeerd gereden. Daarnet had je linksaf gemoeten, niet rechtdoor.'

'Deze weg is beter.'

'Niet waar,' zei Kelly geïrriteerd. 'Ik weet heus wel hoe ik bij mijn eigen huis moet komen.'

De enige reactie hierop was dat hij schakelde en sneller ging rijden.

'Hé,' zei ze vermanend terwijl ze met haar hand steun zocht aan het dashboard, dat ruw aanvoelde van het opgehoopte vuil. 'Doe even rustig aan, zeg.'

De auto reed hobbelend over de weg, iets te snel naar haar idee. Hij zag er nerveus uit, dacht ze, terwijl ze door stevig met haar ogen te knipperen probeerde te focussen. Hij had gesprongen lippen waar hij telkens zijn tong overheen liet glijden. Kelly's lippen begonnen daardoor ook droog aan te voelen en ze moest zich inhouden om niet hetzelfde te doen. Opeens had ze het koud en voelde ze zich weer nuchter; de alcoholische roes maakte plaats voor angst. Wat had ze gedaan? Al die keren dat haar moeder haar had gewaarschuwd tegen vreemden, en nu zat ze toch in de auto bij een man die ze nooit eerder had gezien en die haar god weet waarheen reed op deze donkere donderdagavond. Er was iemand die jonge vrouwen vermoordde, volgens een kop uit haar vaders krant die ze had gezien. Vier meisjes dood, gedumpt en in brand gestoken. Meisjes zoals zij. De politie had geen flauw idee wie de dader was of hoe ze hem konden grijpen. Hij liep vrij rond en had het gemunt op kwetsbare vrouwen die alleen uit waren. Zelfs Kelly, die nooit veel aandacht had voor het nieuws, had van hem gehoord. Het was niet laat; er liepen nog mensen over straat, maar Kelly had zich nooit eerder zo alleen gevoeld.

'Weet je wat, laat me er hier maar uit. Ik loop liever, als je het niet erg vindt.'

'Maak je niet zo druk.'

De auto kwam zoemend tot stilstand voor een stoplicht. Kelly streek met haar hand langs het portier naast haar, op zoek naar de deurhendel.

'Die is kapot,' zei hij zonder om te kijken. 'Je kunt hem alleen van buitenaf opendoen. Blijf nu eens rustig zitten en houd op met al dat gedoe.'

'Ik wil eruit.' Haar stem klonk nu hoger en had een hysterische bijklank die maakte dat de chauffeur zijn gezicht vertrok.

'Houd je alsjeblieft even koest. Ik stop wel om je eruit te laten als je dat zo graag wilt.' Hij sloeg een smalle straat met woonhuizen in; er stond een rij auto's langs de kant. 'Nergens plek om te parkeren. Even kijken of het verderop lukt.'

'Verderop' was een steeg met aan weerszijden tuinen, een doodlopend straatje waar niemand zicht op had, besefte Kelly met bonzend hart. Ze had het gevoel dat het elk moment uit haar borstkas kon springen. De auto ging langzamer rijden en stopte.

'Wat is er aan de hand? Waarom stop je?'

'Ik dacht dat je wilde uitstappen. Ik laat je eruit.' Hij zette de motor af, deed de verlichting uit en het nachtelijk duister sloot zich om hen heen. Kelly zag alleen nog een silhouet naast zich zitten. Haar neusvleugels verwijdden zich; ze rook weer die geur van pepermunt en dat zweempje benzinelucht, en ze dacht aan de meisjes die lagen waar ze waren gedumpt, aan hun brandende lichamen, aan de krantenkoppen die melding maakten van de 'vuurmoordenaar', en ze hoorde hem bewegen en kon niet zien of hij zijn handen naar haar uitstrekte in die donkere auto, en zonder erover na te denken, zonder zich ervan bewust te zijn, reikte ze omlaag en pakte het mes dat haar broertje haar had gegeven, het mes dat hij mee naar school nam voor het geval hij bij een gevecht betrokken zou raken, het mes dat al urenlang tegen haar enkel gedrukt zat, de stiletto met het smalle lemmet en die akelig scherpe punt, en het was zelfs te donker om het lemmet te laten oplichten toen ze met haar linkerhand een lage beweging in zijn richting maakte, in de richting van het zachte gebied onder de ribbenkast maar boven de riem, en hij had geen tijd om te reageren voordat het mes in zijn lichaam zat en er weer uit was, en opnieuw zijn lichaam binnengleed, hoewel hij die keer wel probeerde het lemmet te grijpen toen Kelly het terugtrok, en het mes was nu donker en vochtig, en de man kreunde, en ze rook hem en ze rook bloed – net zo'n zoetige stank als in een slagerij op een warme dag –, en hij had zijn pis laten lopen, en ze besefte dat ze het uitschreeuwde, en haar hart sloeg zo hard als een trommel, zodat ze zelf niet eens kon verstaan wat ze zei. Maar ze bleef het zeggen terwijl ze over de stoel klauterde naar de achterbank van de auto en nerveus zocht naar de deurhendel en zich instinctief uit de auto liet vallen met haar handen druipend van het bloed, dat op de lak terechtkwam, en haar knieën knikten toen ze probeerde weg te rennen op haar stomme laarzen, en vergeten waren haar pijnlijke voeten. Ze mompelde het steeds voor zich uit toen ze het doodlopende straatje uit liep naar de huizen, naar iemand die haar kon helpen, terwijl haar adem haar longen in en uit werd gestoten met een geluid alsof iemand er een zaag met roestige tanden op losliet. Ze zei het tegen de vrouw die de deur opendeed en die het uitschreeuwde toen ze haar zo zag staan, en tegen de politie die kwam toen het alarmnummer was gebeld, en later in het ziekenhuis waar ze werd onderzocht tegen de artsen en verpleegkundigen. Dit was het enige wat ze zeker wist, wat haar in leven had gehouden.

'Ik niet. Ik wil niet de volgende zijn. Ik niet. Ik niet.'

I

Maeve

Ik wist niet waar ik was of wat ik aan het doen was toen de telefoon ging; ik wist niet eens dat ik van de telefoon wakker was geworden. Ik kwam van mijlenver weg en mijn ene oog ging open terwijl een deel van mijn hersenen probeerde te bedenken wat me had gestoord en een ander deel zich erop toelegde erachter te komen hoe ik een eind aan die herrie kon maken. De herrie bestond uit het gerammel van mijn mobieltje dat nijdig op het nachtkastje lag te vibreren en het hoge gerinkel van de irritantste ringtone die ik had kunnen uitzoeken. Ik probeerde het ding in het donker te grijpen, maar schoof het opzij en het viel van het nachtkastje af. Het viel al rinkelend met het schermpje omlaag op het vloerkleed, waarna het geluid iets gedempter klonk. Ik had het vleugellam gemaakt, maar niet de nek om gedraaid. Daarbij kwam dat ik er nu iets moeilijker bij kon. Ik leunde onder een gevaarlijke hoek over de bedrand en harkte met mijn vingers over het kleed in een poging het te pakken te krijgen.

'Ah!'

De nuance ging grotendeels verloren in het kussen, maar ik vertaalde Ians commentaar als 'neem die kuttelefoon eens aan', wat vrij dicht bij mijn eigen gedachte kwam. Naast 'hoe laat is het?' en 'wat moet die eikel van me?'

Uiteindelijk had ik het ding te pakken en ik drukte op de toetsen tot het geen geluid meer gaf. Ik probeerde te lezen wat er op het schermpje stond. LANGTON. Rob. Met moeite kon ik de tijd ontcijferen: 03.27 uur. Halfvier in de ochtend en rechercheur Rob Langton probeerde me te bereiken. Ik begon nu wakker te worden; mijn her-

17

senen kwamen op gang, maar mijn mond had de wijziging in de plannen nog niet door en was nog slap van de slaap. Mijn hallo klonk onduidelijk, alsof ik de afgelopen – ik dacht even na – drieënhalf uur had gezopen en niet van mijn broodnodige nachtrust had genoten. Drieënhalf uur. Dan had ik van de afgelopen achtenveertig uur er zes geslapen. Ik kneep mijn ogen stijf dicht en wenste dat ik de uren niet had geteld. Om de een of andere reden voelde ik me alleen maar beroerder nu ik dit had uitgerekend.

'Heb ik je wakker gemaakt, Kerrigan?' Dat accent uit Manchester herkende ik uit duizenden.

'Dat weet je best. Wat is er?'

Ik vroeg naar de bekende weg. Er waren maar twee redenen waarom Rob Langton me op dat uur van de nacht zo kennelijk opgewonden zou bellen. De ene: er was weer een lijk gevonden. De tweede: ze hadden de moordenaar gepakt. Welke het ook was, mijn bed zou ik voorlopig niet meer zien.

'We hebben hem.'

'Dat meen je niet.' Ik ging rechtop in bed zitten en deed het licht aan, zonder aandacht te besteden aan het gegrom naast me. Ik kneep mijn ogen tot spleetjes terwijl ik me probeerde te concentreren. 'Waar? Hoe?'

'We hebben wat hulp gekregen. Een aardige jonge meid op kroegentocht met een mes bij zich had er geen zin in de volgende op de lijst van de vuurmoordenaar te worden.'

'Hij is niet dood.' Mijn hart ging tekeer. Als hij dood was, was het over. Geen antwoorden. Geen proces.

Geen gerechtigheid.

'Nee, hij vecht voor zijn leven. Hij ligt in het ziekenhuis. Op dit moment op de operatietafel. Twee steekwonden in zijn buik; ze heeft zijn darmen geperforeerd.'

'Oei.'

'Ja, het had geen beter mens kunnen overkomen.'

'Is hij een bekende van ons?' Ik wreef met de muis van mijn hand over mijn ogen en probeerde niet te geeuwen.

'Helemaal niet bekend. Nooit eerder onder arrest geweest, en hij was tijdens dit onderzoek ook niet naar voren gekomen.'

Ik zuchtte. Dat was geen best nieuws. Dan waren we dus niet eens in de buurt geweest van een arrestatie. We hadden gewoon geluk gehad. En dat meisje had nog meer geluk gehad. Ik was er geen voorstander van dat mensen met messen rondliepen, maar ik had de afgelopen weken zoveel dode vrouwen gezien dat het me nu toch niet zo'n slecht idee leek.

'Hij heet Vic Blackstaff. Hij had al zijn papieren bij zich: rijbewijs, identiteitsbewijs van zijn werk. Hij is midden vijftig, werkt in ploegendienst voor een callcenter in Epsom. Woont in Peckham. Rijdt door het zuidwesten van Londen naar huis. Alle gelegenheid van de wereld.'

'Ouder dan we dachten,' zei ik. 'Dat van die ploegendienst past dan weer wel. Waar is het gebeurd?'

'Richmond.'

'Dat is vrij ver van het gebruikelijke gebied verwijderd. Tot nu toe heeft hij zich beperkt tot Kennington, Stockwell; nooit zo ver uit de buurt als Richmond.' Ik fronste mijn wenkbrauwen.

'Klopt, maar zijn normale werkterrein krioelt van de geüniformeerde politie. Niet zo gek om je jachtterrein te verleggen, toch?' Zo te horen was Rob zeker van zijn zaak, en ik haalde in gedachten mijn schouders op; wie was ik om de motivatie van een seriemoordenaar in twijfel te trekken?

'Ze zijn momenteel bezig zijn auto onder handen te nemen,' ging Rob verder. 'Wij zitten in het ziekenhuis te wachten.'

'Wie zijn "we"?'

De chef en ik. En adjudant Judd ook, helaas. We gaan de jongedame verhoren zodra we van de artsen horen dat we met haar mogen praten. Ze zijn haar nog aan het onderzoeken.'

'Hoe is het met haar? Is ze…'

Ik wilde de zin niet afmaken. Gaat ze het redden? Is ze zwaar mishandeld? Is ze verbrand? Hoe ver was hij gekomen?

'Het gaat prima. Ze is erg van streek. Er is niets mis met haar, maar we hebben nog geen toestemming om met haar te praten. Ze zegt dat ze er nog niet klaar voor is.' Rob klonk ongeduldig, wat me irriteerde. Waarom zou ze niet even mogen wachten voordat ze met de politie sprak? Ze was enorm geschrokken. Ze had behoefte aan een luisterend oor. En ik was de ideale persoon om haar aan te horen. Er stroomde energie door mijn ledematen; de adrenaline schoof mijn vermoeidheid terzijde; die zou ik negeren tot ik weer tijd had me eraan over te geven. Drieënhalf uur slaap was ruim voldoende. Ik was mijn bed al uit en struikelend op weg naar de deur vanwege mijn rubberen benen, die pijn deden alsof ik de dag tevoren een marathon had gelopen.

'Nou, ik ben zo bij je. Misschien laten ze mij wel met haar praten.' De voordelen van mijn positie als enige vrouw in het team van hoofdinspecteur Godley waren niet legio, maar af en toe kwam het goed van pas.

'Verbaast me niks. Zoals jij altijd accelereert van nul tot tachtig in tien minuten.'

'Daarvoor heb je mij zeker gebeld?' Ik stond nu in de badkamer te overwegen of ik het risico kon nemen te plassen terwijl ik aan het bellen was. Hij zou het horen. Ik moest even wachten.

'Ik wist dat je hier zou willen zijn.' Dat was slechts de halve waarheid; het kwam hun allemaal goed uit als ik daar zou zijn. Ik hoorde Rob grinniken; hij kon een arrogante eikel zijn, maar dat vergaf ik hem, want als puntje bij paaltje kwam wilde ik daar zelf ook zijn, en zonder zijn telefoontje had ik er niets van geweten tot ik het op het nieuws had gezien.

'Welk ziekenhuis?'

'Kingston.'

'Over een halfuur ben ik er,' zei ik zonder er goed over na te denken. Het was een flink stuk rijden van Primrose Hill naar Kingston en ik moest nodig onder de douche. Mijn haar plakte tegen mijn hoofd. Ik zou echt niet met vette haren de deur uit gaan. Niet wéér. 'Nou ja, veertig minuten dan.'

'We zitten op de intensivecareafdeling. De mobieltjes moeten uit, dus als je ons nodig hebt moet je het ziekenhuis bellen.'

'Oké.'

Ik had de kraan opengedraaid voordat ik op de wc ging zitten, maar desondanks was het water nog lang niet warm genoeg toen ik mezelf dwong de betegelde douchebak in de stappen, en ik kromp ineen toen de waterstralen het kippenvel van mijn huid raakten. De douchekop had het formaat van een etensbord en er kwamen regen-woudachtige hoeveelheden water uit; het was jammer dat het nooit warm genoeg naar mijn zin werd. Design boven functionaliteit, zoals gewoonlijk. Maar het was mijn flat niet, dus ik kon me er eigenlijk niet over beklagen. Officieel was ik medebewoner, maar ik voelde me eerder een gast. En soms niet eens een welkome gast.

Ik hield mijn vuisten gebald onder mijn kin om mijn lichaamswarmte dicht bij me te houden, en toen het water bijna lauw was, kostte het me moeite om mijn vingers te strekken en de shampoo te pakken. Door mijn haast frummelde ik onhandig met het dopje van de shampoofles en ik vloekte toen ik het over de aflopende tegelvloer in de richting van het putje hoorde stuiteren. Ik liet het daar maar liggen, terwijl mijn moeders stem in mijn hoofd klonk: *ja hoor, verder kan het niet vallen...* Twee minuten later trapte ik erop en smoorde ik een kreet in de holte van mijn elleboog, omdat een scherp randje zich in mijn voetboog drong. Vloeken deed me goed. Ik vloekte. Vaak.

Ik boende mijn hoofdhuid tot de spieren van mijn onderarmen protesteerden en spoelde mijn haar zo lang als ik mezelf kon toestaan. Ik hield mijn ogen dicht voor het schuim dat langs mijn gezicht gleed. Heerlijk om weer schoon te zijn, blij te weten dat deze zaak op z'n eind liep. Ik wilde daar voor altijd blijven staan met mijn ogen dicht; ik wilde gaan slapen – o, wat wilde ik graag gaan slapen. Maar dat kon niet. Ik moest ervandoor. En toen ik uit de douche stapte, was ik wat dezer dagen voor wakker kon doorgaan.

Weer terug in de slaapkamer probeerde ik zachtjes te doen, maar ik kon er niets aan doen dat de hangertjes in de kledingkast tegen elkaar tikten toen ik er een setje kleren uit haalde. Ik hoorde een beweging achter me in het bed en beet op mijn lip.

'Wat is er aan de hand?'

Ik zou niet tegen Ian hebben gesproken als hij niets had gezegd; dat was mijn vaste regel als ik midden in de nacht moest opstaan om te vertrekken. Niet dat ik ervan overtuigd was dat het hem ooit was opgevallen dat er een regel bestond.

'Ik heb een afspraak met een moordenaar.'

Dat werd beloond met een oog dat openging. 'Jullie hebben hem. Mooi werk.'

'Het was niet bepaald alleen mijn werk, maar dank je wel.'

Hij rolde op zijn rug en legde een arm over zijn gezicht om zijn ogen tegen het licht te beschermen. Nu lag hij in zijn natuurlijke houding, breeduit over het midden van het bed. Ik onderdrukte de neiging hem terug te duwen naar zijn eigen kant en trok in plaats daarvan het dekbed omhoog en stopte hem in. Ik heb je lief, kijk maar hoe attent ik ben.

'Mmm,' was zijn reactie. Hij was alweer in slaap aan het vallen. Ik liet de hoes van de stomerij van mijn kleren glijden, maakte er een prop van en duwde die in de prullenbak. Ik had de hoes er eerder af moeten halen; de kleding rook naar chemicaliën, en ik trok mijn neus op en voelde tegenzin om ze aan te trekken. Het weerbericht had een koude dag met regen voorspeld. Ik dacht verlangend aan een spijkerbroek die ik in mijn laarzen kon stoppen, aan dikke truien en lange gebreide sjaals. Jezus, wat was het toch vervelend om je te kleden als een volwassene.

Ik ging op de rand van het bed zitten om mijn panty aan te trekken, schoof hem moeizaam over mijn vochtige huid, voorzichtig om hem niet kapot te trekken. Er droop water van mijn haar op mijn schouders en er liep een koud straaltje over mijn rug. Hier had ik geen tijd voor. Ik had de tijd niet om me onberispelijk te kleden. Traag, ontzettend traag trok ik de panty over mijn dijen en toen stond ik op om het broekje helemaal aan te trekken. Dit was niet het meest elegante deel van het aankleedproces en toen ik me omdraaide vond ik het niet leuk te zien dat Ian naar me keek; hij had een uitdrukking op zijn gezicht die ik niet kon duiden.

'Dit is het dus?'

'Wat bedoel je?' Ik trok een blouse aan, stapte toen in mijn rok, die ik snel dichtritste en over mijn heupen gladstreek. Dat was beter. Waardiger. De band van mijn rok was te wijd, merkte ik; de rok hing eerder op mijn heupen dan dat hij rond mijn middel zat. De zoom viel daardoor onder in plaats van op de knie, waardoor ik er niet flatteus maar tuttig uitzag. Ik moest meer eten. Ik moest rust krijgen.

'Ik bedoel, is het hiermee bekeken? Zul je voortaan meer thuis zijn?'

'Waarschijnlijk wel. De komende tijd nog even niet – we moeten het papierwerk afmaken en de zaak voorbereiden voor het OM. Maar daarna wel, ja.'

Als er tenminste niet nog een seriemoordenaar zit te wachten om het van de vuurmoordenaar over te nemen. Als er niets anders fout gaat tussen nu en de kerst. Als alle misdadigers in Londen de rest van het jaar vrij nemen.

Ik zocht mijn schoenen, mijn nette met de halfhoge hakken die verre van modieus waren, maar die ik wel van nu tot middernacht kon dragen zonder dat mijn voeten zouden protesteren. Ik kon er zo nodig zelfs mee hardlopen. Er lag er een in de hoek van de kamer, waarheen ik hem had uitgeschopt. De andere vond ik uiteindelijk onder het bed en ik moest onelegant op handen en voeten kruipen om hem tevoorschijn te halen.

'Ik heb er zo'n hekel aan dat ze maar hoeven te fluiten en dat jij dan meteen naar ze toe rent.' Zo te horen was hij nu klaarwakker, en boos. Ik verkrampte.

'Dat is nu eenmaal mijn werk.'

'O, het is je wérk. Sorry. Dat had ik niet in de gaten.'

'Doe niet zo,' zei ik en ik trok met een heftige beweging mijn schoenen aan en pakte mijn handdoek. 'Ik moet nu weg. Het is belangrijk en dat weet je best.'

Hij was overeind gekomen en leunde op zijn elleboog; zijn blauwe ogen stonden vijandig onder zijn dikke wenkbrauwen, en zijn bruine haar zat ongewoon slordig. 'Wat ik weet is dat ik je al weken niet heb gezien. Wat ik weet is dat ik Camilla zal moeten bellen om te zeggen dat je toch niet kunt komen eten en of dat oké is, en dat het me vreselijk spijt als dat haar tafelschikking in de war schopt. Wat ik weet is dat jouw baan altijd op de eerste plaats lijkt te komen.'

Ik liet hem uitrazen, terwijl ik met de handdoek het meeste water uit mijn haar wreef en daarna probeerde het met een kam enigszins toonbaar te maken. Ik had geen tijd om het te föhnen; het zou onderweg naar het ziekenhuis wel drogen. Er krulden al wat plukjes, iets lichter bruin dan de rest, om mijn gezicht.

'Camilla werkt in een galerie. Ze heeft de hele dag niets anders te doen dan het bijwerken van de tafelschikking voor haar etentjes. Het zal een leuke uitdaging voor haar zijn.'

Hij liet zich weer terugvallen en staarde naar het plafond. 'Dat doe je nu altijd.'

'Wat?' Ik had er niet naar moeten vragen.

'Mijn vrienden neerbuigend behandelen omdat hun baan niet zo belangrijk of interessant is als de jouwe.'

'Jezus, zeg…'

'Niet iedereen is eropuit om de wereld te redden, Maeve.'

'Inderdaad, het is even belangrijk om die er leuk uit te laten zien,' antwoordde ik bits, en ik had er spijt van zodra ik het had gezegd. Camilla was een schat; ze was oprecht en had een heerlijke naïviteit die een beschermend instinct opwekte bij iedereen die haar kende, ik incluis. Over het algemeen. De scherpe bijklank in mijn stem kwam deels voort uit uitputting en deels uit schuldgevoel; ik had inderdaad overwogen haar etentje over te slaan. Niet dat ik Ians vrienden niet mocht – ik kon gewoon slecht tegen al die vragen. Heb je nog interessante zaken gehad de laatste tijd? Waarom hebben jullie die vuurmoordenaar nog niet te pakken gekregen? Wat is het afschuwelijkste wat je ooit tijdens het werk bent tegengekomen? Zou jij willen dat de doodstraf nog bestond? Kun jij zorgen dat deze bekeuring voor te hard rijden wordt ingetrokken? Ze waren vervelend en voorspelbaar en ik vond het vreselijk gênant om door Ians vrienden te worden gezien als vertegenwoordiger van de Londense politie. Ik was maar één individu. En verkeersboetes lagen al helemaal buiten de grenzen van mijn functie.

'Ian…'

'Je had toch zo'n haast?'

Ik keek op mijn horloge. 'Inderdaad. Laten we het er later over hebben, oké?'

'Ik kan niet wachten.'

Ik wilde eigenlijk zeggen dat ik er niet over was begonnen. Maar in plaats daarvan boog ik me over het bed en kuste Ian op het stukje kin waar ik makkelijk bij kon. Er kwam geen reactie. Met een zucht liep ik naar de keuken om een banaan te pakken, waarna ik snel mijn jas en tas pakte en de trap af rende. Ik sloot de voordeur met de sleutel in het slot om de buren niet te wekken, hoewel ze het dichtslaan van de deur waarschijnlijk niet zouden horen als ze door mijn douche en mijn relatieproblemen heen waren geslapen. Als ze tenminste al thuis waren en niet net kerstinkopen in New York waren gaan doen, of op wintervakantie in de Bahama's waren.

Ik bleef even met gebogen hoofd op de stoep staan; er gingen duizend gedachten door me heen.

'Waar ben ik eigenlijk mee bezig? Waar ben ik in godsnaam mee bezig?'

Het was niet mijn bedoeling geweest dit hardop te zeggen en ik had het niet over mijn werk. Dat kon ik wel aan. Met mijn vriend lag dat anders. We waren nu acht maanden bij elkaar, waarvan we er zes samenwoonden, en vanaf het moment dat ik bij Ian was ingetrokken, waren de ruzies begonnen. Ik was gevallen voor zijn gulle glimlach, zijn brede schouders en zijn baan, die niets met misdaad te maken had. Hij had me verteld dat die dynamische, drukbezette rechercheur met haar lange benen en zonder bijbedoelingen hem wel beviel. Ik was niet op zoek naar een echtgenoot die de vader van mijn kinderen kon zijn – nog niet. In mijn ogen waren geen dollartekens verschenen toen ik hoorde dat hij in de bankwereld werkte. Het was allemaal zo makkelijk geweest. We zagen elkaar als we konden, pikten hier en daar wat uurtjes in bed bij hem of bij mij thuis mee, slaagden erin zo nu en dan samen te eten, en toen mijn huurcontract vernieuwd moest worden had Ian de gok genomen, het soort gok waarmee hij rijk geworden was; hij had me gevraagd bij hem in te trekken in zijn belachelijk strakke, dure designflat in Primhouse Hill. Dat was geen goed idee geweest. Het was op een ramp uitgelopen. En ik wist niet goed hoe ik er een eind aan moest maken. Na twee maanden kenden we elkaar nog helemaal niet, behalve als minnaars. We hadden nog niet ontdekt wat we gemeen hadden, of hoe we de lange winterse namiddagen zouden doorbrengen als het weer zo slecht was dat het onaantrekkelijk was om de deur uit te gaan. In de praktijk bleven we in bed of maakten we ruzie. Er was geen middenweg. Ik bleef steeds langer op mijn werk, ging 's ochtends steeds vroeger van huis, ging in het weekend even naar het bureau, ook als ik geen dienst had. Het enige voordeel hiervan was de overwerkvergoeding.

De nachtlucht was schraal en ik rilde toen ik snel de straat uit liep; mijn haar lag koud in mijn nek. Ik was blij met de lange jas die Ian voor me had gekocht; hij was van fijne karamelkleurige wol en eigenlijk te mooi om ermee op plaatsen delict rond te banjeren, maar hij had hem per se willen kopen. Op zijn gulheid was niets aan te merken; hij was enorm vrijgevig. Zelfs met het extra geld van het overwerk kon ik me in de verste verte niet met hem meten. We waren geen gelijken, konden niet eens doen alsof het wel zo was. Dit was geen leven zo.

Toen ik bij mijn auto kwam, die stond waar ik de avond tevoren een parkeerplek had gevonden, wat niet erg dicht bij de flat was, bleef ik even staan om mijn longen vol te zuigen met de kille buitenlucht en tot mezelf te komen door de stilte op me te laten inwerken. Althans, dat was de bedoeling. Ergens gromde een motor: een van de buren reed weg; het verkeer begon op gang te komen, zo vroeg al. En ik moest ergens heen. Ik bande de zencontemplatie uit mijn gedachten, stapte in de auto en reed weg.

Mijn hakken tikten luid op de tegelvloer en Rob zag me al van verre aankomen. Hij zat op een rechte stoel met zijn benen voor zich uitgestrekt, waardoor hij het grootste deel van de gang buiten de intensive care in beslag nam.

'Goeiemorgen.'

'Is het al morgen dan?' vroeg hij belangstellend, terwijl hij me een kartonnen bekertje met een plastic deksel aanreikte. 'Ik dacht dat het pas donderdagavond was.'

'Nee hoor. Het is vrijdag. Zevenentwintig november. De hele dag nog, als je het wilt weten.'

Hij grijnsde naar me. Hij had donkere stoppels op zijn wangen, bijna al een echte baard. Van zijn voorouders uit Wales had hij zwart haar, blauwe ogen, een lichte huid en een waanzinnige charme geërfd, maar hij moest zich twee keer per dag scheren om zijn baardgroei in toom te houden. Echt verzorgd zag Rob er nooit uit, maar nu maakte hij een wel heel slordige indruk, en het viel me op dat hij nog steeds hetzelfde overhemd droeg als de dag tevoren.

'Je bent helemaal niet thuis geweest.'

'Nee.'

'Je zit hier al uren.'

'Inderdaad.'

'Hoe…?'

Hij zwaaide met zijn vinger naar me. 'Ik klik nooit.'

Ik ging op de stoel naast hem zitten, haalde het deksel van de koffiebeker en rook de warme, metalige geur van automaatkoffie. 'Hoeveel heb je er hiervan al gehad?'

Hij antwoordde niet maar hield me zijn hand voor, zodat ik kon zien dat hij trilde.

'Jezus. Jij krijgt geen cafeïne meer, hoor.'

'Nou, mam…'

Ik nipte aan mijn koffie en glimlachte tegen de rand van het bekertje toen Rob zijn hoofd tegen de muur legde en geeuwde.

'Je was er snel, zeg. Ik dacht dat je er zeker een uur over zou doen, vanuit bed hierheen.'

Ik had er eigenlijk veel langer over moeten doen, maar ik had het grootste stuk ruim boven de maximumsnelheid gereden, en had de auto zomaar ergens op het parkeerterrein van het ziekenhuis achtergelaten, zonder hem netjes recht te zetten.

'Je kent me toch: ik houd van opschieten.'

'Ja, ja. Hoe is het met Ian?'

Ik aarzelde even voordat ik antwoord gaf; ik had er eigenlijk geen behoefte aan de details van mijn relatiestrubbelingen met mijn collega's te delen, maar het had geen zin om te doen alsof er niets aan de hand was. Rob had Ian een paar keer ontmoet en zijn mening over hem al gevormd.

'Hij vond het heerlijk om uit zijn slaap gehaald te worden.'

'Vervelend, ja. Maar ik neem aan dat hij wel begreep dat het belangrijk was.'

Ik trok mijn wenkbrauw langzaam en veelzeggend op terwijl ik nog een slokje koffie nam.

Rob snoof. 'O, zit het zo?'

'Waar we het eigenlijk over moeten hebben,' zei ik snel, 'is hoe het met de zaak staat. Waar is de chef?'

Hij knikte naar de dubbele deuren achter zich. 'Daarbinnen ergens. Hij is de artsen aan het lastigvallen.'

'Laten ze ons nog steeds niet bij het slachtoffer?'

'Geen echt slachtoffer, hoor. Ik heb meer medelijden met die arme Vic. Hij ligt in de uitslaapkamer. Een operatie van drie uur, en hij schijnt op het randje te hebben gelegen.'

'Mijn hart bloedt om hem.'

'Nou ja, hij kan wel wat extra bloed gebruiken, voor het geval je je diensten wilt aanbieden. Hij is bijna doodgebloed op weg naar het ziekenhuis. Ze heeft hem flink te grazen genomen.'

'En daardoor leeft ze nog en kan ze haar verhaal doen,' merkte ik op.

Rob grinnikte naar me. 'Ben je je al aan het voorbereiden? Begin je je al in haar in te leven? Wat is je plan, voor tien uur nog hartsvriendinnen te worden?'

'Nou en?' Mijn koffie was nu genoeg afgekoeld om er flinke slokken van te nemen. De cafeïne begon te werken. Ik wilde er klaar voor zijn zodra ze ons met het meisje lieten praten. Ik wilde alert zijn. Ik wilde de antwoorden die we nodig hadden loskrijgen en ze dan aan mijn chef, Charles Godley, voorleggen, zoals een kat als teken van genegenheid een dood vogeltje voor zijn baasje meebrengt. Ik had geen moeite met de lange dagen, met de volledige toewijding die hij van zijn team eiste. Ik wist dat ik in mijn handen mocht knijpen dat ik meedraaide in het kernteam. Zestig rechercheurs op de operatie Mandrake, van wie de meesten Godley nooit een-op-een te spreken zouden krijgen. Hij hanteerde zijn eigen systeem: de bevelen gingen van hogerhand naar de lagere regionen en werden doorgegeven door zijn vertrouwde medewerkers aan hun collega's, die de taken kregen toebedeeld en de mankracht die nodig was om ze uit te voeren, waarna ze alle vrijheid kregen en pas terugrapporteerden als ze de bevelen hadden uitgevoerd. Hij had de leiding over het onderzoek dat het mediaverhaal van het jaar, zo niet van het decennium was, en hij besteedde een veel te groot deel van zijn tijd aan contacten met verslaggevers om elk aspect van de zaak zelf te bestieren. Hij had me uit de wijk geplukt en me aan zijn team toegevoegd, en ik wist nog altijd niet waarom, maar was vastbesloten hem niet teleur te stellen.

'Nou niks.' Rob had er geen zin meer in me te plagen. Hij pakte zijn mobieltje en begon geeuwend zijn berichten te scrollen. Ik liet hem met rust, want ik vond het wel prettig een paar minuten in stilte te kunnen zitten. Het wachten op een doorbraak in de zaak was pijnlijk, onverdraaglijk geweest. Nu die was gekomen, kon ik het me veroorloven geduldig te zijn.

Toch kon ik niet stilzitten.

Ik hoefde niet lang te wachten, want al na een paar minuten ging een van de brede dubbele deuren naar de intensivecareafdeling open. Rob en ik draaiden ons allebei om en zagen een verpleegkundige om de hoek kijken. Ze was jong, had honingblonde highlights in haar haar en haar bruine teint kwam uit een potje. Dat ze ondanks het vroege uur zo haar best had gedaan er goed uit te zien vond ik bewonderenswaardig. Na een snelle blik op mijn vochtige haar en niet-opgemaakte gezicht negeerde ze me en richtte zich met een warme glimlach tot Rob. Die heb je al eerder met je charmes bewerkt, dacht ik.

'Je baas vraagt naar je.'

We stonden gelijktijdig op. Rob was iets groter dan gemiddeld en ik was lang dankzij mijn hoge hakken; we keken elkaar recht aan. Rob fronste zijn wenkbrauwen.

'Hij wil mij spreken, niet jou.'

'Omdat hij niet weet dat ik hier ben,' zei ik liefjes. 'Anders zou hij me zeker willen spreken.'

'Ik zeg wel dat je hier zit te wachten.'

'Dat zeg ik zelf wel.'

Zo. Hoe graag ik Rob ook mocht, hoe goed we ook met elkaar overweg konden, als het om de aandacht van de chef ging waren we even volwassen en redelijk als twee kinderen die ruzie hadden om een favoriet speeltje.

'Doe wat je niet laten kunt.' Hij zwaaide zijn jasje over zijn schouder, liep langs me heen en duwde de klapdeuren luidruchtig open. Hij wachtte niet af of ik hem zou volgen en hield de deur ook niet voor me open; niet dat ik een speciale behandeling verwachtte – ik stond er beslist niet op om als een dame te worden behandeld –, maar een onbeschofte houding verwachtte ik niet. Ik liet mijn koffiebeker achter op de stoel en liep hem haastig achterna door de deur, volgde hem op de voet. Ik verbeeldde me niet dat hij zijn pas versnelde; hij was vastbesloten er als eerste aan te komen. Als ik had geweten waar 'er' was, was ik misschien in de verleiding gekomen de competitie aan te gaan, maar ik had geen idee, dus bleef ik vlak achter hem terwijl hij door de gangen van de intensivecareafdeling liep.

Ik was niet eens verbaasd toen ik zag dat hoofdinspecteur Godley een van de wachtkamers in beslag had genomen en er zijn kantoor van had gemaakt. Op tafel lagen geopende dossiers en stond een laptop zachtjes te zoemen. Er zat een magere, donkere man met een bril op en met een gekwelde gelaatsuitdrukking over het scherm gebogen: adjudant Thomas Judd. Dat was geen verrassing: waar Charlie Godley ook ging, volgde Tom Judd in zijn kielzog, en ook al mocht ik hem niet erg, ik moest toegeven dat hij respect afdwong met de manier waarop hij tot nu toe de administratieve kant van het onderzoek had geregeld. Godley zat in opgerolde hemdsmouwen en met zijn armen achter zijn hoofd achterovergeleund in een fauteuil; hij zag er moe maar geconcentreerd uit. Hij was al vroeg grijs – zijn haar was bijna wit –, maar dat maakte hem niet oud, integendeel zelfs. De combinatie van zilvergrijs haar en blauwe ogen was heel aantrekkelijk, en daar kwam bij dat Godley lang en breedgeschouderd was, en zo fotogeniek dat hij onweerstaanbaar voor de media was. Maar nu zag hij bleek en zijn ogen waren roodomrand en stonden vermoeid. Ik moest een moederlijke neiging hem op te beuren onderdrukken. Het tonen van toewijding aan de baas werd niet aangemoedigd. Hij voelde geen behoefte aan het hoofd van een stel devote volgelingen te staan.

Rob klopte tegen de deurpost. 'U wilde me spreken, chef?'

Godley keek op met een wazige blik: 'Ja. Prima. En Maeve, jij bent er ook. Heel goed.'

'Rob heeft me gebeld,' zei ik over zijn schouder heen. Ik wist dat hij het prettig zou vinden om de eer te krijgen. Misschien zou hij het daardoor minder vervelend vinden dat Godley naar me had geglimlacht. Maar Rob had mijn hulp niet echt nodig. Hij was heel competent bezig zijn reputatie op te bouwen.

Godley was alweer helemaal alert. 'Heb je haar op de hoogte gebracht?'

Rob knikte.

'Je weet dus dat we een verdachte hebben. En een getuige.'

Er was geen enkele kans dat ik binnen gehoorsafstand van de verdachte zou kunnen komen. Ik had mezelf erop getraind niet te willen wat ik niet kon krijgen. De hoge pieten zouden met hem gaan praten zodra hij daartoe in staat was. Maar de getuige was voor mij. Ik zei beleefd: 'Ik zou haar graag willen ondervragen. Het meisje, bedoel ik. Waarschijnlijk zal het voor mij makkelijker zijn haar vertrouwen te winnen.'

'We hebben zitten wachten tot ze bereid was een verklaring af te leggen en weer nuchter was. Je zult vast prima met haar overweg kunnen.' Judd zat nog steeds naar zijn scherm gebogen furieus te typen, maar hij liet zelden een gelegenheid om iemand een sneer te geven voorbijgaan. Zeker niet als het mij betrof. En als bij toverslag veranderde de lichte nervositeit die ik altijd in aanwezigheid van de chef voelde, in woede jegens de adjudant. Ik had mijn vaders rode haar niet geërfd, maar het stond buiten kijf dat ik de opvliegendheid die daarmee samen schijnt te gaan wel degelijk in me had.

'Wat bedoelt u daarmee, adjudant?'

'Precies wat ik zeg.' Zijn stem klonk neutraal, maar ik zag een glinstering achter zijn brillenglazen; hij wist even goed als ik – even goed als alle aanwezigen in de kamer – dat hij me in feite een zuiplap had genoemd. Alweer die ongein: ik moest wel drinken; ik was tenslotte Ierse. 'Doe mij maar een pint Guinness – of nee: doe er maar twee met een glas whiskey om ze weg te spoelen.' Dat mijn ouders allebei van de blauwe knoop waren maakte niet uit; ook niet dat ik tot mijn twintigste geen alcohol had gedronken en dat ik, als ik iets dronk, de voorkeur gaf aan rode wijn.

'Het zal je heel goed afgaan,' zei Godley, die de spanning die voelbaar was in dat benauwde kamertje negeerde. 'Neem Rob maar mee als je met haar gaat praten. Ik wil weten wat er is gebeurd tot het moment waarop ze op hem instak. Ik wil weten hoe hij haar heeft opgepikt en hoe hij haar in zijn auto heeft gekregen. Wat hij heeft gedaan waardoor ze in paniek raakte. Ik ga ervan uit dat hij iets heeft gedaan of gezegd waardoor ze ervan overtuigd raakte dat ze bij onze moordenaar in de auto zat, maar ik weet niet wat dat was, en ik wil pas met hem gaan praten als ik haar kant van het verhaal heb gehoord.'

'Oké.' Daarvoor hoefde je geen genie te zijn. Dat zou probleemloos moeten verlopen.

Zou je denken.

'Dit is een belangrijke getuige,' zei Godley. 'Ik wil niet dat iemand haar tegen ons in het harnas jaagt. Behandel haar met respect.'

Ik was er vrij zeker van dat deze laatste opmerking niet voor mij was bedoeld. Tegen mij hoefde Godley zoiets niet te zeggen en ik hoopte dat hij dat wist. Bij Judd lag dat anders.

'Wanneer kunnen we haar te spreken krijgen?'

'Nu meteen. Ze wil hier graag weg. Ze heeft ons een verklaring toegezegd, maar ik schat in dat ze al met één been buiten staat. Dus niet treuzelen.'

Ik draaide me al om, maar bleef staan toen Rob zei: 'Is er al iets bekend over de auto? Hebben ze iets gevonden?'

Judd antwoordde met strakke lippen. 'Tot nu toe niet.'

'Hè?' Ik was oprecht verbaasd.

'De auto is schoon. Geen spoor van de dingen die je zou verwachten. Geen mes of wat voor wapen dan ook. Geen brandversnellende stoffen.'

'Zou hij die kunnen hebben gedumpt? Zoals bij Sutcliffe, die de bewijzen verstopte toen hij wist dat hij zou worden gearresteerd? Hij zat daar al een tijdje voordat ze hem vonden.' Het was niet voor het eerst dat onze moordenaar aan de Yorkshire ripper deed denken, maar ik stond ervan te kijken dat Rob hem noemde. Niets maakte Godley nijdiger dan vergelijkingen tussen zijn onderzoek en de ongestructureerde, onbeholpen en vruchteloze jacht op Peter Sutcliffe, die min of meer bij toeval was gepakt. En nu kwam er opnieuw een overeenkomst naar voren. Het waren niet de inspanningen van de politie geweest die hadden geleid tot Vic Blackstaff, en de media zouden er geen genoeg van krijgen. Godley sperde zijn neusvleugels open, maar hij zei niets en liet het spreken aan Judd over.

'We hebben de steeg en de omgeving ervan onderzocht. Maar de artsen denken dat hij zich niet makkelijk had kunnen bewegen. Hij was buiten bewustzijn toen het ambulancepersoneel arriveerde.'

'En dus…' zei ik langzaam.

'En dus moet jij boven tafel krijgen wat er precies is gebeurd,' maakte Judd mijn zin af. 'Want op dit moment hebben we geen flauw idee.'

De knappe verpleegster bracht ons naar de kamer van Kelly Staples, of liever gezegd: bracht Rob erheen, die vrijwel onafgebroken liep te flirten. Ik volgde hen en mijn hoofd tolde. Dit was een belangrijk moment voor me. Stel de juiste vragen. Zorg dat je de juiste antwoorden krijgt. Irriteer haar niet. Win haar vertrouwen. Denk niet bij voorbaat dat je al weet wat ze gaat zeggen. Luister. En luister ook naar datgene wat ze níét zegt.

Een makkie.

Ik trok Rob even terzijde toen de verpleegster ons tot aan de deur van de ziekenhuiskamer had gebracht en heupwiegend wegliep. 'Jij maakt aantekeningen, oké? En niet tussenbeide komen. Ik wil het woord doen.'

'Ik laat het helemaal aan jou over, Maeve. Zoals Judd al zei, ik weet zeker dat jullie veel gemeen hebben.'

'Dat zei hij niet.' Ik kon het niet helpen me defensief op te stellen. Rob, niet jij ook al...

'Wat heeft hij toch tegen je?'

'Het is een vuile racistische vrouwenhater; had je dat nog niet door? Hij maakt voortdurend hatelijke opmerkingen over mij.'

'Het lijkt mij wel een aardige vent.'

Ik gaf hem een por en schudde mijn hoofd even, alsof ik zo mijn hoofd kon leegmaken en de gedachten die rondtolden in een soort samenhangend patroon kon leggen. 'Notitieboekje bij de hand?'

'Altijd,' zei hij en hij hield het omhoog. 'En een pen. Plus een reservepen, voor het geval de eerste leeg raakt.'

'Zoals het een echte padvinder betaamt.' Tijd om aan de gang te gaan. Ik plooide mijn gezicht in een, naar ik hoopte, rustige en niet-bedreigende uitdrukking en duwde vervolgens de deur open.

Het eerste wat me opviel aan Kelly Staples was dat ze had gehuild, het tweede dat ze heel jong was. Ze zat naast het bed in een ziekenhuishemd met een patroontje. Ze had niets aan haar voeten, die mollig en bleek waren; bij haar tenen en hielen zaten rode drukplekken van haar te krappe laarzen. Ze zag er uitgeblust uit en haar haar hing sluik om haar gezicht. Ze had rode varkensoogjes van vermoeidheid. Ze was te dik en voelde zich kennelijk ongemakkelijk in haar dunne ziekenhuishemd, want ze trok de zoom omlaag over haar knieën in een poging het langer te maken. Haar lippen leken gebarsten, alsof ze er langdurig op had gebeten.

Ik deed mijn best niet intimiderend over te komen toen ik op de rand van het bed ging zitten, en glimlachte.

'Kelly? Ik ben rechercheur Kerrigan. Zeg maar Maeve. En dit is mijn collega Langton, die wat aantekeningen voor me zal maken.'

Rob was onopvallend op een harde stoel in een hoek van de kamer gaan zitten. Ze keek naar hem en toen weer uitdrukkingsloos naar mij. 'Weet je misschien wanneer mijn moeder komt?'

'Nee, sorry. Ze is vast al onderweg.'

'Ze brengt kleren voor me mee. Ik heb geen kleren. Ze hebben ze meegenomen.'

'De technische recherche moet je kleding onderzoeken,' legde ik uit. Daar kwam nog bij dat ze niet draagbaar zouden zijn geweest met al dat bloed van Vic Blackstaff eraan.

'Ik wil naar huis.'

'Dat mag heel gauw.' Mijn stem klonk vriendelijk, alsof ik tegen een kind praatte. Wat trouwens ook het beste was. 'Hoe oud ben je, Kelly?'

'Twintig.'

Mooi. Dan hoefden we niet te wachten tot er een verantwoordelijke volwassene aanwezig was. 'Studeer je? Of werk je?'

'Ik studeer. Aan de koksschool.' Ze leek al wat opgewekter. 'Ik zit in het laatste jaar.'

'En wil je kok worden als je van de opleiding komt?'

Ze haalde haar schouders op, enigszins van haar stuk gebracht. 'Weet ik niet.'

Genoeg gebabbeld. Over naar de reden dat ik hier met haar zat te praten.

'Ik wil het graag met je hebben over wat er is voorgevallen. We nemen wat vragen door en dan laten we je naar huis gaan.'

Ze sloeg haar ogen ten hemel en zweeg.

'Ten eerste wil ik je graag geruststellen: je zit niet in de problemen. We horen je als getuige, niet als verdachte, dus je hoeft niet het gevoel te hebben dat je op je woorden moet letten. We willen gewoon weten wat er is gebeurd voordat je… eh, kon wegkomen.' 'Kon wegkomen' klonk wat beter dan 'een man ettelijke keren in zijn buik stak'.

Ze keek op. 'Is hij dan dood?'

'Nee, hij ligt op de intensive care. Maar hij leeft.'

'Jammer.' Ze hief haar kin uitdagend op, en ik vermoedde dat ze hoopte schrik in mijn ogen te zien. Als dat zo was, werd ze teleurgesteld.

'Oké. Kun je me in je eigen woorden vertellen wat zich heeft afgespeeld? Begin maar bij het begin. Hoe laat ben je op weg gegaan naar dat café?'

Ik kan niet zeggen dat Kelly Staples makkelijk te ondervragen was. Haar angst maakte haar opstandig. De eerste paar minuten stelde ze zich heel vijandig op en gaf ze nauwelijks antwoord op mijn vragen. Maar in de loop van haar relaas over die avond veranderde haar houding en werden de eenlettergrepige antwoorden hele zinnen, en werden de zinnen alinea's, en algauw praatte ze vrijuit en stroomden haar woorden als water door een regenpijp. Ik hoopte maar dat Rob het kon bijhouden.

'Dus ik dacht natuurlijk dat zo'n minitaxi goedkoop is en dat ik dan eerder thuis zou zijn. Ik bedoel maar, hij was oud. Hij was ongeveer van mijn vaders leeftijd, zoiets. Een rustig type. Gewoon… hulpvaardig. Ik dacht dat ik hem misschien aan zijn dochter deed denken en dat hij me veilig thuis wilde afleveren. Wat een idioot was ik. Krankzinnig gewoon. Ik had hard moeten wegrennen, niet dat ik dat kon met die laarzen. Ik kon al nauwelijks lopen.'

'En wat gebeurde er toen je was ingestapt?'

De woordenstroom hield niet op. Zijn auto, en wat haar eraan was opgevallen – een lichte benzinegeur had haar zorgen gebaard, hoe langer ze erover nadacht, hoe meer. Dat hij weigerde haar langs de haar bekende weg naar huis te brengen. Die steeg die hij had gevonden, en dat hij had beloofd de auto te keren. Hoe donker het was geweest. Hoe hij haar aan de praat had gehouden, en had gezegd dat de deur niet van binnenuit open kon. Dat het allemaal niet klopte en dat het ook niet klopte wat hij zei, en dat ze gewoon zeker wist dat hij het was, de vuurmoordenaar, en dat ze had ingegrepen voordat hij haar net als die andere meisjes kon vermoorden.

'Weet je, ik had een mes in mijn laars zitten. Om me te verdedi-

gen. Je kunt tegenwoordig niet te voorzichtig zijn, zei mijn broertje.'
Ze schoot in de lach van de zenuwen; het klonk schril. 'Nou, dat heb
ik dus wel gemerkt, hè? Ik bedoel maar, als ik dat niet had gehad, mag
God weten waar ik nu zou zijn. Op zo'n snijtafel misschien wel.'

Misschien, misschien ook niet. Ik begon mijn geduld te verliezen.
'Denk eens terug aan het moment voordat je je mes pakte, Kelly. Wat
zei of deed hij waardoor je ervan overtuigd raakte dat hij een moordenaar was?'

'Hij zette de auto neer en zei dat hij me eruit zou laten.'

'En toen?'

'Toen niks. Zodra hij stopte, wist ik het gewoon.'

Ik wachtte af. Het enige geluid in de kamer kwam van Robs pen,
die over het papier kraste. Toen dat ophield, zei ik vriendelijk: 'Wat
wist je gewoon, Kelly?'

'Dat hij een moordenaar was. Die moordenaar. Je weet wel, die
vuurman.'

Ik zorgde ervoor dat ik er onverstoorbaar begripvol uitzag. Maar
in mijn hoofd klonk niets anders dan dat ene woord, dat zich mono-
toon herhaalde, steeds opnieuw. Kut… kut… kut…

Ze maakte haar verhaal af en vertelde ons dat ze hem te grazen had
genomen voordat hij haar iets kon aandoen, dat hij het niet had zien
aankomen, en ten slotte zei ze: 'En ik zit hier al twee uur vast in deze
kamer zonder te roken, dus als jullie het niet erg vinden, mag ik dan
nu weg?'

'Je zult nog even moeten blijven,' zei ik en ik deed mijn best aardig
over te komen. 'Je zult waarschijnlijk nog een verklaring moeten afleggen, helaas. En de artsen hebben je ontslagbrief nog niet getekend.'

Ze leek op het punt te staan te gaan huilen. 'Ik wil gewoon naar
huis.'

'Dat begrijp ik wel.' Ik stond op. Opeens voelde ik me niet meer
op mijn gemak. Ik kon niet liegen en zeggen dat ze gauw weg zou
mogen; ik zou me erg vergissen als ze straks niet zou worden gearresteerd. Gezien haar relaas van het gebeurde was er overduidelijk
sprake van een beschuldiging op grond van paragraaf 18: verwonding
met het oogmerk ernstig lichamelijk letsel teweeg te brengen.

Kelly wreef in haar ogen, waarbij ze traanvocht en de resten van haar make-up over haar bleke wangen uitsmeerde. Van achter haar handen klonk het: 'Ik wil dat mama komt.'

Ik was bij de deur aangekomen en rukte die open, terwijl ik Rob voor me uit duwde. 'Bedankt voor je hulp, Kelly. Je hoort nog van ons.'

Het gesnik was niet meer te horen toen de deur was dichtgevallen. Tot mijn ergernis was het niet het soort deur dat je kon dichtsmijten. Ik keek om me heen op zoek naar iets waar ik dan maar tegenaan kon trappen. Wat dan ook, als ik me maar kon afreageren.

'Wat een lief meisje, zeg.'

'Doe niet zo gemeen over haar.' Ik had het gevoel die arme, ongelukkige Kelly te moeten beschermen, ook al was ikzelf ook woedend op haar.

'Wie doet er hier gemeen?'

'Jij, en dat weet je best.'

'Ik zei alleen maar dat ik haar lief vond.' Rob knipperde onschuldig met zijn ogen. 'Geen katje om zonder handschoenen aan te pakken, maar toch wel lief.'

'Blackstaff had iets kwaads in de zin. Wat was hij van plan met haar te doen?'

'Dat zullen we nooit weten. En wat we ervan weten, rechtvaardigt niet wat ze hem heeft aangedaan, hè?'

Ik moest toegeven dat hij gelijk had. 'Volgens haar verhaal heeft hij helemaal niets gedaan. Oké, hij was een beetje eng… ze was vast terecht argwanend. Misschien dacht hij dat ze te dronken was om te weten wat ze deed en wilde hij daar zijn voordeel mee doen. Maar haar reactie was buitensporig. Er is geen greintje bewijs dat hem in verband brengt met de andere moorden, absoluut niets concreets wat haar verhaal dat hij de moordenaar is onderbouwt. En laten we eerlijk wezen, haar verhaal gaat het in de rechtszaal niet redden, dacht je wel?'

'Ze kan het bij het rechte eind hebben gehad. Misschien heeft hij zich van alles ontdaan voordat wij er waren.'

'Wat? Een blik benzine en ten minste één stomp voorwerp? De stungun? Niets van dat alles is immers in de auto aangetroffen? Of in de buurt van de auto. We zitten in de shit. Tot over onze oren in de shit.'

'Inderdaad. En jij zult dat aan Godley moeten vertellen.'

'Dacht je soms dat dat nog niet bij me was opgekomen?' Ik keek hem aan. 'Het kan je geen moer schelen, hè? Dit is een complete ramp en het doet je niets.'

Hij haalde zijn schouders op. 'We kunnen nu niets meer doen. Meneer Blackstaff heeft pech. Maar we zijn niet slechter af dan eerst.'

'O ja, we doen het geweldig. Vier vrouwen dood en geen enkel spoor. Je hebt gelijk; dit is maar een klein hobbeltje. Afgezien daarvan zijn we goud waard.' Ik sloot mijn ogen, zuchtte en kneep in mijn neusbrug.

'Hoofdpijn?'

'Ontzettend.'

'Ik zal eens zien of de zuster me een paar aspirientjes kan geven.' Rob tikte me op mijn arm. 'Dat is het minste wat ik kan doen.'

'Breek me de bek niet open over wat je kunt doen.'

'O, ik weet heus wel wat jij zou wíllen dat ik deed.'

'Nog in geen miljoen jaar, Langton.'

'Je hoeft je er heus niet voor te schamen, Kerrigan. Je zou de eerste niet zijn die voor me valt. Het is waarschijnlijk maar beter er niet tegen te vechten.'

'Vechten? Waartegen? Tegen de aandrang om over te geven?'

We namen dezelfde route terug door de gang en kibbelden de hele weg. In zekere zin luchtte dat op. Ik hoefde daardoor niet na te denken wat ik tegen hoofdinspecteur Godley zou gaan zeggen. Het refrein van scheldwoorden in mijn achterhoofd was verder aangevuld, waardoor er in elk geval wat meer variatie in zat. Shit, klote, kut, verdomme, fuck...

We sloegen een hoek om en onwillekeurig moest ik lachen om iets wat Rob had gezegd, waardoor ik naar hem keek en niet naar waar ik heen ging. En zo hield ik pas op met grinniken toen zijn gezicht aarzelend een neutrale blik aannam en vervolgens verstrakte. Ik draaide mijn hoofd om. Godley en Judd stonden ons op te wachten. Ze hadden hun jassen aan en keken ons somber aan. Ik voelde hoe mijn gezicht dat van hen spiegelde. Ik was er klaar voor hun het ergste te laten weten.

'Het is hem niet.'

Ik staarde uit het veld geslagen naar Judd. 'Dat wilde ik net zeggen. Hoe zijn jullie…'

'Er is nog een lijk gevonden. Weer een jonge vrouw. Hij heeft weer toegeslagen.' Godley klonk uitgeput. 'Vic Blackstaff kan het niet hebben gedaan. Het is hoogstwaarschijnlijk in de afgelopen drie uur gebeurd. Terwijl Blackstaff hier onder het mes ging.'

Ik knikte. 'Uit de verklaring van Kelly Staples komt niets naar voren wat erop wijst dat hij de moordenaar was, ook al klinkt het alsof hij wel degelijk snode plannen had. Victor had pech: ze raakte in paniek en sloeg toe. Ze heeft zich domweg vergist.'

'Ze was de enige niet,' zei Godley kortweg.

Adjudant Judd nam het over. 'We zullen haar in staat van beschuldiging moeten stellen, maar wij gaan hier geen tijd aan verspillen. Ik zal de wijkrecherche bellen en de dienstdoende collega de zaak laten overnemen. Je moet me even op de hoogte brengen, Kerrigan.'

Ik had blij moeten zijn dat hij mij er niet mee had opgescheept de wijkrecherche van hun nieuwe zaak op de hoogte te brengen, maar ik slaagde erin mijn dankbaarheid in bedwang te houden. Het hield namelijk wel in dat ik met hem zou moeten praten. Ik glimlachte stralend. 'Geen probleem.'

'Ga dan maar aan de slag,' zei Godley. 'Ik zie jullie wel op de nieuwe plaats delict.'

En zo waren we ineens klaar met Kelly Staples; iemand anders zou over haar lot moeten beslissen. Ik kon het niet helpen, maar ik bedacht dat ook zij een slachtoffer van de vuurmoordenaar was, een bijproduct van zijn misdaden.

We moesten hem grijpen, en snel ook. Maar het feit dat we onderweg waren naar alweer een lijk bewees wel dat we nog niet eens in de buurt waren.

Louise

'Hoi. Rebecca hier. Je treft mijn voicemail, niet mijzelf, maar laat een bericht achter en dan neem ik zo spoedig mogelijk contact met je op. Niet ophangen! Zeg iets! Na de piep! En die komt... nu!'

De warme, levendige stem vulde mijn kantoor en bracht de bezitster zo tot leven dat ik, als ik mijn ogen sloot, heel licht haar parfum kon ruiken, ondanks de steriele airco die mijn werkplek bij welk weertype dan ook op een constante temperatuur van twintig graden hield. Deze vrijdagochtend eind november was het buiten koud, nat, donker en grauw. Ik zat binnen in mijn zacht verlichte tweede thuis, omgeven door kleurrijke mappen en ordners, geheel volgens de adviezen van de ergonomen die mijn werkgever Preyhard Gunther had geraadpleegd bij de inrichting van het kantoor. Er zijn mensen die adviseren over de beste omstandigheden waaronder kippen een maximaal aantal eieren produceren; bij PG waren de medewerkers de kippen en de declareerbare uren de eieren, en ik was een uitstekende legkip, waardoor ik in aanmerking was gekomen voor een uitschuifbaar bed onder mijn bureau, dat ongewenste statussymbool. In een lade had ik een pyjama en wat toiletartikelen liggen. Tegen de deur hing een complete outfit voor een werkdag, die ik zo nodig direct kon aanschieten. Aan het eind van de gang bevonden zich luxe badkamers met krachtige douchekoppen, en op elk uur van de dag of nacht kon je iets te eten bestellen door de hoorn van de telefoon op te pakken. Dit alles was bedoeld om ons tevreden te houden, ons aan het werk te houden en, wat het belangrijkste was, ons op kantoor te houden.

En ik had het goed gedaan. Ik had nauwelijks een eigen leven. Het hele weekend, elk weekend. Avonden. Vroege ochtenden. De afgelopen twee jaar had ik amper afspraken met vrienden gemaakt en als ik het toch had geriskeerd, had ik ze afgezegd. Ik had theater- en concertkaartjes weggegeven (allemaal cadeautjes van dankbare cliënten, maar toch stak het weleens als er een bedankmailtje kwam waarin de afzender er niet over uit kon dat dit toch wel de voorstelling van het decennium was geweest).

Ik staarde naar het grote telefoontoestel op mijn bureau, wilde eigenlijk Rebecca's mobieltje nog eens bellen, alleen om haar stem te horen. Ten slotte besloot ik haar nummer op kantoor te bellen en ik liet de telefoon overgaan via de speaker, terwijl ik doorging met het opstellen van een uiterst saai maar effectief e-mailtje voor mijn collega van de tegenpartij.

'Dit is het toestel van Rebecca Haworth. Ik zit momenteel niet op mijn plek, maar laat een bericht achter en dan zal ik zo spoedig mogelijk terugbellen. Als u een dringend bericht heeft, kunt u de nul intoetsen waarna u de telefoniste van Ventnor Chase krijgt. Vraagt u dan naar mijn assistente, Jess Barker.'

Minder levendig, beschaafder, even warm, heel zelfverzekerd. Mijn lieve vriendin Rebecca. Mijn oudste vriendin. Op dit moment mijn minst betrouwbare vriendin. Maar ja, wie was ik om haar op dat punt te kritiseren? Ik had de laatste maanden e-mails van haar over het hoofd gezien; ze waren ondergegaan in de zee van werk die met regelmaat elke minuut van elk uur van de dag in mijn inbox werd gestort. Als ik een e-mail niet dezelfde dag afhandelde, was hij voorgoed verloren, werd hij de vergetelheid in gescrold en gearchiveerd door het onverbiddelijke systeem van de firma. Elk uur was declarabel; ik had geen tijd voor persoonlijke mailtjes, hield ik mezelf voor. Ik hoefde me nergens schuldig over te voelen.

Alleen kreeg ik nu, nu ik met haar wilde praten – met haarzelf, niet met een antwoordapparaat –, geen gehoor.

Terwijl ik aan Rebecca dacht klonk de piep en ik sprak een enigszins afgeraffeld bericht in dat ze me moest terugbellen, dat ik aan haar dacht, dat het de hoogste tijd was om elkaar weer eens te zien om bij te praten. Ik stak mijn hand uit naar het toestel en drukte op een knop om het gesprek te beëindigen en voelde een blos opkomen toen ik overdacht wat ik had gezegd en hoe ik het had verwoord. Stom hoor, om aan de telefoon zo weinig zelfvertrouwen te hebben als je algemeen werd beschouwd als een doortastende jurist. Belachelijk dat ik elke keer dat de telefoon ging mijn hart voelde bonzen, dat ik mijn handen heimelijk aan mijn rok moest afvegen voordat ik de hoorn opnam. Maar ik vond het nu eenmaal vervelend. Ik vond het vervelend dat je je zo kon blootgeven tijdens een telefoongesprek. Ik vond het vervelend dat je er soms zomaar kon uitflappen wat je werkelijk dacht. Ik had wel vaker mensen op die manier in de val laten lopen, door uit wat ze door de telefoon hadden losgelaten veel meer te halen dan ze beseften. Ik had suggesties gedaan waarmee ik zaken voor de firma had weten te winnen. Ik behoorde tot de weinigen die wisten dat we bezig waren met een koorddansact die iedereen over het algemeen met succes wist uit te voeren. Af en toe viel er iemand van het koord.

Een koperkleurig hoofd verscheen om de deur.

'Klop, klop. Wil je thee? Die vergadering begint over vijf minuten. Drink eerst even wat. Dan krijg je wat kleur op je wangen.'

'Hoeft niet, Martine. Maar bedankt,' zei ik met een snelle blik in haar richting voordat ik me weer richtte op het scherm voor me.

Martine, mijn secretaresse. Dertig jaar ervaring, acht tinten rood in haar haar, een onuitputtelijke bron van roddels, opgewektheid en ongevraagd advies. Het lag niet aan haar dat ik verstrakte zodra ze mijn kantoor binnenkwam of dat ik haar als enige van mijn collega's nogal intimiderend vond. Ze had juristen zien komen en gaan, en ik was te jong om me er prettig bij te voelen haar te vragen dingen voor me te doen. Ik dacht dat ze me niet mocht en dat ik in haar ogen als jurist niet meetelde. Daardoor werkte ik extra hard en kocht ik dure cadeaus voor haar verjaardag of voor de kerst. Ik borg zelf mijn papieren op en maakte zelf mijn fotokopieën; ik deed mijn uiterste best haar geen werk te verschaffen. En dus verveelde Martine zich en had het op zich genomen de officieuze sociale secretaresse van het hele kantoor te zijn, en mijn ongewenste goede fee.

'Voel je je wel goed?' Ze stond nu midden in de kamer. 'Je ziet zo bleek als wat. Heb je hoofdpijn? Wil je een pijnstiller? Ik heb wel ibuprofen voor je.'

Ik probeerde de pillen met een snel hoofdschudden en een glimlachje af te slaan, maar ze bleef aandringen.

'Ik heb aspirine, want die schijn je elke dag te moeten nemen tegen beroertes; dat zeggen ze tenminste, maar volgende week is het vast weer iets heel anders. Even kijken. Volgens mij zit er paracetamol in de verbanddoos. Maar daar moet je mee uitkijken. Ik heb iemand horen zeggen dat vijf tabletten al dodelijk zijn. Stel je voor, zeg!' Haar gezicht, dat tot in de puntjes was opgemaakt, straalde van genoegen bij de gedachte.

'Ik heb echt niets nodig.'

'Iemand anders heeft misschien wel iets. Ik kan het even vragen. Een van de andere meiden heeft misschien paracetamol met codeïne bij zich. Gebruik je dat weleens? Of mag je geen codeïne nemen?'

Martine had ooit de indruk gekregen dat ik een soort godsdienstfanaat was. Waarschijnlijk kwam dat doordat ik nooit dronk bij gelegenheden die met het werk te maken hadden, of het nu een lunch met collega's was of een avond uit met een cliënt. De kerstborrel van kantoor was geen uitzondering. Ik ging er alleen heen omdat het een slechte indruk zou wekken als ik wegbleef, en ik probeerde me dan zoveel mogelijk op de achtergrond te houden met een glaasje mineraalwater tot ik redelijkerwijs naar huis kon gaan. Martine vond dat onbegrijpelijk en had een reden bedacht die in haar ogen plausibel was. Ik had tenslotte nooit geprobeerd het uit te leggen. Het leek makkelijker om haar gewoon haar eigen idee te laten vormen. Maar het hield wel in dat ik af en toe een belachelijk flutgesprek moest voeren.

'Ik mag best codeïne nemen. Ik bedoel: ik heb er geen behoefte aan, maar als ik dat wel had, zou er niets op tegen zijn.'

'O, dus dat mag je wel? Aha.' Ze keek me schalks aan, alsof codeïne tegen cocaïne aanschuurde, alsof ik erin was geslaagd een achterdeurtje te vinden en heel wat vrolijke uurtjes beleefde op basis van vrij verkrijgbare geneesmiddelen.

Ik zocht ondertussen mijn papieren voor de vergadering bij elkaar. 'Dan ga ik maar. Ik heb alles wat ik nodig heb, hoor. Dank je wel.' Toen schoot me te binnen: 'Als mijn vriendin soms belt – Rebecca, je weet wel –, zou je haar nummer dan willen noteren, zodat ik haar kan terugbellen?'

Haar blik ging direct naar de foto van ons samen die boven mijn bureau aan de muur hing, een foto van jaren terug, toen ik dunner, bleker en misschien zelfs nog zwijgzamer was geweest dan nu, en Rebecca zich op het toppunt van haar jeugdige schoonheid bevond, met rozerode wangen, triomfantelijk juichend na haar examen. Ik stond niet flatteus op de foto – ik keek naar Rebecca, niet naar de camera, met een bedachtzame uitdrukking op mijn gezicht –, maar zij was zo helemaal zichzelf, zo levendig dat ik hem altijd had bewaard om me eraan te herinneren hoe ze was toen ik haar pas kende. Naarmate ze ouder werd was haar schoonheid er niet minder op geworden, maar was haar gezicht wel veranderd, iets fijner geworden, en haar ogen hadden de laatste keer dat ik haar zag droevig gestaan, heel, heel droevig.

'Kun je haar niet te pakken krijgen?'

Martine klonk meelevend, en ik zei dat ik haar inderdaad niet had weten te bereiken. Wat kon ik volgens haar het beste doen?

'Ga bij haar langs,' zei ze direct. 'Klop aan. Je weet toch waar ze woont? Tegenwoordig wordt er veel te veel ge-e-maild, gebeld, ge-sms't, en nemen de mensen nauwelijks meer de tijd voor een persoonlijk gesprek.'

Dit was een van Martines stokpaardjes: het groeiende isolement als gevolg van de moderne leefwijze, en ik maakte me met een gevoel van opluchting uit de voeten naar de vergadering, maar ook met een herboren gevoel van vastberadenheid. Deze keer was Martine eens met een goed idee gekomen. Ik wist inderdaad waar Rebecca woonde, en had zelfs haar huissleutel. Ik besloot na mijn vergadering te gaan en ging voor het eerst in weken opgewekt aan de vergadertafel zitten.

Mijn goede bui bleef de hele weg van mijn kantoor naar de voordeur van haar flat hangen. Ik had op weg van het station haar vaste lijn gebeld, dus ik wist dat ze waarschijnlijk niet thuis was, maar toen ik met mijn sleutel de deur had ontsloten, kwam me een muffe lucht tegemoet en ik kon een huivering niet onderdrukken. De flat was leeg, wist ik al zonder te kijken. De vraag was of ze iets had achtergelaten waaraan te zien was waar ze heen was gegaan, en zo ja, of ik het zou kunnen vinden. Ik had op diverse fronten heel wat tijd besteed aan het opruimen van rommel die Rebecca had achtergelaten. Haar geheimen bewaard. Ik wist dingen van haar die niemand anders wist – die niemand anders hoorde te weten. En omgekeerd wist zij het een en ander van mij.

Ik schudde me los uit mijn overpeinzingen en sloot de deur achter me, trok mijn jas uit en begon te zoeken.

2

Maeve

Het zou niet zo'n nachtmerrie zijn geweest om het ziekenhuis te verlaten als de pers nog niet had opgepikt dat we een verdachte op de intensive care hadden liggen. Zodra de chef bij de achterdeur van het gebouw zijn neus had laten zien, reageerden de journalisten als een meute honden. Vanaf de overkant van de straat, waar de media als in een veekraal achter metalen dranghekken waren bijeengedreven, kwamen hun vragen als een explosie van geschreeuw onze kant op.

'Hoofdinspecteur Godley! Hierheen alstublieft!'

'Hebt u hem te pakken?'

'Is het waar dat u een verdachte hebt gearresteerd?'

Ik glipte zonder dat mijn aanwezigheid werd opgemerkt langs de verzamelde pers en liep op mijn auto af. Ik zou vast wel op het journaal komen, maar alleen mijn moeder en haar vriendinnen zouden me zien. Ik deed doorgaans mijn uiterste best om mezelf niet op tv te hoeven zien. Warrig lichtbruin haar, een strak gezicht, opgetrokken schouders: niets van dat al kwam overeen met het beeld dat ik van mezelf had, maar als ik door het gezichtsveld van een cameraman beende was dat steevast wat er later op het scherm verscheen. Ik hoorde mijn moeder alweer zeggen: Maeve, liever, denk toch eens aan je houding. Ik boog mijn hoofd, keek naar de grond en liep stevig door. Robs schoenen sloegen tegen het asfalt; hij moest flinke stappen nemen om me bij te houden. Het was niet voor het eerst dat ik blij was niet in de schijnwerpers te staan, blij dat alle ogen op Godley waren gericht, ook al had hij er een gruwelijke hekel aan.

Hij mocht dan een hoge functie hebben met veel media-aandacht, toch was hij er niet de man naar om die aandacht op te zoeken. De verklaringen die hij aflegde waren zakelijk, zijn persconferenties verliepen ordelijk, en als hij niets te zeggen had, zei hij ook niets. Maar alles wat hij zei en deed was nieuws, nu zeker. De mate van belangstelling voor de vuurmoordenaar grensde aan hysterie. Godley besteedde veel tijd aan telefoongesprekken met redacteuren van kranten en tv-bazen, waarin hij hun smeekte om een beetje verantwoordelijkheidsgevoel en sensitiviteit te betrachten in de manier waarop ze verslag uitbrachten over deze zaak. We hadden ruimte nodig om ons werk te doen, maar zodra ze de kans kregen, sprongen ze er meteen in. Dat was kennelijk nodig in het belang van het publiek, en als ze bedoelden dat het publiek in de zaak geïnteresseerd was, hadden ze geen ongelijk. Maar het ontging mij hoe speculaties over ons gebrek aan succes in iemands belang konden zijn.

Ik had mijn twijfels of Godley vandaag veel had wat hij kwijt wilde aan de pers. Juist vandaag, omdat het allemaal slecht nieuws was. Een uur eerder was hij vast nog bezig geweest met zijn verklaring voor de persconferentie, waarin het goede nieuws openbaar gemaakt zou worden.

Maakt u zich allemaal geen zorgen meer. Het is voorbij. U kunt zich weer gaan toeleggen op een gezellige kersttijd. Let maar niet op ons; wij gaan een pintje pakken.

Dat alles moest voorlopig nog even wachten. Ik kreeg het koud toen ik eraan dacht waar we heen gingen en wat we daar zouden aantreffen. Weer een lichaam. Weer een vrouw, mishandeld en onherkenbaar verbrand. En wie hij was – en al helemaal waaróm hij dit deed –, was nu even raadselachtig als het vier lichamen eerder al was geweest.

'Gaat het?' Rob had me ingehaald bij de betaalautomaat, waar ik een enorm aantal munten in de gleuf stopte. Zo lang had ik hier toch niet gestaan? Ik peuterde de laatste muntjes van de bodem van mijn tas, uit een oud gescheurd zakdoekje, waarna ik ze chagrijnig in de gleuf duwde. Het apparaat hikte. Ik duwde nijdig op de knop voor een kwitantie en produceerde een glimlachje.

'Natuurlijk. Het hoort allemaal bij het werk, toch?'

'Hallo, je hebt het tegen mij hoor, Kerrigan. Je hoeft je niet groot te houden.'

'Nou ja. Behoorlijk klote, hè?'

'Zeker weten. Ik dacht echt dat het erop zat.'

We deden allebei luchthartig, maar ik wist dat hij hetzelfde voelde als ik. Op de een of andere manier had de korte periode van ontspanning die we net hadden ervaren de misselijkmakende spanning die rondkolkte in mijn maag en zorgde dat mijn kaken zich verkrampten alleen maar verergerd – de spanning die al zo lang marathons van mijn dagen maakte, me van mijn slaap beroofde, me aan het werk hield. Ik had er alles aan gedaan – we hadden er allemaal alles aan gedaan – om ervoor te zorgen dat dit niet nog eens zou gebeuren. En we hadden gefaald.

'Jézus. Fraai geparkeerd.'

De auto stond schuin over twee parkeerplaatsen. 'Ik had haast, oké?' Ik haalde de deuren van het slot. 'Stap in en houd je koest, anders ga je maar lopen naar… Waar is het?'

'Stadhampton Grove. Ergens achter de Oval-cricketvelden. Die liggen in een industriegebied.'

'Weet jij hoe we daar moeten komen?'

'Beschouw mij maar als je TomTom voor dit ritje.'

'Eerder als Tom Poes,' mompelde ik grinnikend voordat ik wegreed van de parkeerplek. Nou ja, de parkeerplekken.

Het verkeer was drukker geworden in de tijd die ik in het ziekenhuis had doorgebracht, en het rijden van Kingston naar de Oval was een martelgang. Zodra we onderweg waren was Rob Kev Cox gaan bellen, die al op de plaats delict was. Hij stond aan het hoofd van het forensisch team en had de leiding gehad op de laatste vier plaatsen delict; als je iemand zocht die alles onder controle kon houden, moest je Kev hebben. Ik had hem nog nooit anders dan heel ontspannen gezien. Ik wist niet eens of het wel mogelijk was hem uit zijn evenwicht te krijgen.

'Wie heeft het gevonden? Hij liep er dus toevallig langs? Heeft de uniformdienst zijn gegevens genoteerd? O, hij is er nog? Mooi zo.'

Ik ving Robs blik op en tikte op mijn horloge. Hij snapte direct wat ik bedoelde.

'En hoe laat was dat?'

Hij had zijn notitieblok op zijn knie liggen; het balanceerde op een dikke stratengids van Londen, die op een totaal verkeerde blad-zijde opengeslagen lag, zag ik. Aan zo iemand had je wat. Hij krab-belde '03.17' in grote cijfers neer en hield zijn blok schuin zodat ik het kon zien. Dat maakte de zaak rond. Niet dat ik echt had getwijfeld aan Victor Blackstaffs onschuld.

'Geen spoor van iemand anders, zeker? Niks achtergebleven? In-derdaad, hij maakt gewoon geen fouten. Hoe lang zit er tussen deze en de vorige?'

Dat had ik hem wel kunnen vertellen. Zes dagen. En daarvoor twintig dagen. En daarvoor drie weken. Iets meer dan drie weken tussen de eerste en de tweede. Hij ging sneller werken en dat was fou-te boel. Hoe minder tijd we hadden tussen twee moorden in, hoe waarschijnlijker het was dat er nog meer vrouwen zouden sterven.

Anderzijds moest er een reden zijn dat hij vaker was gaan moor-den. Misschien voelde hij zich opgefokt. Ontregeld. Misschien be-gon hij zijn zelfbeheersing te verliezen en zou hij fouten gaan maken.

Maar tot nu toe was dat niet het geval geweest.

Rob vroeg Kev wie er nog meer op de plaats delict aanwezig wa-ren, maar ik luisterde niet meer en concentreerde me op het verkeer. Toen hij uiteindelijk ophing, wendde hij zich tot mij. 'Hoeveel heb je daarvan meegekregen?'

'Het belangrijkste. Niet dat stuk waarbij je zat te vissen naar wat de concurrentie aan het doen was.'

Hij was zo fatsoenlijk beschaamd te kijken. 'Ik wil gewoon graag weten met wie ik ga samenwerken.'

'Onzin. Je wilt gewoon weten wie er nog meer probeert de aan-dacht van de baas te trekken.' En ik weet dat omdat ik precies zo ben, dacht ik.

'Nog geen spoor van Belcott.' Hij kon een triomfantelijke grijns niet onderdrukken. Peter Belcott was een van de meest irritante teamleden: ambitieus, meedogenloos, een hork als je hem de kans gaf. Veel te gretig. Meestal overal bij aanwezig. De gedachte dat hij deze keer had liggen slapen gaf ons wel wat voldoening.

Ik tikte op de plattegrond. 'Kom op, concentreer je eens. Welke kant moet ik op?'

Hij tuurde naar de straatnaambordjes, vervolgens naar de kaart, en sloeg haastig de bladzijden om toen hij besefte dat hij naar Poplar in plaats van Vauxhall zat te kijken.

'Linksaf bij de verkeerslichten. Nee, rechtdoor.'

'Zeker weten?'

'Zeker weten,' zei hij, maar zo klonk het niet. Ik ging er toch maar in mee, en voor zover ik wist hadden we de rest van de rit maar twee keer de verkeerde weg genomen.

Omdat wij niet waren lastiggevallen door de media, kwamen we ruim voor Godley aan in Stadhampton. We lieten met een snel gebaar onze recherchepas zien aan de politieagent bij de afzetting.

'We hebben deze keer in elk geval een gezekerde plaats delict. Dat is al heel wat,' merkte Rob op.

Ik knikte en parkeerde achter een politiewagen. 'Ik zou niet graag nog een keer zoiets als bij Charity Beddoes willen meemaken.'

Dat was een blunder van de allerhoogste orde geweest. Het was de vierde moord, en het lijk was in Mostyn Gardens gedumpt, tussen Kennington en Brixton. De agenten die op de oproep hadden gereageerd, hadden direct de kenmerken van de vuurmoordenaar gezien. Ongelukkigerwijs had een van hen een leuke bijverdienste aan het tippen van een journalist van de pulppers, die nog voor de komst van de forensische recherche met een videocamera ter plaatse was. Scotland Yard had zeer snel moeten ingrijpen om te vermijden dat er bewegende beelden van het lichaam en de plaats delict zouden worden uitgezonden op de 24 uursnieuwszenders; als je ernaar zocht waren ze wel op internet te vinden, hoewel we ze steeds probeerden te laten verwijderen als ze weer opdoken. Het forensisch bewijsmateriaal was hopeloos vervuild. Er was een vrouw gestorven en we waren niets wijzer geworden wat ons zou helpen bij de jacht op de moordenaar. En dat allemaal omdat de een of andere oen er wel voor in was geweest iets bij te verdienen.

De plek waar we moesten zijn was makkelijk te vinden; de forensische recherche was er al en was bezig schermen en lampen te plaatsen rondom een stuk zwartgeblakerd gras op een braakliggend terrein, een meter of honderd verwijderd van waar we de auto hadden neergezet. Een lange, slungelige man in een overall stapte behoedzaam om het stuk dat ze hadden afgebakend heen; zijn aandacht was gericht op de plek waar het lichaam wel zou liggen.

Rob zag hetzelfde als ik. 'Glen is er al.'

'Ik zie het, ja. Dat zal Godley prettig vinden.'

Glen Hanshaw was de forensisch patholoog die alle vier de andere slachtoffers had onderzocht. Hij was ook een van de beste vrienden van de hoofdinspecteur. Ze waren ongeveer van dezelfde leeftijd en werkten al een eeuwigheid samen, en hadden lange dagen gemaakt ten behoeve van de meeste zaken waaraan Godley zijn reputatie te danken had. We hadden staande orders om altijd dokter Hanshaw op te roepen bij een plaats delict. Een jaar of twee geleden zat hij op Cyprus ten tijde van een van Godleys moordzaken, en toen was hij met de eerstvolgende vlucht teruggekomen. De vakantie met zijn gezin had hij toen ogenschijnlijk opgelucht afgebroken. Ik had nog voor geen miljoen mevrouw Hanshaw willen zijn, niet in het minst omdat die kalende patholoog met zijn haakneus me altijd zo onzeker maakte. Hij had de gewoonte langs je heen te kijken als je met hem praatte, alsof alles wat je zei zo voorspelbaar en saai was dat hij voordat je je laatste vraag had geformuleerd in zijn eigen hoofd al lang helemaal klaar was met het gesprek. Ik vond het niet prettig als iemand me het gevoel gaf dat hij me dom vond, en dat is wat dokter Hanshaw me elke keer flikte. Ik nam aan dat hoofdinspecteur Godley meer vertrouwen in zijn eigen intellect had dan ik.

Dokter Hanshaw was intens geconcentreerd bezig, en hij keek dan ook niet op toen Rob en ik naar hem toe liepen, volgens Kev Cox' instructies over het algemene toegangspad dat de technische recherche had afgezet in het schrale winterse gras. Ze hadden een plastic platform neergelegd waar we van hun leidinggevende op mochten gaan staan; ik stapte er behoedzaam op en toen Rob naast me kwam staan, voelde ik het doorbuigen onder zijn gewicht.

Het had geen zin dokter Hanshaw gedag te zeggen. We hadden er net zo goed niet kunnen zijn. Zijn assistente Ali stond vlak bij ons en maakte aantekeningen van wat hij zei.

'Het lichaam ligt op de rug in een ondiepe kuil en vertoont tekenen van geweld gepleegd voor en na het intreden van de dood. Het is kennelijk een vrouw, maar een schatting van haar leeftijd zal moeten wachten tot de obductie.' Hij knielde neer. 'Ledematen opgetrokken tegen de torso, maar ik vermoed dat ze oorspronkelijk plat op haar rug lag; het zullen spiercontracties door de hitte zijn geweest. Zie de boksershouding, de klauwende handen. Klassieke kenmerken van blootstelling aan hoge temperaturen.'

De huid van de vrouw was zwartgeblakerd, gebarsten en verminkt, met rood-witte plekken waar de onderste huidlagen waren blootgelegd. Ze was verbrand door het vuur, maar niet van top tot teen; volgens de deskundigen was het moeilijk om een menselijk lichaam zonder hulpstoffen in brand te krijgen, maar je kon beslist een hoop schade toebrengen. Ze droeg wat eruitzag als de restanten van een dure jurk. De jurk was oorspronkelijk zwart geweest, met lange mouwen, en had een diagonale snit vanaf de hals tot heuphoogte. Een jas had ze niet aan, hoewel de nacht koud was. De stof van de jurk was bij haar middel geplooid en tot een roos gedraaid, die stug had geweigerd te verbranden. De jurk was een wonder qua ontwerp en coupe en zou haar slanke figuurtje bij leven zeker hebben geflatteerd, en nog zat hij even strak en glad om haar heen, hoewel de jurk gescheurd en verbrand was, en vol vlekken zat. Ze had hoge-hakschoentjes van zwart laklleer met smalle bandjes gedragen. Een ervan was uitgegaan en lag op zijn kant naast haar. Er zat aarde op haar wreven en de dunne huid van haar enkelgewricht was kapot. De handen waarover dokter Hanshaw zijn opmerking had gemaakt, lagen zwartgeblakerd en gekromd vlak onder de kin van de vrouw, alsof ze had geprobeerd de vlammen af te weren. Ik slikte en mijn gedachten waren opeens vervuld van vuur, van angst, van pijn. Ali – je zou denken dat ze veel te chic en te mooi was om op dat uur van de ochtend naast een stoffelijk overschot te staan – zag bleek.

'Was ze al dood toen het vuur werd aangestoken?'

Hij haalde een klein zaklampje tevoorschijn en scheen ermee in de mond en de neus van het lichaam, nadat hij de onderkaak zachtjes omlaag had getrokken. 'Geen tekenen van inhalatie. Ik zou zeggen van wel, maar we moeten de longen nog onder de microscoop bekijken.'

De zaklantaarn verdween in zijn zak en hij stak zijn in witte handschoenen gestoken handen uit om door het dof geworden blonde haar op het hoofd van het slachtoffer te woelen, daarbij klitten opzij

51

trekkend zodat hij kon voelen wat eronder zat. 'Schedelbreuken,' zei hij onverstoorbaar. 'Allemaal op het achterhoofd. Geen trauma aan de gelaatsbeenderen of het weefsel van het gezicht voordat de dood is ingetreden. De verwondingen aan het gezicht zijn schroeiplekken.'

Dat was iets nieuws. Ik boog me voorover en probeerde te zien wat hij Ali aanwees. De andere slachtoffers waren tot moes geslagen voordat hij ze in brand had gestoken. De vuurmoordenaar had zijn best gedaan om hun gelaatstrekken onherkenbaar te maken door het breken van beenderen en kraakbeen, en door huid en spieren open te rijten, zodat ze er afschuwelijk en op de een of andere manier onderling verwisselbaar uitzagen. Hij had ze tot iets gemaakt wat ze eerder niet waren; hij had ze een nieuwe vorm gegeven. Ze moedwillig kapotmaken droeg bij aan zijn plezier.

'Misschien is hij gestoord voordat hij tot het gebruikelijke ritueel kon overgaan,' opperde Rob.

'Hij had anders wel genoeg tijd om haar in brand te steken.'

De patholoog draaide zich snel om en staarde ons aan. 'Het lijkt me verstandiger om te wachten met speculaties tot het onderzoek is afgerond, denken jullie niet? Of moet ik even uit de weg gaan, zodat jullie zelf een oordeel over het lichaam kunnen vormen?'

'Sorry,' zei ik opgelaten. Naast me hoorde ik Rob iets mompelen. Het geluid van naderende voetstappen was een welkome afleiding.

Hanshaw keek langs ons heen en zijn frons verdween. Hij hief zijn hand op en maakte een saluerend gebaar. 'Hé, Charlie.'

'Goeiemorgen Glen. En, wat hebben we hier?' De hoofdinspecteur stond naast me en luisterde met een ernstig gezicht naar Hanshaws verslag van zijn bevindingen. Ali volgde zijn relaas met haar blik gericht op haar aantekeningen, klaar om hem te souffleren, maar de patholoog vergat niets. Hij vergat nooit iets.

'Ik neem aan dat je wilt dat ik dit lijk ga vergelijken met de andere die we op het conto van jullie rondwarende seriemoordenaar hebben geschreven,' zei Hanshaw tot besluit. 'Er zijn duidelijk bepaalde punten van verschil. De schade aan het gezicht is zeer gering. We hebben ook geen aanwijzingen dat de handen vastgebonden zijn geweest. Geen sporen van ligaturen, geen tape, niets wat hij kan hebben gebruikt om haar vast te binden. Maar we hebben wel een afdruk van een stungun – hier.' Hij tilde haar haar op, waardoor een kleine brandplek op haar schouder zichtbaar werd.

Die stungun was een van de kenmerken van de vuurmoordenaar; dat detail hadden we vrijgegeven om potentiële slachtoffers te waarschuwen. Een stroomstoot uit een stungun maakt iemand tot een willoos, verlamd slachtoffer, en is schrikbarend makkelijk toe te dienen. En er is ook makkelijk aan te komen, hoewel ze illegaal zijn. We hadden afbeeldingen van dergelijke wapens verspreid in de hoop dat iemand zich zou herinneren een man met zo'n ding te hebben gezien.

Maar we hadden de pers niet laten weten dat de seriemoordenaar die we zochten een kenmerkende methode gebruikte om de handen van zijn slachtoffers vast te binden: met de handpalmen naar buiten, duim naast duim aan borstzijde, waarbij hij een merkloos bloemistentouw hanteerde, dat in hun vlees drong. Hij ging elk risico dat ze zich konden verweren uit de weg. Maar de handen van deze vrouw lagen los. Hij had deze vrouw, wie ze ook was, in bedwang weten te houden. Eigenlijk had het hem moeilijker en niet makkelijker moeten afgaan. Hij moest een doodsbang slachtoffer tegenover zich hebben gehad, een vrouw die wanhopig aan een zekere dood probeerde te ontsnappen. Het verrassingselement – de hoop te overleven – had inmiddels verdwenen moeten zijn.

'Andere dingen die ons opvallen: de positie van het lichaam. Hij heeft zich met veel meer beleid ontdaan van het lijk. De anderen wekten de indruk op de grond te zijn gegooid – de kleding was verschoven, schaafwonden enzovoort. Mijn inschatting is dat dit lichaam vrij zorgvuldig is neergelegd. Bovendien ligt ze met haar gezicht naar boven – de vorige twee lagen voorover.'

Ik zag beelden voor me van gespreide benen, half gedraaide bovenlichamen, zwartgeblakerde kleding en bomen.

Hanshaw voltooide snel en vakkundig zijn onderzoek. 'Ik heb geen identiteitsbewijs op of bij het lichaam aangetroffen – geen tas, niets in haar zakken.'

'Sporen van aanranding?'

Hij schudde zijn hoofd. 'Op het eerste gezicht niet. Het ondergoed zit nog op z'n plaats. Het zal bij deze wel net zo zijn als bij de anderen.'

De psychologen hadden ons verteld dat de man die we zochten geen gewone aanrander of verkrachter was. De kick ervan wond hem enorm op, maar dat hield niet in dat hij de vrouwen die hij vermoordde wilde verkrachten – juist niet. Hij verachtte ze, werd ons verteld. Hij haatte zowel de vrouwen als waar ze voor stonden. Hij kanaliseerde zijn razernij door geweld. Bij geen van de slachtoffers waren sporen van een seksueel misdrijf aangetroffen. De lust van onze moordenaar werd volkomen bevredigd door bloed, door brekende beenderen, door verkolend vlees en oplaaiend vuur. In zekere zin werd het daar allemaal nog erger van. Het ging mijn voorstellingsvermogen te boven.

Er was nog iets wat me niet lekker zat. 'Hij lijkt niets te hebben meegenomen. Of het moet haar jas zijn geweest.'

'Wat?' Godley wendde zich tot mij, zijn blauwe ogen alert.

'Ze heeft allebei haar oorknopjes nog in.' In het licht van de booglampen glommen gouden knopjes in haar oren. 'En haar horloge is er nog. Haar ring.' Aan de rechterhand van de vrouw zat een ring met rondom amethisten en diamanten.

'Misschien heeft hij een halsketting meegenomen, een hanger of zo,' opperde Rob.

'Nee.' Ali zei het op hetzelfde moment als ik, met overtuiging in haar stem. 'Die had ze vast niet om, niet bij zo'n halsopening.'

'Meer zou ze niet nodig hebben gevonden,' viel ik haar bij, en ik glimlachte naar de assistente van de patholoog, blij dat ze het met me eens was. Ik kreeg een koele blik terug. Die Ali was niet erg toegankelijk, en ik was er nog nooit in geslaagd gewoon een praatje met haar te maken. Ze was de schepping van haar baas; haar nauwelijks verholen vijandigheid kwam exact overeen met de zijne.

Godley, die naar het lichaam had staan staren alsof hij het eigenlijk niet zag, alsof hij er eigenlijk niet bij was, kwam terug uit zijn overpeinzingen. 'Geen kans op vingerafdrukken, neem ik aan.'

De patholoog tuurde naar de verschrompelde, verwrongen handen en schudde zijn hoofd. 'DNA-identificatie, zou ik zeggen. Of we kunnen de gebitsgegevens vergelijken als iemand de moeite neemt haar als vermist op te geven.'

Maar dat zou dagen duren, dat hoefde hij niet te zeggen. Een DNA-onderzoek zou sneller zijn, als ze in het databestand zat. Ik hoopte het. We hadden wel een meevaller verdiend. De media zouden overlopen van kritiek als het tot hen doordrong dat er een nieuw slachtoffer was. Het was niet eerlijk; we hadden dagenlang, nachtenlang beelden van beveiligingscamera's geanalyseerd, zedendelinquenten uit de omgeving verhoord, gesprekken met reclasseringsambtenaren gevoerd over mensen die onder hun toezicht vielen, mannen die alleen over straat liepen aangehouden en gefouilleerd. Ik had zelf urenlang buurtonderzoek gedaan, zonder enig resultaat. We hadden flyers in openbare gebouwen en bedrijven in de buurt neergelegd. Er waren wegversperringen geplaatst, we hadden getuigen verzocht zich te melden, persconferenties gehouden. En het had ons niets opgeleverd.

Godley wendde zich tot ons. 'Oké. Rob, ik wil dat jij gaat praten met de agenten die als eersten ter plaatse waren. Maeve, kun jij gaan praten met degene die haar heeft gevonden? Zoek uit of ze iets hebben opgemerkt waar we wat aan hebben. Ik rond het hier wel af.'

'Prima,' zei Rob rustig, en hij draaide zich om om weg te lopen. Ik wachtte even alvorens me bij hem aan te sluiten, wetende dat ik anders niet meer de kans zou krijgen de plaats delict te bekijken nu hij nog intact was. Foto's waren toch anders. En er klopte iets niet aan, er knaagde iets in mijn achterhoofd, maar ik kon er niet de vinger achter komen wat dat was.

Na een laatste lange blik gaf ik het op en liep op mijn volstrekt ongeschikte schoenen behoedzaam over het gras weg om geen enkel te verzwikken. Toen ik weer bij de auto's aankwam, was Rob al diep in gesprek met een stel geüniformeerde politieagenten; ondertussen maakte hij aantekeningen. Ik herkende een van de twee; hij had vanuit hetzelfde bureau gewerkt als ik toen ik in mijn eerste jaar dienst op straat deed. Ik kon me zijn naam niet herinneren en beperkte me dus maar tot een kort knikje in zijn richting, blij dat Rob opdracht had gekregen met hen te praten en niet ik.

'Waar is mijn getuige?'

De twee agenten wezen met hun duim in de richting van de politieauto die achter hen stond. Er zat een schimmige figuur achterin met de portieren op slot, zodat hij niet kon ontsnappen.

'Hebben jullie hem gearresteerd?' Ik was verbaasd.

'Scheelt niet veel,' zei degene die ik kende grinnikend.

'Je zult je lol wel op kunnen met hem,' zei de andere agent. 'Ik heb nog nooit iemand meegemaakt die zo weinig te vertellen had.'

'Hoe dat zo?'

'Je zult wel zien. Niet bepaald een coöperatieve getuige.' Hij was oud en ervaren genoeg om er heel wat te hebben meegemaakt.

'Opzettelijk obstructief?'

'Misschien heb je meer geluk dan wij.'

Ik begreep niet waarom hij dat zou denken en fronste mijn wenkbrauwen. 'Hoe heet hij?'

'Michael Joseph Fallon, voor jou Micky Joe. Het is een IC7.'

'Aha.' Het begon me te dagen. Er zat geen officiële kwalificatie IC7 in het landelijke computersysteem van de politie; het was een officieuze aanduiding onder collega's voor woonwagenbewoners. 'En je denkt dat hij tegen mij wel zijn mond zal opendoen, omdat…?'

'Je bent toch Iers? Jullie Ieren kunnen altijd met elkaar overweg.'

'Geweldig,' zei ik mat. Mijn naam sprak boekdelen – die en mijn wilde haardos, typisch Iers, was me verteld. Vanaf de allereerste dag dat ik het bureau Hendon had betreden, hadden ze me Pieper genoemd, had ik grappen moeten aanhoren over hoe stom de Ieren wel niet waren, en Riverdance helemaal, godsamme. Het was allemaal te onnozel voor een officiële aanklacht, maar ik vond het heel vervelend. Ik was opgegroeid in Engeland en had gewoon een Engels accent, maar toch viel ik buiten de groep, en dat lieten ze voortdurend merken. Ik vond het geen enkel punt om mijn reputatie van felle meid hoog te houden, maar die had me weleens problemen bezorgd, en de laatste tijd probeerde ik me zoveel mogelijk te beheersen, dus liet ik het er deze keer maar bij zitten.

Rob schonk me een zonnige grijns die beter dan woorden uitdrukte: ik ben blij dat ik niet in jouw schoenen sta. Ik bedwong de neiging mijn tong uit te steken en liep naar de auto.

Micky Joe Fallon was vijfentwintig jaar, werd niet gezocht voor enig misdrijf, was onlangs vrijgekomen na een gevangenisstraf van twee jaar voor inbraak en had overduidelijk spijt van de vlaag van maatschappelijk verantwoordelijkheidsbesef die hem het alarmnummer had laten bellen na het vinden van het lijk van een vrouw dat lag te smeulen in het gras. Ik liet hem achter uitstappen en bleef tegen de kofferbak van de politieauto geleund staan terwijl ik mijn best deed vriendelijk over te komen.

'Kun je me in je eigen woorden vertellen wat er is gebeurd?'

'Ik weet niet wat jullie van me moeten, ik ben eerlijk tegen jullie geweest,' zei hij binnensmonds. Hij had een verfomfaaid zwart petje diep over zijn ogen getrokken, en hoewel het een koude ochtend was droeg hij een hemd met korte mouwen, waaronder zijn trillende armspieren goed zichtbaar waren.

'Je hebt ons prima geholpen, maar ik heb nog een verklaring nodig. Dat is de normale gang van zaken.' Hij draaide zich af terwijl ik tegen hem praatte. 'Je zit niet in de sores. Vertel me maar gewoon wat je hebt gezien en daarna kun je gaan.' Het was bijna woordelijk wat ik tegen Kelly Staples had gezegd. Deze keer was ik er redelijk zeker van dat het waar was wat ik zei.

Hij was al vroeg van huis gegaan, vertelde hij me, op zoek naar zijn hond, want die was weggelopen.

'Eerst zag ik rook en toen ging ik kijken wat het was.'

'Heb je iemand gezien?'

Hij schudde zijn hoofd.

'En wat heb je toen gedaan?'

'Even rondgekeken. Toen ik eenmaal had gezien wat… het was.'

'Brandde het vuur toen al lang?'

'Weet ik niet. Maar het rookte wel. Ik kon het daarvandaan al ruiken.' Hij wees. 'Eerst dacht ik dat het een barbecue was.'

Ik trok van weerzin mijn neus op, hoewel hij eigenlijk gelijk had. Het was nog steeds heel licht te ruiken.

'En je hebt geen auto's gezien, of een andere wandelaar?'

'Helemaal niks.' En al had hij wat gezien, dan nog zou hij het mij niet aan mijn neus hangen.

'Hebben we je adres?'

Hij gaf het me nogmaals, op norse toon. 'Mag ik weg?'

'Ik zou niet weten waarom niet,' zei ik gelaten, en ik keek hem na toen hij de weg overstak en verdween.

'Heb je iets bereikt?' Het was een van de geüniformeerde agenten die ik had gesproken, degene die ik niet kende, en ik glimlachte naar hem, maar wel met opeengeklemde kaken.

'Niet echt. Hij had niet veel te vertellen. Zelfs niet aan mij.'

'Zo zie je maar dat een mooi uiterlijk niet altijd helpt,' merkte de ander op.

'Wat bedoel je daar nu weer mee?'

'Niks hoor. Alleen dat het voor sommige mensen lastiger is om bij de moordbrigade te komen dan voor anderen.'

Ik voelde me knalrood worden; het was niet voor het eerst dat ik zo'n opmerking hoorde, maar meestal werd het niet zo schaamteloos geformuleerd. De andere agent lachte en verborg zijn lach achter een kuchje. Ik kon niets terugzeggen, althans niet wat ik eigenlijk wilde zeggen. Het negeren was de beste optie. Maar dat hield niet in dat ik er blij mee moest zijn, en zachtjes vloekend maakte ik me uit de voeten.

'Hoe ging het?'

Ik keek van opzij boos naar Rob, die me had ingehaald. 'Prima hoor, bedankt.'

'Dat is gek, want je ziet er totaal opgefokt uit.'

'Hoe bedoel je?'

Hij liet zijn blik over mijn gezicht gaan. 'Je ziet rood. Je haar zit helemaal in de war. En als je kwaad bent krijg je zo'n leuk wit rimpeltje over je neusbrug.'

Hij strekte zijn vinger naar me uit alsof hij het wilde aanraken en ik trok snel mijn hoofd terug, zodat hij er niet bij kon. 'Raak me niet aan, Langton, of ik doe jou aan wat ik die twee daar had willen aandoen.'

'En wat is dat precies? Je weet maar nooit, misschien vind ik het lekker.'

'Iets waarvoor ik zeker een intern onderzoek op mijn nek zou krijgen als ze een klacht zouden indienen.'

'Nou, daarvan heb je er al genoeg. Ik ken niemand die zoveel flauwekulklachten aan zijn broek heeft gekregen.'

'Vertel mij wat. Het heeft niets te maken met de manier waarop ik me gedraag.'

'Dat zou ik niet dúrven zeggen.' Rob keek over mijn schouder en zijn glimlach verdween. 'Er komt narigheid aan.'

Narigheid in de vorm van de gedrongen gestalte van rechercheur Belcott. Peter Belcott, ook wel Peter Belcock genoemd, wiens voornaam nooit, maar dan ook nooit werd afgekort tot Pete. Narigheid omdat hij een absolute gave had om mensen te ergeren en een aangeboren onvermogen om in een situatie het juiste te zeggen. Ik draaide me om en groette hem zonder enig enthousiasme en het viel me weer op hoe ontzettend onaantrekkelijk hij was: klein en gedrongen, een pruilmond.

'Ik hoor dat jullie het vanochtend al druk hebben gehad. Is alles nu geregeld? De verdachte in bewaring gesteld?' Hij had een zeurderige stem die extra onaantrekkelijk klonk als hij er een geringschattend toontje aan toevoegde.

'Rot toch op, Peter,' zei Rob jolig.

'Dat zou je wel willen, hè? Maar de baas heeft me persoonlijk gebeld.' Hij ging even op zijn tenen staan en stak zijn borst vooruit, zodat hij deed denken aan een kleine dikke duif in de rui. 'Hij heeft me verzocht langs te komen om gebruik te maken van mijn expertise. Kennelijk heeft hij toch niet zoveel vertrouwen in jullie beiden als jullie misschien wel denken.'

Ik geloofde hem absoluut niet. De man was er altijd op uit zich ten koste van anderen op de voorgrond te stellen; als ik alles wat hij zei klakkeloos had aangenomen, zou ik inmiddels denken dat hij elk moment kon worden voorgedragen voor de functie van hoofdcommissaris.

'Godley zei dat jullie me op de hoogte zouden brengen van deze zaak. Wat weten jullie al?'

Ik deed in het kort verslag van de bevindingen. Er waren niet veel feiten te vertellen, maar speculaties waren er te over. Onwillekeurig raakte ik geboeid door wat ik zei. 'Een belangrijke vraag is waarom hij van zijn vaste methode is afgeweken. Ik bedoel: hij lijkt niets te hebben meegenomen. Haar handen zijn niet vastgebonden. Dit is geen park, zoals bij de vorige moorden.' Ik keek om me heen en rilde; het was een uitermate deprimerend stuk grond, dat omgeven was door gebouwen van een industrieterrein met hoge muren en waarop niemand zicht had. Alle beveiligingscamera's die ik kon zien waren de andere kant op gericht, naar de gebouwen waar ze bij hoorden. Die zouden ons niet veel opleveren.

Belcott haalde zijn schouders op. 'De gebruikelijke methode deed hem niets meer. Nou en? Het gedrag van seriemoordenaars escaleert vaak.'

'Dit is juist geen escalatie,' wierp ik tegen. 'Dit is eerder minder gewelddadig.'

'Die vent is geen robot,' merkte Rob op. 'Soms verloopt iets niet volgens plan. Zelfs bij een moordenaar die wel erg veel geluk lijkt te hebben.'

'Praat me niet van geluk.' Hoofdinspecteur Godley was bij ons komen staan en leek ongewoon prikkelbaar. 'Hij heeft ongelooflijk veel mazzel. We weten niet eens wie dit laatste slachtoffer is.'

'Het is ook vreemd dat hij van zijn methode is afgeweken. Je zou verwachten dat hij meer in plaats van minder gewelddadig zou worden.'

Mijn woorden, nu uitgesproken door Peter Belcott. Ik had hem ter plekke kunnen vermoorden. Het verbaasde me eigenlijk wel dat mijn blik hem niet doodde.

'Ja. Dat vind ik ook belangwekkend.' De hoofdinspecteur keek me vluchtig aan. 'Wil jij hier blijven tot het lichaam wordt weggehaald?' Nog voordat ik kon knikken had hij zich al afgewend. 'Rob, ik wil graag dat jij Tom Judd opzoekt en hem helemaal op de hoogte brengt. Ik heb hem naar huis gestuurd om zich om te kleden en wat te eten; bel hem op en informeer of hij al zover is dat hij weer aan het werk kan gaan. Zo ja, haal hem dan op. Peter, ik ga terug naar de afdeling. Rijd met me mee, dan kunnen we onderweg de verschillen doornemen.'

Er zat een extra huppeltje in Belcotts loopje toen hij in de pas met de hoofdinspecteur wegliep. Ik schrok toen Rob zijn arm op mijn schouders legde.

'Je leert het ook nooit, hè? Vertel je goede ideeën nooit aan Belcock. Of je moet hem promotie willen bezorgen.'

Ik dook weg vanonder zijn arm. 'Hoe vaak heb ik je niet gevraagd niet aan me te zitten?'

'Reageer je niet op mij af, zeg,' protesteerde hij lachend.

'Ik kan gewoon niet geloven dat ik hier moet blijven.' Ik stak mijn handen diep in mijn jaszakken en rilde. De dag was al aangebroken, maar de hemel was nog steeds staalgrijs van de zware wolken die regen voorspelden. 'Zo word ik doodziek.'

'Probeer warm te blijven,' zei Rob terwijl hij achterwaarts van me vandaan liep. 'Maak een vuurtje of zo.'

'Ha, ha. Leuk hoor.'

Ik keek hem na en wenste dat ik met hem of met Godley mee kon, of waar dan ook heen. Maar ik had opdracht gekregen te blijven wachten en dat zou ik dus ook doen, totdat arme anonieme slachtoffer was weggebracht of tot ik zou zijn doodgevroren – afhankelijk van wat er als eerste zou gebeuren.

Toen ik weer terug was op de afdeling en de verhoudingsgewijs gerieflijke omgeving van mijn bureau had opgezocht, was mijn humeur tot het nulpunt gedaald. Niemand had daar op me zitten wachten; mijn afwezigheid was niemand opgevallen. Tijdens mijn nutteloze wachtdienst op de plaats delict, waar de temperatuur bij het vorderen van de dag rond het vriespunt was blijven hangen, waren ze me gewoon vergeten. Ik had totaal geen gevoel in mijn voeten, de huid van mijn gezicht was schraal en er zat een flinke knoop in mijn maag. Ik had nog niet eens ontbeten en het liep al tegen tweeën.

Ik had staan kijken toen er iemand van de technische recherche blozend van opwinding was komen aanrennen om Kev Cox te vertellen dat hij twee straten voorbij het industrieterrein ergens in een voortuin een daar neergegooid benzineblik had gevonden. Ik had staan wachten toen de zwarte bus van het mortuarium achteruit in positie werd gemanoeuvreerd om het lichaam van de dumpplek weg te halen. Ik had staan turen naar de media in de vorm van een stel helikopters die bijna onzichtbaar tegen de grijze lucht boven ons rondcirkelden, en naar de cameraploegen die een hoogwerker hadden gehuurd om een mobiel uitkijkpunt te kunnen bemannen. De resterende pers was ruim achter het cordonlint gehouden, en alleen daardoor was mijn situatie te verdragen. Terwijl ik daar stond was ik wel tot de conclusie gekomen dat we pas iets te weten zouden komen over de omstandigheden waaronder ons slachtoffer aan haar einde was gekomen als we hadden uitgezocht hoe ze had geleefd. Zoals bij alle moorden gepleegd door de vuurmoordenaar waren we er ook hier pas aan het eind van het verhaal bij betrokken geraakt. We moesten de rest invullen om te begrijpen wat er was gebeurd – wie ze was, waar ze was geweest, waar ze haar moordenaar was tegengekomen, hoe hij haar had onderworpen en waar en wanneer hij haar had vermoord. Te veel onbekende factoren, en het enige wat ik zeker wist was dat er weer een vrouw was gestorven.

Ik leunde achterover en riep een van de oudere rechercheurs van de afdeling, die zat te lezen in een vroege uitgave van de *Evening Standard*, waarin op bladzijde 1, 3, 4, 5, 19 en op de middenpagina's een verslag stond van de laatste activiteiten van de vuurmoordenaar. MOORDENAAR LONDEN SLAAT WEER TOE. En op bladzijde 3: POLITIE STAAT VOOR RAADSEL. Staat voor raadsel, dat klopte wel, ja.

'Sam, is er al iets bekend over het DNA van het laatste slachtoffer?'

'Nee, nog niets,' antwoordde hij zonder op te kijken.

'Zou je er misschien even over willen bellen?'

Dat leverde me een indringende blik over zijn leesbril op.

'Worden we ongeduldig?'

'Een beetje wel,' gaf ik toe. 'Maar als we te weten komen wie ze is, kunnen we gaan kijken waar ze woonde. Een achtergrondplaatje maken.'

'Klinkt opwindend.'

'Ja, vind je ook niet?' zei ik opgewekt, alsof ik wat hij zei letterlijk had opgevat. Sam Prosser raakte nergens opgewonden van, maar hij wist het lab om zijn vinger te winden; ze konden hem daar niet weerstaan. Als ik zelf belde, waren ze nooit erg behulpzaam. Ik moest nog veel leren.

'Dag schat, met wie spreek ik? Anneka? Met Sam, Sam Prosser van operatie Mandrake.' Sams stem klonk altijd al hees, maar hij sprak nu nog wat lager, zodat hij klonk als Barry White met het accent van oostelijk Londen. Het was meer dan een karikatuur. 'Niet gek, dank je. Wel een drukke dag vandaag. Bij jullie ook zeker? Dacht ik al.' Hij grinnikte. Ik kon Anneka aan de andere kant van de lijn bijna horen spinnen.

'Waarom ik je bel, schat, is om te vragen of je al meer weet over het

DNA van het laatste slachtoffer, dat van Stadhampton Grove. Net binnen? Zou je zo lief willen zijn om me te vertellen wie het is?'

Hij krabbelde iets neer op de rand van zijn krant, in de kantlijn. Ik boog voorover en probeerde te lezen wat hij opschreef.

'Oké… oké… en wat kwam eruit toen je het had ingevoerd in ons databestand? O, echt? Zo'n soort meisje dus? Niet echt verrassend, nee.' Sam keek me aan en vormde met zijn mond: drugs. Ik knikte.

'Anneka, lieverd, ik ben je een drankje schuldig… Klopt, alweer eentje. Binnenkort gaan we samen lekker stappen, dat beloof ik je.' Hij grinnikte nog eens. 'Goed hoor. En nogmaals bedankt, schat.'

Sam legde de hoorn neer en wendde zich tot mij, terwijl hij afwezig aan zijn hoofd krabde. 'Mijn allerbelangrijkste voornemen is haar nooit te ontmoeten. Het beeld dat ik in mijn hoofd heb, kan nooit werkelijkheid zijn. Ik wil mezelf geen teleurstelling bezorgen.'

'Ben je bang dat ze geen mooie blonde Zweedse stoot is?'

'Ik ben eerder bang dat ze juist wel een schoonheid is. Je weet maar nooit of ze wel zin heeft om met een dikke, kalende ouwe kerel te gaan zuipen in de dichtstbijzijnde kroeg.'

'Wat ben je te weten gekomen?' Ik knikte naar de krant.

'O ja… We hebben een naam en een adres. Ze is een halfjaar geleden opgepakt voor drugsbezit. Ze reed mee in een auto die in West End door de verkeerspolitie is aangehouden. Ze had een halve gram cocaïne bij zich, alleen voor persoonlijk gebruik. Ze heeft een bekeuring gekregen en haar DNA is, gelukkig voor ons, in het databestand gezet.' Hij fronste zijn wenkbrauwen en probeerde zijn handschrift te lezen. 'Rebecca Haworth.'

'Hayworth? Net als Rita Hayworth?' Ik schreef de naam op.

'H-a-w-o-r-t-h. Het adres is een flat vlak bij de Tower Bridge, een van die nieuwe, formaat konijnenhok.' Hij stond op en sjorde zijn broek omhoog tot de gebruikelijke positie onder zijn dikke buik. 'Misschien woonde ze er al niet meer. Zullen we gaan kijken?'

'Zeker weten,' zei ik, en ik sprong op en pakte mijn tas; alle vermoeidheid was vergeten. 'Ik rijd wel.'

'Jij rijdt en als we klaar zijn krijg ik een biertje van je.' Ik sloeg mijn ogen ten hemel. 'Eerlijk is eerlijk. Ik zat hier daarnet nog heel best, in alle rust. Je moet wel een beetje op je ome Sammy passen, hoor. Al dat geren en gevlieg, ik weet niet hoor. Ik ben geen jonge vent meer. Ik moet wat rustiger aan doen.'

Wetende dat hij dit maar al te goed zou kunnen volhouden tot we bij de Tower Bridge waren, slaakte ik een zucht, waarna ik achter hem aan de recherchekamer uit liep. Ik hoopte maar dat het niet weer tot niets zou leiden.

Het adres dat Sam had was, zoals hij had gezegd, een flatgebouw in de nieuwe yuppenbuurt ten zuiden van de Tower Bridge. Het gebied was in de jaren negentig overgenomen door projectontwikkelaars, die van de oude verzameling oude vemen en vervallen gebouwen een hoogst gewilde wijk hadden gemaakt voor welgestelde types die lopend naar hun werk in de City aan de overkant van de rivier wilden gaan. De straten waren smal, de appartementencomplexen hadden zes of meer woonlagen en ik voelde me als een rat in een doolhof toen we ons voorzichtig een weg baanden door de steegjes, op zoek naar het gebouw waar Rebecca Haworth had gewoond. Ik zette de auto even aan de kant om een rij dure auto's vanaf de andere kant voorbij te laten rijden, terwijl ik ongeduldig met mijn vingers tegen het stuurwiel tikte.

'Je zou toch denken dat die nog op hun werk moeten zitten?'

'Wat? O die. Nee, meisje, niet op vrijdag. De meesten nemen dan een compensatiedag. Jammer dat we dat bij de politie niet hebben.'

Vrijdag compensatiedag. Ik glimlachte spijtig en dacht aan mijn afgeblazen plannen voor die avond en het nare telefoontje met Ian, die had geweigerd in te zien waarom ik me niet even kon terugtrekken van het onderzoek nu mijn nachtelijke telefoontje vals alarm was gebleken. Het feit dat er een nieuw lijk was opgedoken leek hem niets te doen. Camilla had speciaal kwartels gekocht en als ze niemand kon vinden om het aantal gasten compleet te maken, zouden ze de vuilnisbak in gaan. Ik had niets met kwartels en het boeide me niet echt. Ik zou het wel een andere keer goedmaken met Camilla. De avond zou zonder mij ook prima verlopen – misschien zelfs beter. De laagbetaalde ambtenaar was een interessante nieuwigheid, maar nieuwigheden blijven dat nooit, en ik besefte maar al te goed dat ik geen bijdrage kon leveren aan gesprekken over het kopen van handtassen bij Harvey Nichols of korte vakanties in vijfsterren wellness-hotels in Dubai. Ik bezorgde hun een ongemakkelijk gevoel en zij bezorgden mij een armoedig gevoel. Geen recept voor een harmonieuze vriendschap.

'Daar is het,' zei Sam, naar links wijzend. 'Het Blue Building. Ga daar maar staan.'

Vlak voor het appartementencomplex bevond zich een laad- en losplaats en ik dook erin zonder moeite te doen de auto netjes recht te zetten. Sam legde het bordje met POLITIE – DIENST op het dashboard en schudde zijn hoofd.

'Heb je eigenlijk ooit je rijbewijs gehaald? Of heb je het zo meegekregen op grond van het minderhedenbeleid?'

'Prima zo,' zei ik kordaat. Ik gooide het portier dicht en sloot het af. 'Ga de volgende keer maar lopen als mijn rijstijl je niet bevalt.'

Sam greep naar zijn borst en liep wankelend een paar passen vooruit. 'Lopen? Ik? Je maakt een grapje.'

'Een beetje beweging zou niet slecht voor je zijn.'

'Ik krijg meer dan genoeg beweging. Kijk maar.' Hij rende de drie trapjes op die naar de hoofdingang van het Blue Building leidden. De naam leek afgeleid te zijn van de tegeltjes bij de entree en in de hal. Ik volgde Sam in een wat rustiger tempo, keek om me heen, merkte de dure inrichting op, het chique karpet, en de portier die opkeek vanachter zijn balie. Allemaal niet goedkoop. Wat wel klopte met de dure jurk, de schoenen, de cocaïne. Rebecca Haworth had het, zo te zien, prima voor elkaar toen er een eind aan haar leven werd gemaakt.

Sam had de balie van de portier al bereikt en leunde er nu overheen; hij sprak de man ernstig toe. Toen ik aankwam was hij er al achter dat mevrouw Haworth hier inderdaad woonde, maar dat Aaron haar die dag niet had gezien. Zijn dienst was om twaalf uur die middag begonnen, legde hij uit.

'Dan had je haar niet kunnen zien, beste man. Toen was ze al dood.'

'Sam!' Ik staarde hem verwijtend aan. Dit was niet de manier om zulk nieuws te brengen. Aaron keek geschokt en begon te stamelen dat mevrouw Haworth zo'n aardige vrouw was geweest, altijd vriendelijk, en dat ze altijd naar zijn gezin en zijn reisjes naar huis, naar Ghana, had gevraagd.

Uiteindelijk kalmeerde hij. 'Wat is er met haar gebeurd, meneer?'

In plaats van een rechtstreeks antwoord te geven, tikte Sam op de *Evening Standard* die Aaron voor zich had liggen. Hij was opgevouwen met de sudokupuzzel bovenop, die bijna helemaal was ingevuld. 'Heb je de voorpagina gezien?'

'Nee toch… toch niet de vrouw die vanmorgen vroeg is gevonden? O, God.' Hij leunde met openhangende mond achterover en zijn adem stokte steeds. Ik maakte me even ongerust dat hij zou flauwvallen en kwam snel tussenbeide.

'Aaron, mogen we mevrouw Haworths appartement even bekijken? Heb je een sleutel voor ons?'

Hij gaf ons iets beters. Hij gaf me de loper waarmee we alle deuren in het gebouw konden openen, en vertelde hoe we bij het appartement konden komen, dat op de derde verdieping lag.

'Ik zou wel mee willen gaan, maar ik mag niet weg van de balie,' zei hij terneergeslagen. Het was duidelijk dat hij in de verleiding kwam de voorschriften voor een keer te overtreden.

'Geen probleem,' zei ik snel. 'We vinden het wel.' Sam had de lift al gehaald en ik holde door de lobby en ging naast hem staan voordat de portier van gedachte kon veranderen. De deuren gleden dicht en ik zag mezelf in de spiegelwanden van de lift. Ik kon er niet onderuit; mijn gekreukelde kleren en warrige haar werden weerspiegeld waar ik ook keek. Sam, die zoals gewoonlijk een imitatie deed van een zak aardappelen in het polyester overhemd met korte mouwen en de bruine anorak die zijn vaste outfit vormden, had er blijkbaar geen last van. Ten slotte richtte ik mijn blik maar op mijn voeten, omdat ik alleen dan mezelf niet hoefde aan te kijken. Nooit van mijn leven zou ik overwegen in het Blue Building te gaan wonen, zelfs niet als ik er het geld voor had. Ik zou het niet kunnen verdragen mezelf minstens tweemaal per dag zo meedogenloos tot in het kleinste detail te moeten bekijken. Als ik er niet uitzag, dan was het maar zo, maar ik wilde er liever niet mee geconfronteerd worden.

Op de derde verdieping vonden we het appartement van Rebecca Haworth aan het eind van een gang. De deur was even saai neutraal als de rest van de deuren die we onderweg waren tegengekomen. Ik overwoog even of ik zou aankloppen, maar de portier had ons verteld dat ze alleen woonde en ik wist zeker dat ze niet thuis was. Ik liet de sleutel in het slot glijden en draaide hem om; de deur ging open en bleek toegang te geven tot een klein halletje. Toen ik aanstalten maakte naar binnen te gaan, greep Sam me bij mijn arm en gebaarde dat ik moest wachten. Hij bewoog zijn hoofd met een ruk opzij, alsof hij wilde zeggen: luister eens…

Als eerste hoorde ik een wasmachine draaien. Daarna hoorde ik ook iemand neuriën. Een vrouwenstem, licht en vrolijk, die een melodietje neuriede dat me vaag bekend voorkwam. Er klonk getik van hakken op een houten vloer, en nog voordat Sam of ik iets kon zeggen ging de deur aan de andere kant van de gang open. In de deuropening stond een vrouw in een mantelpakje dat heel wat meer had gekost dan het mijne. Ze had een stofdoek in haar hand en haar mond was opengevallen. Ik merkte dat het geneurie was opgehouden. Je hoefde geen genie te zijn om te bedenken dat die twee zaken met elkaar samenhingen.

'Wie bent u?'

We spraken dezelfde woorden op hetzelfde moment uit. Ze had een hogere stem dan ik, maar haar toon was even scherp.

'Politie,' zei Sam rustig. 'Recherche.' Hij hield haar zijn identiteitsbewijs voor, en zij was die ene persoon uit duizend die het werkelijk aanpakte en ernaar keek. Toen wendde ze zich tot mij en wachtte met uitgestoken hand af tot ze het mijne kreeg.

'En u bent?' vroeg ik bits terwijl ik het haar gaf.

Ze nam alle tijd om mijn identiteitsbewijs te bestuderen; ze las echt wat erop stond voordat ze antwoord gaf, en ook dat was ongebruikelijk.

'Louise North. Ik ben jurist bij Preyhard Gunther. Als u een identiteitsbewijs wilt hebben, ik heb mijn rijbewijs in mijn tas zitten.'

'We zullen u voorlopig op uw woord geloven,' zei Sam. 'We waren op zoek naar… dat wil zeggen… dit is toch het appartement van Rebecca Haworth?' Er klonk twijfel door in zijn stem en ik begreep dat hij tot dezelfde conclusie was gekomen als ik: Anneka had ons het verkeerde huisnummer gegeven en we stonden in het verkeerde appartement. Maar Louise knikte.

'Ja, dat klopt. Maar ze is er op dit moment niet. Kan ik… een bericht doorgeven?'

'Hoe kent u Rebecca? Deelt u dit appartement met haar?'

Ze wendde zich tot mij toen ik dit zei, en ik zag dat ze heel doordringende lichtblauwe ogen had. 'Ik ben haar beste vriendin. Ik kwam alleen even kijken of alles goed met haar was.'

'Waardoor dacht u dat er misschien iets niet in orde was?'

Ze haalde haar schouders op. 'Ik had gewoon al een tijdje niks van haar gehoord. Ik heb een sleutel; ik voerde haar goudvis altijd als ze weg was.'

'Maar dat doet u nu niet meer?'

'Hij is doodgegaan.' Ze staarde me aan. 'Waar gaat dit eigenlijk over? Ik weet helaas niet wanneer Rebecca terugkomt, dus het heeft geen zin te blijven wachten. Maar als u uw kaartje voor haar wilt achterlaten…?'

Ik wees langs haar heen. 'Is dat de woonkamer? Zullen we daar even gaan zitten, Louise?'

Ze was niet dom. Vanaf dat moment moet ze hebben geweten dat ik geen goed nieuws over haar vriendin te vertellen had. Maar ze ging ons voor de woonkamer in en ging op een rechte stoel zitten, die ze bij het kleine tafeltje tegen de muur vandaan had getrokken. Voor Sam en mij bleef er een bank met zachte kussens over – het enige andere meubelstuk in de kamer, afgezien van de flatscreentelevisie en een boekenkastje. De kamer was niet ruim bemeten, zoals Sam al had voorspeld. Maar voor een konijnenhol ging het wel.

Nu liet Sam mij het woord doen en ik vertelde Louise het nieuws zo behoedzaam mogelijk. Net als Aaron was ze pas echt geschrokken toen ze hoorde dat Rebecca waarschijnlijk ten prooi was gevallen aan de vuurmoordenaar en niet door het feit dat het meisje dood was; je zou haast denken dat Louise al slecht nieuws over haar vriendin verwachtte, en ik vroeg even door.

'Je zei dat je al een tijdje niets van Rebecca had gehoord. Was dat ongewoon?'

'Nogal ja. We zijn al bevriend sinds ons achttiende. We kennen elkaar van de universiteit.' Haar stem klonk levenloos en haar blik was strak. Ze was duidelijk geschokt.

Ik sprong op. 'Ik zal een glaasje water voor je halen.' Ik zou niet al te veel problemen met de technische recherche krijgen als ik de kraan aanzette, bedacht ik. Het zou me niet worden aangerekend, als ik maar voorzichtig was met wat ik aanraakte. Maar toen ik de deur aan de andere kant van de woonkamer opendeed en daar een heel kleine pantry aantrof, draaide de wasmachine die ik eerder had gehoord nog steeds en stond de vaatwasser in de hoek zachtjes te zoemen. Een beetje laat besefte ik dat Rebecca ze niet aangezet had kunnen hebben. Ik staarde er even naar en zag bewijsmateriaal letterlijk in de goot verdwijnen. Ik liep vliegensvlug terug de woonkamer in.

'Louise, heb jij de vaatwasser aangezet? En de wasmachine?'

Ze sloeg haar ogen naar me op. 'Het was hier nogal een bende toen ik aankwam. Rebecca hield niet zo erg van poetsen en ze was niet zo netjes. Ik heb gewoon een beetje opgeruimd. Macht der gewoonte, denk ik. Rebecca en ik hebben samengewoond en ik ben eraan gewend geraakt om de boel achter haar op te ruimen.'

En al doende had ze elk spoortje bewijs van wat Rebecca Haworth had gedaan voordat ze stierf – en wie haar gezelschap had gehouden – uitgewist. Ik voelde dat de frustratie op mijn gezicht te lezen was, maar ik kon het niet verbergen.

We waren te laat. Alweer.

Dit was zo langzamerhand een ellendige dag aan het worden.

Louise

Dood. Het woord had geen betekenis als je het in verband bracht met Rebecca. Het was onmogelijk dat ze er niet meer was.

Ik zat op een stoel met een vlakke zitting, voelde de rand tegen de achterkant van mijn bovenbenen striemen en keek naar die lange rechercheur, die de kleine ruimtes van Rebecca's appartement doorzocht alsof ze iets met haar overtollige energie aan moest. De dikke oudere rechercheur bleef zonder met zijn ogen te knipperen als een onaandoenlijke boeddha op de bank zitten. Als ik me heel stil hield, als ik heel goed luisterde naar wat die vrouw zei, zou er niets aan de hand zijn.

Ze dachten dat ze ten prooi was gevallen aan de seriemoordenaar die in het zuiden van Londen aasde op vrouwen die alleen waren. Althans, volgens de rechercheur met de eigenaardig heldere grijze ogen die me op een erg verontrustende manier opnamen, had het er alle schijn van dat ze ten prooi was gevallen aan de seriemoordenaar. Ze wisten het nog niet zeker. Ze zouden het moeten nagaan.

'En hoe... gaat u dat na?' vroeg ik met strakke lippen.

Er zou een autopsie worden uitgevoerd. Het lijk zou forensisch worden onderzocht, zodra het was geïdentificeerd door een familielid.

Rebecca. Een lijk.

Dit was echt. Dit was nu aan de gang. Dit overkwam mij. Ik was de beste vriendin van het slachtoffer. Haar lichaam was die ochtend gevonden. Brandend. Rook die haar huid blakert, haar dat wegsmelt, vlammen die oprijzen, haar gezicht, denk er niet aan, niet aan denken... Ik zou de signatuur van de vuurmoordenaar herkennen, zei de rechercheur met haar melodieuze stem, met de donkere wallen onder haar

70

lichte ogen, met haar smalle, gretige gezicht. Ik zag dat ze ondanks haar lengte hoge hakken droeg, en ik werd even afgeleid door het respect dat ik voelde voor vrouwen die daarvoor genoeg zelfvertrouwen hadden.

Mijn gedachten waren afgedwaald van wat ze aan het zeggen was. Ik moest luisteren.

'... na de autopsie kan het even duren voordat het lichaam wordt vrijgegeven aan de familie, en dat kan weleens moeilijk zijn. Ken je haar familie?'

'Jawel,' zei ik. 'Ze heeft alleen ouders. Ze was enig kind.'

Haar hand die de mijne zocht op een donkere avond waarop we samen over een plein met keitjes renden, langs de hoge, ambergeel verlichte ramen van een leeszaal, met onze hoofden gebogen tegen de koude wind; haar adem had de zure geur van wijn en diep vanuit haar binnenste welde er een lach op vanwege iets wat niet mocht en wat ze toch had gedaan, iets waarvan ik niet kon geloven dat ze het had geriskeerd, maar wat dat was geweest kon ik me nu niet meer herinneren. Jij bent de zus die ik had moeten hebben, Lou, had ze gezegd.

'Je zei dat je al een poos niets van Rebecca had gehoord. Was dat ongewoon?'

Mijn stem klonk me vreemd in de oren toen ik antwoord gaf. 'Nogal, ja. We zijn al bevriend sinds ons achttiende. We kennen elkaar van de universiteit.'

Dat dekte absoluut niet de lading als het om Rebecca en mij ging. Het gaf absoluut niet weer hoe sterk onze band was. Ik kende haar gezicht beter dan mijn eigen gezicht. Ik zou haar voetstappen met mijn ogen dicht hebben herkend. Door haar was ik geworden wie ik was.

Ik had van haar gehouden, als zoveel anderen, maar het verschil was dat ik had geweten dat zij ook van mij hield.

Ik zou mijn leven in haar handen hebben gelegd.

En nu was ze dood.

De rechercheur keek me bezorgd aan. 'Ik zal een glaasje water voor je halen.'

Ik zag dat ze de keukendeur opendeed en besefte fatalistisch dat ik straks grote problemen zou krijgen. Ik liep in gedachten de rest van de flat door, dacht aan de dingen die ik had verplaatst, aan alles wat ik had gepoetst, aan het bewijsmateriaal dat ik ongetwijfeld had vernietigd. Ik was overal geweest, bedacht ik. Ik had alles in mijn handen gehad. Ik wist dat de politie niets meer zou kunnen vinden. De lange rechercheur zou teleurgesteld zijn. Ze zou willen weten waarom ik zo grondig te werk was gegaan, en daarop was maar één antwoord en ik dacht niet dat ze het zou begrijpen.

Ik had het voor Rebecca gedaan. Mijn Rebecca.

Alles was altijd voor haar.

3

Maeve

Het enige voordeel van Louises schoonmaakactie was dat de keuken volledig onbruikbaar was geworden als object voor forensisch onderzoek en dat ik dus een kopje thee voor ons allen kon zetten. In de koelkast vond ik een eenzaam pak melk dat nog niet over de datum was. Verder waren de glazen koelkastschappen vrijwel leeg, afgezien van wat potten mosterd en een fles ketchup, een doosje chocolaatjes met een strik eromheen en een uiterste gebruiksdatum in februari, dat daar duidelijk al onaangeraakt stond sinds de vorige kerst, en veel witte wijn. Eén schap in de koelkast was gereserveerd voor potjes oogcrème, duur vochtinbrengend serum en flesjes nagellak.

Op het aanrecht stond een doos cornflakes die ik even schudde om te horen hoeveel erin zat: voor twee derde leeg. Rebecca leefde dus op ontbijtgranen als ze honger had en verder beperkte ze zich tot een vloeibaar dieet. De uitgebalanceerde inname van voedingsstoffen van een alleenstaand yuppenmeisje. Louise had ons verteld dat ze een baan had in public relations, en dat ze veel op stap was met cliënten en daardoor vaak 's avonds uit was. Het had geen zin om eten te kopen als het toch maar lag te bederven. Toen ik zelf nog alleen woonde, had ik ook nooit veel tijd besteed aan boodschappen doen. Nu stond Ian erop dat we wekelijks een rondje door de supermarkt maakten, waarbij we behendig hyperactieve peuters en zich traag voortbewegende oude vrouwtjes met winkelwagentjes wisten te ontwijken op zoek naar zijn favoriete pastasaus, zijn uitstekende flessen wijn uit de folder, en de te dure, te perfecte groenten zonder kraak of smaak. Ik heb meer gemeen met het slachtoffer dan met mijn eigen vriend, bedacht ik, en ik moest me ertoe zetten me te concentreren op het onderzoek van de rest van de keuken. Ik opende alle kastjes en keek in alle laden.

Het zag er allemaal onberispelijk uit. De wijnglazen stonden als rijtjes soldaten op de kastplanken, en nog keurig op soort en maat ook. Het bestek was zorgvuldig gescheiden op soort en lag te glimmen in de laden. Er hing een schone theedoek naast het fornuis; de vuile draaide vermoedelijk mee in de wasmachine. Ook nu weer kon ik niet beoordelen wat Rebecca eigen was en wat Louise had gedaan sinds ze in het appartement aanwezig was.

Ik schonk kokend water over de theezakjes en dacht na over Rebecca's vriendin. Het was een vreemd meisje, die Louise, maar mensen konden dan ook vreemd reageren op verdriet. Ze zag eruit als om door een ringetje te halen; haar kleding was smetteloos, zelfs na wat volgens haar een flinke schoonmaak was geweest, en er zat geen haartje verkeerd. Haar houding was zo onverstoorbaar geweest dat ik schrok toen ik met een blad met mokken, melk en suiker in mijn handen terugkwam en haar schokschouderend zag zitten met haar gezicht in haar handen. Sam keek hulpeloos naar me op en haalde zijn schouders op toen ik met mijn mond de woorden 'Wat heb je gedaan?' vormde.

'Gaat het, Louise?' vroeg ik vriendelijk en ik zette een mok neer op de tafel naast haar.

'Jawel,' klonk het vanachter haar handen. 'Alleen… geef me even een momentje.'

Ik ging zitten en reikte Sam een mok aan, en toen de suikerpot, en keek misprijzend toe hoe hij zijn best deed de een in de ander te legen.

'We hadden het net over de laatste keer dat ze het slachtoffer heeft gezien,' fluisterde hij hees. 'Ze zijn een paar weken geleden uit eten geweest. Daarna had ze niets meer van haar gehoord en dat maakte haar ongerust.'

Louise mompelde iets, stond op en liep de kamer uit; ik spitste mijn oren en hoorde een deur dichtgaan, en vervolgens water in een wastafel stromen.

'Opgefokt mens, hè?' Sam wees met zijn duim in de richting van de deur.

'Vind je het gek? Ze heeft net gehoord dat haar beste vriendin is vermoord.'

'Daar heb ik het niet over. Wie gaat er nou de flat van iemand anders binnen – iemand die ze al een paar weken niet heeft gezien – en gaat er dan lopen opruimen? Ik zou het lef niet hebben, jij wel?'

'Nee, en ik zou er ook geen zin in hebben om alles schoon te maken, maar ik ben Louise North niet. Ze zei dat het een gewoonte was. Misschien deed ze vaak dat soort dingen voor Rebecca.'

Rusteloos stond ik op en begon de kamer te doorzoeken. Dat nam niet veel tijd in beslag. De kamer was overweldigend saai; de muur was in een magnoliatint geschilderd waar niemand zich aan kon ergeren en die Ian huurflatcrème noemde. Er stond niets op het tafeltje tegen de muur waaraan Louise had gezeten op een van de twee rechte stoelen. In deze flat zou je slechts een beperkt aantal bezoekers kunnen ontvangen, maar als ik keek naar de inhoud van Rebecca's koelkast leek ze hoe dan ook niet het type om uitgebreide etentjes te geven. Naast de bank stond een klein tafeltje met een lamp en een paar afstandsbedieningen erop, voor de televisie, de dvd-speler en de audioset. Nergens was iets persoonlijks te bekennen, zelfs geen tijdschrift. Geen enkele aanwijzing voor de smaak of de voorkeuren van de dode vrouw. De tv was groot en stond tegenover de bank, met de achterkant naar de balkondeuren, die toegang gaven tot een buitenruimte van postzegelformaat, waar geen bakken met planten stonden of op een andere manier was geprobeerd er iets van te maken. Ik liep naar de deur en keek naar de flats aan de overkant, waar op het grootste deel van de balkons potplanten stonden en lattenroosters waren aangebracht voor klimplanten, met silhouetten die zich aftekenden tegen het licht dat van binnen kwam. Zelf zag ik er ook de zin niet van in. Ik zou ook niet de moeite hebben genomen om iets te planten. Niet op een balkon dat al te klein was om er te gaan zitten. Het flatgebouw aan de overkant leek wel een bijenkorf met glazen wanden; het leven van de bewoners was volop zichtbaar. Ik zag een stel dat elkaar met voor mijn gevoel buitensporig enthousiasme aan het kussen was, een man die de veters van zijn loopschoenen strikte, een forse dame die op de bank chips zat te eten terwijl haar tv in de hoek flikkerend licht verspreidde.

'Net *Rear Window*, vind je niet?' Sam had niet de moeite genomen op te staan, maar hij strekte zijn hals om te kunnen zien waar ik naar keek.

'Inderdaad. Als ik hier woonde, zou ik geen televisie nemen. Het uitzicht is veel leuker.'

'Voor jou misschien. Maar ik wed dat jij nieuwsgierig geboren bent, Maeve.'

Ik schonk hem een korte glimlach. 'Hoe raad je het zo?'

'Om te beginnen is het een verklaring voor je loopbaankeuze.' Sam rekte zich uit, strekte zijn armen boven zijn hoofd zonder zich ook maar de minste zorgen te maken om de zweetplekken op zijn overhemd; de grillige omtrek ervan was even duidelijk afgebakend als bij zoutpannen in de woestijn.

'En hoe verdedig jij je keuze?'

'Ik wist niet beter,' zei hij somber. 'Naïef, dat was ik. En kijk nu eens.'

'Ja, naïef is niet echt het eerste wat je dan te binnen schiet.'

Ik wendde me af van het uitzicht op andermans leven en richtte mijn aandacht op het enige meubelstuk dat voor mij van belang was. In de smalle boekenkast in de hoek stonden verschillende soorten romans en drie ingelijste foto's, die ik aandachtig bekeek. Op alle drie was een blonde vrouw te zien, en ik nam aan dat het Rebecca Haworth was, hoewel het lichaam dat ik die ochtend had gezien onherkenbaar, en het gezicht opgezwollen en vlekkerig was geweest. Tijdens haar leven had ze regelmatige gelaatstrekken gehad en een brede glimlach, die haar onberispelijke witte tanden toonde. Haar haar had in de loop van de jaren diverse tinten blond gehad, steeds iets lichter. Op een van de foto's stond ze met haar armen om een ouder stel; haar ouders, nam ik aan. De oudere vrouw had ook een duur blond kapsel en zag er goed verzorgd uit, en haar dochter had aan haar redelijk kunnen zien hoe ze er zelf als vijftiger zou uitzien. Rebecca had echter haar vaders ogen; een ongewoon donkerbruine kleur, bijna zwart. Ze vormden een adembenemende combinatie met haar blonde haar. Op een andere foto was ze zwart-wit gekleed, in een academische toga die een beetje van haar schouder gleed. Ze had haar haren achterovergegooid om een teug champagne uit de fles te nemen. Misschien het eind van een examenperiode, dacht ik, en ik richtte mijn aandacht op het andere meisje op de foto; ik herkende in haar met groeiende belangstelling Louise North. In haar studententijd was ze nog muiziger geweest, met lang, steil haar en saaie kleren. In tegenstelling tot haar vriendin droeg ze geen make-up of toga, en ze glimlachte verlegen, met haar blik niet naar de camera maar op Rebecca gericht.

Het slachtoffer was de extraverte van de twee en Louises functie bestond erin haar aantrekkelijke vriendin nog beter te laten uitkomen. Zelf had ik het nooit prettig gevonden in een vriendschap de mindere te zijn.

Achter me klonk een stem. 'Die is in ons eerste jaar genomen. Ik heb die foto meteen ingelijst. Rebecca was net klaar met haar *Mods*. Ik had die zelf al een trimester eerder gedaan.'

'Mods?' vroeg ik terwijl ik me omdraaide en Louise midden in de kamer zag staan, weer helemaal zichzelf.

'*Honour Moderations*, voluit. De eerstejaarsexamens. Alles heeft een rare naam in Oxford.'

Het laatste woord viel als een steen op de kamervloer; o ja, dacht ik, en nu moet ik natuurlijk onder de indruk zijn van het feit dat je in Oxford hebt gestudeerd. Geweldig hoor.

Ze was zo fatsoenlijk om beschaamd te kijken. 'Geen verkeerd beeld vormen, hoor. Ik heb op een heel gewone school gezeten.'

Maar het viel me wel op dat ze een eventueel accent had afgezworen, net als haar lange vale haar, dat nu blonde highlights had en in sluike laagjes was geknipt.

'En hoe was dat? In Oxford studeren?' Sam met zijn meest vaderlijke stem.

'Het heeft mijn leven veranderd.'

Dat zal zeker wel, dacht ik met een blik op haar schoenen die haar waarschijnlijk meer hadden gekost dan ik in een week verdiende. Ze was ver gekomen sinds die heel gewone school en keek ook niet meer om.

'Hoe heb je Rebecca leren kennen?'

Ze draaide zich naar me toe en keek me aan met opgeheven kin, alsof ze zich schrap had gezet voor die vraag. 'We kennen elkaar vanaf de eerste dag van het eerste jaar. We kregen samen een appartement, een gedeelde woonkamer en gescheiden slaapkamers,' legde ze uit. 'Ik had nooit gedacht dat we met elkaar overweg zouden kunnen; ik nam aan dat ze wel wat beters te doen zou hebben dan met mij op te trekken. Maar ze haalde me binnen en liet me deel uitmaken van haar wereld.' Louise klonk nog steeds verbaasd. 'Ik denk niet dat ik degene zou zijn geworden die ik nu ben als ik niet met haar samen had gewoond. Ik wist al heel snel dat dit een vriendschap voor het leven was.'

Nou, daar had ze gelijk in gehad. Het enige was dat het leven van een van beiden wat minder lang had geduurd dan te verwachten was. Ik zag een schaduw over haar gezicht trekken toen ze hetzelfde dacht, en stelde snel mijn volgende vraag.

'Louise, wie is dat?' Ik wees naar de laatste ingelijste foto – Rebecca met een man op een strand; ze hadden hun hoofden tegen elkaar en de wind blies hun haren langs hun gezicht. Hij had de camera op armlengte voor hen uit gehouden en ze keken beiden lachend en met stralende ogen op naar de lens.

Louise boog zich voorover om de foto te bekijken en rechtte toen haar rug. Ze had haar lippen tot een smal lijntje opeengeklemd. 'Dat is Gil. Gil Maddick. Hij is twee, nee, tweeënhalf jaar Rebecca's vriend geweest.'

'Dus ze zijn uit elkaar?'

Ze trok een gezicht. 'Uiteindelijk is dat wel gebeurd. Het zat er trouwens vanaf het begin al dik in. Hij was… bezitterig. Er was geen plaats voor iemand anders in Rebecca's leven, wat hem betrof.'

'Hij sloot jou dus buiten?' opperde Sam.

'Dat probeerde hij wel.'

'Wanneer hebben ze met elkaar gebroken?'

Ze haalde haar schouders op. 'Een maand of zes geleden? Iets eerder? Ik weet het eigenlijk niet; vraag het hem zelf maar. We konden niet met elkaar overweg en daarom had Rebecca het niet zo vaak met mij over hem.'

'Waar praatten jullie wel over?' vroeg Sam.

'Verder overal over. Ze was net een zus. We hadden nooit gebrek aan gespreksstof.'

Net een zus, of meer dan dat? Louise was jaloers geweest op Rebecca's relatie. Ik vroeg me af of ze een onderliggende verliefdheid voor haar vriendin had onderdrukt, of er misschien iets over had gezegd en had gemerkt dat die niet werd beantwoord.

'Wat was er dan gebeurd?'

'Hoe bedoel je?'

'Je zei dat je al een poosje niets van haar had gehoord. Hoe kwam dat?'

'Dat weet ik niet. Ik heb geprobeerd haar te pakken te krijgen, maar dat lukte niet. Ik heb maar aangenomen dat ze het druk had.' Haar juristenstem klonk nog steeds vriendelijk, maar ik hoorde dat er een scherp randje aan zat. Ze vond het maar niks dat haar plaatje van een fijne, hechte vriendschap werd vertekend door de feiten. Wat ze ons had verteld, was dat Rebecca haar uit haar leven had gebannen, of ze dat nu opzettelijk had gedaan of niet. Ze leek net zo min als ik te weten wat er in haar leven was voorgevallen, en met dat in mijn achterhoofd ging ik over op iets waar ze wel alles van wist.

'Wat trof je aan toen je hier binnenkwam?'

'Niks,' zei Louise met een lichte aarzeling, alsof het een vraag was waarop ze geen goed antwoord wist te geven.

'Ik bedoel, hoe was de flat achtergelaten? Ik wil graag dat je me precies vertelt wat je hebt opgeruimd en schoongemaakt.' Ik maakte een gebaar in het rond. 'Als je niet had opgeruimd, zouden we enig idee hebben gekregen van wat er is gebeurd voordat Rebecca hier voor het laatst is weggegaan. Nu ben jij de enige die over die informatie beschikt. Als dat lukt, zou ik het prettig vinden als je alles afgaat en me vertelt wat er nu anders is.'

'O, ik snap het.' In het kort beschreef ze wat ze had gedaan, waarbij ze me de slaapkamer liet zien, die groot genoeg was voor een tweepersoonsbed en een garderobekast en niet veel meer, en de badkamer, een klein met marmer betegeld hokje waar potjes en flesjes cosmetica elkaar op elk oppervlak leken te verdringen. Ik liep achter haar aan en zag onze kansen om enig bruikbaar bewijsmateriaal te vinden steeds somberder in. De beddenlakens waren gewassen, de vloeren gestofzuigd, alles was afgestoft en de badkamer en de keuken waren afgenomen met bleek. Overal waar we hadden gehoopt iets van belang te vinden was Louise ons voor geweest.

'Het was zeker een puinhoop?'

'Dat kwam wel meer voor. Rebecca leefde over het algemeen behoorlijk chaotisch.'

'Het valt niet mee om ordelijk te blijven als je het van nature niet bent,' zei ik meevoelend. Ik draaide me om in het halletje, bleek toen neus aan neus met Sam te staan, waarna ik me weer terugdraaide. 'Dit is niet de grootste flat die er bestaat. Ik snap wel hoe het hier vrij snel een chaos kan worden. Vond Rebecca het hier prettig wonen?'

'Daar heb ik nooit naar gevraagd. Maar ze woonde hier al meer dan een jaar, dus zo onplezierig zal het er niet zijn geweest.'

'Woonde ze hier alleen?'

'Officieel wel.' Tot nu toe had ik haar nog niet zo gezien; ze leek zich bijna in bochten te wringen. 'Eh… er bleef af en toe iemand overnachten. Soms bleef er weleens een langer dan een of twee nachten. Maar in principe woonde ze alleen.'

'Heb je ooit een van hen ontmoet?'

Louise schudde haar hoofd. 'Ze heeft de ware nooit gevonden. Er was niemand bij met wie ze me wilde laten kennismaken. Vooral omdat ik ook al niet zo goed met Gil overweg kon.'

'Dus je kent van niemand een naam, adres of telefoonnummer?'

'Nee. Maar jullie lopen toch zeker haar e-mailaccount door en de adreslijst van haar telefoon? Dan kun je ze op die manier wel opsporen. Ik heb altijd begrepen dat het slachtoffer geen privacy heeft tijdens een moordonderzoek.'

'Niet veel nee.' Ik zou Rebecca Haworths leven binnenstebuiten keren en leegschudden om te zien wat eruit viel. Bij de gedachte daaraan legde ik mijn armen over elkaar en leunde tegen de muur, opeens ondraaglijk vermoeid. Concentreer je, Maeve, dacht ik. Met enige inspanning wist ik uit te brengen: 'Zijn er nog andere dingen die we volgens jou zouden moeten weten, Louise? Maakte je je ergens zorgen om?'

Ik verwachtte dat ze nee zou zeggen, maar ze beet op haar lip. 'Nou… er was wel één ding. Maar het is waarschijnlijk niks.'

'Vertel maar,' moedigde ik haar aan.

'Ik, eh… nou, ik dacht dat er misschien gisteren iemand was langs geweest. Iemand die iets met Rebecca had gedronken. Er stonden twee wijnglazen in de woonkamer en er zat nog wat wijn in de fles die niet helemaal was ingedroogd. Ze dronk nooit als ze alleen was, rechercheur... alleen in gezelschap. En op het ene glas zat lipgloss, viel me op, en op het andere niet.'

Ik trok een wenkbrauw op. 'Wil je bij ons komen werken?'

'Het viel me gewoon op,' zei ze bits, terwijl er een blos naar haar wangen steeg. 'Ik probeerde te bedenken wie hier geweest kon zijn.'

'Hoezo?'

Dat was een heel logische vraag, maar Louise leek er nog zenuwachtiger van te worden. Ze keek de andere kant op en slikte voordat ze iets kon terugzeggen. 'Nou... gewoon.'

'Wat wil dat zeggen: "gewoon"?'

'Nou, als je het per se wilt weten: ik vroeg me gewoon af of ze Gil weer had uitgenodigd.' De woorden buitelden eruit, alsof ze had geprobeerd ze binnen te houden. 'Toen ik haar voor het laatst zag, zei ze dat ze overwoog weer contact met hem op te nemen. Ik zei dat ik dat een slecht idee vond, en we kregen er bijna ruzie om.'

'Bijna?'

'Ik had nooit onenigheid met Rebecca. Niet echt. Er was niets wat ze niet tegen me kon zeggen, of ik tegen haar.'

Ja, vast, dacht ik. Vast en zeker. Wat ik hardop zei, was: 'Oké. Maar denk je dat ze het tegen jou had gezegd als ze inderdaad contact met hem had opgenomen?'

'Misschien niet,' gaf Louise toe.

'Oké. Nou, het lijkt erop dat het de moeite waard is met hem te gaan praten. Woont hij hier in de buurt?'

'Nee. Hij woont ergens in Shoreditch of Hoxton of zoiets. Een artistiekerige buurt. Ik ben er nooit geweest.' Uit de klank van haar stem op te maken zou ze er voorlopig ook niet snel komen.

'Weet je hoe we met hem in contact kunnen komen? Waar werkt hij?'

'Hij werkt niet.' Ze keek me aan en glimlachte onverwacht maar kort. 'Sorry. Hij zegt dat hij toneelregisseur is, maar hij lijkt nooit bezig te zijn met regisseren. Hij is welgesteld geboren, dus hij hoeft niet te werken. Hij heeft geen kantoor, maar ik heb zijn mobiele nummer wel.' Ze liep terug naar de woonkamer, pakte haar tas – een Prada, en nog wel van dit seizoen – en haalde haar mobieltje eruit. Ze liep door de contacten heen tot ze bij zijn naam kwam.

Sam schreef het nummer dat ze hem dicteerde op en keek haar toen open aan. 'Je mocht hem dus niet en je kon niet met hem overweg en toch heb je zijn telefoonnummer?'

'Rebecca drong erop aan,' zei ze. Haar mond was weer een dunne rechte lijn. 'Ze was zo'n meisje dat voortdurend haar mobiel kwijtraakte; ze heeft haar handtas een paar keer in een taxi laten staan. Ze heeft ook ooit een mobieltje in de wc laten vallen. Ze wilde dat ik Gils nummer had voor het geval dat ik haar niet kon bereiken.'

'En heb je het gebruikt toen je haar laatst niet kon bereiken?'

'Hun relatie was over.' Alweer klonk er een zweem van voldoening door in haar stem. 'Maar ik weet zeker dat u het leuk zult vinden hem te ontmoeten. Het is een echte charmeur.'

'Jij bent anders niet voor hem gevallen,' merkte Sam op.

'Hij heeft zijn charmes nooit aan mij verspild.' Ze keek op haar horloge. 'Ik moet gaan. Zijn we hier klaar?'

Ik zei dat we voorlopig inderdaad klaar waren. 'Maar later hebben we misschien nog vragen voor je. We hebben ook je gegevens nodig.'

Ze pakte twee visitekaartjes en een Mont Blancpen uit haar handtas en schreef toen snel en netjes iets op de achterkant van de kaartjes; ze waaierde ze twee keer heen en weer om de inkt te laten drogen voordat ze ze op de tafel legde. 'Huisadres en telefoonnummer. Maar je treft me waarschijnlijk eerder op kantoor. Ik heb mijn mobiele nummer er ook bij gezet.'

'Ook in het weekend?' vroeg Sam.

'Dan kun je lekker opschieten met je werk.' Ze reageerde met een uitdagende houding op zijn sceptische blik.

'En wat vindt uw vriend daarvan?'

'Als ik er een had, zou hij eraan moeten wennen. Maar ik heb er geen; ik ben vrij om te gaan en te staan waar ik wil.'

'Wat een mazzel,' zei Sam grijnzend. Ze keek alsof ze nog iets terug wilde zeggen, maar besloot ons koeltjes toe te knikken, waarna ze vertrok zonder ons een hand te geven.

'We zijn het nog niet waard om de zoom van haar rok te kussen,' zei Sam toen de voordeur achter haar was dichtgegaan.

'Ach, houd toch op.' Ik keek hem fronsend aan. 'Wat maakt het nu uit of ze al dan niet een vriend heeft? Waarom zou ze ook niet de klok rond werken als ze daar zin in heeft?'

Sam duwde met één wenkbrauw zijn rimpelige voorhoofd omhoog. 'Je kon je dus wel met haar identificeren? Twee carrièrevrouwen die elkaar begrijpen?'

Ik gunde hem het genoegen niet dit te beamen, hoewel hij waarschijnlijk wel merkte dat hij een gevoelig plekje had geraakt. Ik zette Ian even uit mijn hoofd toen Sam naar de boekenkast kloste om de foto's te bekijken.

'Denk je dat er iets lesbisch speelde tussen ons slachtoffer en haar vriendinnetje?'

'Dat zou je wel willen, hè?' antwoordde ik bits, maar toen bond ik in. 'Dat heb ik ook wel overwogen. Maar toch denk ik van niet. Die indruk heb ik niet gekregen. Gewoon vriendinnen, als je het mij vraagt.'

'Jammer,' zei Sam rustig. Hij had zijn handen diep in zijn zakken gestoken en stond op de bal van zijn voeten van voren naar achteren te wiebelen. 'En wat staat ons nu te doen?'

'Ik ga het sporenteam bellen,' besloot ik, en ik pakte mijn mobiel. 'Er kan toch nog iets interessants achtergebleven zijn, en als dat zo is, wil ik liever niet degene zijn die het verknalt. Dus als jij alsjeblieft wilt ophouden met dingen aan te raken tot die jongens de boel vrijgeven?'

'Niets duidt erop dat er hier iets is gebeurd.'

'Nee, voor zover we kunnen zien is hier niets gebeurd. Maar ik geloof het pas als zij het hebben bevestigd.'

'Oké, meid. Bel ze maar. En dan moest je de chef maar even bellen. Hij zal hier ook vast wel willen rondkijken, zou ik denken.'

'Vast en zeker,' zei ik bedaard, en aan mijn stem was de plotselinge versnelling van mijn hartslag niet te horen, maar mijn handen begonnen wel een beetje te trillen. De gedachte aan een telefoontje naar Godley maakte me altijd nerveus, maar ik vond het ook wel spannend. En deze keer had ik hem tenminste goed nieuws te vertellen.

'En als je nog eens op eigen initiatief een onderzoek in de woning van een slachtoffer gaat instellen zonder ook maar iemand op de hoogte te stellen van waar je heen gaat of wat je aan het doen bent, wil je misschien wel de moeite nemen je meerderen te vertellen wat je van plan bent.'

Ik dacht niet dat ik hoofdinspecteur Godley ooit zo laaiend had gezien, en in de loop van dit onderzoek had ik hem al een paar keer in een vrij chagrijnige stemming meegemaakt.

'Ik weet niet wie van jullie ik de schuld moet geven. Ik verbaas me over jullie allebei. Prosser, met al je ervaring had je beter moeten weten dan zo'n soloactie op touw te zetten. En Kerrigan: ik had je slimmer ingeschat.'

Het kostte me de grootste moeite geen spier te vertrekken. Zijn woorden raakten me, wat ook de bedoeling was. Ik durfde Sam niet aan te kijken, hoewel ik dolgraag zijn gezicht had willen zien.

'Het eerste wat jullie na de bekendmaking van haar identiteit hadden moeten doen, was mij bellen. Wat dachten jullie te bereiken door hier op eigen houtje heen te gaan?'

'Ik dacht gewoon dat we door snel te reageren een goede start zouden maken,' mompelde ik met mijn blik gericht op de knoop in zijn stropdas, te bang om hem aan te kijken of mijn blik af te wenden. Achter hem stond Judd met een driekantig glimlachje op zijn spitse gezicht. Daarachter was een sporenonderzoeker elk oppervlak met een dikke borstel en zwart poeder aan het bewerken, op zoek naar vingerafdrukken. Zijn gegniffel ging schuil achter een masker, maar het was er beslist. Iedereen genoot ervan als een ander ervan langs kreeg.

'O ja? Nou, dan snap ik het. Waar zeur ik eigenlijk over?' Zijn stem droop van het sarcasme. 'Je hebt het verkloot, Maeve.'

'Als we hier op dat moment niet waren aangekomen, hadden we nooit geweten dat haar vriendin had schoongemaakt,' legde ik uit. Ik kon me niet inhouden, ook al wist ik dat het dom was in discussie te gaan. 'Dan hadden we alles keurig netjes aangetroffen en nooit geweten hoe het er eerst uitzag.'

'Hoe zag het er eerst dan uit?'

Ik praatte snel, zag een kans om het goed te maken. 'Geen tekenen van een worsteling, maar volgens Louise – haar vriendin – was het een enorme bende.' Ik vertelde wat ze mij had beschreven. 'Ze dacht wel dat Rebecca hier pas nog was geweest. Interessant was dat ze ook dacht dat er iemand anders bij haar langs was geweest, hoogstwaarschijnlijk gisteravond.' Ik vertelde van de wijnglazen en hoopte dat Godley onder de indruk zou zijn.

Hij fronste zijn wenkbrauwen. 'Maar dat wil niet zeggen dat het iets te maken heeft met wat haar is overkomen. Voor zover wij weten heeft onze moordenaar tevoren geen contact met zijn slachtoffers.'

'Dat is waar, maar misschien is Rebecca met haar bezoeker uitgegaan nadat ze een wijntje hadden gedronken. Misschien zijn ze ergens gaan eten of naar een club gegaan of zoiets, en is ze op weg naar huis in de vroege uurtjes de moordenaar tegen het lijf gelopen. Het is vrij belangrijk om erachter te komen wie bij haar langs is geweest als we haar laatste uren gaan reconstrueren.'

'Wat een origineel idee,' zei Judd sarcastisch. 'We mogen God danken dat we jou in het team hebben zitten, Kerrigan.'

Heel vluchtig verscheen er een frons op het gezicht van de hoofdinspecteur, en ik vermoedde dat deze interruptie hem ergerde. Ik wist mijn gezicht in de plooi te houden. Ha, wie is er nu de pineut? dacht ik.

'En hoe zullen we onze geheimzinnige gast eens gaan opsporen?' zei Godley ten slotte.

'Volgens Louise was het misschien Rebecca's ex, Gil Maddick. Dat kan ik even natrekken als u wilt.'

'Dat wil ik inderdaad.' Godley zuchtte. 'Als hij het niet was, zitten we klem, hè? Ik veronderstel dat het sporenonderzoek niet veel zal opleveren?'

'Louise is nogal grondig te werk gegaan.' Ik tikte het af op mijn vingers. 'Ze heeft het bed verschoond en de lakens gewassen. Ze heeft alles afgestoft en de hele flat gestofzuigd. Ze heeft de badkamer en de keuken schoongemaakt en alles met bleekwater afgenomen. Ze heeft Rebecca's kleren opgeruimd en de hele vaat gedaan.'

'Je zou haast zeggen dat ze wist dat we zouden komen,' kwam Sam scherp tussenbeide. 'Als ze ervoor betaald werd had ze het niet beter kunnen doen.'

'Je zou haast denken dat ze Rebecca's slaafje was.' Godley klonk weer geërgerd.

'Ze was gewend zich om haar te bekommeren. Zo zat hun vriendschap in elkaar, zei ze.'

'En wat was de winst voor Louise?'

Ik haalde mijn schouders op. 'Genoeg om ervoor te zorgen dat ze het de moeite waard vond hier een paar uur te lopen opruimen. Zoals ik al zei, denk ik niet dat het ongewoon was dat ze zich met Rebecca's huishouden bezighield. Ik krijg niet de indruk dat Rebecca zich erg druk maakte om de alledaagse dingen in haar leven. Uit wat Louise zei maakte ik op dat ze meer belangstelling had voor feesten.'

'We moeten erachter komen hoe Rebecca's ouders en vrienden over Louise dachten. Zodat we zeker weten dat ze is wie ze zegt dat ze is.' Godley fronste zijn wenkbrauwen weer. 'Kijk maar of je die exvriend te pakken kunt krijgen, maar ondertussen moeten we er ook over nadenken hoe we kunnen aantonen wie hier is geweest, voor het geval hij er niets mee te maken blijkt te hebben.'

'Ik zal de portier vragen of er bewakingscamera's in het gebouw zitten,' bood Sam aan. 'Het zou ook kunnen dat degene die gisteravond dienst had Rebecca heeft zien weggaan. Ze was wel het soort meisje dat je zou opmerken, niet?'

Ik dacht aan het park, aan het lichaam dat aan mijn voeten in het verschroeide gras had gelegen. Iemand had haar inderdaad opgemerkt, met haar nauwsluitende jurk en haar hoge hakken. Iemand had haar opgemerkt, haat gevoeld en haar kapot willen maken.

'Mooi zo,' zei Godley, en Sam spurtte zonder dralen de kamer uit. 'Maeve, ik wil dat jij met de ouders van Rebecca gaat praten, en met haar collega's, haar andere vrienden en de ex-vriend. Probeer erachter te komen wat er speelde in haar leven. Begin pas als we haar naaste familie hebben ingelicht over wat er is gebeurd. Ik wil niet dat je nog eens op ons voor gaat lopen.'

Ik probeerde niet teleurgesteld te kijken. Bij een onderzoek als dit was achtergrondinformatie over het slachtoffer meestal niet zo belangrijk. Het was een hoop werk, iets wat moest gebeuren maar waarvan het zeer onwaarschijnlijk was dat het zou leiden tot het pakken van de moordenaar. Moeizaam informatie vergaren via standaardvragen op formulieren en systeemkaarten vol feitjes die niemand ooit nodig zou hebben om een zaak hard te maken.

'Natuurlijk, geen probleem. Eh… hebt u nog voorkeur met wie ik moet beginnen?'

'Bepaal zelf de volgorde maar. Rapporteer aan mij zodra je klaar bent en voer de gegevens in in het HOLMES-systeem. En laat Tom daarna weten dat je klaar bent; dan zet hij je op iets anders.'

Achter zijn rug glimlachte Judd onaangenaam. Waar hij me op zou zetten, zou gelijk staan aan wc's schrobben. Dat was de prijs die ik betaalde voor het feit dat ik nu tweemaal in vierentwintig uur de brenger van slecht nieuws was geweest. Godley kon bijgelovig zijn. Ik was een ladder tegen de muur, een scheur in het plaveisel, een zwarte kat die voor hem langsliep. Ik was er geweest, tenzij ik met iets goeds op de proppen kwam.

Op mijn weg naar de auto zocht ik in de gangen en de hal automatisch naar camera's. Geen enkele. Sam was recht op de balie af gegaan en leunde eroverheen; hij maakte een praatje met de portier over voetbal. Toen ik langs de balie liep, wees ik naar de deur. Ik ben weg, ga je mee? betekende dat.

'Vijf minuutjes,' zei hij, terwijl hij zijn hand wijd spreidde en me vijf dikke vingers liet zien. Hij zag er zo onschuldig, kaal en mollig uit als een peuter. Tenminste, als peuters voortdurend zweetplekken in hun kleding zouden hebben. En neushaar hadden.

'Vijf minuten,' herhaalde ik. 'Dan ben ik weg.'

Ik kreeg als reactie een snelle grijns. Hij wist best dat ik tien minuten zou wachten. Hij wist ook dat ik na exact tien minuten zou vertrekken als hij dan nog niet was komen opdagen. Sam zou zelf zijn weg terug naar de recherchekamer, of naar huis, of naar de dichtstbijzijnde kroeg wel weten te vinden. Het biertje dat ik hem beloofd had, zou hij dan een andere keer wel krijgen. Ook dat wist hij.

Het korte stukje lopen naar de auto was al voldoende om het tot op het bot koud te krijgen. Toen ik achter het stuur was gaan zitten, begon ik eerst een paar minuten in mijn handen te wrijven om het bloed erin weer te laten stromen. Ik dacht niet dat ik het ooit weer warm zou krijgen. De snijdende wind kwam direct van de rivier en blies messcherp door de smalle straatjes heen. Ik vermoedde dat de rivier een van de dingen was die Rebecca naar deze omgeving had doen trekken, hoewel het haar niet was gelukt een uitzicht op de Theems te bemachtigen. Ze had uitzicht op mensen gehad. En misschien, dacht ik met groeiende belangstelling terwijl ik mijn blik langs het flatgebouw aan de overkant liet gaan, hadden ze ook wel naar haar gekeken. Naar haar gekeken en naar haar bezoeker. Het was vast de moeite waard om bij een paar adressen langs te gaan.

Maar zelf kon ik dat niet doen. Ik had mijn orders. Het zou me beslist geen goed doen om opnieuw op eigen initiatief op pad te gaan, niet nu de boetepreek van de hoofdinspecteur nog nagalmde in mijn oren. Daarom pakte ik mijn mobiel uit mijn zak, belde hem en legde zo beknopt mogelijk uit wat me was opgevallen, waarna ik opperde dat het wellicht de moeite was om het na te gaan, als hij ook dacht dat er iets in zat.

'Geen slecht idee. Goed werk, Maeve.' Hoffelijkheid in ere hersteld. Ik grinnikte toen ik het gesprek beëindigde. Ik was er nog niet wat Godley betrof, maar stond er stukken beter voor dan toen ik nog niet had gebeld. Ik zou het misschien zelfs riskeren mijn chef rechtstreeks te benaderen als ik klaar was met het uitkammen van Rebecca Haworths leven. Adjudant Judd zou het me nooit vergeven als ik hem zou passeren, maar Judd stond toch al niet te popelen om lid van mijn fanclub te worden. Waarom zou ik mezelf in de positie plaatsen stront voor hem te moeten scheppen als het niet absoluut noodzakelijk was?

Nergens voor nodig, Maeve.

Ik keek op het dashboardklokje. Sam had nog vier minuten. Dan zou ik wegrijden. Proberen Gil Maddick op te sporen. Uitzoeken of hij bij Rebecca was geweest. Erachter komen hoe hij over die lieve Louise dacht. Ze had gelijk gehad: Rebecca zou geen privacy krijgen, maar ze had zich niet gerealiseerd dat ze zelf ook onder de loep zou worden genomen. De moord op Rebecca was een zware steen die in de vijver van het leven van haar ouders en vrienden was geworpen. De rimpelingen die als gevolg daarvan steeds grotere kringen vormden, zouden niemand overslaan. En niets zou ooit nog hetzelfde zijn.

Louise

Ik ging naar huis toen ik er zeker van was dat de politie voorlopig klaar met me was, en toen ik door de voordeur mijn huisje in Fulham binnenliep, kon ik me geen stap van de terugweg meer herinneren. Het was koud in huis; de centrale verwarming stond uit, maar in plaats van de keuken binnen te gaan om de boiler tot leven te porren, duwde ik de woonkamerdeur open en ging op de bank voor me uit zitten staren. Na een paar minuten stond ik weer op om de lamp naast me aan te doen en ik trok mijn schoenen uit. De meubelstukken in de kamer, die zwakjes verlicht waren door de oranje straatlantaarn die door het raam naar binnen scheen, werden opeens tot in detail zichtbaar. De grijze bank met de bruine kussens waarop ik zat. De simpele houten salontafel, waar helemaal niets op lag. Een televisie die ik nooit aanzette. Een leunstoel, waar zelden of nooit een gast in had gezeten. Geen prullaria. Het was een saaie kamer, blanco, in afwachting van een persoonlijk stempel.

Afgezien van één ding. Het schilderij boven de schoorsteenmantel. Het was een schitterend abstract schilderij, een werveling van blauw- en grijstinten met korte streken wit die me deed denken aan snelstromend water. Het was een origineel werk, van de schilder zelf gekocht voor een bedrag waarvan de tranen je in de ogen sprongen, en het was meer dan zijn geld waard. Het was liefde op het eerste gezicht geweest, op een kunstexpositie in Brick Lane, maar ik had het niet betaald. Ik zou niet hebben gedurfd. Daar komt bij dat ik mezelf er nooit van had kunnen overtuigen dat het geen geldverspilling was om duizenden ponden te besteden aan een schilderij terwijl posters zo goedkoop waren.

Rebecca, die me had meegesleept naar die expositie, zag het heel anders.

'Je zult het geweldig vinden als je het hebt opgehangen. En het is iets voor altijd,' had ze voorspeld. 'Laat mij het voor je kopen, als cadeautje voor je nieuwe huis.'

Ik had geprotesteerd. Zelfs voor Rebecca was het een extravagant cadeau. Ik had haar meegetrokken en afgeleid met een smeedijzeren kunstobject dat we geen van beiden mooi vonden.

En toch was ik niet verbaasd geweest toen het pakket de volgende zaterdagochtend werd bezorgd: een niet-ingelijst doek gewikkeld in vele lagen pakpapier en bubbeltjesplastic, met een briefje van de schilder dat het *Untitled: Blue XIX* heette en dat hij hoopte dat ik er als eigenaar van zou genieten.

Ik had meer gedaan dan dat. Ik had het in mijn hart gesloten. Maar gek genoeg had ik nooit het gevoel gekregen dat het echt van mij was. Voor mij bleef het altijd van Rebecca, was het een uitvloeisel van haar persoonlijkheid in doek en olieverf. Het gevoel van snelle bewegingen dat ik erbij kreeg en bovenal het gevoel van vreugde. Dat paste bij haar, niet bij mij.

Ik opende mijn tas en ritste het binnenvak open; langzaam legde ik een paar spulletjes netjes voor me op tafel neer.

Een smalle, sierlijke gouden armband.

Een rozerode lippenstift van Chanel.

Een platte make-upspiegel in een hard staalgrijs doosje.

Een chique, slanke pen met op de zijkant GKM erin gegraveerd.

Een parfumflesje, voor twee derde vol.

Een felroze agenda.

Een paar ouderwetse tweezijdige scheermesjes in een envelopje.

Een papieren puntzakje met een beetje wit poeder erin.

Heel langzaam, alsof ik in een droom zat, schoof ik de armband over mijn eigen arm, waar hij zo gewichtloos als een haar bleef hangen. Ik strekte mijn arm uit en keek hoe de armband omlaag gleed en om mijn pols tot stilstand kwam, zoals ik hem ook over Rebecca's arm had zien glijden. Ik pakte het parfumflesje en sproeide wat parfum de lucht in, waardoor die de geur van verse bloemen kreeg die mij deden denken aan wapperende blonde haren in een briesje, aan een glimlach die de kamer deed oplichten, aan zomer in hartje winter. Ik pakte de lippenstift en het spiegeltje en kleurde mijn lippen; ik bracht lippenstift aan op de curve van mijn onderlip terwijl ik door het bekraste en stoffige oppervlak van het glas probeerde te zien wat ik deed. Zachtroze. Mijn huid bleek. Mijn ogen donker, met verwijde pupillen, verbaasd hun eigen blik weerspiegeld te zien. Ik klapte het spiegeltje dicht.

De politie zou Rebecca's ouders nu wel hebben ingelicht. Ze zouden weten wat er was gebeurd, maar niet het hoe en het waarom kennen. Ze zouden evenmin als ik in staat zijn te geloven dat ze er niet meer was. Maar ik kon me wel hun verdriet voorstellen, en ook al had ik het gevoel dat ik niet met hen kon gaan praten, wist ik dat ik dat wel moest doen. Ik ging op de onderste traptrede zitten met mijn knieën tegen elkaar en mijn tenen gekromd in het vloerkleed. Mijn handen trilden niet, zelfs niet toen ik het nummer intoetste dat ik beter kende dan dat van mezelf. De gouden armband draaide en sloeg tegen mijn arm, en de lage stem van Rebecca's vader klonk in mijn oor: hallo, zei hij, hallo, en ik kon geen woord uitbrengen, kon niet ademhalen door de drukkende pijn in mijn borst, het gewicht van diepgevoeld verdriet, maar toch vond ik uiteindelijk geleidelijk en onbeholpen de juiste woorden.

4

Maeve

Sam had volgens het klokje nog dertig seconden de tijd toen hij met zijn blik nadrukkelijk op zijn horloge gericht de traptreden van het Blue Building af kwam klossen.

'Ik zei toch dat ik op tijd zou zijn.'

'Op het randje. Als ik hier nog langer had moeten wachten, hadden de banden het begeven.'

'Geduld, beste meid. Aaron had van alles te vertellen over ons slachtoffer en nog wat andere interessante weetjes ook. Sommige dingen kun je nu eenmaal niet afraffelen, en als vrouw zou jij dat moeten weten.'

'Laat dat geen insinuatie zijn. Laat dat alsjeblieft geen insinuatie zijn. Seksisme kan ik hebben, maar van obsceniteiten ga ik echt over mijn nek. Kunnen we nu eindelijk gaan?' Ik startte de auto al.

'Even wachten nog.' Sam zat te frummelen, controleerde of hij zijn aantekenboekje, zijn pen, zijn mobieltje, zijn opgevouwen krant en al die andere rommeltjes bij zich had die hij onontbeerlijk vond en die vandaag allemaal in een onvoorstelbaar smoezelig plastic tasje zaten. Ik bleef zitten met de motor in z'n vrij; ik was furieus, en toen Godley uit het Blue Building kwam en op de treden met Judd bleef staan praten, maakte ik me zo klein mogelijk en hoopte ik van harte dat hij ons daar niet zou zien staan. We hadden onze marsorders gekregen en hadden al onderweg moeten zijn.

Charlie Godley zag echter niet veel over het hoofd, anders was hij geen hoofdinspecteur geworden. Hij liet zijn geoefende blik door de straat gaan en merkte me direct op, waarna hij op de auto af beende met zijn overjas wapperend in de wind alsof onzichtbare handen eraan trokken. Hij boog zich naar het raam dat ik onhandig probeerde open te draaien.

'Ben je hier nog steeds? Nou ja, dat scheelt me een telefoontje. Als je mee wilt, ik ga naar het mortuarium. Glen gaat de autopsie voor me doen zodra hij een gaatje heeft.'

'Wie, ik?' stamelde ik; kennelijk had ik meer indruk gemaakt met mijn suggestie om met de overburen te gaan praten dan ik dacht. 'Heel graag. Ik bedoel…'

Heel graag. Dat klonk totaal verkeerd als je wist dat het ging om toekijken als het lijk van een jonge vrouw werd opengesneden.

'Het lijkt me goed dat je haar vanbinnen en vanbuiten kent, als je straks met haar ouders en vrienden gaat praten.'

'Was dat een grapje, chef?' riskeerde ik.

'Absoluut niet.' Hij grijnsde. Ik was beslist weer in de gratie bij hem, voor zolang als het duurde. 'Sam, jij zult wel niet mee willen komen.'

'Nee, dank u. Ik heb al meer dan genoeg van dat soort dingen gezien, dus als het niet nodig is, liever niet.' Sam keek me meelijwekkend aan. 'Zou je me misschien even bij het bureau willen afzetten? Mijn knieën hebben niet veel op met de ondergrondse. Al die trappen.'

'Niet als ik dan te laat kom,' siste ik met opeengeklemde kaken, die hij mocht aanzien voor een glimlach als hij wilde.

'Daar heb je wel even tijd voor,' zei Godley inschikkelijk. 'Glen begint om zes uur. Je weet zeker wel waar je heen moet?'

Dat wist ik inderdaad; dokter Hanshaw werkte in een van de grote ziekenhuizen van Londen en ik wist waar het mortuarium was. In de kelder. Dat paste zowel bij hem als bij zijn werk. Ik zou er op tijd zijn, al moest ik Sam daarvoor uit de rijdende auto gooien. Godley zette opnieuw de deur voor me open en ik zou die kans grijpen, al moest ik het met mijn leven bekopen.

De waarheid was dat er niemand hoefde te sterven, met uitzondering van Rebecca Haworth zelf, en ik was zelfs ruim op tijd bij het mortuarium, nadat ik Sam vlak voor het politiebureau had afgezet. Het laatste wat ik van hem zag was zijn dikke lijf dat vrolijk naar binnen schuifelde, zoals altijd met een afgezakte broek. Hij droeg zijn bruine anorak, die hij altijd bij zich had voor het geval het 'echt koud' zou worden, in een prop onder zijn arm. Ik had de verwarming in de auto vol aangezet, en nog had ik het ijskoud in mijn dikke jas; mijn vingernagels zagen blauw en mijn voeten waren ijsklompjes. Ik kon me niet voorstellen wat Sam verstond onder 'echt koud'. Wel wist ik dat ik dat nooit wilde meemaken.

Het was vijf voor zes toen ik bij de receptie van het mortuarium aankwam en Godley daar aantrof. Hij zat met zijn ogen dicht en zijn armen over elkaar op een lage stoel. Ik wilde hem niet storen, dus liep ik op mijn tenen verder om niet te veel geluid te maken met mijn schoenen op de tegelvloer. Zonder zijn ogen te openen zei hij: 'Goeie timing, Maeve.'

Ik liet mijn schouders zakken. 'Hoe wist u dat ik er was?'

'Het is mijn werk om alwetend te zijn.'

Ik vroeg me af of de hoofdinspecteur wist dat zijn bijnaam onder de jongere leden van het team 'God' was en moest even stilletjes lachen; als hij echt alles wist, had hij dat vast weleens gehoord.

'Fijn dat ik hierbij kan zijn.' Ik klonk enthousiast, maar ik was nu al misselijk van de mortuariumlucht van desinfecterende middelen die iets ongelooflijk smerigs verdoezelde. Onderweg terug naar het bureau had Sam met weerzinwekkend genoegen verhalen zitten vertellen over lijkschouwingen die hij had bijgewoond, compleet met gedetailleerde beschrijvingen van maden die uit borstholten kwamen kruipen en lijken die letterlijk uiteenvielen door rotting. Ik had die dag Rebecca Haworths lichaam al gezien en nergens last van gehad, maar ik had nooit eerder toegekeken als een menselijk lichaam werd opengesneden, en ik begon spijt te krijgen van mijn jeugdige geestdrift om erbij te zijn. De oude regel dat het bijwonen van een lijkschouwing deel uitmaakte van de politieopleiding werd niet meer gehandhaafd, en ik had nooit eerder de behoefte gevoeld er zelf op af te gaan.

'Glen loopt iets achter.' Hij strekte zijn handen uit boven zijn hoofd en geeuwde. 'Sorry. Te weinig geslapen.'

'Vertel mij wat,' zei ik meelevend; toen beet ik op mijn lip. Als teamlid dat pas kwam kijken bevond ik me bepaald niet in dezelfde positie als de hoofdinspecteur. Hij had het gewicht van verwachtingen op zijn schouders liggen, plus de algehele verantwoordelijkheid voor het onderzoek. Het was voor mij niet voor te stellen hoe hij zich onder die druk staande kon houden.

'U zult er vast honderden hebben bijgewoond,' zei ik snel.

'Een heel stel. Is dit jouw eerste?'

Ik knikte.

'Maak je maar geen zorgen. Het zal niet lang duren. En het is interessant; zodra Glen begint te vertellen wat zijn bevindingen zijn, vergeet je helemaal waarnaar je staat te kijken.' De hoofdinspecteur trok zijn wenkbrauwen op. 'Je kunt toch wel tegen een stootje?'

'Jazeker,' loog ik. Ik wist nu al dat ik nooit meer een biefstuk op de barbecue zou kunnen leggen nadat ik aan deze zaak had gewerkt. Zelfs bij de gedachte aan het bereiden van welk soort vlees dan ook draaide mijn maag zich al om. Het vegetarisme werd steeds aantrekkelijker.

'"*Hic locus est ubi mors gaudet succurrere vitae*",' las hij op van een ingelijste poster aan de muur achter me. 'Hier is de plaats waar de dood blij is het leven te helpen. In elk mortuarium waar ik ooit ben geweest staat dat wel ergens. Mooie invalshoek, hè?'

'Hm.' Ik draaide me half om om de poster nog eens te lezen en dacht er even over na. 'Hier vertellen ze ons wat hun is overkomen, hè? Hier leggen ze hun getuigenis af.'

'Met hulp van Glen.' Hij keek langs me heen en stond toen op. 'Aha, daar is hij al.'

Dokter Hanshaw stond in de deuropening naast de balie. 'Sorry voor het oponthoud. We zijn er nu klaar voor.'

Ik volgde Godley op benen die even wiebelig waren als die van een pasgeboren veulentje, en wenste opeens dat ik ergens anders was. Maar als ik iets wilde bereiken op het gebied van moordonderzoek, zou ik mezelf moeten harden. Er zouden me nog wel ergere dingen onder ogen komen voordat ik klaar was met de dood. Met die opwekkende gedachte en na een paar diepe ademteugen liep ik de dubbele deuren naar de schouwruimte door, waar Rebecca's stoffelijke resten naakt waren neergelegd, klaar voor inspectie. De mooie Ali was nergens te bespeuren; ik had begrepen dat ze niet veel tijd doorbracht in het mortuarium. Hanshaw dicteerde zijn bevindingen en zij typte de rapporten. Ik wist dat het niet kwam doordat ze teergevoelig was – verre van dat; niemand had haar ooit een spier zien vertrekken, hoe gruwelijk de plaats delict er ook uitzag. Maar de patholoog had niet graag veel mensen om zich heen als hij aan het werk was. Godley telde niet mee; ze waren immers oude vrienden, en ik was daar als Godleys schaduw en niet zozeer in functie aanwezig, dus zou hij me waarschijnlijk niet opmerken. De enige andere aanwezige in de zaal was een knappe jongeman in operatiekleding die Hanshaw voorstelde als Steven, zijn technisch assistent. Hij was één brok samengebalde energie, alsof hij compensatie wilde bieden voor de omgeving; hij had opvallende strepen in zijn haar en drie piercings in zijn linkeroor. Hij sprong zachtjes neuriënd in het rond om de laatste voorbereidingen te treffen, alsof er geen dode jonge vrouw op de tafel midden in de kamer lag, alsof het een gewone werkdag was. Wat het natuurlijk voor hem ook was. En voor mij zou het ook iets doodgewoons moeten zijn, hield ik mezelf voor, dus rechtte ik mijn schouders en bereidde me geestelijk voor op wat komen ging.

'We hebben haar al gefotografeerd en er zijn ook al wat monsters ter analyse genomen.' Dokter Hanshaw had het tegen mij; zijn stem klonk bars maar niet onvriendelijk, en ik vermoedde dat Godley hem had gevraagd me de procedure gaandeweg uit te leggen. 'We hebben wel iets vreemds gezien toen we haar uitkleedden. De band van haar slipje was dubbelgevouwen met het elastiek naar binnen – kijk, zo –, en rechts zat hij lager dan links.' Hij deed het voor met zijn eigen operatiebroek, vouwde de band zo om dat het elastiek tegen zijn lichaam zat. 'Daardoor kreeg ik de indruk dat ze eerder door iemand anders was aangekleed dan dat ze het zelf had gedaan. Het zit zo niet lekker en het kan niet prettig zijn om zo rond te lopen. Ik denk ook niet dat ze bij bewustzijn was toen ze werd aangekleed.'

Godley fronste zijn wenkbrauwen. 'Een zedenmisdrijf?'

'Daarvan heb ik geen sporen gevonden.' Hij haalde zijn schouders op. 'Ik weet niet goed wat ik ervan moet denken, maar het klopt niet met de andere zaken van operatie Mandrake. Bij de andere vier duidde niets erop dat er iets met de kleding was gedaan, afgezien van wat je kunt verwachten als iemand over de grond wordt gesleept. Dan zit alles een paar centimeter opgeschoven en zo. Maar haar jurk was netjes omlaag getrokken. Alleen het ondergoed zat niet goed.'

'En wat nog meer?'

'Opvallende details. Ze heeft een oud trauma: een jukbeenfractuur. Genezen, dus zeker niet recent. Ik heb bij de huisarts haar medisch dossier opgevraagd; de familie kan je wellicht het hele verhaal vertellen. En dan dit nog.' Dokter Hanshaw tilde Rebecca's rechterhand op en draaide hem om, zodat we de bovenkant van haar vingers konden zien. Hij had een stukje huid dat aan de ergste brandschade was ontsnapt, schoongemaakt. 'Zie je die plekjes op haar wijs- en middelvinger, vlak onder de knokkels? Ik weet dat het moeilijk te zien is door de verbrandingen, maar er zitten plekjes die oplichten bij uv-straling. Het zijn littekentjes. Ik acht het heel waarschijnlijk dat ze zijn ontstaan doordat haar tanden herhaaldelijk over haar huid hebben geschraapt als ze haar vingers in haar keel stak.'

'Waarom zou ze dat doen?' vroeg Godley.

'Ze liet zichzelf overgeven om dun te blijven,' zei ik zonder nadenken. Ik had op een meisjesschool gezeten; als er iets was waarover ik alles wist, waren het eetstoornissen.

De patholoog knikte. 'Inderdaad. Boulimia nervosa. Er is ook behoorlijk wat schade aan het tandglazuur. Ik vermoed dat dit een al lang bestaande aandoening was. Ze heeft een duidelijk ondergewicht: zevenenveertig kilo. Ze was ongeveer één meter zeventig, met een BMI van net iets meer dan 16. BMI is *body mass index*,' legde Hanshaw snel uit, misschien omwille van mij. 'Een gezonde BMI zou ergens tussen de achttien en de vijfentwintig hebben gelegen. Deze eetstoornis maakt het ons wat ingewikkelder te bepalen wanneer ze is gestorven. Er is misschien niet veel over van haar laatste maaltijd. Niet dat ik ooit adviseer van de maaginhoud uit te gaan als richtlijn voor het moment van overlijden. Angst remt het stofwisselingsproces af. Woede versnelt het. Ernstige trauma's kunnen het helemaal stopzetten. De lichaamstemperatuur geniet mijn voorkeur, maar bij deze verbrandingsgevallen heb ik daar uiteraard niets aan.'

'Maar je hebt wel een schatting kunnen maken.' Dat was geen vraag. Godley wist dat de patholoog een vrij nauwkeurig idee had, hoezeer hij ook te kennen gaf dat een accurate berekening onmogelijk was.

Hij gromde iets. 'Lastig te zeggen. Ik kan vanwege de verbrandingen ook niet afgaan op de rigor mortis; daardoor zijn de spiervezels gaan contraheren. Het is best mogelijk dat ik jullie alleen kan vertellen of ze dood was of nog leefde toen ze in brand werd gestoken. We zullen meer te weten komen als ik haar openmaak, maar ik heb geen roet in de luchtwegen zien zitten. Nu de brandwonden. Komen overeen met die van de andere slachtoffers van jullie seriemoordenaar. Over haar handpalmen en vingers is benzine gegoten, maar niet over haar gezicht. Ze heeft derdegraadsverbrandingen aan haar onderarmen, haar bovenbenen en haar buik; tweedegraadsverbrandingen aan hals en borst. Ik schat dat ze over iets meer dan vijftig procent van haar lichaam verbrand is.' Hij keek me nog eens aan. 'Weet je hoe dat wordt berekend? Nee? Dit gebied' – hij hield zijn hand op en beschreef een kring over de handpalm – 'telt als ongeveer één procent van je totale lichaamsoppervlak, en daaraan meten we onregelmatig gevormde brandwonden af. In een geval als dit, met uitgebreide verwondingen aan het lichaam, passen we de regel van negen toe. We nemen negen procent per arm en voor het hoofd. Achttien procent per been. Achttien procent voor de voorzijde van de romp. Achttien procent voor de rug. En dan nemen we het overblijvende procent voor de genitaliën.'

Terwijl de patholoog verder sprak, besefte ik dat Godley gelijk had gehad: ik vond het inderdaad interessant. Zo zelfs dat ik bijna was vergeten dat wat voor ons lag ooit een persoon was geweest, een mens met hoop voor de toekomst, dromen en gevoelens. Nu was ze een probleem dat opgelost diende te worden, een raadsel dat moest worden uitgezocht. Maar dat wilde niet zeggen dat ik een rilling kon onderdrukken toen Hanshaw een scalpel pakte, een incisie maakte en de romp openlegde in de vorm van een Y die van de schouders tot aan het schaambeen liep.

Hij liep snel de organen langs, woog ze, nam monsters, sneed ze open en liet ons zien wat hij had aangetroffen. Alles was normaal; ondanks haar levensstijl was ze heel gezond geweest. Ze had nog jaren kunnen doorleven voordat die haar parten was gaan spelen. De kleur van haar organen was onverwacht helder en de vorm was me bekend van het hakblok bij de slager, en ze deden me het meest denken aan de politiefoto's van Jack the Rippers laatste slachtoffer, Mary Jane Kelly, in stukken gesneden, tentoongespreid, met een berg vage darmen op een tafel achter haar. Die weerzinwekkende beelden botsten in mijn gedachten met hetgeen ik stond te observeren en maakten me duizelig. Ik stak mijn hand uit om niet te vallen en raakte de mouw van de hoofdinspecteur. Hij keek snel naar me om.

'Voel je je wel goed? Wil je even pauzeren? Even wat frisse lucht opsnuiven?'

Ik schudde mijn hoofd en produceerde met moeite een glimlachje; praten durfde ik niet goed.

'Ik heb bloedmonsters genomen,' zei Hanshaw, 'zodat we behalve haar haren ook haar bloed kunnen onderzoeken om erachter te komen wat ze gebruikte.'

'We weten al dat ze geregeld cocaïne snoof,' zei Godley.

'Dat had ik je ook kunnen vertellen door de staat waarin haar neus verkeert. Significante schade aan het tussenschot. Ik heb ook monsters van haar ogen genomen; het vocht uit het glasachtige lichaam leent zich goed voor een chemisch profiel als een lichaam aan hitte blootgesteld is geweest. Ik zal wat urine voor onderzoek afnemen, en de maaginhoud voor zover aanwezig bewaren voor toxicologisch onderzoek.'

De gedachte aan een naald die zich in het oog van het slachtoffer priemde was bijna te veel voor me. En toen Hanshaw een scalpel pakte en haar hoofdhuid van oor tot oor opensneed, de huid over haar gezicht omlaag trok en daarmee haar schedel blootlegde, werd het me echt te machtig. Ik mompelde een excuus, liep rechtstreeks naar de deur en glipte naar buiten zonder dat het me iets kon schelen wat ze van me dachten. Ik kon geen moment langer in die schouwzaal blijven. Ik zou het verslag van de patholoog wel lezen, maar ik hoefde echt niets meer te zien.

In de hal ging ik bij de waterkoeler staan, waar ik het ene na het andere bekertje water dronk tot mijn maag weer enigszins tot rust was gekomen en ik mezelf weer had herpakt. Ik moest wachten tot Godley naar buiten kwam, zodat ik hem mijn excuses kon aanbieden. Ik had het gevoel dat ik hem in het bijzijn van dokter Hanshaw had teleurgesteld. Niet gehard genoeg, zoals gewoonlijk. Niet gehard genoeg om rechercheur moordzaken te zijn. De spottende opmerkingen van de geüniformeerde agenten eerder die dag schoten me weer te binnen en ik vloekte zachtjes omdat ik die eeuwige twijfel maar niet de baas kon. Mannen twijfelden nooit zo aan zichzelf. Mannen maakten zich er niet voortdurend druk om wat anderen van hen vonden. Mannen deden hun werk en gingen naar huis, zonder dat ze last hadden van wat ze hadden gezien – en als ze er wel last van hadden, dan lieten ze het niet merken. En ik was op een haar na flauwgevallen. Er waren heel wat vrouwen in een leidinggevende functie, maar in Godleys team was ik de enige die het feminisme in het vaandel had staan, maar wat was dat eigenlijk een miezerig, rafelig vaandeltje.

Ik moest het Godley nageven: hij kwam niet echt met een verwijt toen hij ten slotte met dokter Hanshaw de hal in kwam.

'Gaat het een beetje?'

'Veel beter.' Ik keek de patholoog aan. 'Sorry. Het was heel interessant.'

'De volgende keer moet je beslist blijven voor de grote finale. Je hebt het mooiste gemist. Het is geweldig om voor de eerste keer de hersenen te zien liggen als het schedeldak wordt gelicht.'

Nooit weer, nooit weer, nog in geen miljoen jaar, dacht ik. Ik glimlachte beleefd. 'Wat hebt u gevonden?'

'Drie klappen met een stomp voorwerp tegen de achterkant van de schedel. Uitgaand van de hoek waaronder de slagen zijn toegediend, moet je zoeken naar iemand die rechtshandig is. De eerste klap toen het slachtoffer zat of knielde, de andere twee zijn gegeven toen ze languit lag. Ik kan je niet vertellen welke van de drie tot de dood heeft geleid, maar het moet snel zijn gegaan. Ze was al dood voordat het vuur werd aangestoken.'

'Dat is tenminste iets.'

'De vraag is of we op zoek zijn naar één of naar twee moordenaars,' zei Godley grimmig, en ik keek hem snel aan.

'Bedoelt u een na-aper?'

'Ik denk dat we de mogelijkheid open moeten houden. Laten we het wel binnen het team houden, zodat ik er controle over heb, maar ik wil graag dat jij je concentreert op Rebecca Haworth, Maeve. Op die manier zijn we de eersten die op de hoogte zijn als het toch dezelfde moordenaar blijkt te zijn. Ik wil niet dat de pers het vermoeden krijgt dat er twee moordenaars zijn; dat zou kunnen gebeuren bij overdracht aan een andere teamleider. We willen niet dat ze paniek gaan zaaien. Eén seriemoordenaar is al erg genoeg; twee is ondenkbaar. Ik wil niet dat dit naar buiten komt, niet op de laatste plaats omdat degene die Rebecca heeft vermoord, als hij niet onze seriemoordenaar is, moet denken dat hij ons volledig voor de gek heeft gehouden. Laten we hem een vals gevoel van veiligheid bezorgen en dan zien we wel welke fouten hij gaat maken.'

Ik begreep het nut van wat hij zei. Maar ik was niet zo blij met wat volgde.

'Ik geef Tom de leiding van dit onderzoek en ik wil dat jij er fulltime aan werkt. Rapporteer aan hem; hij houdt mij wel op de hoogte. Hij mag twee mensen uit het team halen om jou te assisteren. Dan zien we over een week wel hoe ver je bent gekomen.'

Ik had eigenlijk blij moeten zijn dat mijn baas me zo'n speciale opdracht had gegeven, een kans om me te bewijzen, maar toch bekroop me het gevoel dat het een beetje oneerlijk was dat de prijs die ik ervoor moest betalen was dat ik onder Judd moest werken. Maar ik wilde ook niet buiten de boot vallen.

'Mag ik nog wel aan de rest van operatie Mandrake blijven werken? Als ik tijd overheb, bedoel ik?'

Hij keek geamuseerd. 'Als je tijd overhebt wel. Maar Rebecca Haworth moet je hoogste prioriteit krijgen.'

'Ik zal je een kopie van het autopsieverslag sturen,' zei Hanshaw, waarna ik voor hem had afgedaan. 'Charlie, heb je tijd voor een glaasje?'

De hoofdinspecteur keek op zijn horloge. 'Niet echt, maar ach, waarom ook niet.'

Ik zag ze samen vertrekken; de patholoog praatte geanimeerd tegen Godley, die zijn zilvergrijze hoofd luisterend gebogen hield. Het was een raar stel samen, de een zeer beleefd en de ander kortaf en onbehouwen. Wat ze gemeen hadden, was de bezetenheid hun werk goed te doen. En ik vond dat zelf ook belangrijk. Dus in plaats van te kniezen over het zijspoor waarop ik gezet was, moest ik maar eens aan de slag gaan.

Want als we voldoende bewijsmateriaal vonden om de dood van Rebecca te koppelen aan de vuurmoordenaar, kon ik weer terugkeren naar waar ik thuishoorde.

Die dag kwam ik niet meer verder; na de autopsie reed ik naar huis en dook mijn bed in. Of het nu kwam door slaapgebrek, door het kille weer, of door het feit dat ik anders met Ian naar Camilla's etentje had moeten gaan, ik liep te bibberen en voelde me hondsberoerd; ik wilde niet anders dan minimaal twaalf uur lang wegzinken in vergetelheid. Ik nam een middeltje tegen griep in, waarbij ik er goed op lette dat ik de pillen uit het doosje met een waarschuwing voor slaperigheid nam, en liet me in bed vallen met mijn mobiel onder mijn kussen. Ik werd heel even wakker toen Ian thuiskwam. Hij bleef een poosje in de deuropening staan; zijn silhouet tekende zich af tegen het licht. Ik zei niets, maar hij ook niet, en ik wist niet of ik opgelucht was of dat ik het jammer vond toen zijn voetstappen wegstierven in de richting van de logeerkamer. Het was wat ik had gewild, maar toch ook weer niet. Wat ik heel graag wilde, was dat alles koek en ei was tussen ons. Wat ik wilde was de relatie die we ooit hadden. Ik wilde het nog niet opgeven met Ian. Ik was dol op hem geweest. En nog steeds. Maar hij begreep maar niet waarom mijn baan zo belangrijk voor me was, en ik begreep maar niet waarom hij er zo'n strijdpunt van maakte.

Ik glipte de volgende ochtend vroeg de deur uit en ging naar mijn werk, ook al was het zaterdag. Toen ik de deur van de recherchekamer opendeed en naar mijn bureau liep, moest ik aan Louise North denken. Misschien was zij ook wel aan het werk. Daar was niets vreemds aan, ook al vond Sam van wel. Ik schoot zo lekker op en – toegegeven – hoefde zo ook niet aan mijn persoonlijke problemen te werken. Maar dat had geen haast, en mijn carrière in gang zetten wel. Ik wijdde me aan het overhoop gooien van het privéleven van Rebecca Haworth in plaats van het mijne, en het lukte me heel behoorlijk om het stemmetje in mijn achterhoofd dat bleef volhouden dat ik een fout maakte het zwijgen op te leggen. Het klonk als mijn moeders stem, dus ik had er ervaring mee om het te negeren.

Het sporenteam had het werk in Rebecca's flat afgerond en iemand had haar persoonlijke papieren bijeengezocht en ze in een doos op mijn bureau gezet. Er was niet veel: bankafschriften, akelig hoge creditcardafrekeningen, onbetaalde facturen van nutsbedrijven met herinneringen tot en met laatste aanmaningen. Op financieel gebied was ze kennelijk even slordig als in het huishouden. Ik legde de nota's die betrekking hadden op haar vaste telefoonverbinding en haar mobiel apart om ze op mijn gemak door te nemen. Een ordner met op de rug 'WERK' bevatte een bedrijfshandboek van een pr-kantoor genaamd Ventnor Chase, een contract en wat informatie over Rebecca's primaire en secundaire arbeidsvoorwaarden: salaris, pensioenfonds en ziektekostenverzekering. Ik liep er snel doorheen; ik tuitte mijn lippen en floot geluidloos. Ze was goed betaald voor wat ze deed. Geen wonder dat ze zich die dure flat en een drugsverslaving kon veroorloven.

Ik sloeg de resterende bladzijden in de map om en stopte toen. Helemaal achter in de map vond ik een opzeggingsbrief en een ontslagformulier. Haar arbeidscontract met Ventnor Chase was in augustus beëindigd, maar ze hadden haar een klein bedrag uitbetaald en haar ziektekostenverzekering en de pensioenbetalingen gehandhaafd tot ze een nieuwe baan had gevonden, of anders tot het eind van het jaar. Ze had een geheimhoudingsverklaring getekend, waarin ze beloofde niet te spreken over het bedrijf of over de reden van haar vertrek. Ik zat er met gefronste wenkbrauwen naar te kijken terwijl ik me probeerde te herinneren of Louise iets had gezegd over het bedrijf waar Rebecca werkte. Had ze een nieuwe baan? Of was ze werkloos? Dat zou de onbetaalde rekeningen verklaren. Anderzijds – ik zocht het meest recente bankafschrift op – had ze tweeduizend pond op haar rekening-courant staan. En er waren mensen die konden leven met een enorme creditcardschuld. Ik was zo grootgebracht dat ik elke maand mijn creditcardrekening betaalde; ik kreeg het al Spaans benauwd bij de gedachte rente te moeten betalen over een uitstaand bedrag. Maar wat dat aanging behoorde ik tot een minderheid. Zoals alle overige aspecten van het leven van Rebecca Haworth, bleek ook haar financiële situatie ingewikkelder te zijn dan die aanvankelijk leek. Moedeloos legde ik alles weer op een stapeltje in de doos en toen vertrok ik naar iemand die me misschien kon vertellen wat er nu eigenlijk allemaal speelde.

Gil Maddick woonde in East End, vlak bij de bloemenmarkt van Columbia Road, en toen ik hem belde, klonk hij uiterst terughoudend om mij in zijn woning te ontvangen.

'Kunnen we elkaar niet ergens anders treffen? Ik zou liever in een café of zo met u praten.'

'Ik heb liever een gesprek onder vier ogen, meneer Maddick.' Ik had er schoon genoeg van dat mensen vaak deden alsof ik schurft had, alleen omdat ik bij de politie werkte. Het was bijna een erezaak om voorbij zijn voordeur te komen. Hij krabbelde nukkig terug toen hij merkte dat ik mijn poot stijf hield, wat me veel plezier deed, wat ik overigens wist te verbergen. Het zou onprofessioneel zijn geweest als ik mijn triomf niet voor me had gehouden.

Ik kwam op tijd bij zijn etage aan, vastbesloten om beleefd te blijven, maar Gil Maddick had iets waardoor ik onmiddellijk mijn stekels opzette. Hij woonde in een klein straatje met vroegnegentiende-eeuwse huizen met winkels op de begane grond – kunst, kleding, handtassen, hoeden; alles was van hoge kwaliteit en ver boven mijn budget geprijsd. Zijn etage bevond zich boven een kledingzaakje met één volmaakte witte jurk in de boogvormige etalage. De jurk had exact de heldere belijning van een tulp en ik wilde hem dolgraag hebben, wat onzin was, want ik had geen enkele reden hem te kopen, ook niet als ik zo'n buitensporige uitgave had kunnen rechtvaardigen. De voordeur van zijn etage was marineblauw geschilderd en het beslag was van gepoetst koper. Ik liet de deurklopper in de vorm van een uil met een stevige tik terugvallen en genoot van het koele gewicht in mijn hand.

De deur werd opengedaan door een lange, tengere, donkerharige man die ik herkende van de foto uit Rebecca's appartement. Hij staarde me uitdrukkingsloos aan en draaide zich om, waarna ik naar binnen ging en de deur achter me sloot voordat ik achter hem aan een smalle trap op liep. Op de eerste verdieping bevond zich een woonkamer met een kleine kitchenette achterin. Een tweede trap leidde naar de volgende verdieping, waar ik zijn badkamer en slaapkamer vermoedde. Elke centimeter muur was bedekt met boekenplanken. De deuren en de raamkozijnen waren zwart, de vloer bestond uit grijs geschilderde planken. Hij had twee stoelen, een bureau en een stereo-installatie in zijn woonkamer staan, meer niet, maar de stoelen waren van leer met chroom en ik herkende ze als designklassiekers van het type waar Ian van hield. Er was nergens op beknibbeld. Compromisloos. Dit was de woning van een man die wist wat hij mooi vond en afwees wat hij niet mooi vond – geen middenweg. En enigszins ongemakkelijk voor mensen die hier niet welkom waren, zoals ik.

Ik ging ongevraagd in een van de stoelen zitten en schraapte mijn keel. 'Ik heb u aan de telefoon al uitgelegd waarom ik hier ben.'

'Dat is niet helemaal waar. U hebt me verteld dat u met mij over Rebecca wilde praten. U zei niet waarom.' Hij liep naar het raam en leunde tegen het kozijn, met zijn blik naar de straat gericht. Het was een elegante maar niet geposeerde houding, en het koele winterse daglicht viel op zijn gezicht, zodat ik het duidelijk kon zien. Hij was knap – heel knap – om te zien; hij had een rechte neus, een vastberaden kaaklijn en expressieve zwarte wenkbrauwen boven blauwe ogen. Alles in zijn houding straalde een extreme tegenzin om met mij te praten uit, en ik vroeg me af hoe lang het zou duren voordat hij mij eruit zou gooien.

'U wist al dat ze dood was toen ik u belde.' Ik had verwacht hem iets nieuws te zullen vertellen, maar hij had mijn zorgvuldig voorbereide uitleg al onderbroken voordat ik ver was gevorderd.

'Ik had het al gehoord. Een van haar vriendinnen had me gebeld. Ze dacht dat ik het zou willen weten. Geen idee waarom.' Hij sprak snel en het licht viel op een trillend spiertje van zijn kaak. Zijn we gespannen? dacht ik.

'Welke vriendin?' vroeg ik. 'Louise North?'

'Louise?' Hij schudde geamuseerd zijn hoofd. 'Nee, Louise zou mij nooit bellen. Het was Tilly Shaw. Rebecca's beste vriendin.'

'Ik dacht dat Louise dat was.' Ik schreef Tilly Shaws naam desondanks op.

'Dat dacht ze zelf ook.' Hij haalde zijn schouders op. 'Tilly leek meer op Rebecca. Ik heb nooit goed begrepen waarom Bex en Louise nog steeds bevriend waren. Ze hadden niet veel meer gemeen. Louise was een beetje behoeftig, zat altijd achter Rebecca aan om aandacht. Tilly is zelfstandiger. Die twee mochten elkaar niet. Erg kleinzielig allemaal.'

'En wie van beiden was echt haar beste vriendin?'

'Allebei, denk ik. Of geen van tweeën.' Hij geeuwde. 'Het boeide me niet. Ik probeerde erbuiten te blijven.'

'Louise zei dat u en zij niet zo goed met elkaar overweg konden. Ze zei dat u probeerde haar vriendschap met Rebecca op te breken.' Ik viste naar een reactie.

'O ja?' Hij klonk geïnteresseerd. 'Ik vraag me af waarom ze dat zei.'

'Hebt u onlangs nog contact met Rebecca gehad? Hebt u haar gezien voordat ze stierf?' Meteen maar met de kaarten op tafel.

'Ik heb haar voor het laatst in juli gezien. Formeel is dat dus voordat ze stierf, maar ik neem aan dat u dat niet bedoelde.'

'U was donderdagavond dus niet bij haar.'

'Nee.' Hij keek me nu aan en zijn blik was ijzig. 'Heeft Louise dat tegen u gezegd?'

'Ze gaf de mogelijkheid aan. Ze wist het niet zeker.'

'Ze had ongelijk.'

'Waar bent u donderdagavond geweest?'

'Vraagt u me echt om een alibi?' Zijn stem klonk ongelovig. 'Waarom zou ik mijn ex willen vermoorden?'

'U hebt me geen antwoord gegeven.' Ik retourneerde de uitdrukkingsloze starende blik waarmee hij me had binnengelaten.

'Ik was hier. Alleen.'

'De hele nacht?'

'Ja.'

'Kan iemand dat bevestigen?'

'Dat waag ik te betwijfelen. Ik heb niet de moeite genomen me ervan te verzekeren dat iemand wist waar ik me ophield, omdat ik niet wist dat ik een alibi nodig zou hebben. Als ik betrokken was geweest bij de moord op Bex, zou ik daar waarschijnlijk wel aan hebben gedacht en een verhaal voor u klaar hebben.' Zijn toon was pure azijn.

'Wat is er voorgevallen tussen Rebecca en u?'

'Ik zie niet in wat u daarmee te maken hebt.'

'Ik heb overal mee te maken. Ik ben politierechercheur. Rebecca is vermoord. Het is mijn werk om zoveel als ik kan over haar te weten te komen.'

'Het is niet relevant.'

'Het is aan mij om dat te bepalen.'

'Dus u wilt alle ranzige details horen? Nou, het spijt me u te moeten teleurstellen, maar die zijn er niet. Er is niets gebeurd. Niets, afgezien van het feit dat zij en ik verschillende dingen wilden en dat het duidelijk werd dat we geen van beiden gelukkig zouden worden als we bij elkaar bleven. We hadden geen andere optie dan ieder onze eigen weg te gaan.'

'Wiens beslissing was het?'

Hij keek weer naar de straat en toen hij weer sprak, klonk hij afwezig. 'De mijne. Ze was het met me eens.'

Ze zou wel haar trots hebben gehad. Maar ze had het hem wel gemakkelijk gemaakt. En uit hetgeen Louise had gezegd, maakte ik op dat ze hem niet had kunnen vergeten.

'U zei dat jullie verschillende dingen wilden. Wat wilde zij?'

Hij schudde zijn hoofd. 'Het is te laat voor relatietherapie.'

'Daarom vraag ik het niet.' Ik boog me naar hem toe, eerder als een smekeling dan als een ondervrager. 'Ik moet me een beeld gaan vormen van haar karakter. Het is echt nodig dat u me het een en ander over haar vertelt, want dat is de enige manier waarop ik haar kan leren begrijpen.'

Hij zweeg even, dacht erover na. 'Ik weet niet of ik u kan helpen.'

'U kende haar beter dan de meeste anderen. Jullie zijn lang samen geweest.'

'Iets meer dan twee jaar. Zo lang is dat niet.'

Ik gaf geen antwoord, maar liet de stilte hangen, zodat hij zich gedwongen voelde hem op te vullen.

'U geeft maar niet op, hè? U bent harder dan u eruitziet.' Hij liep naar de andere stoel en ging zitten. Hij keek me met een twinkeling in zijn ogen aan. Ik besefte dat hij me wilde inpakken met zijn glimlachje en kon mezelf er niet toe zetten even charmant terug te glimlachen. Maddick was een van die mannen die ervan overtuigd zijn dat vrouwen hen onweerstaanbaar vinden, en ik viel in de juiste categorie wat betreft leeftijd en sekse. Zijn geflirt was een maniertje en viel bij mij in dorre aarde. Ik viel op grappige, gepassioneerde mannen en niet op van die arrogante, egoïstische, hoe aantrekkelijk de verpakking ook was.

'Ze wilde wat iedereen wil. Een happy end. Trouwen, kinderen, ze leefden nog lang en gelukkig.' Hij keek even omlaag, opeens serieus. 'Ze heeft uiteindelijk niets van dat al gekregen. Arme meid.'

'Wat iedereen wil… maar u niet.'

Hij haalde zijn schouders op. 'Ooit misschien wel. Maar nu nog niet. En niet met haar.'

'Waarom niet?'

'Bex was gewoon niet het soort vrouw met wie ik de rest van mijn leven zou willen doorbrengen. Ze was iemand om plezier mee te maken, maar niet om een toekomst mee op te bouwen, als u begrijpt wat ik bedoel.' Hij trok zijn wenkbrauwen op, maar ik kon er niet om lachen. 'Je kon het fantastisch met haar hebben, maar ze gaf je wat je wilde zien. Ik heb nooit ruzie met haar gehad. Niet één keer. Dat is niet normaal. Soms probeerde ik het weleens uit te lokken. Dan oefende ik meer en meer druk op haar uit, maar haar enige reactie was dan dat ze in huilen uitbarstte en zich verontschuldigde voor iets wat ze niet eens had gedaan.'

'Dat klinkt als een geweldige relatie,' merkte ik op. Heel even viel ik uit mijn rol van de onpartijdige politiefunctionaris.

Hij keek geërgerd. 'U snapt het niet. Ze was eendimensionaal. Rechttoe rechtaan. Ze wilde aardig gevonden worden, of eigenlijk wilde ze geliefd zijn. Ze was zonder voorbehoud gul in haar affectie, zoals een hond. Ik kon geen respect voor haar opbrengen omdat ze zichzelf niet respecteerde.'

En jij manipuleerde haar, zodat je jezelf een hele Piet kon voelen, dacht ik. Gil Maddick won mijn sympathie niet. 'Hoe heeft ze haar jukbeen gebroken?'

'O jee, dat. Ze is gevallen.' Hij dacht even na. 'Dat was ongeveer een jaar geleden. Ze was aangeschoten na haar kerstborrel. Ze liep hier de trap op en verstapte zich. Ze knalde met haar gezicht tegen de vloer omdat ze haar handen niet op tijd uitstak. Ze heeft zich een paar dagen ellendig gevoeld. Had ook nog een fraai blauw oog.'

'Hebt u het zien gebeuren?'

'Ik heb het gehoord. Ik lag boven in bed.'

Fijn voor je, eikel, dacht ik. Ik veranderde mijn aanpak. 'Wist u van haar eetstoornis?'

Hij staarde me aan. 'Nee. Die had ze niet. Had ze niet nodig ook. Ze was een vuilnisbak; ze kon niet stoppen met eten, maar er kwam geen grammetje aan.'

'Omdat ze het grootste deel weer uitbraakte. Ze had boulimia.' Hij schudde zijn hoofd. Ik ging verder. 'Was u op de hoogte van haar drugsverslaving?'

'Drugs?' Hij begon te lachen. 'Waar hebt u het verdomme over? Sorry dat ik vloek, maar dit is belachelijk. Wat voor drugs?'

'Cocaïne.'

'Ze wilde nog niet eens koffie drinken toen we nog samen waren. Ze zei dat ze er te nerveus van werd.'

'Misschien wilde ze niet dat u ervan op de hoogte was.'

'Misschien niet.' Hij staarde me nog steeds aan. 'Wat gaat u me nog meer over haar vertellen?'

'Weet u waar ze werkte?'

'Ventnor Chase. Dat is een pr-kantoor.'

'Daar werkt ze al sinds augustus niet meer. U had inderdaad geen contact meer met haar, hè?'

'We zouden vorige maand ergens iets gaan drinken. Ik heb afgezegd. Trok het uiteindelijk toch niet.' Hij staarde in de verte. 'Dan denk je iemand te kennen.'

'Blijkbaar was ze toch niet zo eendimensionaal en rechttoe rechtaan.' Ik sloeg de bladzijden van mijn aantekenboekje terug. 'Kunt u me het nummer van Tilly Shaw geven?'

Hij pakte zijn mobiel, liep door het adresboek en gaf mij toen de telefoon, zodat ik haar nummer kon noteren. 'Het was nooit mijn bedoeling om het contact met Bex te verbreken. We zijn als vrienden uit elkaar gegaan; ik dacht dat we beter contact zouden houden. Het was een prima meid.'

'Ze mocht u kennelijk heel graag.' Ik stond op en keek op hem neer. 'Ze heeft u benoemd tot begunstigde in haar levensverzekeringspolis. Gelukkig voor u loopt de polis tot het eind van het jaar. U staat een leuk bedrag te wachten, meneer Maddick.'

'Eh… daar had ik geen idee van, hoor.'

'Voordat u het kunt claimen, zult u moeten bewijzen dat u niets te maken hebt gehad met de moord op haar. Succes daarmee.' Ik liep naar de deur. 'Ik kom er wel uit.'

Ik liet hem starend in het niets in zijn strakke designstoel van chroom en leer achter. Terwijl ik de straat uit liep, probeerde ik te bedenken waarom ik zo'n hekel aan hem had. Hij had iets griezeligs. Hij had iets wat me nerveus maakte. Ik vond hem ondanks zijn knappe voorkomen een zelfingenomen, manipulatieve engerd. Dat was op zich geen strafbaar feit.

Maar hij had wel levenslang, als je het van de positieve kant bekeek.

Louise

Ik had het idee dat ik die vrijdagnacht helemaal niet had geslapen, maar ik moest op een gegeven moment wel zijn ingedut, want ik werd 's ochtends koud en stijf wakker met het dekbed half op de vloer en het gevoel dat er zand in mijn ogen zat. Het was nog vroeg; buiten was het nog donker en stil. Er heerste een rust zoals die alleen in het weekend heerst, als al mijn anders vroeg opstaande, te hard werkende buren zich aan hun uitputting overgaven. Er was nog niemand op. Ik keek door mijn slaapkamerraam naar de bladloze, berijpte tuinen aan weerszijden van de mijne, en naar de achterkant van de huizen aan de volgende straat. Er brandde geen licht in de kamers en er waren geen tekenen van leven, alleen maar kale vensters die blind terugstaarden.

Ik kon niet meer slapen; ik kon mijn gedachten niet van me afzetten. Ik voelde me levendiger dan anders, was me meer gewaar van mijn lichaam en mijn omgeving. Ik was me meer dan normaal bewust van de dichte pool van het vloerkleed onder mijn voeten, van het zachte vervilte flanel van mijn oude pyjama tegen mijn huid, de kilte van de lucht die door het krakkemikkige schuifraam mijn slaapkamer binnen lekte. Mijn haar krulde in mijn nek en voelde aan alsof iemand zachtjes met zijn vingertop over mijn huid streek; ik rilde en schudde het met een snelle beweging los. Dat ik rilde, hield ik mezelf voor, kwam doordat het steenkoud was in huis, en ik schuifelde met een dikke badjas aan naar beneden om een mok thee te zetten, die ik mee terug naar bed nam. Ik liet het bedlampje uit en wachtte rechtop in de kussens de zonsopgang af, met de mok stevig in mijn handen geklemd. Ik nam kleine slokjes van de dampende thee en bedacht wat ik zou gaan doen. Ik stelde een lijst met taken op voor die dag, de komende week en de rest van de maand. Geen enkele had met mijn werk te maken; ze hadden allemaal betrekking op mezelf, op hoe ik was en wat ik van mezelf kon maken. Rebecca had zo lang geprobeerd me ertoe over te halen te veranderen. Het ontging me niet dat het ironisch was dat ik, nu haar stem voor altijd tot zwijgen was gebracht, eindelijk zou doen wat ze had voorgesteld.

Toen ik een uur of twee later van huis ging, was ik alle kamers langs geweest en had alle kleren, schoenen en lakens die ik echt moest wegdoen uitgezocht en in zakken gestopt. Alles ging naar het grofvuil; het was niet eens meer goed genoeg voor de kringloopwinkel. Ik gooide ook nog wat kleding die me niet goed stond weg, dingen die ik al heel lang kwijt wilde – uitgezakte broekpakken die nog uit mijn stagetijd stamden, een oude spijkerbroek met teer aan de omslagen, een paar sportschoenen die betere dagen hadden gekend. Ik aarzelde bij een truitje met een gat in de mouw dat ik had gevonden toen ik nog student was; iemand had het over de rugleuning van een stoel in de sectie Recht van de Bodleianbibliotheek laten hangen. Ik kreeg er het vreemde, opgewonden gevoel bij dat andermans kleding altijd bij me leek op te roepen, alsof ik door die te dragen een stukje van een andere persoonlijkheid leende, een ander leven aantrok. Ik kon me er niet toe zetten het nu weg te doen, en ik trok het zelfs aan voordat ik van huis ging.

Ik was blij dat ik het aanhad; de ochtendlucht was kil toen ik snel door de stille straten naar het station van de ondergrondse liep. Ik reisde graag op zaterdag, vooral in alle vroegte. Dan waren de treinstellen leeg en reden ze op tijd, en waren de andere passagiers meer ontspannen en hoffelijker dan door de week. Je had de ruimte om na te denken. Maar eigenlijk had ik dat de laatste tijd te veel gedaan. Ik ging zitten en keek in de ruit van de wagon naar mijn spiegelbeeld, dat door het dikke glas vervormd en verdubbeld werd. Allebei de versies van mij zagen er bleek en uitgeblust uit, door de tl-verlichting van het rijtuig, maar ook als gevolg van slaapgebrek. Ik was opgelucht toen de trein stopte bij Earls Court en er een man tegenover me ging zitten, zodat ik mijn spiegelbeeld niet langer kon zien. Toen ik overstapte bij Victoria ging ik niet meer zitten maar bleef bij de paal staan, met mijn blik op de vloer gericht. Zachtjes begon ik te tellen, om mijn hoofd leeg te krijgen op de getallen na: hoe lang het duurde voordat de trein het volgende station had bereikt, hoe lang hij bleef staan, hoeveel mensen uitstapten, hoeveel er instapten. Getallen waren neutraal. Ze brachten mijn hoofd tot rust.

Ik begon bij Oxford Circus en liep vandaar de straat door. Ik was op zoek naar een jurk, maar niet zomaar een. Hij moest donker zijn, zo eenvoudig mogelijk, maar niet saai. Rebecca's ouders overwogen een herdenkingsplechtigheid voor haar te houden, hadden ze me verteld. Ze hadden gehoord dat het nog wel even kon duren voordat haar lichaam zou worden vrijgegeven, maar ze hadden behoefte aan een soort plechtigheid waarin werd stilgestaan bij haar overlijden. Ze zeiden dat ik ervoor zou worden uitgenodigd. Zo'n plechtigheid was een slecht idee en kwam te snel; het verdriet was nog te vers om het zo publiekelijk te tonen. Toch zou ik erheen moeten, om de Haworths te steunen. Ze zouden het verwachten en ik kon hen niet teleurstellen. En dan kon ik er het beste zo goed mogelijk uitzien; dat was ook een manier om Rebecca te herdenken. Ik had me gerealiseerd dat Rebecca's vrienden er ook zouden zijn – degenen die zich mij herinnerden als een stil muisje dat tevreden was met een plekje in haar schaduw, als ze zich mij al herinnerden. Diegene was ik niet meer. Ik wilde dat ze naar mij en niet langs me heen keken. Ik wilde dat ze me zagen als degene die ik was.

Ik vond hem bij Selfridges, een nachtblauwe jurk van dunne wol met mouwen tot net boven mijn pols. Hij had een rechte rok, een smalle taille en een lage ronde hals. De verkoopster was in de wolken, vooral toen ik haar suggestie om er een nieuwe jas bij aan te schaffen volgde en een waanzinnig dure met een iets uitstaande klokkende rok kocht, die me paste alsof hij op maat was gemaakt. Ik kocht er schoenen en een brede kasjmieren sjaal bij. Zonder een spoortje schuldgevoel overhandigde ik haar mijn creditcard. Het was goed zo – goed voor de gelegenheid, goed voor mij.

Ik had grote moeite al mijn tasjes in bedwang te houden, nu het tegen lunchtijd steeds drukker werd op straat. Ik was opeens doodmoe; ik had dorst en begon te merken dat ik niet had ontbeten. Het had geen enkele zin te proberen de ondergrondse naar huis te nemen met al die boodschappen bij me. Er kwam een zwarte taxi met zijn oranje licht aan mijn kant op, en zonder verder na te denken stak ik mijn arm uit om hem aan te houden. De chauffeur zette zijn taxi een paar meter voor me uit langs de stoeprand stil en ik liep er snel op af, maar bleef naar adem snakkend staan toen een andere vrouw hem eerder had bereikt. Lang blond, slordig opgestoken haar, slanke benen in een zwarte panty en enkellaarsjes met hoge hakken, een elegante, volkomen natuurlijke manier van bewegen, smalle handen, een rode jas, een zachte welving in haar wangen toen ze lachte, een fijn, plat oortje met een diamanten oorbelletje – het was Rebecca die eerder dan ik bij de taxi was aangekomen, Rebecca die door het raampje met de chauffeur stond te praten, Rebecca die achter in de taxi stapte en achteroverleunde, klaar voor de rit naar het genoemde adres. Zij was het – maar toch ook niet. Een vreemde keek me door de ruit van de taxi aan, een vrouw die er veel gewoner uitzag dan mijn vriendin, met een spleetje tussen haar voortanden en te grondig geëpileerde wenkbrauwen. De vorm van haar gezicht klopte niet, haar haar had een te rode kopertint, de jas met de gouden knopen was goedkoop en opzichtig. De gelijkenis was vluchtig en toen ik haar eenmaal goed had gezien, herkende ik Rebecca helemaal niet in haar, maar toch bleef ik de taxi nakijken toen hij wegreed. Ze had vast gedacht dat ik boos was dat ze mijn taxi had ingepikt, maar dat deed me niet echt iets. Er zou er algauw weer een komen en dat gebeurde ook, en deze keer stapte ik in en was niemand me voor. Ik zat achterin en keek naar de drommen winkelende mensen op het trottoir, zocht onwillekeurig naar blond haar, naar een snel omgedraaid hoofd, een vluchtige glimlach.

Ik zocht naar iets wat voor altijd verdwenen was.

Ik kwam thuis in mijn kleine, koude huisje en at staande bij de koelkast een overrijpe peer waarvan het sap over mijn polsen droop, een plakje gekruide ham, een potje yoghurt met vijgen. Het was een nogal ongebruikelijke lunch, maar ik had te veel trek om iets klaar te maken en was te ongeduldig om iets te eten te gaan halen. Ik had spierpijn van het dragen van mijn boodschappen en moest lachen om mijn zwakke conditie, om mijn vermoeidheid na een ochtend van zelfverwennerij. Ik hing de nieuwe kleren weg nadat ik de labels die verriedden hoeveel ik had uitgegeven had verwijderd. Toen liet ik een bad vollopen waarin ik absurd lang bleef liggen. Als het dreigde af te koelen deed ik er heet water bij en zo lag ik te drijven, en te kijken naar mijn handen alsof ik ze nooit eerder had gezien.

Toen ik er ten slotte toch maar uit was gekomen, trok ik een effen zwarte trui en een grijze skinny jeans aan. Ik kamde mijn haar uit mijn gezicht en maakte er een paardenstaart van. In de keuken inspecteerde ik mijn voorraadje schoonmaakartikelen, want ik was van plan het hele huis een goede beurt te geven. Ik besloot met de badkamer te beginnen en liep met een armvol schoonmaakspullen en bleekwater de gang in. Huishoudelijk werk was therapeutisch, rustgevend en beslist noodzakelijk, bedacht ik, en ik trok rillend een vastzittend spinnenweb van de trap. Ik liep langs de telefoon in de gang en liep terug om mijn berichten te checken. Ik was verbaasd te horen dat er inderdaad een bericht was en pakte een pen om eventueel iets belangrijks te kunnen noteren. Er was een korte pauze voordat het bericht begon. De stem in mijn oor klonk zacht, zwaar ironisch en ik herkende hem direct. Ik liet alles uit mijn handen vallen, zodat ik de hoorn met beide handen kon vastpakken. Mijn hart bonsde in mijn keel. Ik wist niet dat hij mijn privénummer had. Ik wist niet dat hij wist waar hij me kon vinden. Van Rebecca had ik een hoop over Gil gehoord. Ik wist dat hij dwingend, manipulatief en bezitterig was. Ik wist ook dat hij opwindend, charismatisch en onvergetelijk was. Ik had zijn naam aan de politie doorgegeven omdat ze van Gils bestaan moesten weten als ze iets over Rebecca te weten wilden komen.

'Louise, met Gil. Ik zou mijn excuses aanbieden voor het feit dat ik je zomaar uit het niets opbel, maar ik heb begrepen dat je met de politie over me hebt gepraat, dus ik veronderstel dat je aan me hebt gedacht. Ik vind dat we moeten praten. Over Rebecca.' Er viel een stilte, zo lang dat ik al dacht dat hij klaar was, voordat hij zei: 'Er is heel wat te bespreken.' Weer een stilte, korter deze keer. 'Ik mis je, Louise. Ik ben blij te horen dat je aan me hebt gedacht. Ik was jou beslist niet vergeten. Bel me maar terug als je dit bericht hebt gehoord.'

Terwijl ik zijn stem hoorde kon ik me zijn gezicht nauwkeurig voor de geest halen, de smeulende woede met een vernisje van cynisme en wrange geamuseerdheid. Ik luisterde het bericht nogmaals af; de manier waarop hij mijn naam uitsprak, met een treiterige verlengde tweede lettergreep, bleef even in mijn geheugen hangen. Ik speelde het bericht nog eens af. Ik wiste het voordat ik het voor de vierde keer kon afspelen en hing de hoorn onnodig hard op de haak. Ik keek op en zag mijn gezicht in de halsspiegel: wijd open ogen die er te groot uitzagen, kleurloze wangen en een bleke, iets openstaande mond. De donkere stof van mijn trui viel weg tegen de achtergrond, waardoor mijn hoofd leek te zweven alsof het was afgehakt. Ik voelde me kwetsbaar. Hij had me tot nu toe altijd genegeerd. Zijn aandacht was steeds op Rebecca gericht geweest, alsof er niemand anders bestond.

Ik zou hem niet bellen. Dat had ik toen al niet gedaan. En dat zou ik ook nooit doen. Ik ging gewoon door met waar ik mee bezig was.

Maar toen ik de trap op liep om volgens plan de badkamer te schrobben, moest ik het onder ogen zien: ik was bang.

5

Maeve

Toen ik klaar was met Rebecca's ex-vriend ging ik weer terug naar de recherchekamer. Ik keek ernaar uit om de rest van de zaterdag aan mijn bureau door te brengen en de vier blauwe ordners met aantekeningen over de moorden van de vuurmoordenaar op mijn werkblad door te nemen: getuigenverklaringen, sporenanalyses van de technische recherche, de autopsieverslagen van de patholoog, foto's van de plaatsen delict. Het trieste was dat ik nergens anders had willen zijn, zelfs als Ian me niet had ge-sms't om door te geven dat hij met wat vrienden naar de bioscoop zou gaan. Ik was blijkbaar welkom als ik mee wilde, maar omdat het een uiterst gewelddadige horrorfilm was, was mijn besluit makkelijk genomen. Op mijn werk kreeg ik al genoeg échte horror te zien; ik kon niet rustig zitten kijken naar een nepversie die bedoeld was als verstrooiing. Bovendien was ik niet zo dol op die vrienden met wie hij was. Ze werkten net als Ian in de City; net als Ian waren ze erg gul met hun geld. Maar ze brachten de brallende idioot in mijn vriend naar boven en ik kon er niet tegen als hij zich zo gedroeg.

Ik kon beter aan het werk blijven en mijn tijd besteden aan het opnieuw doornemen van de dossiers, in de hoop dat ik op iets stuitte wat alle anderen over het hoofd hadden gezien. Ergens tussen al die woorden en beelden moesten toch antwoorden zitten.

Toen ik binnenkwam liep de recherchekamer juist leeg; voor sommige rechercheurs zat de werkdag erop, anderen gingen de huizen langs van buurtbewoners die eerder niet thuis of beschikbaar waren geweest, of gingen op weg om de vaste punten in het werkgebied van de vuurmoordenaar te bemannen om passerende automobilisten te kunnen aanspreken. Ze hadden apparatuur met automatische nummerplaatherkenning laten plaatsen ter identificatie van mogelijk interessante auto's en hadden zo al een flink aantal bestuurders opgemerkt die niet verzekerd waren of geen rijbewijs hadden, maar meer was er nog niet gevonden. We dekten een groot gebied af, maar dat maakte het des te lastiger om onze specifieke vis uit de totale vangst te halen.

Hoofdinspecteur Godley zat in zijn kantoor met glazen wanden; zijn deur was dicht. Hij zat te bellen met zijn hand tegen zijn voorhoofd en schermde zo zijn ogen af, alsof hij zich moest concentreren op een moeilijk gesprek. Hij zag er doodmoe uit. Terwijl ik naar hem keek, hing hij op en bleef even roerloos zitten.

Adjudant Judd onderbrak zijn gedachten met een klop op de deur. Hij stak zijn hoofd zonder een antwoord af te wachten om de hoek. Ze voerden een kort gesprek en aan het eind keken ze opeens mijn kant op. Ik dook met mijn hoofd achter mijn computerscherm en hoopte dat ze me niet hun kant op hadden zien staren. Ik was me ervan bewust dat Godley dwars door de kamer op mij af liep met de adjudant in zijn kielzog.

'Maeve, ik had het net even met Tom over de zaak Haworth, om hem te vertellen hoe we die verder aanpakken.'

'Aha,' zei ik, terwijl ik probeerde te bedenken waarom Judd er zo geërgerd uitzag. Hij negeerde me en zei zachtjes iets tegen Godley. 'Als je er maar niets over in je beleidsverslag zet, Charlie. Dan kan de verdediging het te weten komen, als we die vent ooit grijpen. En dan komen ze erachter dat we niet zeker wisten of deze moord aan hem kan worden toegeschreven, wat ons geen goed zal doen in de rechtszaal.'

Godleys gezicht stond gesloten, afstandelijk. 'Ik heb mijn besluit genomen en daar blijf ik bij. Als het moet, zal ik me voor de rechter verantwoorden.'

'Je denkt toch niet echt dat er daar twee rondlopen?'

Godley keek naar mij. 'Vertel hem eens over de verschillen die ons zijn opgevallen, Maeve. Het is een redelijke mogelijkheid.'

Judd trok een gezicht en richtte zich tot mij. 'Wat dit jouw idee?'

'Nee, maar…'

Judd wachtte niet af wat ik zou gaan zeggen. 'Het zou een grote fout zijn om ook maar enige twijfel toe te laten. Als we deze zaak voor de rechter verliezen omdat de jury niet snapt hoe je hebt besloten het onderzoek te leiden…'

'Dan is het aan mij om verantwoording af te leggen,' maakte Godley de zin voor hem af. 'En dat zal ik doen ook. Mijn naam staat op het spel, Tom, niet de jouwe.'

'Dat is niet waarover ik me zorgen maak.'

'Ik weet dat je je zorgen maakt dat we de zaak niet sluitend krijgen, maar moet ik je er nog op wijzen dat we de moordenaar eerst moeten grijpen? Ik heb geen goed gevoel over de laatste moord; ik wil dat die wordt onderzocht alsof het een nieuw misdrijf is, dat niet deel uitmaakt van de reeks, tot we er zeker van zijn dat het er wel bij hoort. Einde gesprek.'

Judd en ik keken Godley na, die met gebogen hoofd weg beende. Ik had hem nog nooit zo tegen de adjudant horen praten. En Judd zelf kennelijk ook niet. Hij richtte zich weer tot mij.

'Volg dat heilloze spoor van de chef maar en ga daarna door met dit onderzoek. Maar val me niet lastig met de details. Als je enig bewijs vindt dat deze moord deel uitmaakt van de reeks – of van het tegendeel –, laat me dat dan weten. Verder wil ik er niets over horen.'

'Prima,' zei ik en zijn toon stak me een beetje. 'Dan ga ik maar aan het werk.'

'Doe dat.' Hij keek me even strak aan. 'Denk niet dat dit een teken is dat de chef je graag mag, Kerrigan. Dit is het soort klus dat je iemand laat doen van wie je niet wilt dat hij ergens anders de boel verknalt. Hij heeft je op een zijspoor gezet.'

Wat hij zei kwam onaangenaam dicht bij wat ik zelf ook dacht, maar ik slaagde erin niet te reageren. Mijn gezicht mocht dan knalrood zijn geweest toen hij wegliep en achteloos zijn jas pakte, dat was op zichzelf niet vreemd; het was altijd bloedheet in de recherchekamer, waar de radiatoren vierentwintig uur per dag aanstonden. Zelfs ik had er last van, en ik kon over het algemeen heel goed tegen warmte. Er was geen enkele luchtcirculatie en we moesten het doen met een paar stokoude maar zeer gewaardeerde ventilatoren, die de lucht enigszins in beweging zetten. Op dit late uur zouden er een of twee niet in gebruik zijn. Ik ging op jacht en liep oplettend om de bureaus heen, want het belopen van de vloer was niet zonder gevaar door losse velletjes papier, lege waterflesjes, weggegooide boterhamzakjes enzovoort. Ondanks de indrukwekkende naam was de recherchekamer een volstrekt kleurloze kantoorruimte. Het had evengoed een callcenter kunnen zijn, van de slechte soort; het was een zwijnenstal. Op vrijwel elke werkplek stond wel een vieze koffiebeker. Iemand had vlak naast het kopieerapparaat een pakje biscuitjes opengescheurd. Dat wist ik omdat er op z'n minst twee bij het eerste contact met de buitenlucht in kruimels op de grond waren gevallen. Passerende voeten hadden de beige kruimeltjes diep in de vezels van de nylon vloertegels gewreven, en ook al was ik niet de netste persoon die er bestond, zelfs ik snakte naar een stofzuiger. Maar ook al had er een klaargestaan met de stekker in de contactdoos, dan nog zou ik hem niet hebben aangeraakt in het bijzijn van mijn collega's. Zo stom was ik niet. Ik deed de afwas niet en zette ook geen thee; opruimen deed ik al helemaal niet. Als ik hier maar het geringste teken van zwakte vertoonde, zou ik voortaan alle huishoudelijke klusjes voor het hele team op mijn nek krijgen.

Triomfantelijk nam ik een niet-draaiende ventilator met een diameter van twintig centimeter mee naar mijn werkplek. Hij floot astmatisch en leek tot weinig meer in staat dan de papieren op mijn bureau in beweging te brengen. Ze lagen te fladderen als gewonde vogels. Van verkoeling was niet veel te merken, maar dat vond ik niet erg. Ik had het ding van Peter Belcotts bureau gejat en alleen al daarom zou ik hem gekoesterd hebben. Mijn behoefte aan cafeïne werd bevredigd door een koude cola light uit de automaat die tevens een handige presse-papier bleek te zijn. Ik draaide mijn haar tot een knotje in mijn nek, stak er een potlood doorheen om het op z'n plek te houden, drukte mijn handen tegen mijn oren om niet te worden afgeleid en verdiepte me in mijn leeswerk.

Ik was nog niet lang geconcentreerd bezig toen de ventilator met een klik tot stilstand kwam. Ik keek verontwaardigd op.

'Zet dat ding eens aan.'

Rob stond hoofdschuddend naast mijn bureau met zijn vinger op de knop. 'Waar ben jij nou mee bezig? Is het niet hoog tijd om naar huis te gaan?'

Ik haalde mijn schouders op. 'Misschien wel. Maar ik loop liever nog een keer de dossiers door.'

'Je hebt toch wel een leven, of niet?' Hij pakte een boekje met foto's van de derde plaats delict en liet de bladzijden afwezig door zijn vingers gaan, en ik moest wel meekijken naar wat over was van Charity Beddoes, drieëntwintig jaar, een mooie masterstudente van de London School of Economics, die haar lengte en haar blauwe ogen dankte aan haar Engelse vader en haar huidskleur aan haar Nigeriaanse moeder. Er zat een verhaal in de serie foto's. Het pad dat naar het kreupelhoutbosje leidde waarin haar lichaam was verbrand. Verkoolde boombast en takken. Een close-up van wat de rand van een voetafdruk zou kunnen zijn. Zwartgeblakerde huid. Een verdraaide romp met hier en daar nog kledingresten. Het ene been dat gek genoeg niet was aangetast door het vuur, bruin en volmaakt gevormd vanaf halverwege haar dij tot aan haar voet, met een lange schaafwond op de kuit omdat ze over de grond was versleept. Zonder het verslag van de patholoog erop na te hoeven slaan wist ik dat het rond het moment van overlijden was gebeurd, hoewel hij niet met zekerheid kon zeggen of ze toen nog in leven was geweest en het had gevoeld. Maar iets moest ze wel hebben gevoeld. Veertien afzonderlijke kwetsuren aan haar schedel en haar gezicht – veertien slagen met een voorwerp dat leek op een klauwhamer, volgens de patholoog-anatoom. Afweerwonden aan haar handen en onderarmen waarmee ze had geprobeerd zichzelf te beschermen, ook al waren haar handen voor haar lichaam samengebonden zodat ze zich niet kon verweren. Afgebroken tanden. Gebroken botten. Haar ouders hadden haar nergens aan kunnen herkennen als ze het lichaam hadden willen zien, en ik hoopte van ganser harte dat ze die wens niet hadden gehad. Zo mocht je je een dierbare niet herinneren.

Rob vloekte zachtjes en gooide het boekje op het bureaublad voor me neer.

'Laten we ervandoor gaan, werkpaard. Je moet echt even pauze nemen en wat eten. Je ziet er niet uit.'

'Je snapt zeker wel dat ik jou alleen in de buurt wil hebben omdat je me zo weet op te beuren?'

'Ik leef om te dienen.' Hij pakte de rugleuning van mijn stoel en gaf die een draai in de richting van de deur. 'Kom mee. Opstaan. Laten we even iets gaan drinken en een curry eten.'

Ik bleef zitten waar ik zat. 'Ik ga nergens heen. Ik heb me voorgenomen dat ik de aantekeningen over die zaken zou doornemen, nu ik er de tijd voor heb.'

'Jezus zeg.' Hij streek met zijn hand door zijn haar. 'Oké dan. Ik geef het op. Ik zal je rustig laten lezen. Maar hier laat ik je niet achter. Veel te deprimerend. Ik neem deze dossiers mee en jij gaat naar huis. Straks kom ik met de dossiers naar je toe en dan lopen we ze samen door.'

'Zit me niet zo te koeioneren. Ik ga naar huis als ik dat wil en… Rob!'

Hij had de vier mappen gepakt en was al onderweg naar de deur. 'Stuur me maar een sms'je met je adres. Wat heb je liever, Indiaas of Thais?'

'Rob, kom op nou. Doe niet zo belachelijk.'

'Je hebt gelijk. Pizza is veel beter. Iedereen lust pizza.' De laatste zin zei hij over zijn schouder net voordat hij door de klapdeuren van de recherchekamer verdween. Ik bleef achter op mijn bureaustoel, en deed mijn mond zinloos open en dicht. Hij was me te slim af geweest. Ik was beroofd van mijn spullen. En ik kende Rob goed genoeg om te weten dat ik op zijn voorstel in moest gaan als ik mijn dossiers wilde terugkrijgen. Eerlijk gezegd vond ik het niet zo erg. Het leek me geen slecht idee.

Althans, toen niet.

De telefoon ging toen ik de voordeur opendeed, maar ik had niet de energie om erheen te rennen. Ik liep moeizaam de trap op, met mijn jasje en mijn schoenen in mijn hand, want die had ik direct na binnenkomst uitgetrokken. Mijn botten deden zeer; ik voelde me stokoud. Toen ik bovenkwam klikte het antwoordapparaat aan en ik luisterde even naar de stem van mijn moeder en probeerde in te schatten of de matte klank van haar stem betekende dat er echt iets mis was of dat ze me, zoals gewoonlijk, alleen maar een schuldgevoel wilde bezorgen.

'Maeve, ik hoopte je eigenlijk aan de lijn te krijgen. Ik wilde je even spreken. Maar je bent er niet.' Lange stilte. 'Misschien kun je me bellen als je een momentje hebt.' Weer stilte. 'Het is niets belangrijks, maar we hebben elkaar al een tijdje niet gesproken en je vader maakt zich ongerust.'

Ik snoof. Pa zou zich absoluut geen zorgen maken.

'Laatst sprak ik...' Piep.

Ik gooide mijn jasje en mijn schoenen op de bank in de woonkamer, maar pakte de schoenen er weer vanaf en streek schuldbewust de stoffige plekken weg die ze op het paarse suède hadden achtergelaten. Wie had er nou toch een paarse suède bank? Hij was een meter of tweeënhalf breed en zat ontzettend slecht, maar hij was ongehoord duur geweest, had Ian me verteld toen ik eens een mok thee op een armleuning had gezet, die een kring had achtergelaten. Ik had zelf liever een lekkere plofbank gehad, een waarop je languit tv kon kijken met chocolade binnen handbereik. Een waar je echt iets aan had.

Weer ging de telefoon.

'Maeve? Met je moeder. Je antwoordapparaat onderbrak me net.' Gepikeerd tot de macht tien. Ik dacht alleen maar: als je geen berichten van tien minuten achterliet, zou je misschien kunnen zeggen wat je te zeggen had zonder dat het apparaat zijn geduld verloor. 'Ik wilde net zeggen dat ik je tante Maureen had gesproken. Denise is in verwachting; ze is in mei uitgerekend. Ze zei natuurlijk dat ze het geweldig vond; wat kon ze anders zeggen? Geen woord over een eventueel huwelijk van Denise en Cormac. Maar ik vond wel dat je het moest weten. Ach, het is ook wel goed nieuws. Maureen zal het heerlijk vinden om oma te zijn. Ze vroeg nog naar je, maar ik zei dat er nog lang niet zoiets zat aan te komen. Met jouw werk zou ik echt niet weten hoe je er een baby bij zou kunnen hebben. Ik zei al tegen Maureen dat ik je nooit te pakken lijk te...' Het antwoordapparaat piepte weer en er viel een weldadige stilte. Ik sloeg mijn ogen ten hemel en beende de woonkamer uit toen de telefoon opnieuw rinkelde. Ik zou zeker niet opnemen. Ik kon haar beter laten doorzeuren.

Morgen zou ik haar bellen, nam ik me voor, maar ik hoopte dat ze niet weer zou beginnen over mijn baan bij de politie. Ik deed dit werk al vijf jaar en nog was ze niet aan het idee gewend, niet in de laatste plaats omdat ik een hele hoop neven en nichten in Ierland had zitten die erg weinig ophadden met de Britse overheid. Ik dacht niet dat ze echt lid waren van de IRA, maar het waren bevlogen nationalisten, het soort mensen dat de hele tekst van 'A Nation Once Again' uit het hoofd kende en alle ondertekenaars van de Vrijheidsproclamatie van 1916 op alfabetische volgorde kon. Ma had mijn beroepskeuze zo lang mogelijk voor zich gehouden in de hoop dat ik van gedachte zou veranderen, en ze was nog steeds geneigd het onderwerp te mijden binnen de familie. Ik had mezelf aangeleerd me er niets van aan te trekken, maar af en toe deed het me toch wat. Je wilt toch het liefst dat je ouders trots op je zijn.

In de keuken liep ik meteen naar de waterketel om thee te zetten, en ik had de helft al op toen ik het briefje aan de koelkastdeur zag hangen, in Ians kriebelschrift, dat zo moeilijk te ontcijferen was. *Je moeder heeft gebeld. Bel haar terug.* De tweede zin was onderstreept. Arme Ian. Ze mocht hem niet zo – vond het niet prettig dat we samenwoonden en dat hij niet rooms-katholiek was. Nog erger was dat hij geen enkel geloof aanhing; een protestant had ze nog wel kunnen accepteren. Maar mijn moeder zou nooit op één lijn komen met een goddeloze. Ik vroeg me even af wat ze tegen elkaar hadden gezegd. Een van ma's belangrijkste klachten was dat Ian nooit iets tegen haar zei als hij de telefoon aannam; als hij haar stem aan het andere eind hoorde, gooide hij de hoorn bijna naar me toe. Het milde accent van Donegal dat ze na dertig jaar Engeland nog niet kwijt was, verhulde haar bitsheid soms, maar je moest altijd op je hoede zijn. Ze kon je met een welgekozen zinnetje aan het spit rijgen. Ik rilde. Nee, vanavond was ik beslist niet sterk genoeg voor haar.

Ik nam een douche in de hoop dat ik ervan zou opfrissen. Ik moest daar langer over hebben gedaan dan ik dacht, want de deurbel ging nog voordat ik me had aangekleed. Ik sloeg een badhanddoek om en liep de trap af om open te doen, terwijl ik wenste dat de handdoek iets groter was.

Je kon wel zeggen dat Rob het niet erg vond. Hij tuitte zijn lippen en floot geluidloos toen ik de deur opende en hem zag staan met twee pizzadozen balancerend op zijn hand. Hij had de mappen onder zijn arm en hield een tasje met tweemaal zes biertjes in zijn andere hand.

Het was vreemd hem in een andere gedaante te zien en heel even staarde ik hem aan alsof ik hem niet kende, staarde ik naar die brede schouders en de helderblauwe ogen die me van top tot teen opnamen.

Zodra hij zijn mond opendeed, was de betovering verbroken. 'Leuke outfit. Maar een die niet zal helpen als ik me op de zaak wil concentreren.'

'Val dood.' De pizzadozen liepen ernstig gevaar; ik redde ze en ging Rob voor naar boven in de hoop dat zijn uitzicht niet al te veel van mij onthulde.

'Hé.' Hij bleef bij de deur van de woonkamer staan en keek met openlijke belangstelling naar binnen. 'Ik had jou niet ingeschat als iemand die van designmeubels houdt, Maeve.'

Het was het soort kamer waar Ians vrienden dol op waren – groot, vol meubels die een statement maakten en met wat Ians binnenhuisarchitect 'objets trouvés' noemde aan de wanden; dingen die er in de ogen van mijn moeder (en in mindere mate de mijne) uitzagen als ouwe troep. Ik keek rond en probeerde me voor te stellen wat Rob ervan vond. Waarschijnlijk vond hij het pretentieus. De paarse suède bank zag er helemaal protserig uit.

'Heeft niks met mij van doen. Het is allemaal van Ian.'

'O ja?'

'Ja. Hij heeft een architect alle meubels laten uitzoeken en hem het huis laten inrichten. Nu hoor je te denken: wow.'

'Wow,' zei Rob met een stalen gezicht en hij klonk allesbehalve onder de indruk. 'En wat is hier van jou?'

Heel even kon ik niets bedenken. 'Dit en dat,' zei ik toch maar op luchtige toon, want ik had er geen zin in na te denken over wat het betekende dat ik geen bezittingen had staan in de belangrijkste kamer van het appartement waar ik woonde.

'En dat?' Hij wees naar een Afrikaans masker dat hoog aan de wand hing. Het was ongeveer een halve meter lang en verschrikkelijk lelijk.

'Dat heeft een vermogen gekost. De architect heeft het op een vlooienmarkt in Parijs gevonden.'

'Ik heb het gevoel dat het me aankijkt.'

Het begon me te vervelen en mijn handdoek zakte af. 'Wil je misschien even gaan zitten? Ik moet me aankleden.'

Hij stopte zijn handen in zijn zakken. 'Ik durf bijna niet. Stel dat ik mijn pizza laat vallen of mijn biertje omgooi?'

'Dan vermoordt Ian je, en ik kan niets doen om je te beschermen.'

'Waar is Ian eigenlijk?' Hij keek om zich heen alsof hij verwachtte dat hij elk moment achter de gordijnen vandaan kon komen.

'Weg. Naar de bioscoop. Hij komt voorlopig niet thuis.' Ik bloosde terwijl ik het zei, want ik besefte dat het klonk alsof ik uitrekende hoeveel tijd ik alleen met Rob kon doorbrengen. En mijn handdoek was nog verder afgezakt. Ik trok hem stevig op z'n plek. 'Leg die dossiers maar even neer. Dan gaan we eerst in de keuken wat eten.'

'Goed idee.' Rob legde ze tegen de deurpost en volgde me naar de keuken. Ik zette het bier op een leeg schap in de koelkast.

'Kijk maar even of je borden en servetjes kunt vinden terwijl ik me aankleed.'

'Oké.' Hij snuffelde al rond in de keuken, bekeek alles en zag waarschijnlijk niets over het hoofd. Met een kwetsbaar gevoel dat niets te maken had met het feit dat ik vrijwel naakt was, liep ik snel weg om me aan te kleden. Ik trok in een recordtijd een spijkerbroek en een T-shirt aan.

Hij stond nog steeds toen ik terugkwam, maar hij had een van de dozen opengemaakt en keek kauwend om zich heen. Hij nam me kort op. 'Ik vond dat andere leuker, maar het is wel goed zo.'

'Fijn om te horen. Zou je aan tafel willen gaan zitten? Je morst kruimels.'

'Hm.' Maar hij liep naar de koelkast en haalde er twee biertjes uit, waarvan hij er een aan mij gaf. 'Heb je je moeder al gebeld?'

'Hè? O. Nee.' Ik stak mijn hand uit, trok het briefje van de deur en verfrommelde het. 'Het was niet belangrijk.'

'Slechte dochter.' Hij maakte een rondje door de keuken. 'Wat zijn dat voor mokken? Doen jullie hier ook nog aan kinderopvang?'

Ik hoefde niet te kijken; ik wist wat hij bedoelde. Een hele muur van de keuken was voorzien van planken waarop zesentwintig mokken in frisse kleuren stonden opgesteld, elk met een letter uit het alfabet erop. De keukenkastjes waren felrood. De muren waren roomkleurig. Volgens Ians vrienden was het effect adembenemend, maar ja, zij vonden het geen probleem om op die gruwelijk ongemakkelij-ke draadstoeltjes te zitten, die 'echt antieke stukken uit het midden van de vorige eeuw', rondom de cafetariatafel uit de jaren vijftig die in het midden van de keuken stond. Als je niet zo van dat soort din-gen hield, was het allemaal wel erg fel van kleur. Ik zou zelf liever iets gezelligers hebben gehad. Maar ik wist dan ook niets van stijl, zoals Ian me had ingeprent.

'Gebruiken jullie die mokken weleens om berichtjes voor elkaar achter te laten?'

'Nee, eigenlijk niet.' Ik durfde ze niet eens van hun plaats te halen. En ik dacht niet dat Ian het erg grappig zou vinden als ik dat deed. Niet dat ik dat Rob zou vertellen. 'Het valt niet mee zinnetjes te be-denken als je elke letter maar één keer kunt gebruiken.'

'Nee.' Hij klonk niet overtuigd, en ik had het ongemakkelijke ge-voel dat hij mijn gedachten kon lezen. Ik begon druk in de laden naar een flesopener te zoeken. Ik wist zeker dat we er ergens een hadden liggen, maar ik gaf het op na een blik op de wirwar van gardes, soep-lepels, aardappelschilmesjes en ander keukengerei, die met elkaar in de knoop waren geraakt. Ik gaf het op.

'Heb jij een flesopener bij je?'

'Aan mijn sleutelring.'

'Hoezo verbaast me dat niks?'

'Omdat ik altijd op alles ben voorbereid.' Hij kwam naar me toe en pakte het bierflesje uit mijn hand om het open te maken.

'Omdat je nooit iets tussen jou en een lekker koud biertje in zou laten staan.'

'Ook dat.' Hij trok met een zwaai een van de stoelen bij. 'Gaat u zitten, mevrouw, en tast toe voordat ik alles opeet.'

Tot ik begon te eten had ik me niet gerealiseerd dat ik zo'n trek had, maar na de eerste paar happen begon ik het echt lekker te vin-den. Ik vergat de moorden – en zelfs Rob – en wijdde me volledig aan mijn pizza. Alles wat ik kon uitbrengen was zo nu en dan een ge-smoord 'God, wat is dit lekker'. Halverwege de laatste punt kon ik niet meer en legde het restant zuchtend terug in de doos.

'Ik heb veel te veel gegeten, maar het was het waard.'

'In elk geval heb je nu weer wat kleur op je wangen.' Hij had zijn pizza eerder op dan ik en zat me over de tafel heen te bekijken, terwijl hij zijn lege bierflesje steeds een kwartslag ronddraaide.

'Oké, laten we dan maar eens aan het werk gaan,' zei ik abrupt, want ik voelde me opeens een beetje ongemakkelijk. Houd je gedachten bij je werk, dacht ik.

Hij stond op en rekte zich uit. 'Doe eens een beetje enthousiaster, zeg. Jij bent degene die erop stond werk mee naar huis te nemen.'

'Ja, maar ik weet echt niet meer waarom.'

'Omdat je de beste rechercheur ter wereld wilt zijn,' scandeerde Rob. Ik negeerde hem en liep naar de koelkast om nieuwe biertjes te pakken. Ik liet de pizzadozen staan; van een beetje rommel zou niemand wat krijgen. En ik zou waarschijnlijk tijd overhebben om op te ruimen voordat Ian terugkwam.

In de woonkamer gingen we naast elkaar op de bank zitten; ik sloeg de dossiers open en spreidde ze als een pak kaarten uit op de salontafel, met de eerste pagina, waarop een foto stond van elke vrouw die was gestorven, vooraan. Vier koninginnen en toch was het een verloren spel. Vijf, als je Rebecca Haworth meetelde. Er was nog geen dossier van haar, maar de details zaten nog vers genoeg in mijn hoofd om het weinige wat we wisten op een rijtje te zetten. Ik keek naar het gezicht van de slachtoffers en slikte in een poging de opkomende paniek te onderdrukken. Hij liep ergens vrij rond, voedde zich met de herinnering aan de moord op die jonge vrouwen en was bezig de spanning voor zijn volgende daad van agressie op te bouwen. We zouden hem nooit te pakken krijgen, tenzij we geluk hadden of hij steken liet vallen, en tot nu toe leek geen van beide opties waarschijnlijk. En elke seconde bracht een volgende moord dichterbij. We hadden geen tijd meer te verliezen.

'We weten absoluut niets van onze moordenaar, dus moeten we wel met de slachtoffers beginnen,' zei ik en ik probeerde positief te klinken. 'Wat zijn de overeenkomsten tussen hen, behalve wat overduidelijk is?'

'We bekijken ze een voor een.' Rob begon en keek af en toe in het dossier om zeker te zijn van de feiten. 'Slachtoffer één is Nicola Fielding, zevenentwintig jaar oud, vermoord in de vroege uurtjes van achttien september, een vrijdag. Haar lichaam is gevonden in de zuidwestelijke hoek van Larkhall Park, ongeveer zevenhonderd meter van haar woning in Clapham. Blauwe ogen, lang bruin haar, piekfijn gekleed, hoge hakken en een kort rokje. Maar Nicola was een keurig meisje; ze was de vrijgezellenavond van haar beste vriendin aan het vieren in een nachtclub in Clerkenwell. Het was niet haar gewoonte nog laat van huis te zijn. Ze kwam oorspronkelijk uit Sunderland. Sinds ongeveer een jaar werkte ze als kindermeisje voor een stel genaamd…'

'Cope,' vulde ik aan. 'Daniel en Sandra. Ze paste op hun twee kinderen van drie en vijf.'

'En de Copes waren er begrijpelijkerwijs kapot van. We hebben nog even gekeken naar meneer Cope, maar hij heeft er niets mee te maken.'

Ik nam het over. 'We weten dat Nicola de laatste ondergrondse heeft gemist; die had ze willen nemen. In plaats daarvan is ze op de nachtbus gestapt en om dertien over twee 's nachts uitgestapt op Wandsworth Road. Daarvandaan is het tien minuten lopen naar het huis van de familie Cope, waar ze een eigen appartementje in het souterrain had – een van de extraatjes van haar baan.

Alles wat we verder nog weten is dat ze ergens tussen de bushalte en het huis van de familie Cope onze moordenaar tegen het lijf is gelopen. Ongeveer drieënveertig minuten nadat ze uit de bus was gestapt, zag een voorbijrijdende automobilist iets branden in Larkhall Park, waarna hij de brandweer belde. De brandweermannen die ter plekke aankwamen troffen het lichaam van Nicola aan. Ze was uitgeschakeld met een stungun en doodgeslagen met een stomp voorwerp, volgens de patholoog hoogstwaarschijnlijk een hamer.'

'Verkrijgbaar bij elke goede doe-het-zelfzaak en ijzerwinkel, en in principe niet te achterhalen.' Rob bladerde het dossier door tot hij een kaartje van de omgeving vond. 'Het park ligt niet op de kortste weg van de bushalte naar haar huis. Maar we weten niet of ze erheen is gelopen of per auto is vervoerd.'

'Er hangen daar geen beveiligingscamera's,' zei ik, en ik dacht zonder enthousiasme terug aan de uren die ik had besteed aan het bekijken van opnames die we hadden opgevraagd bij lokale bedrijven. Ik had gekeken tot ik scheelzag, tot ik zelfs in mijn slaap nog wazige zwart-witbeelden van auto's zag. Delen van mijn droom kon ik me letterlijk beeld voor beeld herinneren. 'Ik heb haar op geen enkele camera voorbij zien komen. En we hebben het merendeel van de auto's die in de omgeving zijn gezien weten op te sporen. Ze zijn ook naast de beelden van andere plaatsen delict gelegd zonder dat er enige overeenkomst is gevonden.'

'Niet op de dingen vooruitlopen.' Rob klopte op mijn knie. 'We gaan ons eerst op Nicola concentreren.'

De plek waar hij me had aangeraakt tintelde. Onwillekeurig legde ik mijn hand erop. Toen ik opkeek, zag ik Rob fronsen. Ik praatte snel door.

'In dit rapport van de psycholoog wordt gesuggereerd dat hij weleens te voet zou kunnen zijn, omdat de lichamen zo dicht bij de plek zijn gevonden waar de slachtoffers het laatst en op uitgesproken openbare plaatsen zijn gezien; zeer riskant voor onze moordenaar. Of hij handelt impulsief en heeft er geen zin in hen naar een rustigere plaats af te voeren, of hij kickt op het risico dat hij loopt als hij ze open en bloot vermoordt, of hij heeft geen transportmiddel tot zijn beschikking. Of hij nu lopend was of in een auto zat, we kunnen er het beste van uitgaan dat ze hem niet kende – we hebben vrijwel iedereen opgespoord en gesproken die ze vanaf haar schooltijd heeft gekend, en bij niemand gingen er alarmbelletjes rinkelen.' Het dossier stond stijf van de verhoren van haar vrienden, familieleden, vage kennissen en andere buspassagiers van die avond die zich hadden gemeld. Niemand had ook maar iets gezien. Niemand had ook maar iets gehoord. Niemand was iets bijzonders opgevallen. 'Hij heeft haar er op de een of andere manier van overtuigd dat ze hem kon vertrouwen.'

'Uit alle verhalen blijkt dat het een leuke meid was. Aardig.'

'Het ideale slachtoffer. Geen tekenen van aanranding, maar hij heeft wel een trofee meegenomen: een hartvormig medaillon. Ze had het altijd om en we weten van de foto's van de vrijgezellenavond dat ze het die avond ook om had. Het is niet aangetroffen.' Ik liep de foto's van de plaats delict langs. Overzichtsfoto's. Close-ups. Een puzzel bestaande uit lichaamsdelen; elke verwonding was zorgvuldig in kaart gebracht met de afmetingen erbij, vastgelegd voor het nageslacht. Iets wat ooit een meisje genaamd Nicola was geweest. Voordat Nicola een prooi werd.

Robs stem haalde me terug naar het gesprek. 'De gebruikte brandversneller was doodgewone benzine. De chemische analyse leverde BP op. Er zijn in Londen en omgeving ongeveer een miljoen benzinestations waar ze BP verkopen, dus dat hielp niet erg.'

'Vijfenzeventig, om precies te zijn. En die dichtstbijzijnde bevinden zich hier.' Ik streek de plattegrond glad en wees. 'Kennington, Camberwell, Peckham Rye, Clapham Common. Iets verder weg heb je Tooting, Balham, Wandsworth, Wimbledon Chase. En het is absoluut niet zeker dat hij de benzine daar ergens heeft gekocht. En een overdreven grote hoeveelheid is het ook niet. Niet meer dan een jerrycan.'

'Niemand zal zich herinneren dat verkocht te hebben,' stemde Rob in. 'We weten trouwens niet eens waarnaar we op zoek zijn. Op geen enkele plaats delict was iets te bekennen waarin hij de benzine vervoerd had.'

'Behalve dan die van vanochtend. In een voortuin vlakbij hebben ze een rode jerrycan gevonden.'

'Maar we weten niet zeker of die er iets mee te maken had.'

'Dat is waar.'

Ik leunde achterover en zette mijn biertje aan mijn lippen. Rob keek me aan. 'Waar denk je aan?'

'Als ik midden in de nacht in mijn eentje naar huis liep, zou ik er nooit op ingaan een praatje te maken. Hoe slaagt hij er toch in hun vertrouwen te wekken?'

'Als we dat wisten, zouden we hier niet zitten praten, want dan hadden we hem al te pakken,' zei Rob gelaten. 'Hij moet een of ander trucje hebben. Zoals Ted Bundy zogenaamd een gebroken arm had, weet je wel: "Wilt u me even helpen met mijn bagage?" En voordat je het in de gaten hebt, gaat het licht uit.'

'Nicola was een kindermeisje. Victoria Müller, slachtoffer nummer drie, was ziekenverzorgster. Ze waren er allebei aan gewend mensen te helpen. Misschien doet hij zich kwetsbaar voor.'

'Zou kunnen. Heb je gehandicapten gezien op de beveiligingsbanden?'

Ik schudde mijn hoofd. 'Er stonden zelfs maar heel weinig voetgangers op. We hebben veel van hen opgespoord. Die oproep in het programma *Crimewatch* heeft wat dat betreft veel opgeleverd.'

'Ja, maar alleen wat dat betreft.'

Na de derde moord had Godley op tv het publiek om hulp gevraagd. We hadden letterlijk honderden telefoontjes gekregen, maar als er al iets echt bruikbaars tussen had gezeten, hadden we het gemist door het enorme aantal gekken en rare snuiters die zo'n oproep op tv altijd leek aan te trekken.

Ik sloeg het dossier van Nicola dicht en trok dat van Alice Fallon eronderuit. 'Ons jongste slachtoffer. Alice Emma Fallon, negentien jaar, vermoord op zaterdag 10 oktober. Haar lichaam is achtergelaten op een speelplaats in Vauxhall, niet ver van de markt New Covent Garden.'

Op de foto's waren op de achtergrond schommels, een glijbaan en felgekleurde speelapparaten te zien. De voorgrond stond daarmee in afschuwelijk contrast. Haar lichaam was gevonden naast een witgeschilderde muur achter het speelterrein, en door de vlammen was er een schroeiplek van een halve cirkel ontstaan, die getuigde van de felheid van het vuur. De levende Alice, wat mollig en met een lief gezichtje, met steil, lichtbruin lang haar met een scheiding in het midden, was niet de Alice van de foto's die op de plaats delict waren gemaakt.

'Verwondingen die overeenkomen met die van Nicola, dezelfde methode. Hij heeft een stungun gebruikt. Ze miste een oorbel, een in zilver ingebed pauwenveertje met een turkooizen kraaltje. Heel apart. Gekocht tijdens een gezinsvakantie in Colorado, dus mogen we ervan uitgaan dat het in de omgeving van Zuid-Londen in oktober de enige was, al was het geen echt uniek stuk.'

'Alice studeerde nog en woonde in Battersea. Ze is vermoord tussen elf uur 's avonds en middernacht. Ze was lopend onderweg van een avondje uit met vrienden in Vauxhall en heeft haar woning nooit bereikt.'

'En dat was het enige wat ze gemeen had met Nicola. Afgezien van haar lange haar. En dat ze nu dood is.'

'Goed dat je dat er even bij zegt,' zei Rob ironisch.

'Graag gedaan.' Ik sloeg het derde dossier open. 'En dan nu: meisje Müller. Zesentwintig jaar oud, alleenstaand op het moment van haar overlijden, oorspronkelijk uit Düsseldorf maar sinds vijf jaar woonachtig in Engeland. Ze had een huurflat in Camberwell. Op de avond van 30 oktober had ze nachtdienst in een verzorgingshuis in Wandsworth. Ze was om vier uur 's ochtends klaar en kreeg een lift van een collega die in Hackney woonde, mevrouw Alma Nollis, drieënveertig. Mevrouw Nollis bracht haar niet helemaal naar huis, maar zette haar af bij de verkeerslichten bij de halte Stockwell van de ondergrondse. Victoria zou ongeveer anderhalve kilometer naar haar flat hebben moeten lopen, maar ze kwam terecht in een klein, wild begroeid parkje voor een flatgebouw dat op de nominatie voor sloop stond. Er waren dus geen bewoners die iets bijzonders gezien konden hebben, en uiteraard heeft verder ook niemand iets gezien. Haar lichaam werd om zes uur twintig gevonden door een jogger, die bijna door de plaats delict was gerend voordat hij merkte wat er op zijn pad lag.'

De jogger had gebraakt toen hij besefte waar hij naar stond te kijken. Toen Judd tijdens onze briefing het gesprek met de alarmdienst had afgespeeld, hadden zijn slik- en kokhalsgeluiden aan de telefoon tot grote hilariteit geleid. Ik keek naar de foto's in het dossier en naar het verslag van de patholoog-anatoom, waarin op een schematische voorstelling van Victoria's lichaam vele puntjes waren aangebracht die verwondingen voorstelden, en ik voelde geen enkele neiging om te lachen. De ziekenverzorgster was wreed toegetakeld voordat ze stierf, met meerdere fracturen aan haar oogkassen en haar neus als gevolg. Hij had haar kaak op vijf plaatsen gebroken. Hij had een aantal tanden uit haar mond geslagen. Hij had haar schedel, haar linkerarm, haar ribben en haar sleutelbeen gebroken. Hij had haar herhaaldelijk geschopt, dacht de patholoog-anatoom, gezien de verwondingen die ze had opgelopen. Hij had haar rechterhand met zijn voet verbrijzeld. Hij had behalve de hamer ook zijn vuisten en zijn voeten gebruikt. Hij had twee zilveren ringen van haar linkerhand gehaald; unieke exemplaren omdat ze ze zelf had gemaakt, een klein feitje dat me elke keer dat ik eraan dacht een treurig gevoel gaf. Hij leerde er steeds meer de tijd voor te nemen, had Godleys saaie profielschetser gezegd. Zijn zelfvertrouwen groeide gestaag. Hij had wat langer over deze moord willen doen. Hij had ervan willen genieten haar te pijnigen. Hij had haar gelaatstrekken willen verwoesten en haar willen straffen voor haar bestaan.

Victoria Müller was een klein meisje geweest, met haar lengte van maar één meter vijfenvijftig en haar tengere bouw. Ze stotterde, hadden haar ouders verteld aan de agent die hen had gesproken; ze had zich niet erg op haar gemak gevoeld bij mannen, en ook niet bij de manager in het verzorgingshuis, die had geweigerd haar in te delen voor dagdiensten, hoewel ze geen auto had en het moeilijk voor haar was thuis te komen in het holst van de nacht. Op school was ze gepest. Ze keek graag naar zwart-witfilms en hield van Hello Kitty-spulletjes. Ze dronk witte wijn, als ze al alcohol dronk, maar ze was niet veel uit geweest sinds ze een jaar tevoren naar Camberwell was verhuisd. Ze had wijd uiteenstaande ogen en een wipneus die eerder kabouterachtig dan mooi was, maar in principe was ze wel aantrekkelijk geweest. Ze was verlegen geweest. Ze was lief geweest. Ze had zich die avond verweerd, althans, daar wezen haar verwondingen op. En ze was gestorven waar hij haar had verbrand, in een dicht bosje bomen in een klein parkje, niet ver van de weg maar uit het zicht.

'Hij heeft deze keer een betere plek gevonden,' was mijn commentaar. 'Hij kon er langer over doen. Misschien even blijven om te kijken hoe het lichaam verbrandde.'

'Zieke klootzak.'

Rob schudde zijn hoofd. Ik vroeg me af of hij, net als ik, Victoria's laatste ogenblikken had overdacht. Haar angst. Haar pijn. Haar totale hulpeloosheid bij een aanval die zo gewelddadig was dat ik me letterlijk niet kon voorstellen wat een mens ertoe kon aanzetten een ander mens zo vreselijk toe te takelen.

Het eten in mijn maag leek te zijn veranderd in lood, in een compact, zwaar gewicht dat me opeens misselijk maakte. Ik zette mijn glas neer en boog voorover; ik probeerde de indruk te wekken dat ik aandachtiger naar de dossiers zat te kijken.

'Gaat het wel?'

Met moeite glimlachte ik. 'Jawel. Prima. Hoezo?'

'Je ziet opeens zo bleek.'

'Dat is mijn Ierse afkomst. Ik word niet snel bruin.'

Rob produceerde een sceptisch keelgeluid, maar tot mijn enorme opluchting drong hij niet verder aan. Ik wilde niet toegeven hoe diep deze moorden mij raakten; ik wilde dat noch aan hem, noch aan mezelf toegeven. Maar Victoria Müller had iets zieligs wat me telkens weer trof. Ze had in haar leven meer verdiend dan ze had gekregen.

'Voor zover we weten had ze niets gemeen met Nicola Fielding en Alice Fallon; geen vrienden, geen kennissen, geen collega's...'

'Ze hebben ook nooit in dezelfde periode in dezelfde buurt gewoond. Ze hadden geen gemeenschappelijke interesses.'

'En dat geldt ook voor het vierde slachtoffer. Alles bij elkaar lijkt het erop dat ze bij toeval zijn uitgekozen,' zei ik ten slotte. 'Ze hebben het pad van onze moordenaar gekruist en dat is hun fataal geworden.'

'Wil je misschien nog een biertje voordat we doorgaan met onze onfortuinlijke nummer vier?'

'Ach ja,' zei ik, en Rob liep naar de keuken en kwam heel snel terug met twee flesjes met een laagje condens erop.

'Slachtoffer vier was Charity Beddoes, de studente van de London School of Economics. Ze was een halfbloed, heel knap om te zien, heel slim volgens iedereen, woonde in Brixton. Ze is gestorven op 20 november, ergens tussen tien over twee, toen ze na een ruzie met haar vriend alleen was vertrokken van een houseparty in Kennington, en vijf uur, toen haar lichaam werd gevonden door een taxichauffeur die langs Mostyn Gardens reed. Eerst dacht hij dat er iemand wat rommel aan het verbranden was. Toen kreeg hij in de gaten wat er aan de hand was en belde hij ons.'

Rob las de getuigeverklaring van de vriend door. 'Hier staat dat ze dronken was. En woedend op hem. Hij was met een ander meisje naar boven geweest en Charity "trok overhaaste conclusies". Dat kan ik me voorstellen. Wel erg dikke pech, hè? Je wordt niet alleen op wrede wijze vermoord, maar je bent er net daarvoor ook nog eens achter gekomen dat je vriend je belazert.'

Ik stond op het punt iets terug te zeggen, maar iemand anders was me voor.

'Wie zei hier iets over belazeren?'

Ian stond ons vanuit de deuropening aan te staren met een voor mijn gevoel vijandige uitdrukking op zijn gezicht.

'Je bent al thuis,' zei ik overbodig. 'Ik had je nog niet verwacht. Hoe was de film?'

'Prima.'

Ik wachtte af, maar Ian zei verder niets. Zijn mond stond strak; dat beloofde nooit veel goeds. 'Eh… sorry dat ik niet naar de bioscoop ben gekomen. Maar je wist natuurlijk wel dat het niet mijn soort film was.'

Hij staarde vol afkeer naar de foto's op de salontafel. Rob sloeg rustig de mappen dicht en legde ze toen op een stapeltje aan de rand van de tafel, en Ian verplaatste zijn aandacht naar hem, zonder een merkbare verandering in zijn gelaatsuitdrukking. 'Hallo.'

'Rob kwam even langs om over de zaak te praten. Je kent Rob toch?' Ze hadden elkaar afgelopen zomer tijdens de barbecue van het team ontmoet. Iets te laat schoot me te binnen dat die ontmoeting geen groot succes was geweest.

Ian keek hem zonder enthousiasme aan. 'Hoe gaat het?'

'Goed. En met jou?'

'Goed.'

Stilte. Ik vulde die op met: 'En hoe was het met Julian en Hugo?'

'Prima.' Hij ontdooide enigszins. 'Hugo is net terug van de Malediven.'

'De Malediven,' herhaalde Rob. 'Te gek.'

Je moest Rob echt heel goed kennen om in de gaten te hebben dat hij een loopje met Ian nam. Ik hield me met moeite in. Gelukkig had Ian niets in de gaten. Althans, hij reageerde er niet op.

'Het klonk als een fijne vakantie.' Hij keek naar mij. 'Ik ben vroeg weggegaan omdat ik me ervan wilde overtuigen dat het goed met je ging.'

'Dank je. Dat is erg lief van je. Het had echt niet gehoeven.'

'Ja, ik zie nu ook wel dat ik me niet druk had hoeven maken. Je had me wel even kunnen vertellen dat je vanavond lekker thuisbleef.'

'We zaten te werken.'

In plaats van te antwoorden keek hij met een opgetrokken wenkbrauw doordringend naar de lege bierflesjes die voor me op tafel stonden. Ik werd opeens boos – woedend zelfs. 'Moet je dit echt nu doen? Waar mijn collega bij is?'

Rob stond op en rekte zich uit. 'Het lijkt me een goed moment om te gaan,' zei hij tegen niemand in het bijzonder. 'Ik kom er wel uit. Tot maandag, Kerrigan.'

'Neem de rest van het bier maar mee. Zonde om het aan ons te verspillen.' Rob knikte naar me en schoof langs Ian, die wel opzij stapte maar zijn blik niet van mij afwendde. Ik luisterde naar Robs voetstappen in de keuken, daarna op de trap en hoorde even later de zachte dreun van de dichtslaande voordeur.

'Leuk hoor, Ian. Bedankt.'

Hij hield zijn hoofd schuin. 'Sorry, maar dan had je maar moeten zeggen dat je de flat voor jou alleen wilde hebben. Ben ik op een verkeerd moment thuisgekomen?'

'Jezus zeg, ziet het ernaar uit dat we het leuk hadden?'

'Ik zou zeggen dat jullie het best leuk hadden, ja. Kom eens van dat kruis af, Maeve. Ik weet dat werken je voorkeur heeft boven vrijwel elke andere activiteit. Ga me nu niet vertellen dat je het jammer vond dat je niet met mij en de jongens uit kon gaan.'

'Niet echt nee,' gaf ik toe. 'Maar dat komt gewoon doordat ik niet veel met hen gemeen heb.'

'Soms,' zei Ian mat, 'vraag ik me weleens af wat je met mij gemeen hebt.'

Als ik iets had teruggezegd, wat dan ook, was het niet zo'n punt geweest, maar zijn woorden vielen in de ruimte tussen ons neer en ik kon geen enkel antwoord bedenken. Ook wist ik niet wat ik moest zeggen toen we de keuken in liepen en zagen dat de mokken op de middelste plank in een andere volgorde waren gezet, zodat er – en dat was onvergeeflijk – een woord stond dat ik Rob vaak had horen gebruiken. Er was ook niets wat ik kon zeggen.

Niet nu dat specifieke woord de situatie perfect omschreef.

Louise

Ik stond halverwege een trapje behang af te halen toen mijn mobiel ging. Misschien zou ik hem hebben laten overgaan als ik niet blij was om even te kunnen pauzeren – mijn armen deden zeer –, en ik sprong van de ladder om te zien wie er belde; toen ik de naam op het schermpje las trok ik mijn wenkbrauwen verbaasd op.

'Hoi Tilly.'

'O, Louise. Sorry dat ik je op zondagochtend moet storen. Hopelijk heb ik je niet uit bed gebeld. Ik vind het vervelend om mensen in het weekend erg vroeg te bellen, maar onder de omstandigheden vond ik dat ik het toch moest doen.' Ze klonk buiten adem en struikelde over haar woorden, zodat ik heel goed moest luisteren om te verstaan wat ze zei. 'Is het niet verschrikkelijk van Rebecca? Ik kan het nauwelijks geloven.'

Ik mompelde dat ik het ook niet kon bevatten.

'Ik heb net Gerald en Avril gesproken over die dienst voor Rebecca.'

Gerald en Avril, ofwel de heer en mevrouw Haworth, Rebecca's ouders. Ik voelde ergernis, heel onredelijk. Tilly had met Rebecca op school gezeten; haar moeder was de beste vriendin van Rebecca's moeder. Dat hield niet in dat ze beter met haar bevriend was geweest of dichter bij haar had gestaan, maar ze deed alsof dat wel zo was.

'Ze hadden nog geen definitieve plannen gemaakt. Ik heb ze er vrijdag over gesproken.' Ik kon niet nalaten haar te vertellen wanneer ik ze had gesproken, uit een kinderachtig verlangen om haar onder de neus te wrijven dat ik hen eerder had gesproken dan zij. Ze hijgde onverstoorbaar door.

'Nee, ik heb me er voor hen mee beziggehouden. Ik vind het een fantastisch idee dat alle mensen die van Rebecca hielden bijeenkomen, zodat ze haar kunnen herdenken en hun dankbaarheid haar gekend te hebben kunnen tonen en zo. De dienst is woensdag.'

'Is dat niet wat snel?'

'Het bezorgt iedereen wat afleiding. Ik kies de muziek uit. Gavin is op zoek naar mooie teksten die kunnen worden voorgelezen.' Gavin was haar vriend, een nieuwe aanwinst, en ik zag niet goed in wat hij ermee te maken had; hij had Rebecca nauwelijks gekend.

'Ik denk niet dat ik iets zal kunnen voorlezen.' Ik hoopte het verzoek voor te kunnen zijn.

'O, maar ik was toch niet van plan je te vragen. Ik heb alle lezers al ingedeeld. Ik wilde je alleen laten weten wat er gaat gebeuren. Het is in de kerk van de familie Haworth. Ben je weleens bij hen thuis geweest?'

'Zo vaak,' zei ik knarsetandend.

'Nou, het is die kerk aan het eind van de straat als je van de hoofdweg komt. Je kunt hem niet missen.'

'Inderdaad. Ik ben ook weleens in die kerk geweest.'

'O, mooi. De bedoeling is dat de dienst om twaalf uur begint, en dat iedereen aansluitend naar hun huis gaat voor een lunch.' Ik hoorde haar bladzijden omslaan. 'Ik heb nog een lijstje met Rebecca's vrienden van toen ik haar vijfentwintigste verjaardagsfeestje organiseerde, maar als je iemand kunt bedenken die we ook moeten uitnodigen – mensen van de universiteit bijvoorbeeld –, wil je me dan laten weten wie het zijn en waar ik ze kan bereiken?'

Ik zei dat ik erover zou nadenken en haar dan zou terugbellen, maar ik meende er niets van. 'Wie komen er verder nog?'

'Iedereen die belangrijk voor haar was.'

Ik aarzelde heel even en hakte toen de knoop door. 'Zelfs Gil?'

'Uiteraard. Hem heb ik als eerste gebeld.' Ze klonk verbaasd dat ik die vraag had gesteld. Natuurlijk had ze hem uitgenodigd. Ik slikte en probeerde niet overdreven te reageren. Er was geen enkele reden om bang te zijn hem te ontmoeten. Mijn droge mond sloeg nergens op.

Ik zei Tilly gedag en ging verder met het afhalen van het bruin-oranje behang dat al sinds de jaren tachtig op de muren van de logeerkamer moest zitten. Ik was van plan die kamer in te richten met luchtig deinende gordijnen, witgeschilderde vloerdelen met een schapenvacht erop in plaats van de bruine vloerbedekking die ik zojuist, gehuld in een wolk stof, had losgetrokken, nieuwe kussens en een nieuw matras op het bed, en lichtroze behang met een fijn patroontje, waardoor iedereen die daar ontwaakte het gevoel zou krijgen dat ze op een wolk hadden geslapen. Het was zwaar werk maar het gaf me voldoening, en eerder die dag had ik dan ook zachtjes lopen zingen; na het belletje van Tilly had ik daar geen zin meer in. Ik maakte de muur af omdat ik me dat had voorgenomen, maar daarna gaf ik er voor die dag de brui aan.

Mijn gedachten gingen steeds weer naar die herdenkingsdienst; ik bleef er maar op terugkomen, hoezeer ik ook mijn best deed aan andere dingen te denken. Ik dacht aan de mensen die er zouden zijn, mensen die ik in geen jaren meer had gesproken. Aan Tilly en hoe ze me buiten de dienst had gehouden en dat me dat stak, al was ik van plan geweest me op de achtergrond te houden. Aan het feit dat het Rebecca's laatste feestje zou zijn, als je haar begrafenis niet meetelde, maar ik vermoedde dat het dan wat rustiger zou zijn. Meneer en mevrouw Haworth zouden die in besloten kring willen houden. Met degenen die van haar gehouden hadden natuurlijk, zoals ik.

Die gedachte bracht me weer naar hetzelfde punt als altijd. Gil had van haar gehouden. Gil zou er zijn. Ik zou Gil zien. Hij zou mij zien. En het rationele deel van mijn brein wist zeker dat ik hem niet wilde zien. Ik had de politie verteld dat we niet met elkaar overweg konden, maar dat was niet waar. Ik verfoeide hem, maar ik had zo'n idee dat ik hem zo onverschillig liet dat hij helemaal niets voelde. En ik verafschuwde hem des te meer omdat ik hem ondanks alles intrigerend vond. Hij had Rebecca tot zijn slavin gemaakt; ze had een absolute blinde vlek gehad waar het Gil betrof. Ik had dat betreurd en haar dat ook laten weten, en ik had er bij haar op aangedrongen hem aan de kant te zetten, maar het had me niet verbaasd dat ze mijn advies naast zich neerlegde. Ik wist dat hij niet goed voor haar was, maar tegelijkertijd was ik er niet zeker van dat ik me van hem had kunnen losmaken als het om mij was gegaan.

Maar goed, daarover hoefde ik me toen niet druk te maken. Met Rebecca in de buurt zou het nooit om mij zijn gegaan.

6

Maeve

'Ik kan het gewoon niet geloven. Dat zoiets háár moest overkomen. Ik kan het gewoon… ik kan het niet… sorry…'

Uit al dat gesnik en gewapper met haar handen maakte ik op dat Jess Barker weer op instorten stond. Ik leunde voorover en schoof haar met de punt van mijn pen een doos tissues toe. Ik onderdrukte een zucht. Niet dat ik niet met haar te doen had, integendeel, ze was overduidelijk oprecht verdrietig. Maar tot nu toe had ik alleen gehoord dat Rebecca 'een fantastische collega' was geweest. 'Fantastisch gewoon. Ze maakte iedereen blij zodra ze op kantoor verscheen, begrijpt u wat ik bedoel?' Ik begreep het volkomen. Ik had het al gehoord van al Rebecca's collega's bij Ventnor Chase, het pr-bedrijf waar ze vier jaar had gewerkt en dat was gevestigd binnen de muren van een achttiende-eeuwse stadsvilla in Mayfair. En geen van allen hadden ze me kunnen vertellen waarom ze dat duur ingerichte kantoor vier maanden tevoren had verlaten en nooit meer was teruggekeerd. Ik had verhalen gehoord over plannen om een eigen bedrijf te beginnen, vaag gemompel over de wens om te gaan reizen en over een nieuwe baan in New York. Niemand wist er het fijne van. Anton Ventnor was de enige die misschien wist wat er precies was gebeurd, en hij was onbereikbaar, vertelde zijn secretaresse me. Het land uit. Ze dacht Genève, maar volgens zijn reisschema zou hij de volgende dag naar Vilnius vertrekken. Nee, ze wist niet wanneer hij terug zou zijn. Ja, ze zou hem vragen contact op te nemen.

'Niemand is tegenwoordig nog onbereikbaar,' had ik tegen haar gezegd. 'Je kunt hem binnen vijf seconden te pakken krijgen als je dat wilt. Ik wed dat hij een Blackberry heeft. Of een iPhone. Iets wat internationaal functioneert.'

Meneer Ventnor had zoiets kennelijk niet. Meneer Ventnor wilde zich concentreren op waar hij mee bezig was. Meneer Ventnor was heel vaak niet op kantoor en in zo'n geval belde hij dagelijks één keer op om in tien minuten op de hoogte te worden gebracht van de gang van zaken. Ze zou mijn verzoek om een gesprek doorgeven als hij de volgende dag belde. Ik zou geduld moeten hebben en afwachten tot hij contact met me opnam.

Maar ik had er natuurlijk helemaal geen zin in om geduld te hebben. Ik eiste de personeelsdossiers op en merkte dat ze geen enkele informatie opleverden over de reden dat Rebecca op stel en sprong een baan had opgegeven waar ze volgens iedereen dol op was – een baan waarvoor ze in de wieg was gelegd, volgens meer dan een van haar collega's. En niemand wilde me vertellen wat erachter zat. Mijn laatste kans zat nu tegenover me en haar mascara loste op in de tranen uit haar blauwe ogen.

'Denk je dat je misschien weer door kunt gaan?'

Jess, die Rebecca's assistente was geweest, die ik tot het laatst had bewaard omdat ik verwachtte dat zij me het ware verhaal zou vertellen, snoot luidruchtig haar neus. Over de tissue heen keek ze me smekend aan. 'Ja natuurlijk. Sorry.'

'Geen punt. Neem er de tijd voor. Ik snap dat het moeilijk is. Heb je lang met haar samengewerkt?'

Ze knikte. 'Bijna een jaar.'

Ik schatte Jess op een jaar of tweeëntwintig; in haar optiek was een jaar waarschijnlijk lang.

'Zou je kunnen zeggen dat je haar goed kende?'

'Zeker weten. Ze praatte overal over met me. Ze was heel openhartig, wilde gewoon van alles met me delen. Ik zette elke ochtend als ze op kantoor kwam een kopje thee voor haar en dan zei ze dat ik even moest gaan zitten om te kletsen over wat ik de vorige avond had gedaan en wat zij had gedaan en hoe we thuis en weer op kantoor waren gekomen en wat we aanhadden en zo. Gewoon een praatje.'

Het leek me vreselijk, maar ik was er dan ook niet voor in de wieg gelegd om op een dergelijk kantoor te werken.

'Dan weet jij waarschijnlijk wel waarom ze heeft besloten weg te gaan bij Ventnor Chase.' Ik hield bijna mijn adem in, in afwachting van haar antwoord. Kom op nou, dacht ik, íemand moest toch iets weten.

Het licht dat binnenkwam door het venster achter haar maakte een stralenkrans van haar dikke bos blonde pijpenkrullen, en ze had ondanks haar loopneus en rode ogen ook wel een hemelse schoonheid. Maar wat haar in mijn ogen helemaal engelachtig maakt, was het feit dat het haar ruwweg twee seconden kostte om alle terughoudendheid die haar werkgever wellicht van haar verwachtte naast zich neer te leggen. Ze rechtte haar rug en verfrommelde de tissue; haar tranen waren vergeten, zo graag wilde ze me vertellen wat overduidelijk een roddel van de bovenste plank moest zijn.

'Nou, ik mag dit waarschijnlijk niet zeggen, maar ze was een beetje, eh… vreemd gaan doen.'

'Hoe bedoel je?'

'Volgens mij was Rebecca aan de drugs.' De laatste woorden sprak ze niet hardop uit, maar vormde ze met haar lippen.

'Hoe kwam je daarbij?'

'Ze kwam niet altijd meer op kantoor. Ze bleef weg van evenementen die ze moest leiden en dan belde ze niet eens op om te zeggen dat ze niet kon komen. Ik moest dan smoesjes voor haar bedenken, maar ik kon niet doen alsof ze ergens was geweest als dat niet zo was. Toen meneer Ventnor erachter kwam, ging hij door het lint.'

'En meneer Chase? Wat vond hij ervan?'

'Er is geen meneer Chase,' zei Jess en er verscheen een kuiltje in haar wang. 'Meneer Ventnor vond het beter klinken met twee namen.'

Wat verklaarde waarom Ventnors zure, arrogante secretaresse me het nummer van de heer Chase niet had kunnen geven. Het verklaarde niet waarom ze me niet had verteld dat hij alleen bestond in het briefhoofd van het kantoor. Ik zette nog een stipje bij haar naam op mijn zwarte lijst.

'Rebecca was dus onbetrouwbaar geworden. Wanneer is dat begonnen?'

'Een maand of zes geleden. Maar het werd steeds erger. En ze was haast nooit meer op kantoor; ze bleef gewoon drie dagen weg en kwam dan binnen alsof er niets was gebeurd. En ze viel enorm af; ze kreeg rimpeltjes om haar ogen, je weet wel, hier,' zei Jess, en ze wees hulpvaardig naar de plekken die ze bedoelde op haar eigen heel gladde, heel volmaakte gezicht. 'Ik maakte me behoorlijk zorgen om haar, want ze werd broodmager en daardoor realiseerde ik me dat je echt moet kiezen tussen je figuur en je gezicht als je op die leeftijd komt.'

'Ze was achtentwintig,' zei ik gepikeerd. Toevallig mijn eigen leeftijd.

'Ja, precies.' Er viel een stilte waarin Jess me vluchtig aankeek. Met achtentwintig was je dus al op je retour. Ik begon me ongemakkelijk te voelen. Gelukkig had Rebecca's assistente geen aansporing meer nodig, nu ze eenmaal was begonnen te praten.

'Het waren maar kleine dingetjes, snapt u? Zoals dat ze haar uitgroei al een poosje niet had laten bijwerken. En ze kwam ook een keer binnen met een ladder in haar panty zonder dat ze het in de gaten had.'

'Dat bewijst niet echt iets,' wierp ik tegen. 'Iedereen kan weleens een ladder in haar panty niet opmerken. En als ze het druk had – bijvoorbeeld met het opzetten van haar eigen bedrijf –, had ze misschien geen tijd om naar de kapper te gaan.'

Jess schudde haar hoofd. 'Nee, echt niet. Rebecca was altijd tot in de puntjes verzorgd. "Het is belangrijk hoe je eruitziet." Dat zei ze altijd tegen me. Ik maakte al haar afspraken voor behandelingen. Elke week kreeg ze een massage en om de week een gezichtsbehandeling. Op dinsdag nam ze in de lunchpauze altijd een manicure en een pedicure. Ze liet om de zes weken haar haar knippen en het werd elke maand gekleurd. Maar op het laatst verscheen ze gewoon niet meer op haar afspraken. Vroeger had ze altijd een extra outfit hangen voor het geval ze iets op haar kleding knoeide; ze wilde er absoluut niet slordig uitzien. En dat had ze ook met haar kantoor. Ze kon alles in het donker vinden, zei ze altijd, omdat alles op zijn plek lag.'

Daar maakte ik een aantekening van. Ik vond het grappig dat Rebecca alles op kantoor zo netjes had weten te houden, terwijl haar flat volgens Louise allesbehalve opgeruimd was. Maar mensen waren op het werk vaak heel anders.

Jess ging verder: 'Ze maakte altijd een beheerste indruk, alsof ze alles onder controle had, snapt u? Wat ironisch was, want ze leed enorm aan boulimia.'

'Hoe weet je dat?'

'Ze hield het helemaal geheim. Behalve ik wist vast niemand ervan, en ik wist het alleen omdat mijn bureau naast het toilet staat en ik haar daar kon horen; ja, ik weet het, het mooiste plekje van kantoor, ik ben een geluksvogel. Ik haalde altijd haar lunch en wat het ook was, ik moest altijd denken: dat zullen we heel gauw weer terugzien. Ik bedoel maar, ze was ook maar een mens. Ze wilde er op een bepaalde manier uitzien en dat zal de makkelijkste manier zijn geweest. En ze slaagde erin te functioneren.' Ze zweeg, streek met beide handen door haar haar en schudde het los voordat ze verderging. 'Pas een paar maanden geleden begon ze steken te laten vallen. Ze was zichzelf niet. En ze was helemaal niet bezig haar eigen bedrijf te beginnen; dat is gelul.'

Ik moet verbaasd hebben gekeken, want Jess bloosde en sloeg haar hand voor haar mond.

'Sorry. Zoiets mag ik niet zeggen. Maar het is wel zo. Ze zou hier absoluut niet uit zichzelf zijn weggegaan. Ze vond het hier heerlijk en ze kon heel goed overweg met meneer Ventnor. Ze ging vaak zijn kantoor binnen en dan ging ze op zijn bureau zitten om een praatje te maken. Dat deed niemand anders ooit. Ze liet zich totaal niet door hem intimideren, zeg maar.'

'Zou je dat dan wel verwacht hebben?'

'Jazeker,' zei Jess met wijd opengesperde ogen. 'Die vent is poepie eng. Sorry. Ik bedoel…'

'Geeft niks,' zei ik snel. 'Ga maar door. Ze genoot van haar werk en ze was niet van plan te vertrekken, maar het liep allemaal een beetje uit de hand. Dat betekent nog niet dat ze aan de drugs was. Misschien had ze last van stress. Of was ze depressief.'

'O, ze had zeker last van stress, maar dat kwam doordat ze rood stond,' zei Jess en ze maakte een achteloos gebaar met haar hand. 'Ze heeft me verteld dat ze totaal aan de grond zat. En het kwam vast en zeker door drugs. Ik liep een keer bij haar naar binnen om te kijken of ze nog iets nodig had voordat ik naar huis ging, en toen had ze een spiegeltje met wit poeder erop op haar bureau liggen, en ik dacht: hallo, dat is zeker weten coke, maar ik heb er niks van gezegd en zij ook niet. Ze legde gewoon een map op de spiegel en deed alsof ze erin zat te lezen. Ze had het niet hoeven verbergen. Het maakte me niks uit.' Ze moest de blik die ik haar toewierp hebben opgemerkt. 'O, maar ik zou het zelf nooit hebben gebruikt. Ik weet dat het illegaal is. Maar ik bedoel… nou ja, ik schrok er niet zo van. Ik dacht toen al dat ze waarschijnlijk met zoiets bezig was.'

'Denk je dat meneer Ventnor erachter is gekomen dat ze gebruikte?'

Ze haalde haar schouders op. 'Misschien wel. Maar ik denk eerder dat hij zich zorgen maakte over de reputatie van het bedrijf. Onze reputatie is alles. Dat zei Rebecca altijd, voor die tijd dan. Je kon niet meer op haar rekenen, en de klanten begonnen dat te merken, en toen was het: hé, als ze haar werk niet meer kan doen, waarom zouden we haar dan in dienst houden, snapt u? Dan kun je haar beter laten gaan en iemand anders voor haar functie zoeken, ook al was ze waanzinnig goed in haar werk, en als u het mij vraagt zijn ze er nooit in geslaagd de juiste persoon voor haar functie te vinden – ik bedoel: ze hebben haar klanten over de anderen verdeeld en een opvolger voor haar aangenomen, maar die haalt het absoluut niet bij Rebecca.'

'Is dat wat jij ambieert? Te worden zoals Rebecca?'

'Nu niet natuurlijk. Maar toen zeker. Waarom ook niet?'

Omdat ze te gronde was gegaan aan haar perfectie. Omdat ze haar baan was kwijtgeraakt toen haar drugsverslaving haar leven ging beheersen. Omdat haar koelkast vrijwel leeg was geweest en haar leven een chaos was geworden. En dat was allemaal nog voordat ze een gruwelijke dood was gestorven. Ik liet het bij: 'Ik kan me betere rolmodellen voorstellen.'

'Nou, ik niet. Ze was fantastisch. Ze was een geweldige leidinggevende en, zoals ik al zei, ze was geweldig in haar werk.'

'Vond ze het erg dat ze weg moest?'

'Verschrikkelijk.'

'Was ze verbitterd?'

'Helemaal niet. Dat was niks voor haar. Ze kwam er het dichtst bij toen ze in het weekend nadat ze was ontslagen met een vriendin op kantoor kwam om haar bureau leeg te ruimen. Ik heb nog aangeboden om te helpen, maar dat wilde Rebecca niet. Ze lachten zich rot, zei ze. Ze hadden zelfs Chinees eten laten bezorgen; Rebecca heeft een briefje achtergelaten met excuses voor de rommel, want de doosjes stonden nog steeds opgestapeld in haar kantoor toen ik de maandag erna op kantoor kwam. En ze had ervoor betaald met de creditcard van het bedrijf. Ze zei dat meneer Ventnor haar wel een lekkere maaltijd schuldig was.'

'Wie was die vriendin?' vroeg ik. 'Heeft ze dat gezegd?'

'Ik probeer het me te herinneren.' Ze beet op haar lip en tuurde naar het plafond alsof er van bovenaf inspiratie zou neerdalen. 'Ik ben het vergeten. Niet iemand die ik ooit eerder had ontmoet.'

'Weet je of ze een relatie met iemand had? Ik bedoel, was er iemand in haar leven?'

'Och jee, zoveel mannen. Er werden telkens bloemen voor haar op kantoor bezorgd en er belden heel vaak mannen die haar wilden spreken. Ze had wel elke avond een afspraakje kunnen hebben, maar de meesten van hen interesseerden haar niet. Soms sprak ze toch iets af, gewoon om een avondje uit te zijn. Ze zei dat het een goede manier was om bars en restaurants uit te proberen. En ze had altijd een vluchtweg achter de hand. Dan ging ze naar de wc en stuurde ze me een sms'je; ik moest haar dan bellen en zeggen dat er een of andere noodtoestand op het werk was, zodat ze weg kon. Op een keer had ze geen bereik in de bar, omdat die in de kelder zat. Toen zei ze dat ze haar eigen been zou hebben afgebeten om weg te komen bij haar afspraakje, dus toen was ze echt chagrijnig. Sindsdien vertelde ze me altijd waar ze heen ging en met wie. Als ik om negen uur nog niets van haar had gehoord, moest ik die tent bellen, voor het geval ze weg wilde. Ze zei dat ze al na een minuut wist of ze haar tijd zat te verspillen of niet; de eerste indruk was namelijk erg belangrijk voor haar. En hoewel ze met een paar heel aardige mannen is uit geweest, heeft ze nooit iemand ontmoet met wie ze een echte relatie wilde beginnen. Ik had het gevoel dat dat kwam doordat ze de ware al gevonden had, maar dat het op niets was uitgelopen, wat dieptriest is. Ze heeft die vriend heel lang gehad, en toen ze uit elkaar gingen…' Jess beet op haar onderlip en sloeg haar ogen ten hemel. Ze slaagde er zo in een compleet treurig mislukkingsverhaal met één enkele gelaatsuitdrukking over te brengen.

'Weet je de naam van die vriend nog?'

'Hij begon met een G. Gordon. Guy. Nee. Dat is het niet. Gu… Gu…Gu…' Ze knipte met haar vingers. 'Gil. Zijn achternaam weet ik jammer genoeg niet meer, maar waarschijnlijk heb ik hem wel ergens opgeschreven. Ik weet niet waarom ze het hebben uitgemaakt; ze zei alleen dat hij haar slecht was gaan behandelen.'

'Slecht in welk opzicht?'

Ze haalde een van haar schouders op. 'Dat heeft ze eigenlijk nooit verteld. Maar ze heeft me wel gewaarschuwd voor mannen, dat je ze niet moest vertrouwen. Toen het uit was, was ze echt verbitterd, vond ik. Ze had er moeite mee iemand anders toe te laten. En als u het mij vraagt, is het met haar misgegaan toen die relatie uitging.'

Zijn charme had bij mij niet gewerkt, maar ik begreep wel dat een man als hij behoorlijk indruk kon maken. Met een zucht sloeg ik een nieuwe bladzijde van mijn aantekenboekje op. 'Heb je enig idee met wie Rebecca uitging nadat Gil en zij uit elkaar gingen, en wie ze heeft afgewezen?'

'Ik kan proberen het me te herinneren,' zei ze weifelend. 'Ik bedoel, ik heb haar privéleven niet nauwkeurig gevolgd. Alleen haar zakelijke leven.' Ze tikte op de felgekleurde ringband die voor haar op tafel lag; er zat een glanzende pen tegen het schutblad geschoven. 'Ik schrijf alles op. Echt alles. En ik wis geen e-mails – ons e-mailsysteem archiveert alles –, dus er zitten nog steeds heel veel e-mails van haar aan mij in en…' Ze keek enigszins gegeneerd. 'Waarschijnlijk zitten er ook heel wat mailtjes van mannen tussen. Ze stuurde de mails die ze grappig vond altijd naar me door, bijvoorbeeld als zo'n man heel zielig deed en haar smeekte om een afspraakje of juist als hij boos was dat ze hem had gedumpt. Ik kan u een kopie geven als ik ze kan vinden.'

Ik glimlachte. 'Fijn voor mij dat je zo efficiënt bent.'

'Dat is ook iets wat Rebecca me heeft geleerd. Want je denkt dat je alles wel onthoudt, maar dat is niet zo. Dus moet je altijd alles opschrijven. Alles bewaren. En altijd bijhouden wat je hebt gedaan en wanneer. Rebecca zegt dat dat op de lange duur profijt oplevert.' Jess zweeg abrupt en hield haar hand voor haar mond voordat ze zichzelf corrigeerde. 'Zei. Rebecca zei. Ze had altijd een agenda bij zich en maakte achterin aantekeningen. Ik plaagde haar daar trouwens vaak mee, want zeg nou zelf, wie heeft er tegenwoordig nog een papieren agenda? Maar zij zei dat zo'n agenda beter was dan een iPhone of zo, want zo kon ze niet alles wissen door één knopje in te drukken of het geheugen naar de gallemieze helpen door te morsen met haar drankje. "Been there, done that", zei ze dan. Altijd alles met pen en papier. En ze had gelijk, hoor. Dus ben ik hetzelfde gaan doen.'

Ik beet op het puntje van mijn pen en probeerde me te herinneren of ik in Rebecca's flat een agenda had zien liggen. 'Had ze die altijd bij zich?'

'Bijna wel. Ze noemde hem haar tweede brein. Het is een Smythson. Met een omslag van roze leer. Felroze. Net een Barbie-agenda.'

Ik moest aannemen dat die mij zou zijn opgevallen als hij er had gelegen. Ik krabbelde een notitie in mijn eigen aantekenboekje om het uit te zoeken. Toen ik opkeek, stonden de ogen van Jess weer vol tranen.

'Sorry. Het komt… alles komt weer terug, begrijpt u? Ik kan gewoon niet geloven dat ik haar nooit meer zal terugzien.'

Ik had mijn medeleven al getoond en de klok tikte door. Ik schraapte mijn keel. 'Zou je die lijst nu misschien kunnen maken? Ik kan erop wachten.'

'Ja hoor. Ik heb ook nog voicemail voor haar van na haar vertrek, als u daar wat aan hebt. Meneer Ventnor wilde dat ik de berichten bleef afluisteren om te zorgen dat we al haar klanten te pakken kregen. Er zijn nog steeds mensen die haar bellen, weet u.'

'Dat zou geweldig zijn.'

Ze stond sniffend op en liep naar de deur. Met haar hand op de deurknop aarzelde ze even. 'Ik hoop dat u niet slechter gaat denken over Rebecca door wat ik u heb verteld. Ze was een geweldig mens. Ze heeft niet verdiend wat haar is overkomen.'

'Dat vormt eigenlijk de kern van mijn werk,' zei ik vriendelijk. 'Wie het ook is of wat diegene ook heeft gedaan, ze hebben het nooit verdiend.'

'Nooit?'

Ik schudde mijn hoofd.

'Oké. Ik ben over vijf minuten terug.' Ze verdween en stak direct haar hoofd weer om de deur. 'Maak er maar tien van. Er waren heel wat mannen.'

Ik kreeg een wolk koude, naar benzine ruikende lucht binnen toen ik Ventnor Chase ontvluchtte. Hoe goor die lucht ook was, ik proefde er vrijheid in. Ik wachtte tot ik zou worden opgehaald, maar dat deed ik duizendmaal liever buiten dan in de zielloze ontvangsthal waar een flatscreen met *Sky News* achter de balie hing, waardoor ik ongevraagd elk kwartier op de hoogte werd gebracht van het gebrek aan resultaten met betrekking tot de jacht op de huidige Londense seriemoordenaar. De kantooromgeving was me enorm de keel uit gaan hangen terwijl ik zat te wachten tot Jess terugkwam. De rustige, smaakvolle beige vloerbedekking en champignonkleurige stoelen werkten op mijn zenuwen. Het was allemaal te perfect, te goed verzorgd. Te mooi om waar te zijn, net als Rebecca. Hoe meer ik van haar te weten kwam – van de dingen die ze geheimhield, en van het leven dat ze zo naarstig aan het ontmantelen was –, des te meer kreeg ik het gevoel dat het met Rebecca hoe dan ook verkeerd zou zijn afgelopen.

Leunend tegen een laag hek liep ik mijn aantekeningen door en daarbij vond ik het visitekaartje van Louise North. Ik toetste het nummer van haar vaste lijn in en kreeg haar voicemail, waarna ik het mobiele nummer achter op het kaartje probeerde. Het was in een keurig handschrift met zwarte inkt opgeschreven, vastberaden en precies, zoals de vrouw zelf ook was. Ze meldde zich nadat het twee keer was overgegaan. Ze klonk totaal niet verrast; het was alsof ze mijn telefoontje had verwacht.

'Wat heb je ontdekt?'

Onwillekeurig zette ik mijn stekels op; ik had niet gebeld om verslag te doen van mijn vorderingen (of eigenlijk het gebrek eraan) in de dagen sinds ik haar voor het laatst had gesproken. Ik hoefde me niet tegenover Louise North te verantwoorden, hield ik mezelf voor. En daarom was het dubbel zo irritant om het verontschuldigende toontje te horen toen ik tegen haar zei: 'We trekken nog steeds wat aanwijzingen na, Louise. Er is wel wat vooruitgang, maar nog niets substantieels.'

'Dat is teleurstellend. Kan ik je ergens mee van dienst zijn?'

'Wist je dat je vriendin geregeld drugs gebruikte?'

Stilte aan het andere eind van de lijn. Ik wachtte en telde in gedachten de seconden af. Drie... vier... vijf... Betrekkelijk weinig mensen kunnen ertegen een stilte aan de telefoon langer dan een paar seconden te laten duren, maar ze begon pas na een dikke zeven seconden weer te praten.

'Ik had wel een vermoeden, ja. Heeft dat iets met haar dood te maken?'

'We zullen zien,' zei ik, want ik wist het zelf ook niet. 'Eh... hoe ben jij tot dat vermoeden gekomen, als ik vragen mag?'

'Door verschillende dingen.'

Weer een stilte. Ik trok een gezicht; ze was niet de juiste persoon voor een telefoongesprek. Ik had bij haar langs moeten gaan. Ze had minder ruimte om te manoeuvreren als ze voor me zat. 'Zou je me willen vertellen wat dat voor dingen waren?'

'Ze was zich wispelturig gaan gedragen. Ze is altijd al een beetje onbetrouwbaar geweest, maar zo langzamerhand werd ze echt onmogelijk. Ze sprak met me af en verscheen vervolgens niet. Ze was lastig te pakken te krijgen. Ik bedoel, daarom ging ik vrijdag bij haar langs. Om haar weer eens te zien. Omdat het zo moeilijk was geworden.'

'Toen je aan het opruimen was,' zei ik, wetende wat haar antwoord zou zijn, 'heb je toen iets van een bewijs daarvoor aangetroffen? Drugs? Of dingen die met drugs te maken hebben?'

'Jawel.'

'Wat dan?'

'Allebei,' zei Louise gespannen. 'In de badkamer, bij de wastafel. Wit poeder, waarvan ik aannam dat het cocaïne was. Ik heb het weggespoeld in de wc. Er lag ook een spiegeltje met een scheermesje erop. Dat heb ik ook opgeruimd. Ik had het in mijn handtas toen ik daar wegging.'

'En je hebt er niet aan gedacht er iets over te zeggen toen ik je ernaar vroeg?'

'Het was niet relevant.'

'Is dat niet aan ons om te beoordelen?' Ik voelde hoofdpijn opkomen, een bonzen achter mijn linkeroog, en ik drukte de muis van mijn hand ertegenaan.

'Eigenlijk wel.' Er viel weer een stilte. Toen: 'Sorry. Dat was een foute inschatting. Ik probeerde Rebecca te beschermen, en haar ouders ook. Ik had gehoopt het er met haar over te hebben, haar ervan te overtuigen dat ze hulp moest zoeken. Maar daarvoor heb ik de kans niet meer gekregen.'

'Toen je eenmaal wist dat ze dood was, had je best kunnen inzien dat het niet goed was om het achter te houden. Ik heb je alle gelegenheid gegeven de waarheid te vertellen toen we laatst de flat doorzochten.'

'Ik was enorm geschrokken.'

'Dat blijkt. Maar daardoor begin ik me wel af te vragen wat je nog meer hebt gevonden dat je niet tegen de politie hebt willen zeggen.'

'Er was verder niets.'

'Kon ik dat maar geloven,' zei ik, en ik klonk net zo boos als ik me voelde. 'Maar ik kan nu niet goed meer zomaar aannemen dat je de waarheid spreekt.'

'Ik heb mijn excuses aangeboden, rechercheur Kerrigan. Wat wilt u nog meer?'

'Ik wil weten wat er met Rebecca's agenda is gebeurd. Vond je die ook de moeite waard om weg te toveren?'

'Welke agenda?' Ze leek op haar hoede.

'De agenda die ze volgens haar assistente altijd bij zich had. Hij is roze. We hebben hem niet in de flat aangetroffen.'

'Ik ook niet.'

'Weet je dat zeker?'

'Absoluut.'

'In die agenda zouden we immers kunnen lezen wat ze tot haar dood allemaal deed? Ze schreef er alles in op, heb ik gehoord. Misschien ook wel dingen waarvan jij denkt dat we ze niet hoeven te weten.'

'Ik heb hem niet gezien.'

Ik zou Louise North niet hebben omschreven als nerveus, maar haar stem klonk beslist gespannen. Ik vroeg me af of ze knarsetandde in haar slaap. Al die stress moest er toch ooit uit komen.

'Oké. Nou, ik zou het op prijs stellen als je mij informatie verschaft en niet probeert Rebecca's geheimen te verdoezelen uit een misplaatst loyaliteitsgevoel.'

'Ik begrijp het.' Het vernisje van kalmte vertoonde breuklijntjes; ze klonk echt nijdig en ik moest een opkomend gegrinnik onderdrukken. Na een korte stilte ging ze verder, nu op een evenwichtiger toon. 'Als me iets te binnen schiet, bent u de eerste die het hoort.'

Ik bedankte haar redelijk hartelijk, hing op en vloekte. Ik had haar willen vragen of zij degene was geweest die had geholpen bij het uitruimen van Rebecca's kantoor, gewoon om het te weten. Het was niet belangrijk genoeg om haar terug te bellen, maar ik schreef op dat ik ernaar moest vragen als ik haar weer te spreken kreeg.

Er was een zilverkleurige Ford Focus naast me tot stilstand gekomen en de bestuurder liet de motor op een heel irritante manier loeien. Ik boog mijn hoofd en keek door het openstaande raam aan de passagierskant naar binnen.

'Op zoek naar klanten, liefje?' zei de man op de bestuurdersplaats.

'Sorry, ik doe geen zaken met mannen uit Manchester.'

Rob snoof luidruchtig. 'Dat is ook het enige wat je niet doet, als de helft van wat ik hoor waar is.'

'Misschien een kwart daarvan is het geloven waard,' zei ik bits terwijl ik me in de auto liet zakken. 'En zelfs daarvan is de wens grotendeels de vader van de gedachte.'

'Ach, het zijn immers leuke gedachtes?'

'Eerlijk gezegd is het leuker om te doen dan te denken, maar je zult het met je gedachtes moeten doen, hoor.' Na vijf jaar in deze baan had ik genoeg materiaal verzameld voor twintig aanklachten wegens seksuele intimidatie, als ik die had willen indienen, maar al die toespelingen deden me niet zoveel. In de eerste plaats had ik nog nooit met iemand van mijn werk het bed gedeeld, dus elke speculatie was niet meer dan dat. Ten tweede vond ik het wel lachwekkend. En als er verder niet veel te lachen viel – zoals nu –, was elke aanleiding daartoe welkom.

Maar om één ding kon ik niet lachen. Ik wendde me tot Rob en keek hem nijdig aan. 'Druilponem? Wist je niks beters te verzinnen?'

Hij keek gekwetst. 'Hoe bedoel je?'

'De mokken, Rob. Je weet best waar ik het over heb. Je hebt met de mokken in mijn keuken "druilponem" geschreven.'

'Het is toch eigenlijk Ians keuken? Ik hoop dat hij niet dacht dat ik hem bedoelde.'

'Wat zou hij anders moeten denken?'

Rob haalde zijn schouders op. 'Dat ik het langste scheldwoord wilde schrijven dat me te binnen schoot waarin geen enkele letter tweemaal voorkwam. Het was dat woord of lomperik.'

'Eikel die je bent…'

'Vijf letters en twee e's. Probeer het nog maar eens.'

'Liever niet.' Ik beet tevergeefs op mijn lip om niet te lachen. 'Jezus, Rob, hij was al zo chagrijnig.'

'Ik weet zeker dat jij hem weer helemaal blij hebt gemaakt.' Abrupt veranderde hij van onderwerp. 'Hoe is het bij Rebecca op kantoor gegaan?'

Ik vertelde hem wat ik bij Ventnor Chase te weten was gekomen en hij keek nadenkend. 'Ze was dus niet erg stabiel? Drugs, een eetprobleem, werkloos op het tijdstip van haar overlijden… Het liep allemaal een beetje fout.'

'Zeg dat wel. Vanbuiten perfect, vanbinnen verrot. Labiel was niet het juiste woord.'

'En, rechercheur Weetal, wil je de resultaten van het huis-aan-huisonderzoek nog horen?'

'Heel graag.' Ik voelde mijn maag samentrekken van opwinding.

'Niemand heeft iets gezien.'

'Meen je dat?'

'Zeker. Heel veel mensen herkenden haar, heel veel mensen herinnerden zich haar daar zo nu en dan met verschillende mannen te hebben gezien, maar geen van hen wist wat er donderdagavond is gebeurd, als er al iets is gebeurd. Weet je wat ik het ergste vond?'

'Natuurlijk niet,' zei ik geduldig. 'Maar je gaat het me vast vertellen.'

'Dat het iedereen koud liet. Toen we ze vertelden dat ze dood was, deed het niemand iets. Een van hen vroeg naar de vierkante meters van haar flat. Beesten zijn het. Ik haat Londen.'

'Waarom woon je hier dan?'

Hij haalde zijn schouders op. 'Als je voor opwindende misdrijven gaat, moet je daarheen gaan waar de opwindende criminelen zitten, en dat is Londen. Maar dat wil nog niet zeggen dat het hier goed leven is.'

'Of sterven,' zei ik nuchter.

'En, ben je er al achter wie Rebecca heeft vermoord, als het niet de vuurmoordenaar was?'

'Ik heb wel een idee.'

'Nu al?' Hij trok zijn wenkbrauwen op. 'Toch niet haar vriend?'

Ik keek hem moedeloos aan. 'Hoe wist je dat?'

'Het is altijd de vriend. Te voor de hand liggend.'

'Moordenaars liggen altijd voor de hand,' hield ik vol. 'Het klopt allemaal. Kun je een betere manier bedenken om van iemand af te komen dan het erop te laten lijken dat het het werk is van een seriemoordenaar? Je zorgt ervoor dat de politie de verkeerde kant op kijkt, leunt achterover en doet alsof je verdriet hebt. Je wacht tot het stof is neergedaald en gaat verder met je leven. Perfect. Rebecca's assistente zei dat Gil de liefde van haar leven was. Ze dacht dat het een echt keerpunt in Rebecca's leven was dat ze uit elkaar gingen, en geen keerpunt van het juiste soort. Volgens mij was ze door hem geobsedeerd. Ik denk dat ze alles voor hem zou hebben gedaan, ook als ze in het holst van de nacht naar het gevaarlijkste stukje Kennington moest gaan om hem te ontmoeten. Ik denk dat ze hem vertrouwde en ik heb het gevoel dat dat misschien niet verstandig was.'

Rob keek me openlijk sceptisch aan. 'Je hebt hem toch ontmoet? Wat heeft hij gezegd, dat je hem zo wantrouwt?'

'Ik weet het echt niet.' Mijn huid voelde ineens koud aan en ik rilde. 'Ik vind hem een griezel.'

'Juist ja. Nou, dat is vast voldoende voor het OM.'

'Uiteraard niet,' snauwde ik. 'Maar ik ben ermee bezig.'

'Ja joh. Laten we dan maar even met die vriendin van haar gaan praten. Hoe heet ze?'

'Tilly Shaw. Ik neem aan dat het een afkorting van Matilda is.'

Rob gaf gas en voegde zich met een flinke snelheid in het verkeer.

Hij reed altijd alsof hij in de laatste ronde van de Grand Prix vlak achter de voorste auto zat, en ik legde mijn hand op het dashboard om mijn evenwicht te bewaren. Iemand toeterde en ik kromp ineen en zag over mijn schouder een zwarte taxi opdoemen en de achterruit van de auto opvullen, akelig dichtbij.

'Jezus, zeg. Als je het niet erg vindt, zou ik daar graag heel aankomen.'

'Prima hoor.' Hij gaf een dot gas om de stoplichten te passeren voordat ze rood werden, maar dat lukte net niet. 'Leun achterover, ontspan je en geniet van het ritje.'

'Twee van die suggesties zijn volkomen onmogelijk als jij achter het stuur zit, en ik zit al maximaal achterover,' zei ik.

'Iemand die zo rijdt als jij mag echt niet klagen.'

'Ik rijd uitstekend,' zei ik afgemeten. 'Alleen parkeren kan ik niet.'

'O, en dat is natuurlijk niet belangrijk.'

'Niemand is ooit doodgegaan omdat hij niet netjes kon parkeren.'

'We zijn ook nog niet dood.'

'"Nog" is goed gezegd. Wil je niet meer tegen me praten alsjeblieft? Concentreer je gewoon even.'

'Ik kan best rijden en praten tegelijk.'

Ik schudde mijn hoofd, klemde mijn lippen opeen en weigerde nog iets te zeggen tot we bij Tilly Shaws adres waren aangekomen. Ze woonde in Belsize Park, in een kleine studio die deel uitmaakte van een groter victoriaans huis, en toen ik in de gemeenschappelijke hal stond met een kille, gierende tochtvlaag om mijn voeten vreesde ik het ergste, maar toen haar deur openging kwam er een golf erg warme lucht naar buiten. Tilly was klein en oogverblindend mooi, en ze had roodgeverfd haar met een dikke pony. Ze had zich gewikkeld in vele lagen gebreid materiaal, waarvan niet alles direct als een specifiek kledingstuk herkenbaar was.

'Ik heb alle radiatoren aanstaan omdat het zo ongelooflijk koud is in dit huis, vooral bij dit soort weer, jeetje, ik weet niet eens meer hoe het is om het warm te hebben, maar als het te heet is, zeg het dan, of als jullie iets warms willen drinken of zo, zeg het, want het is geen enkel probleem om thee te zetten. Ik bedoel, ik zou zelf wel een kopje lusten, dus het is geen punt om er ook een voor jullie te zetten.'

Ze kakelde maar door en ik haalde mijn schouders naar Rob op toen ze ons voorging haar flat in, waar een tropische hitte heerste. Rob trok direct zijn jas en zijn colbertje uit en had de knoop van zijn stropdas al vast toen hij zag dat ik hem strak aankeek.

'Ik zou best een glas water lusten,' zei hij tegen Tilly, die op topsnelheid naar de keuken vloog. Ik nam de gelegenheid te baat om de kamer rond te kijken, die propvol oude, veel te grote donkere meubels stond – een driehoekige kast in een donkere hoek, een vierkante, met stof beklede poef die nauwelijks bewegingsruimte overliet, een bejaarde bank van Knole en twee dikke doorgezakte leunstoelen. De rest van de kamer was aangekleed volgens een stijl die ik herkende van de inrichting van vrienden die veel gereisd hadden en als eksters overal vandaan spullen hadden meegenomen als souvenir – batikstoffen, geborduurde panelen, allerlei voorwerpen van aardewerk en glas. Een vreemde combinatie.

'Ik heb het meeste van deze spullen van mijn ouders meegekregen, toen ik naar Londen verhuisde.' Ze was teruggekomen met het water voor Rob en keek me aan toen ik me omdraaide. 'Het waren allemaal dingen die ze thuis niet wilden hebben. Ze zullen wel hebben gedacht dat ik een grotere flat dan deze zou krijgen.'

'Het ziet er leuk uit.'

'Welnee,' wierp ze tegen. 'Maar die meubels hebben in elk geval niets gekost.'

'Dat maakt een hoop goed, hè?' zei Rob met een grijns die werd beantwoord met een snelle, innemende glimlach. Toen werd ze ernstig.

'U wilde met me praten over Rebecca. Hoe kan ik u helpen?'

Ik hing mijn verhaal weer op dat ik me een beeld van Rebecca wilde vormen, zodat ik haar beter zou kunnen begrijpen en Tilly knikte.

'Bij acteren is het net zo. Je moet het personage begrijpen voordat je kunt weten hoe ze zich zou gedragen.'

'Ben je actrice?' vroeg Rob, voorbijgaand aan het feit dat ik hem nors aankeek omdat hij het gesprek een andere kant op stuurde.

'Wel geweest. Net als serveerster. En receptioniste. En uitzendkracht. Hondenuitlater. Patissier. Winkelmeisje.' Ze glimlachte stralend. 'Eigenlijk meer dingen dan je kunt bedenken. Ik ben er nog steeds niet achter wat ik wil doen met mijn leven.' En weer ebde de glimlach weg en nu verscheen er een peinzende blik. 'Ik dacht dat ik tijd zat had. Dit met Rebecca, dat ze vermoord is, ik bedoel maar, dat is zo raar. Zo vreselijk verkeerd. Maar ja, ze zei altijd al dat dit zou gebeuren, dus ik hoor eigenlijk niet verbaasd te zijn.'

Als door de bliksem getroffen ging ik rechtop zitten en Rob boog zich voorover. 'Wat zeg je nou?'

'Ze zei altijd al dat ze jong zou sterven,' zei Tilly heel gewoon. 'Er was iets heel ergs voorgevallen en volgens haar was zij daarvoor verantwoordelijk. Ik weet niet waar het om ging; ze heeft het me nooit verteld en ik had op het moment dat het gebeurde ook geen contact met haar. Ik woonde in Praag toen ze op de universiteit zat, en volgens mij speelde het rond die tijd. Ik studeerde beeldhouwkunst,' legde ze uit, toen ze Rob vragend zag kijken. 'Dat is trouwens niks geworden.'

Ik probeerde haar weer terug te krijgen bij het onderwerp dat me echt interesseerde. 'Er is dus iets voorgevallen. En waarom hield dat in dat ze jong zou sterven?'

'De enige keer dat we het erover hebben gehad, zei ze…' Tilly vertrok haar gezicht bij de herinnering. 'Ze zei dat ze iemand anders haar leven schuldig was omdat die nu dood was, en dat ze die schuld ooit zou moeten inlossen.'

'En vond je dat niet vreemd?' vroeg ik indringend.

'Niet echt, nee. Ze kon heel intens zijn. Maar ze geloofde er echt in. En nu realiseer ik me natuurlijk dat ze een voorgevoel moet hebben gehad,' zei ze rustig.

'Geloof jij in dergelijke dingen?' Ik had heel licht het gevoel dat Robs belangstelling voor Tilly tanende was.

'Zeker. Waarom niet? Vroegere levens, helderziendheid, noodlot, voorbeschikking – dat soort dingen.' Ze moest ons beiden sceptisch hebben zien kijken. 'Oké, maar wie had het hier bij het rechte eind? Ik bedoel maar, Rebecca is gestorven en dat had ze voorspeld. Het was zo voorbeschikt, en daar doe je niets tegen.'

'Wanneer heeft ze je over haar, eh… voorbeschikking verteld?' Ik durfde Rob niet in de ogen te kijken.

'Een jaar of twee geleden. Op oudejaarsavond. Een meisje dat ik kende gaf een feestje en we werden helemaal lam van de cocktails met gin en zaten uiteindelijk naast elkaar in bad met onze benen over de rand onbedaarlijk te huilen om niets, terwijl de een of andere gozer stond over te geven in de wastafel. Ik zou het misschien niet eens meer hebben geweten, maar ze zei het de volgende ochtend nog een keer, toen we onze kater probeerden te verjagen met een uitsmijter als ontbijt in een snackbar even verderop. Jezus, wat viel die verkeerd. Vanaf dat moment liep alles die dag helemaal fout.' Ze huiverde.

'Over fout lopen gesproken, wat kun je me over Gil Maddick vertellen?'

'Goddelijke Gil. Wat wil je weten?'

'Wat is er tussen Rebecca en hem voorgevallen?'

'Het gebruikelijke verhaal. Het was een geweldig stel, echt gelukkig samen, en toen op een dag was het over. Hij wilde weg en zij moest hem laten gaan.'

'Ik heb gehoord dat hij nogal bezitterig was, dat hij mensen uit Rebecca's leven buitensloot.'

'Van wie heb je dat gehoord?'

Ik gaf geen antwoord, maar wachtte af tot ze zou reageren op mijn vraag. Ze zuchtte.

'Bezitterig was hij niet echt, maar als ze samen waren, was er niet veel ruimte voor anderen. Het leek alsof hij haar licht absorbeerde, als u begrijpt wat ik bedoel. Als hij in de buurt was, was ze volledig op hem gericht. En als je samen met hen was, had je al snel de indruk dat je in de weg stond. Niet door iets wat ze zeiden, maar gewoon door de manier waarop ze elkaar aankeken. Zo zie je maar dat je niet altijd kunt voorspellen welke relaties echt blijvend zijn.'

'Heb je ooit het idee gehad dat er binnen hun relatie een vorm van geweld een rol speelde?' vroeg ik zonder omwegen, en ze keek gekrenkt.

'Echt niet. Nooit. Absoluut niet.'

'Weet je dat zeker?'

'Heel zeker. Dat zou ze me hebben verteld.' Ze klonk zeker van haar zaak en Rob schoof heen en weer in zijn stoel, wat ik interpreteerde als: ander onderwerp.

'Wist je dat Rebecca bij Ventnor Chase was vertrokken?'

Ze keek zorgelijk. 'Ja, maar dat was niet de bedoeling. Ik kwam er toevallig achter. Ik had twee maanden geleden een sollicitatiegesprek in dezelfde straat als waar Rebecca werkte en dat was rond lunchtijd afgelopen. Ik ging even bij haar langs om te kijken of ze zin had om ergens te gaan lunchen. Ik wilde haar heel graag zien om even bij te kletsen. En toen vertelde de receptioniste dat ze er niet meer werkte. Ik kon het nauwelijks geloven.'

'Heb je het er nog met haar over gehad?'

Een knikje. 'Dat wil zeggen, ik heb het geprobeerd. Ik heb haar direct gebeld toen ik ervandaan kwam. Maar ze wilde me eigenlijk niet vertellen wat er was gebeurd; ze hield vol dat het geen probleem was en dat het goed met haar ging, en dat het niet uitmaakte.' Ze keek me indringend aan. 'Ik zat er echt mee. Ik zit zelf namelijk steeds zonder werk. Het lukt me maar niet om een baan te vinden die ik langer dan een maand of twee leuk vind, ook als die me in het begin interessant lijkt. Rebecca was zo niet. Ze had haar niche gevonden. Ze hield echt enorm van haar werk. Ik denk dat ze het niet oké kan hebben gevonden dat ze daar niet meer werkte, anders had ze er vast wel iets over gezegd, denkt u ook niet?'

'Iemand heeft haar geholpen haar kantoor uit te ruimen. Enig idee wie?'

Tilly perste haar lippen opeen. 'Ik kan het wel raden. Rebecca's slaafje.'

'En daarmee bedoel je…' Ik was vrij zeker van de naam die ze zou noemen.

'Louise North. U had het over jaloezie. Nou, dan moet u eens met haar gaan praten. Over obsessies gesproken.'

'Wat bedoel je daarmee?' Ik was wel benieuwd naar Tilly's mening over Louise.

'Ik heb niet veel met haar op. Rebecca was veel te loyaal aan haar. Ze wilde geen woord van kritiek over haar horen, dus heb ik het nooit tegen haar gezegd, maar ik kon gewoon niet overweg met Louise.'

'Waarom niet?' Dat vond ik interessant.

'Nou, in een groep heb je toch weleens dat er drie of vier gesprekken tegelijk gevoerd worden? Louise luisterde dan altijd naar wat Rebecca zei. Zelfs als je tegen haar aan het praten was, negeerde ze je gewoon en concentreerde ze zich volledig op wat Rebecca zat te vertellen. Heel onbeschoft.' Tilly verschoot van kleur. 'Dat klinkt jullie vast heel suf in de oren. Het is maar een voorbeeld. De belangrijkste reden dat ik niet met Louise kon opschieten is dat ze er heel duidelijk in was dat ze van me af wilde. Ze is zo iemand, u weet wel: je mag met niemand anders bevriend zijn, alleen met mij. Ze wilde Rebecca voor zichzelf houden. Ik zou er gek van worden, maar Rebecca vond het niet erg. Ze zei alleen maar dat ze meer gemeen hadden dan je zou denken, en dan begon ze over iets anders.'

Ik had wel een beetje medelijden met Rebecca. Het moest best zwaar zijn geweest om de vrede te bewaren te midden van die twee vriendinnen die om haar gunsten streden. Ik kon me geen twee mensen voorstellen die meer van elkaar verschilden dan Tilly en Louise, en ik zou met geen van beiden ruzie willen hebben, of in de buurt willen zijn als ze het met elkaar aan de stok hadden.

Tilly had verder niet veel interessants te vertellen, en toen we wegreden slaakte ik een diepe zucht.

'Ben je niet zoveel te weten gekomen als je had gehoopt?' vroeg Rob.

'Eigenlijk ben ik iets meer te weten gekomen dan ik had gewild. Waarom kon ze het me niet wat gemakkelijker maken door me te vertellen dat Gil Maddick een gewelddadige klootzak was die Rebecca met de dood had bedreigd toen ze uit elkaar gingen? Maar pas op, ik heb wel degelijk de indruk dat hij erg dominant was.'

'Wat denk je van Rebecca's vooruitziende blik?'

'Ik denk dat ze haar dood had kunnen voorkomen als ze inderdaad zo'n vooruitziende blik had gehad.'

'Maar het was haar lot. Je kunt niet aan je lot ontkomen,' citeerde Rob.

'O ja. En wat is jouw lot?'

'Een pint, een vleespastei en eens een avond vroeg naar bed.' Hij haalde zijn schouders op. 'Ach, je moet hoog inzetten, vind je niet?'

'Droom maar lekker verder, Rob. Droom maar verder.'

Louise

De nacht voorafgaande aan de herdenkingsdienst voor Rebecca bracht ik door in een bed and breakfast in Salisbury, zodat ik meneer en mevrouw Haworth alleen kon bezoeken, zonder de storende aanwezigheid van anderen. Het was al moeilijk geweest telefonisch met hen te spreken, maar de gedachte aan een ontmoeting met hen was nog veel erger. Ik zat de hele treinreis uit het raam te staren, want ik was te gespannen om te lezen of te werken. Ik had een paar dagen buitengewoon verlof opgenomen en was er blij om wat tijd voor mezelf te hebben; ik zou toch niets hebben gepresteerd op kantoor. Toen ik uit de trein was gestapt, zette ik me ertoe rechtstreeks naar het huis van de familie Haworth te gaan, wetende dat ik een smoesje zou verzinnen om niet te gaan, als ik niet direct ging.

Gerald zag de taxi de oprit oprijden en kwam al naar buiten voordat ik was uitgestapt; hij had zijn portefeuille in zijn hand.

'Ik kan mijn taxi zelf wel betalen, hoor,' zei ik, en ik graaide driftig in mijn handtas op zoek naar geld, maar hij had al afgerekend. Hij wuifde mijn bedankje weg.

'Geen probleem. Graag gedaan. Ik had je opgehaald als je had gezegd dat je met de trein kwam. Is je auto kapot?'

'Dat kun je wel zeggen. Hij is naar de sloop. Ik heb besloten dat er maar eens een nieuwe moest komen.'

'Dat werd tijd. Met die Peugeot kon je elk moment met pech komen te staan.' Hij trok me tegen zich aan voor een snelle omhelzing. 'Bedankt voor je bezoekje, Louise. Avril en ik waarderen dat zeer.'

'Hoe is het met je?' Ik nam vlug zijn gezicht in me op. 'Je ziet er moe uit.'

'Dat wilde ik net tegen jou zeggen.' Zijn arm lag zwaar op mijn schouders toen hij zich omdraaide en me mee het huis in nam, naar de warme keuken, waar Avril in een rieten stoel naast het Aga-fornuis met haar handen in haar schoot voor zich uit zat te staren. Ze keek op toen ik haar naam zei en haar gezicht klaarde op.

'O, Louise! Je bent er al. Hoe gaat het met je?'

'Prima hoor,' zei ik automatisch, ook al klopte het niet en dat zag ze. Het sneed door mijn ziel om hier zonder Rebecca in die bekende omgeving te zijn, te weten dat ze niet binnen zou komen stuiven en aan de tafel zou plaatsnemen. Ik had daar in de loop der jaren talloze keren met haar zitten eten, praten, lachen, maar ook theegedronken en taartjes gebakken. Overal om me heen was haar schaduw aanwezig en ik kon niet geloven dat ik haar daar nooit meer zou zien. Het was voor mij al vreselijk; voor haar ouders moet het ondraaglijk zijn geweest. Dit was het huis waar Rebecca was opgegroeid, waar ze haar eerste stapjes had gezet, haar eerste woordjes had gezegd, dingen over de wereld had geleerd. Dit was de plek waar ze degene was geworden die ik als tiener had ontmoet, en dit waren de mensen die haar op haar levenspad steeds hadden liefgehad en aangemoedigd. Ze was in liefde opgegroeid, maar uiteindelijk had liefde niet volstaan om haar veiligheid te garanderen, en het besef wat de Haworths doormaakten deed me de tranen in de ogen springen.

'Niet doen.' Avril stond op en kwam naar me toe voor een knuffel. 'Als je begint te huilen, begin ik ook, en ik denk dat ik dan niet meer kan ophouden.'

Ik slikte en knikte, probeerde te glimlachen. Zonder er eerst over na te denken zei ik: 'Ik wil dat jullie weten dat ik altijd heb gewenst dat jullie mijn ouders waren. Ik weet wel dat niemand ooit de plaats van Rebecca kan innemen, maar als jullie mij als een tweede dochter zouden kunnen zien, zou ik daar erg blij mee zijn...'

Ik stokte bij het zien van Avrils geschokte gelaatsuitdrukking voordat ze me een beleefd glimlachje schonk. Ik had het verkeerde moment gekozen en de verkeerde woorden gebruikt. Avril was veel te aardig om het te zeggen, maar ik wist dat ik werd afgewezen.

'Voordat we het vergeten,' zei Gerald achter mijn rug, waar hij losse thee in de theepot stond te doen, 'we wilden je iets van Rebecca laten uitkiezen. Ik geloof niet dat ze een testament had gemaakt, maar ik weet zeker dat ze zou hebben gewild dat je iets meeneemt wat waarde voor je heeft als aandenken aan haar. We vonden dat jij als eerste maar iets moest uitzoeken, omdat je hier vanavond al bent.'

'Ik hoef niets...' begon ik, maar hij interrumpeerde me door zijn hand op te houden.

'Loop maar even naar haar kamer en zoek iets uit. We hebben alles op haar bed neergelegd. Wat je maar wilt.'

'Heus, we menen het,' zei Avril. Ze glimlachte weer, maar deze keer was haar glimlach gemeend. 'We willen niets weggooien, maar we kunnen het zelf niet gebruiken. En we hebben heel veel om ons heen wat ons aan haar herinnert.'

Het was makkelijker om erin mee te gaan dan met hen in discussie te treden, hoewel ik er allesbehalve behoefte aan had Rebecca's kamer in te gaan. Ik had het gevoel dat ik tot aan mijn knieën door water waadde toen ik de keuken uit liep en mezelf de trap op sleepte. Ik bleef een moment met mijn ogen dicht op de overloop staan, maar uiteindelijk deed ik die zo bekende deur open, die nogal amateuristisch door een veertienjarige Tilly was beschilderd met roze rozen, en bleef in de deuropening staan. Iemand – Avril? – had een linnen laken over het bed gelegd, en op het laken lagen stapeltjes kleding en sieraden en snuisterijen van allerlei aard. De rest van de kamer zag er nog altijd hetzelfde uit. Lichtblauwe gordijnen langs de hoge ramen, de muren behangen met een lieflijk bloemetjesdessin, grijze hoogpolige vloerbedekking met een vlek bij de toilettafel, waar ze ooit iets had gemorst uit een flesje nagellak. Een hoge achttiende-eeuwse ladekast tegen de muur, waarop de gegraveerde glazen parfumflesjes met zilveren dopjes stonden die Rebecca met zoveel liefde had verzameld. Een leunstoel in de hoek met daarin haar geliefde speelgoedkonijn. Hij was haar te dierbaar geweest om mee te nemen naar de universiteit, of naar Londen, had ze me ooit uitgelegd. Hij woonde in haar kamer, waar hij veilig was.

Ik dwong mezelf naar het bed te lopen en liep daarbij zonder te kijken langs een muur met foto's in roomkleurige lijstjes, want ik wist dat ik naast anderen mezelf zou zien, met Rebecca. Rebecca, Rebecca... ik keek neer op de verzameling spullen op het laken, raakte aarzelend met mijn vinger een bergje halskettingen en armbanden aan, pakte een porseleinen vaasje dat op de toilettafel had gestaan op en legde het weer neer. Ze had er altijd bloemen in gezet die ze in de tuin had geplukt, herinnerde ik me – bloemen van het seizoen. Met de kerst had ze hulst genomen, want iets anders was er niet, en de zware groene geur ervan bleef dan in de hele kamer hangen.

Ik pakte haar sweatshirt van het College. Dat zou niemand anders willen hebben. Niemand anders zou zich haar zo herinneren, in haar pyjama met het sweatshirt eroverheen op de vloer, waar ze droge cornflakes uit de doos lag te eten terwijl ze probeerde martelaren uit de Tudortijd uit haar hoofd te leren voor haar eerste examens. Het shirt was bij de mouwen een beetje vaal geworden van het vele wassen, en de stof was een beetje uitgelubberd en zacht geworden. Ik hield het even stevig tegen me aan, en keek nog eens naar wat er verder op het bed lag. De Haworths hadden me gezegd dat ik iets speciaals mocht uitzoeken. Tussen de sieraden lag een paar oorbellen dat ik altijd heel mooi had gevonden, vierkante chrysolieten in de kleur van zure winegums, die aan dunne gouden ringetjes hingen. Ik pakte ze uit het bergje sieraden en liet ze in de zak van mijn spijkerbroek glijden, net toen ik voetstappen hoorde naderen.

'Heb je iets gevonden, Louise?' Ik liet Avril glimlachend het sweatshirt zien en ze knikte. 'Perfect. Dat heeft ze al sinds jullie elkaar leerden kennen, hè? We hebben het op de eerste dag op het Latimer College voor haar gekocht, bij Shepherd & Woodward aan High Street.'

'Dat weet ik nog,' zei ik zacht.

'Dat is precies wat ik wilde dat je zou uitkiezen.' Ze klopte me op de arm. 'Kom mee naar beneden een kopje thee drinken. Weet je zeker dat je hier niet wilt overnachten? Geen enkel probleem voor ons, hoor.'

Ik zei nog eens dat ik ergens een kamer had gereserveerd en volgde haar de trap af met in mijn handen het sweatshirt, dat ik droeg als de heilige relikwie die het was en met de oorbellen diep in mijn broekzak, een geheimpje van Rebecca en mij.

7

Maeve

Rebecca's ouders hadden de politie niet uitgenodigd voor haar herdenkingsdienst, maar ze waren zo vriendelijk geweest me toe te staan toch te komen. Ik stond een beetje verscholen achter in het miniatuurkerkje, gekleed in mijn minst sjofele outfit, en volgde na de dienst de bezoekers over het weggetje naar het fraaie grote huis van de familie Haworth in een buitenwijk van Salisbury. Ik had Londen op een staalgrijze decemberdag verlaten en was naar Wiltshire gegaan om als buitenstaander de dienst mee te maken, waarvoor ik maar net toestemming had gekregen van Judd, die sarcastisch had opgemerkt dat hij het nut ervan niet inzag, maar dat ik mijn tijd ergens anders evenmin nuttig zou besteden. Gepikeerd had ik me vast voorgenomen met nuttige informatie terug te komen.

Het huis waar Rebecca Haworth was opgegroeid stamde uit de achttiende eeuw en lag als een vierkant blok op het eigen terrein. Ik had mijn auto bij de kerk laten staan, als achterste van een rij auto's van belangstellenden, waarvan de meeste veel mooier waren dan de mijne. Toen ik het weggetje naar het huis afliep, scheurde er een grote zwarte Mercedes met getinte ramen langs me heen. Het grind knerpte onder de wielen toen hij de bocht naar de oprijlaan nam. De chauffeur stapte keurig uit en hield een van de achterportieren open, en ik was niet verbaasd toen de passagier een klein mannetje bleek te zijn met blond haar dat zo dik was dat het een pruik leek, en een neus als een snavel. Ik had hem in de kerk al zien zitten, waar hij tussen wat mensen had plaatsgenomen die ik herkende van mijn bezoekje aan Ventnor Chase. Er was niet veel intuïtie voor nodig om vast te stellen dat dit de beroemde Anton Ventnor zelf moest zijn, die te belangrijk was om de paar honderd meter naar het huis te voet af te leggen. Ik volgde hem langs de zijgevel van het huis naar de achtertuin en bleef alleen even staan om het gebouw te bekijken en een idee te krijgen van het uitzicht. Grote schuiframen staarden blind naar een panorama van velden en kale hagen die zich als prikkeldraad uitrolden over de heuvels. Ik vroeg me af of Rebecca zich als tiener erg had verveeld.

De Haworths hadden besloten hun bezoekers buitenshuis te houden, wat waarschijnlijk heel verstandig was, en hadden een tent in de tuin geplaatst, compleet met terrasverwarmers. Hierdoor kreeg het geheel een eigenaardig plechtige sfeer, zoals bij een bruiloft, alleen trof ik in plaats van het bruidspaar een vermoeid echtpaar met afgetrokken gezichten aan, dat zijn rol van goede gastvrouw en gastheer speelde. Jaren van oefening en wat ik herkende als een intrinsieke trots verleenden hun een air van kalmte, maar Rebecca's moeder keek eerder door me heen dan dat ze me aankeek en hield mijn hand net iets te lang vast toen ik me voorstelde.

'Hartelijk dank voor uw komst. Zo vriendelijk van u,' zei ze met een stem die lager en warmer klonk dan ik had verwacht, en ik mompelde dat ik het team rechercheurs vertegenwoordigde, hoewel ik de indruk had dat ze niet echt luisterde.

Ze zag er zo van dichtbij broos uit, met een wirwar van lijntjes rond haar ogen en een trilling in haar onderkaak die ze niet helemaal kon bedwingen. Maar desondanks was ze een mooie vrouw, met een fraaie beenderstructuur en duur gekleurd haar. Haar zwarte jurk was op maat gemaakt en ze droeg elegante hakschoenen die haar slanke enkels flatteerden. Evenals het huis zelf was Avril Haworth niet slechter geworden van jarenlange zorg, aandacht en welstand, en in de dagen sinds de dood van Rebecca had ze haar glans niet verloren, ook al was het licht in haar ogen gedoofd.

Haar man nam uiteindelijk zachtjes haar hand van de mijne en leidde me bij haar vandaan naar een plekje ergens in de luwte. Hij was een lange, imposante man in een onberispelijk kostuum met een diepzwarte stropdas.

'U zult ons vermoedelijk willen spreken, en ik wil het zelf ook graag met u hebben over het onderzoek. Maar dit is niet het juiste moment. We hebben gasten... verantwoordelijkheden...' Hij maakte een vaag gebaar.

'Dat begrijp ik maar al te goed; ik wil ook geen inbreuk op uw privacy maken,' zei ik, en ik vond het vreselijk dat ik hun privéwereld was binnengedrongen. 'Ik kan een andere keer terugkomen als u dat liever hebt.'

'Dat is niet nodig. U kunt vandaag nog met ons praten, zodra iedereen weg is. Ze zullen niet lang blijven. Avril vond dat we Rebecca's vrienden moesten vragen even met ons mee te gaan omdat velen helemaal uit Londen zijn gekomen voor de dienst, en natuurlijk zijn onze eigen vrienden hier ook. Maar het is heel eenvoudig. Een buffet. Alleen wat sandwiches en thee of koffie. Met dit weer dachten we dat de mensen wel iets warms konden gebruiken.' Hij keek rond; de donkere ogen die ik op de foto had gezien schoten langs de genodigden en er ontging hun niets. 'We hebben besloten geen alcohol te schenken. Het is tenslotte geen feestje. En de meeste gasten moeten nog rijden.'

Ik knikte, terwijl ik nadacht over de onmiskenbaar harde ondertoon in zijn stem. Rebecca's vader was geen doetje, hoezeer hij ook leed onder zijn verdriet.

Ik liet Gerald Haworth achter met zijn gasten en baande me een weg naar het achterste deel van de tent; onderweg pakte ik een glas water van het blad dat een kelner met een strikje om me voorhield. Ik stelde me op aan de rand van de menigte en probeerde niet op te vallen. Er moeten wel zestig mensen aanwezig zijn geweest; de meesten droegen gedekte kleuren en spraken op zachte toon met elkaar. Het geluidsniveau was niet zo hoog als je van zo'n grote groep zou verwachten, maar het was, zoals Gerald Haworth al had gezegd, dan ook geen feest. Ik zag Anton Ventnor midden in de tent staan, omgeven door zijn staf. Ik had me uit de verhalen van zijn werknemers een indrukwekkende, krachtige man voorgesteld en moest lachen om mijn eigen veronderstellingen. Hij stond het grootste deel van de tijd om zich heen te kijken, maar hij had de rare gewoonte om op de schaarse momenten dat hij iets zei zijn glas voor zijn mond te houden. Dit was iets wat ik associeerde met mensen die doorgaans logen, en ik bekeek hem met verhoogde belangstelling. Ik was er nog niet in geslaagd hem te spreken te krijgen, maar Anton Ventnor stond zeker nog op mijn lijstje. De anderen van Ventnor Chase waren in mijn ogen iets te mooi gekleed voor de gelegenheid: ze stonden te wiebelen op modieuze hakschoenen, droegen dure make-up en hadden de nieuwste designertassen bij zich. Dat was de vijver waarin Rebecca had gezwommen. Dat was het leven dat ze had verkozen. Ik kon merken dat status alles voor hen was en vroeg me af of iemand nog contact met haar had gehouden na haar ontslag, en of ze dat wel had gewild. Rebecca had een achtergrond van moeiteloos succes en sociale vaardigheden; ik vroeg me af hoe ze was omgegaan met eerverlies.

De oudere gasten moesten wel buren en vrienden van de Haworths zijn, maar er waren ook erg veel jongelui, onder wie Tilly Shaw, die overal tegelijk was; ze deelde lieve knuffels uit, liet borden rondgaan, verplaatste stoelen van het ene eind van de tent naar het andere ten behoeve van de gasten die minder goed ter been waren. Ze had haar haar glad naar achteren gekamd en een lok bij haar voorhoofd zwart gekleurd, wat goed paste bij haar korte, nauwsluitende jurkje. Geen conventionele rouwkleding, maar er was dan ook niets conventioneel aan Tilly. Ik keek rond of ik degene zag die in alles haar tegenpool was, en vond haar enkele seconden later: Louise North, die ik in de kerk al had gezien, maar ik dacht niet dat mijn aanwezigheid haar was opgevallen. Ze had met gebogen hoofd in de kerkbank achter de Haworths gezeten, en ik had haar niet om zich heen zien kijken. Op een gegeven moment had ze zich naar voren gebogen en haar hand op Avrils schouder gelegd, toen Rebecca's moeder heftig begon te snikken. Ik concludeerde dat ze de Haworths al lang moest kennen. Ze stond aan de andere kant van de tent met een kopje thee in haar hand, maar dronk er niet van; ze luisterde naar een wat oudere man met een gestreepte stropdas, die wild gesticulerend stond te praten. Ik moest haar nageven dat ze geen spier vertrok, ook niet toen hij wel erg dicht langs haar heen zwaaide met de uit elkaar vallende sandwich in zijn rechterhand. Ik durfde erom te wedden dat hij ook spuugde als hij sprak.

Louise droeg geen make-up en haar wangen waren bleek en haar lippen bijna kleurloos, maar ze zag er keurig uit in haar marineblauwe jas, die fraai om haar lichaam viel. Haar haar zat naar achteren in een paardenstaart gebonden, die zo strak zat dat er geen enkel plukje leek los te zitten. Ik voelde met mijn hand aan mijn eigen haar, opeens onzeker over de staat waarin het verkeerde, want het was weer heel wild opgedroogd. Het was lastig er netjes uit te zien als er met elke snijdende windvlaag een hele plens regen meekwam. Het feit dat het Louise North wel was gelukt stoorde me enigszins.

Ik overwoog net haar te hulp te schieten toen iemand tegen mijn elleboog stootte; ik stapte automatisch opzij en mompelde iets wat kon worden opgevat als een excuus. Maar in plaats van me te passeren bleef hij staan, iets te dichtbij voor mijn gevoel. Gil Maddick, vandaag zo knap als een filmster, in een donker kostuum met een wit overhemd zonder stropdas. Formeler zou hij er wel nooit uitzien. Hij lachte me zonder een greintje warmte uit de hoogte toe.

'Dat ik je hier tegen het lijf loop! Hoe kom jij hier? Je denkt toch zeker niet dat je de moordenaar zult vinden bij de herdenkingsbijeenkomst voor Rebecca?"

'Ik vertegenwoordig het rechercheteam. Mag ik vragen wat u hier doet? Ik had de indruk gekregen dat Rebecca of wat haar is overkomen u niet al te veel kon schelen.'

'Ik was uitgenodigd.'

Ik trok mijn wenkbrauwen op. 'O ja? Door de Haworths? Wisten ze dan niet dat Rebecca en u uit elkaar waren?'

'Gekke Tilly heeft me meegevraagd om te komen condoleren. Ze heeft geholpen bij de organisatie van dit belachelijke samenzijn. Een begrafenis zonder lijk. Hamlet zonder de prins.' Hij zei het luchthartig, maar ook nu weer had ik het idee dat hij onder druk stond.

'U had niet hoeven komen,' zei ik. 'Ik weet zeker dat het niemand zou zijn opgevallen.'

Hij zei niets terug maar staarde over mijn schouder, en ik draaide me om en zag dat hij naar Louise North keek. Bijna alsof ze zijn blik voelde branden keek ze op en beantwoordde zijn blik. Ik zag haar niet knipperen; ze haalde misschien niet eens adem. Ze deed me denken aan een haas in lang gras, verschrikt omdat hij gezien is, klaar om elk moment te kunnen wegvluchten.

De blik in zijn ogen toen ik me weer naar hem omdraaide was niet te duiden, althans niet door mij. Het duurde ongeveer twee tellen voordat het hem te binnen schoot dat ik daar stond, en ik had zijn antwoord niet hoeven afwachten, want hij mompelde alleen maar: 'Sorry,' en liep weg naar het buffet. En toen ik weer in Louises richting keek, was ze verdwenen.

Het duurde vrij lang voordat ik Anton Ventnor zo dicht was genaderd dat ik een gesprek met hem kon beginnen, met al die oplettende volgelingen om hem heen. Uiteindelijk bleef ik hem op de hielen zitten tot hij naar de uiterst luxe mobiele toiletten ging die de Haworths hadden gehuurd, en ik stelde me buiten op in een hinderlaag. Hij leek niet al te blij dat ik hem aanklampte, maar zijn goede manieren of zijn goede opvoeding hadden de overhand.

'Waarmee kan ik u van dienst zijn, mevrouw…'

'Rechercheur Maeve Kerrigan,' zei ik krachtdadig, en ik legde op elke lettergreep evenveel nadruk.

Hij knipte met zijn vingers: er ging hem een licht op. 'U wilde me spreken.'

'En u hebt me nooit teruggebeld. Geen probleem. We kunnen nu best even praten.'

Zijn oogleden knipperden. 'O ja? Volgens mij…'

'Het gaat niet lang duren.' Ik pakte hem bij de arm en leidde hem door een opening in de tent naar een vrij hoekje in de tuin. Hij liep zonder morren mee, waarschijnlijk te verrast door het lichamelijke contact om verzet te bieden. Bovendien was hij bijna vijftien centimeter kleiner dan ik en twintig jaar ouder, en hij leek me fysiek niet in topconditie. Ik was sterker dan hij en dat wist hij maar al te goed. Ook had ik erop gerekend dat hij geen scène zou willen maken.

Er liep een klein beekje door de tuin van de Haworths, waaraan ze een smeedijzeren bankje hadden geplaatst. Het was een onwaarschijnlijk mooi, romantisch plekje, omgeven door de lange slierende takken van een treurwilg, ook al was de wilg in die tijd van het jaar kaal en was de grond onder het bankje modderig. Het effect ging hoe dan ook nogal verloren door de kleine boze man van middelbare leeftijd in zijn strak zittende kostuum die naast me op de bank zat, zelfs als je nog niet in de gaten had dat zijn pruik een ontsnappingspoging deed door van zijn achterhoofd omlaag te glijden.

'Dit had toch zeker wel kunnen wachten tot we weer in Londen zijn?' Hij klonk geïrriteerd.

'Wilt u het dan niet achter de rug hebben?' Ik pakte mijn aantekenboekje uit mijn tas en klapte het open. 'U bent vier jaar lang de werkgever van Rebecca Haworth geweest, klopt dat?'

'U zegt het.' Hij zag het glimpje ergernis dat ik niet helemaal kon onderdrukken en zuchtte. 'Oké, dat klopt inderdaad. Ik heb haar vierenhalf jaar geleden in dienst genomen. Ze was een heel belangrijke medewerker van mijn team en ik heb haar daar ook naar betaald.'

'Wat voor iemand was ze?'

Hij staarde nadenkend in de verte. 'Als u me dat acht maanden geleden had gevraagd, had ik u verteld dat ze de ideale werknemer was. Ze werkte hard, was de firma toegewijd en liet haar privéleven nooit interfereren met haar werk. Ze was uitstekend in de omgang met onze cliënten. Zeer geliefd binnen het bedrijf.'

'Mocht u haar graag?'

Hij draaide zich met opgetrokken wenkbrauwen naar me toe. 'Niet meer dan normaal. We hadden een prettige werkrelatie, meer niet.'

'Waarom is Rebecca bij de firma weggegaan?' Ik wilde zijn versie van de gebeurtenissen horen.

'Ze is vertrokken omdat ik haar dat heb gevraagd. Ik kan u verzekeren dat ze nooit uit zichzelf zou zijn weggegaan. Helaas had ze zich een paar slechte gewoonten eigen gemaakt, of eigenlijk één slechte gewoonte om precies te zijn, en daardoor kon je niet langer op haar rekenen. Ik kon haar niet handhaven in mijn bedrijf. De schade aan onze reputatie was niet te tolereren.'

'Hebt u haar cocaïnegebruik aan de kaak gesteld?'

Hij spreidde zijn handen uit. 'Wat kon ik ervan zeggen? Ik wilde mijn tijd niet aan haar verspillen. Als ze echt meer van haar baan hield dan van die drugs, zou ze het niet zover hebben laten komen dat ze haar functioneren op het werk beïnvloedden. Ze had haar keuze al gemaakt. Ik heb die keuze alleen geformaliseerd.'

'U hebt haar dus niet de gelegenheid gegeven van de drugs af te komen voordat u haar ontsloeg.'

'U zult merken dat ze zelf ontslag heeft genomen.' Zijn stem klonk nasaal en hoog, en op dat moment uiterst zelfvoldaan.

'Ik ben ervan overtuigd dat ze volgens het arbeidsrecht geen poot had om op te staan. Maar ze werkte al vrij lang voor u. Ik heb van haar collega's gehoord dat ze het vreselijk vond bij Ventnor Chase te moeten vertrekken.'

'Dat is een understatement.' Hij giechelde een beetje. 'Ik zou haar misschien wel een tweede kans hebben gegeven als ze anders had gereageerd. Maar aan haar reactie merkte ik dat ze haar beoordelingsvermogen, haar zelfrespect volledig kwijt was. Ze bood me seksuele gunsten aan – ik geloof dat je dat zo noemt. Ik kon er natuurlijk niet op ingaan.' Hij pakte een paarse zakdoek die bij zijn stropdas paste en depte er nadrukkelijk zijn bovenlip mee. 'Ik vond het nogal vreemd. Ik wist al een poosje dat ze promiscue was, maar was geneigd dat door de vingers te zien. Toen ze dat eenmaal mee naar het werk bracht, was mijn grens echt bereikt.'

'Ze was wanhopig,' zei ik zacht. Dat moest wel, dacht ik.

'Dat had niets met mij van doen. Ik kon haar niet langer in dienst houden. Niet toen ze zich eenmaal zo had verlaagd.'

Hij stond op en propte zijn zakdoek weer in zijn zak. 'Als dat alles is wat u van me wilt weten, moet ik nu gaan. Ik zou graag voor het eind van de werkdag terug in Londen zijn. U kunt contact opnemen met mijn secretaresse als u nog meer vragen voor me hebt.'

'Fijn,' zei ik niet bepaald enthousiast. 'Dank u wel.'

Hij liep weg, bleef toen staan en kwam terug. 'Weet u, ze was een goed lid van mijn team. Ze zou haar baan hebben behouden als ze me niet had gesmeekt om me te bedenken. Nooit smeken, rechercheur Kerrigan, hoe verleidelijk dat ook kan zijn.'

Ik kon mijn afkeer van hem zelfs proeven. 'Ik zal proberen dat te onthouden.'

Hij knikte en liep toen met zijn neus in de wind weg; hij probeerde er langer uit te zien dan hij was, maar zonder succes. Anton Ventnor, klootzak van de eerste orde. Ik zou het verschrikkelijk hebben gevonden een kantoor binnen te moeten gaan waar hij de baas was; ik zou dolblij zijn geweest om bij hem weg te gaan als ik in Rebecca's schoenen had gestaan. Maar ik was Rebecca niet; ik wist niet eens wie ze eigenlijk was geweest. De perfect georganiseerde zakenvrouw. Het meisje met wie je een leuke tijd kon hebben, maar met wie je nooit zou trouwen. De loyale, verstrooide vriendin. De wanhopige werkneemster. Ik twijfelde er niet aan of ik zou tijdens mijn gesprek met haar ouders weer een andere visie op Rebecca's persoonlijkheid te horen krijgen. Ze was geweest zoals anderen wilden dat ze zou zijn, tot het moment waarop iemand haar dood wilde.

Ik kon me er niet toe zetten direct terug te gaan naar de tent; ik wilde Ventnor een flinke voorsprong geven zodat ik hem niet meer hoefde te zien. Dus wandelde ik de andere kant op, langs de oever van het beekje. Mijn voeten gleden weg over het gras, dat hier en daar nog steeds met rijp bedekt was. Ik kwam bij een bakstenen muur die om een geometrisch aangelegde tuin stond. Het smeedijzeren hek stond een klein stukje open. Het bleek een rozentuin te zijn, die in deze tijd van het jaar, waarin het geheel niet door bladeren of bloemen werd verluchtigd, een erg deprimerende aanblik bood. De kale, asgrijze takken zaten vol doornen en deden denken aan een illustratie in een ouderwetse uitgave van *Doornroosje*. De tuin was verdeeld in vier bedden met daartussen steeds een klinkerpaadje dat naar het midden leidde, waar een zonnewijzer stond van het bolvormige type, bestaande uit een aantal ringen met een pijl er dwars doorheen. Het was een fraai ding maar onbruikbaar in dit vlakke daglicht, dat niet helder genoeg was om echte schaduwen te werpen. Maar ik was ook onder prima omstandigheden niet erg goed in het aflezen van zonnewijzers, moet ik zeggen. Ik liep het paadje af om hem van dichtbij te bekijken. De zonnewijzer stond op een stenen sokkel. Rondom de basis was in kleine letters een inscriptie uitgefreesd en ik hield mijn hoofd schuin om hem te kunnen lezen.

DOOD DE TIJD NIET

'Aan deze kant staat nog iets.'

Ik had niemand anders gezien in de tuin, maar toen ik opkeek stond Louise North tegenover me met haar handen diep in de zakken van haar jas. Ze had een zachte grijze sjaal een paar keer om haar hals geslagen, zodat ze tot aan haar oren zat ingepakt. Haar neus en haar ogen waren rood, wat aan de kou of aan haar verdriet kon liggen, en er waren wat plukjes haar losgeraakt die nu om haar gezicht hingen, zodat ze er milder, jonger, menselijker en stukken aardiger uitzag.

'Even kijken.' Ik liep naar haar kant van de zonnewijzer en las:

HIJ ZAL U ZEKER DODEN

'Heel opbeurend.'

'Ik denk niet dat Avril en Gerald een dag als deze in hun hoofd hadden toen ze deze opdracht verstrekten. Avril is dol op dit soort dingen. Bent u al in hun huis geweest?'

Ik schudde mijn hoofd. 'Ik ga straks nog met de Haworths praten.'

'Dan zult u zien wat ik bedoel. Ze zal nooit een kans laten schieten om wat wijsheid over te brengen, laat ik het zo zeggen.'

Ik keek nog eens naar de zonnewijzer en streek met mijn vinger langs een van de ringen. 'Weet jij hoe hij werkt?'

'Het heet een armillarium. De pijl loopt er dwars doorheen van het noorden naar het zuiden. Als de zon erop schijnt, zou je moeten kunnen aflezen hoe laat het is door te kijken waar de schaduw van de pijl op deze strook aan de buitenkant valt. Als je goed kijkt, zie je dat de uren erop staan aangegeven.'

Ik volgde haar vinger en zag vage inkepingen in de koperen ring, die bij nadere inspectie Romeinse cijfers bleken te zijn. 'En kun jij dat? De tijd aflezen bedoel ik.'

'Een beetje wel.' Ze glimlachte. 'Een klok is makkelijker. Maar dit is Geralds trots. Dit tuintje is eigenlijk de reden dat hij het huis heeft gekocht. Oorspronkelijk was dit de moestuin, maar zodra hij het zag, wist hij wat hij ermee wilde doen. Hij heeft alles uitgeruimd, de bedden aangelegd en de rozen geplant. 's Zomers zijn ze schitterend. Hij houdt alleen van ouderwetse rassen, damascusrozen, omdat ze zo ongelooflijk lekker ruiken.' Ze wees ernaar. 'Ze hebben allemaal een naam, kijk maar.'

Het was me nog niet opgevallen, maar onder aan elke struik stond een klein bordje. Ik liep rond en las wat erop stond. *Pompon des Princes. Comte de Chambord. Madame Hardy. La Ville de Bruxelles. Blanc de Vibert. Rose du Roi. Quatre Saisons.*

'Het is hier echt verrukkelijk als ze allemaal in bloei staan. Maar het grootste deel van het jaar is het alleen maar een hoop werk zonder dat je er iets voor terugkrijgt.' Haar stem klonk eerder toegeeflijk dan afkeurend.

'Rebecca leek niet erg op haar vader, hè? Ze had niet eens een plantje in haar flat staan.'

'Ze zag er de zin niet van in. Bovendien zou een plant geen lang leven beschoren zijn geweest als ze had geprobeerd ervoor te zorgen.' Louise schudde haar hoofd. 'Ze had er al genoeg moeite mee voor zichzelf te zorgen. Ze kon niet eens onthouden dat ze haar kleren bij de stomerij moest ophalen.'

Ik luisterde maar half naar Louise. Mijn aandacht was door iets anders afgeleid. Toen ze haar hoofd schudde, was de sjaal om haar hals een beetje losgeraakt, zodat de dunne stof – vermoedelijk kasjmier – wat naar voren was gezakt en haar hals zichtbaar werd. Aan de rechterkant van haar hals zag ik een ovale blauwe plek, die akelig afstak tegen haar bleke huid en even akelige implicaties had. Want haar hals was opvallend egaal geweest toen ik haar eerder in de tent had gezien, en dat betekende dat ze op enig moment tussen toen en nu was gebrandmerkt met wat alleen maar een zuigzoen kon zijn.

Ik wees ernaar en zei vriendelijk: 'Dat ziet er naar uit, zeg. Je kunt het misschien beter even afdekken voordat de Haworths het zien.'

Haar hand vloog direct naar de plek om hem te bedekken en haar wangen kleurden diep. De meeste mensen zouden met een of andere verklaring zijn gekomen, ook al was het een overduidelijke leugen. Louise North had daarvoor veel te veel zelfbeheersing. Ze schonk me een nietszeggend half glimlachje terwijl ze haar sjaal weer strakker om haar hals trok.

'Stukken beter.'

Mocht de spot in mijn stem haar zijn opgevallen, dan liet ze daarvan niets merken. Ze schoof haar mouw omhoog en keek op haar horloge, en daardoor werd een rode striem om haar pols zichtbaar, net boven haar horlogebandje. Ze zag hem op hetzelfde moment als ik en liet de stof weer snel terugvallen. 'Ik moest maar eens gaan.'

'Natuurlijk,' zei ik neutraal, en ik stapte opzij zodat ze kon passeren. Maar ze bleef staan en beet op haar lip, ongewoon besluiteloos.

'Rechercheur Kerrigan, mag ik u om een gunst vragen? Zou u me op de hoogte willen houden van het verloop van het onderzoek? Ik zou gewoon… nou ja, ik zou graag willen weten hoe het ervoor staat. Of u vooruitgang boekt, bedoel ik. Ik weet wel dat ik geen familie ben – formeel niet –, maar Rebecca was als een zus voor mij. Ik moet er voortdurend aan denken wat haar is overkomen en ik kan haar ouders niet steeds lastigvallen met vragen of ze al iets hebben gehoord.' Haar stem brak een beetje en haar ogen stonden opeens vol tranen.

Ik zei dat ik dat zou doen en keek haar na toen ze met gebogen hoofd en met haar armen om haar lichaam geslagen de tuin uit liep. Als ze toneelspeelde, gaf ze een indrukwekkend staaltje weg. Als het echt was, begreep ik nog minder van Louise North dan eerst.

De tent was al bijna leeg toen ik er terugkwam. Alleen de echte volhouders waren nog over, een allegaartje van oudere mensen die nergens heen hoefden en een groepje jongeren, allemaal midden twintig, die ergens in de hoek hun eigen feestje vierden. Zo nu en dan lieten ze luid gelach schallen. Het was een beetje pijnlijk gezien de aard van het samenzijn, maar ik had al vaker gemerkt dat dergelijke bijeenkomsten een zekere energie in de aanwezigen opwekten. Het was alsof hun levenskracht zich moest laten gelden, nu ze te lang de dood recht in het gezicht hadden gekeken.

'Rebecca's vrienden van de universiteit,' merkte Gerald Haworth op toen hij naast me kwam staan. 'Het is voor hen een soort reünie. Ik heb het hart niet hen weg te sturen. Ze had het geweldig gevonden om die mensen bij elkaar te brengen.' Hij klonk treurig maar ook heel vermoeid.

'Als u ze er niet uit wilt gooien, wil ik ze best even de weg wijzen naar het dichtstbijzijnde café.'

Hij keek me aan met de blik van een drenkeling die een zwemvest binnen handbereik ziet drijven. 'Zou u dat willen doen? Ongeveer anderhalve kilometer verderop is er een.'

Ik kreeg de routebeschrijving van hem en slenterde naar het groepje van negen. 'Het lijkt me tijd dat jullie ervandoor gaan en de Haworths wat rust gunnen. Vinden jullie het erg om dit feestje te verplaatsen naar de kroeg?'

De man die ik had ingeschat als de lastpost van het groepje, lang, breedgeschouderd en met een forse borstomvang, en het dunne blonde haar en de rode wangen van de klassieke Engelsman uit de hogere klassen, nam me schaamteloos van top tot teen op. 'En wie bent u dan wel, als ik vragen mag?'

Ik stelde me voor met mijn functie en liet mijn voornaam weg. Hij mocht me rechercheur Kerrigan noemen en anders niet, zei ik tegen mezelf.

Het meisje naast hem pakte zijn arm. 'Kom mee, Leo. Ze heeft gelijk. We maken te veel herrie.'

'Ik zie niet in waarom we weg moeten, alleen omdat die diender het wil,' wierp hij tegen en hij keek me strijdlustig en brutaal aan, maar met een onscherpe blik. Ik kon waar ik stond de alcohollucht in zijn adem ruiken, en bij ingeving liet ik mijn hand in zijn colbertjasje glijden. Voordat hij tijd had om te reageren trok ik hem weer tevoorschijn met een zilveren heupflacon erin.

'Klasse zeg,' zei ik terwijl ik de fles voor zijn ogen liet bungelen. 'Moest je je moed indrinken? Ik hoop dat je niet hoeft te rijden.'

'Nee hoor,' zei een van de andere mannen snel. 'Hij rijdt met mij mee terug naar Londen en ik heb niets gedronken.'

'Echt niet, Mike. Jij gaat niet in mijn auto rijden.' Leo zwaaide onvast terwijl hij sprak. Het meisje trok weer aan zijn arm; hij schudde zich los en zei: 'Jezus, Debs.'

'Ik wil graag dat jij zijn sleutels nu pakt. En denk eraan dat je verzekering in orde is voordat je met de auto de openbare weg op gaat. Ik laat mijn collega's van de verkeerspolitie weten dat ze ernaar moeten uitkijken op de weg naar Londen.'

Mike hield zijn hand op en even later stak Leo zijn hand in zijn broekzak en liet hij de sleutels in de uitgestoken hand vallen.

Ik klapte de dop van de heupflacon open en hield de fles schuin, zodat de resterende inhoud op de van stukken vloerbedekking voorziene tentbodem spatte, waardoor de drank snel werd opgezogen. 'Ach jee. Nu heb je geen drank meer. Tijd om te vertrekken, lijkt me.'

De anderen waren al afgedropen en hadden Leo, die me aanstaarde als een verbaasde stier, achtergelaten, geflankeerd door het meisje en Mike, die zijn andere arm had gepakt. Ik bewaarde mijn volledig neutrale gelaatsuitdrukking, want ik wilde absoluut niet de indruk wekken dat ik hem stond uit te lachen. Overwicht hebben was voor negentig procent een kwestie van voldoende zelfvertrouwen om niet te veel heisa van zulke dingen te maken, was mijn ervaring als straatagent. Je moest de mensen een beetje zelfrespect laten en een uitweg bieden. En in dit geval, nu die uitweg een kroeg was, was de beslissing niet zo moeilijk.

'Mag ik die terug hebben?' Leo knikte naar de heupflacon.

'Met plezier.' Ik reikte de fles aan en zag dat zijn vrienden hem omdraaiden en in de richting van de uitgang leidden, waar Rebecca's vader hun de hand schudde.

Pas na nog een halfuur hadden de resterende bezoekers de hint begrepen en afscheid genomen, zodat alleen de cateraars achterbleven, die kopjes en glazen verzamelden, stoelen opstapelden en de geschraagde tafels opvouwden. De lege tent fladderde en bolde op in de wind, en er bliezen tochtvlagen die ik niet eerder had gevoeld rond mijn enkels. Avril Haworth ging op een van de weinige overgebleven stoelen zitten en keek wezenloos toe hoe ze aan het opruimen waren, alsof ze hen niet zag. Haar man zat in de hoek een cheque uit te schrijven. Ik liep naar haar toe en boog me in een impuls naar haar over.

'Mevrouw Haworth? Kan ik iets voor u halen? Een glaasje water, of…'

Mijn stem stierf weg toen ze haar hoofd schudde. 'Heel lief van u. Maar het gaat wel, hoor. Echt waar. Ik moet alleen even rusten. We slapen al slecht sinds…' Ze zweeg en legde haar hand tegen haar hoofd. Ik pakte de andere in de mijne. Hij was bloedeloos en steenkoud.

'U hebt het ijskoud. Ik denk dat u beter naar binnen kunt gaan.'

'Ik neem haar wel mee.' Gerald Haworth boog zich over zijn vrouw en hielp haar opstaan. 'Kom maar mee naar binnen, mevrouw Kerrigan. Ik ben niet vergeten dat u hier bent om met ons te praten.'

'Als het nu niet schikt…' begon ik, en ik vloekte inwendig om mijn volslagen gebrek aan doortastendheid. Als ik die hele weg nog eens terug moest rijden om een andere keer met hen te praten, was dat mijn eigen schuld.

'Nee, nee. We praten nu met u. We willen het liever achter de rug hebben.'

Hij sprak voor hen beiden, merkte ik op in een werktuiglijke opwelling van feministische woede die ik direct onderdrukte, want, laten we eerlijk wezen, Avril Haworth zag er niet uit alsof ze nu haar eigen beslissingen kon nemen. Ondersteund door haar man liep ze het korte stukje van de tent naar de achterdeur van het huis, die hij voor de zekerheid had afgesloten.

'Ze hadden me gewaarschuwd voorzichtig te zijn,' zei hij zwaarmoedig, terwijl hij de sleutel omdraaide en de deur voor me openhield. 'Inbrekers schijnen af te komen op huizen waar iemand is overleden.'

'Er zijn gewetenloze mensen, meneer Haworth.'

'Gerald,' corrigeerde hij me. 'En Avril.'

'Noemt u mij dan Maeve.'

'Wat een mooie naam,' zei Avril afwezig. 'Was de allereerste Maeve niet een Ierse koningin?'

'Dat schijnt zo, ja.' Ik was gewoon naar mijn overgrootmoeder genoemd, maar dat hoefde ik hun niet te vertellen. En die was trouwens op haar manier heel koninklijk geweest, had ik me laten vertellen.

Ik stapte een kleine, betegelde ruimte binnen, waar jassen aan de kapstok hingen en laarzen en wandelschoenen keurig onder een bank stonden. Een stuk of wat planken aan de muur lagen vol tuingereedschap en tegen een andere muur stonden aardewerken bloempotten in verschillende maten opgestapeld. Daarboven stond op een kleine stenen plaquette te lezen: 'Tuinieren is je hart voor de hemel openstellen', en met een innerlijke zucht herinnerde ik me Louises woorden. Er was iets fundamenteel naïefs aan de Haworths en hun volmaakte leventje, iets wat volgens mij de ervaring van het verlies van hun dochter niet zou overleven, en ik wilde dat het anders was gelopen.

De Haworths gingen me voor door een grote warme keuken naar een zitkamer. De kamer zag er gezellig versleten maar ondefinieerbaar elegant uit en maakte meteen een gastvrije indruk toen Gerald overal in de kamer lampen aanstak. Zijn vrouw ging op de rand van een bank zitten en ik nam tegenover haar plaats in een leunstoel waaruit ik vast moeilijk overeind zou kunnen komen als de tijd van gaan was gekomen. Ik was blij met het kussen dat ik in mijn rug kon leggen en zag in het voorbijgaan dat er 'Een gelukkig huis is een thuis' op stond geborduurd. En een ongelukkig huis is de hel op aarde, dacht ik.

'Ik weet zeker dat het laatste waar u op dit moment van de dag behoefte aan hebt is met mij te praten,' begon ik. 'Ik waardeer dit erg.'

Gerald maakte een heftig gebaar. 'Geen probleem. We willen alles doen om te helpen.'

'Ik probeer me een voorstelling te maken van Rebecca's persoonlijkheid door te praten met mensen die haar goed hebben gekend. Ik zou willen vragen – als het u niet te zeer van streek brengt – of u me iets kunt vertellen over uw relatie met haar. Hoe was ze?'

Avril antwoordde me en hoewel haar ogen vol tranen stonden, sprak ze met vaste stem. 'Ze was als een zonnetje op een koude dag. Ze was het licht in onze ogen.'

Haar man schraapte zijn keel. 'We waren natuurlijk erg trots op haar. Maar ze was ook een bijzonder mens. Opgewekt, grappig, populair, liefhebbend – wat je maar kunt wensen in een dochter. Je hoeft alleen maar te kijken naar de mensen die vandaag zijn geweest. Er waren vrienden van haar uit haar kleuter- en basisschooltijd, om nog niet te spreken van haar studievrienden en haar collega's. Ze was heel erg geliefd, weet u.'

'Het was erg aardig van de mensen van Ventnor Chase om dat hele eind hierheen te komen, vind je niet?' Avril wendde zich tot haar echtgenoot. 'Vooral omdat ze het heel druk moeten hebben. Ik bedoel, ze moeten het daar ook zonder haar doen. Meneer Ventnor zei nog dat hij niet wist hoe ze haar ooit zouden kunnen vervangen.'

Avril had dus geen flauw idee dat haar dochter daar niet meer werkte op het moment van haar overlijden, en Anton Ventnor was zo vriendelijk geweest haar in de waan te laten. Ik zou hem iets aardiger zijn gaan vinden als ik niet vermoedde dat hij had genoten van dat bedrog.

'Had Rebecca het weleens met u over haar werk?'

'Ze zei alleen maar dat alles goed ging,' zei Gerald. 'Ze werkte heel hard. We maakten ons soms zorgen om haar, omdat ze altijd van huis was. Altijd aan het rennen, zo was ons meisje. Maar je kon haar niets vertellen. Ze moest haar eigen weg gaan. We verwachtten niets van haar, behalve dat ze gelukkig zou worden. En ik geloof echt dat ze dat was.'

Ik mompelde iets wat kon doorgaan voor instemming; mijn tong leek opeens te groot voor mijn mond. Ik had Anton Ventnor om wat tips moeten vragen over hoe je moest liegen.

In het volgende uur hoorde ik dat Rebecca een voorlijk maar beleefd kind was geweest, dol op lezen, paarden en, als tiener, op veldlopen. Op den duur was ze over de paardenliefhebberij heen gegroeid, maar ze was blijven lezen en hardlopen. Ze had een aanvraag voor een studie geschiedenis in Oxford ingediend en niet voor Engels, omdat ze dacht dat een graad in geschiedenis haar verder zou brengen. Rebecca had een bevoorrecht leven geleid, maar ze had hard gewerkt voor wat ze had bereikt, en was dolgelukkig geweest toen ze werd aangenomen aan het College van haar keuze in Oxford.

'Daar heeft ze Louise ontmoet; heb je haar al kunnen spreken? Lieve meid. Ze waren heel innig bevriend.' Avril klonk dromerig, alsof ze de aanleiding van ons gesprek uit het oog was verloren door fijne herinneringen aan gelukkiger tijden. Op het tafeltje naast Avril stond een ingelijst exemplaar van dezelfde foto van Rebecca en Louise die ik in Rebecca's flat had gezien.

'Vond ze het prettig in Oxford?' vroeg ik, indachtig wat Tilly Shaw me had verteld. Het was me nog steeds niet gelukt erachter te komen wat Rebecca was overkomen waardoor ze dacht dat ze haar leven had verspeeld.

De Haworths keken me even aan, toen elkaar, en de stilte die viel voordat Gerald begon te praten had iets ongemakkelijks.

'Jawel. Maar ze heeft het in haar derde jaar wel een beetje moeilijk gehad. Ze heeft haar studie zelfs opgeschort, heeft Oxford drie weken voor het begin van de laatste examenreeks verlaten en moest er het jaar daarop voor terugkomen.'

'Wat was er gebeurd?'

Avril nam het over. 'O, dat was heel tragisch. Een van de jongens uit haar jaar is toen overleden – verdronken. Dat gebeurde op 1 mei, je weet wel, op de Dag van de Arbeid, tijdens de feesten die ze dan elk jaar vieren. En Rebecca kwam er maar niet overheen. Dingen raakten haar namelijk heel diep, en ze kreeg nachtmerries over hem. Ze kon niet studeren, niet eten of wat dan ook, dus zijn we haar uiteindelijk maar gaan halen. Haar tutor was geweldig; hij heeft het voor elkaar gekregen dat de geschiedenisfaculteit haar toestemming gaf haar studie op te schorten, en toen ze het jaar erna terugging, heeft hij een paar keer de stof die geëxamineerd zou worden met haar doorgenomen, ook al kon ze formeel geen colleges volgen. Hij was echt heel aardig. Kun jij je zijn naam herinneren, liever?'

'Faraday of zoiets. Ik kijk het wel even na. Volgens mij heeft ze een van zijn boeken op haar kamer liggen.' Zich volledig onbewust van het feit dat hij in de tegenwoordige tijd over zijn dochter sprak, stond Gerald op en liep de kamer al uit voordat ik hem kon vertellen dat ik er via het College wel achter zou komen.

'En die jongen – was hij Rebecca's vriendje?'

'Officieel niet, voor zover ik weet, maar je weet hoe ze op die leeftijd zijn. Het was volgens Rebecca allemaal volstrekt onschuldig. Maar het was een leuke jongen. Adam heette hij. Zijn achternaam was iets als Rowland. Nee, Rowley, dat was het. Adam Rowley. Het was zó triest. Eigenlijk was dat de eerste schaduw in Rebecca's leven. Haar grootouders waren overleden, maar toen was ze nog te klein om zich hen te kunnen herinneren, dus het was in feite de eerste dode die ze te betreuren had, en de klap kwam ontzettend hard aan. Ze is toen heel erg afgevallen en huilde aan één stuk door. Het heeft haar heel wat maanden gekost om haar normale leventje weer op te pakken. En toen ze naar Oxford ging om examen te doen, was dat ontzettend moeilijk, en gezien de omstandigheden heeft ze het er geweldig van afgebracht.'

'Hoe waren haar resultaten?' vroeg ik, eigenlijk alleen uit beleefdheid.

'Ze had een 2.2,' antwoordde Avril dapper. 'Ze stevende op een 1 af, zeiden ze, voordat ze haar psychische problemen kreeg. Maar we waren al dolblij dat ze haar graad had gehaald.'

Ik prentte de naam in mijn gedachten; ik zou ernaar vragen bij de recherche van het district Thames Valley.

'Caspian Faraday.' Gerald kwam lichtelijk buiten adem en met een boek met een harde kaft in zijn hand de kamer weer in.

'O, wat goed dat je het hebt gevonden,' zei zijn vrouw.

'Niet moeilijk hoor. Ze had alles op alfabet in de kast gezet. Je kent Rebecca, alles op z'n plaats.' Ik nam aan dat de Haworths niet vaak in Rebecca's flat waren geweest.

Hij reikte me het boek aan. 'Faraday heeft dit een jaar of twee geleden uitgebracht. We hebben het Rebecca voor kerst gegeven toen het uitkwam. Ik weet alleen niet of ze ooit de kans heeft gehad het te lezen. Het gaat over de Honderdjarige Oorlog. Hij heeft zich nogal geprofileerd als specialist in de Plantagenets. Televisie en zo. Dit was een bestseller.'

Ik liet de bladzijden langs mijn duim gaan tot ik bij de achterflap kwam, waar een zwart-witfoto van de auteur onthulde dat Caspian Faraday niet de brildragende wetenschappelijk medewerker op leeftijd met een tweedjasje was die ik me had voorgesteld, maar een zeer aantrekkelijke man van achter in de dertig met scherpe gelaatstrekken, kortgeknipt blond haar en doordringende ogen die op de foto doorschijnend leken. Ze moesten wel helderblauw zijn.

De Haworths leken op een reactie van mij te wachten. 'Heel interessant.'

'Inderdaad,' zei Gerald. 'Hij heeft echt verstand van zijn vak. Rebecca verafgoodde hem.'

Ik zou met dr. Faraday moeten gaan praten. En als ik dan toch met hem ging praten en met de politieagenten die de dood van Adam Rowley hadden onderzocht, kon ik er evengoed zelf op uitgaan in plaats van alles per telefoon af te handelen. Zoals ik vandaag weer had gemerkt was het altijd prettig om een paar uurtjes uit Londen weg te zijn, prettig om weg te zijn uit die oververhitte recherchekamer en weg van het voortdurende gevecht om het behoud van je positie dat een continu aanwezige factor binnen Godleys team was.

Rebecca's ouders leken opeens al hun energie te hebben verloren. Gerald was weer naast zijn vrouw gaan zitten en ze pakte zijn hand en leunde toen tegen zijn schouder, alsof ze niet meer zelf rechtop kon blijven zitten.

'Ik moest maar eens gaan,' zei ik snel. 'Ik heb al te veel van uw tijd in beslag genomen.'

'Rebecca bleef altijd heel goed contact houden, maar we hebben haar niet zo vaak opgezocht in Londen. Je zou met haar vrienden en collega's moeten praten om erachter te komen hoe ze leefde toen ze eenmaal uit huis weg was,' zei Avril vaag.

'Ik heb al met hen gesproken. Ze hebben me prima geholpen.'

'We weten alleen,' zei Gerald met pijn in zijn blik, 'dat ze het heel goed deed. Heel erg goed. Ze was gelukkig. En ze had alles om voor te leven. Dus Maeve, spoor alsjeblieft degene die haar dit heeft aangedaan op, omwille van ons.'

Het was niet voor het eerst dat de ouders van een slachtoffer een beroep op me deden gerechtigheid voor hen te vinden, maar ik kreeg er een brok van in mijn keel, die ik met een kuchje moest wegwerken voordat ik kon reageren.

'Ik doe mijn best. Dat beloof ik u.'

'Het zou heel veel voor ons betekenen,' zei hij, en ik keek de andere kant op toen zijn kin begon te trillen, want ik voelde aan dat hij beheerst wilde blijven.

'We wilden nog meer kinderen,' zei Avril, en haar stem was vol van verdriet. 'Maar die zijn niet gekomen. Ze was echt ons alles.' Ze ging weer rechtop zitten, waardig en met geheven hoofd. 'Is er misschien nog iets waarmee we je van dienst kunnen zijn? Nog iets wat we je kunnen vertellen?'

Ik schudde mijn hoofd. Ze had alles gezegd wat er te zeggen viel.

Louise

Ik besefte vrijwel direct bij aankomst dat ik beter niet naar de herdenkingsdienst had kunnen komen. Ik had de avond tevoren afscheid moeten nemen van Rebecca's ouders en weg moeten blijven. Ik voelde me niet op mijn gemak toen ik de kerk in liep en een groepje oud-studenten van het Latimer in een van de zijbeuken zag zitten. Ik kende ze niet goed genoeg om een praatje met hen te maken, maar ik kon ze ook niet negeren zonder onbeleefd over te komen. Ik liet het bij een vaag handgebaar en een bijna onmerkbaar glimlachje. Een vrolijke begroeting leek hoe dan ook niet gepast onder de omstandigheden. Ze reageerden ongeveer gelijk: de meiden draaiden zich om en namen me met openlijke belangstelling op, schatten in in hoeverre ik was veranderd, wat ik aanhad, hoeveel ik zou verdienen. Ik deed dat niet, voornamelijk omdat het me niet zoveel kon schelen.

Toen ik in de tweede kerkbank van voren ging zitten, liet iemand een dunne arm om mijn schouders glijden, en ik moest bijna kokhalzen door de wolk van vanillegeur die Tilly altijd om zich heen had.

'Fijn dat je gekomen bent. Ik spreek je straks nog, oké?'

Ze was alweer weg voordat ik de kans kreeg om te antwoorden en ik leunde achterover in de bank, wetende dat het niet zeker was dat ze zou terugkomen, wat ik helemaal niet erg zou vinden. Ik had haar toch nooit iets te vertellen. Ze was in haar element, stond iedereen die binnenkwam te begroeten alsof ze de leiding over de plechtigheid had.

Ik was bang geweest dat ik misschien openlijk in tranen zou uitbarsten, maar voelde eigenlijk niets tijdens de herdenking van mijn beste vriendin en haar mooie, te korte leven. Ik was als verdoofd. Ik kroop zelfs diep weg in mezelf en het kostte me grote moeite om te volgen wat er in de kerk gebeurde, Avrils verdriet te zien, de enigszins uit de toon vallende teksten die Tilly had uitgezocht te beluisteren. Toen alles voorbij was, volgde ik zonder er echt bij na te denken de bezoekers naar het huis. Het leek makkelijker om in hun kielzog mee te gaan, een kopje thee van het buffet te pakken en een luisterende uitdrukking op mijn gezicht te toveren als mensen die ik nooit eerder had ontmoet en nooit weer zou zien een flauwekulpraatje met me begonnen. Ik voelde me leeg. Ik was mezelf niet. En toen ik opkeek en zag dat Gil Maddick door de menigte heen naar me stond te staren, voelde dat aan alsof ik door een dikke laag ijs heen in diep, koud water terechtkwam. Toen onze blikken elkaar kruisten, kon ik de mijne niet afwenden. In de kerk had ik naar hem uitgekeken en hem niet gezien; ik had na aankomst bij het huis mijn blik vluchtig over de menigte laten gaan en gedacht dat hij had besloten niet te komen. Ik wist dat ik hem zeker zou hebben gezien als hij aanwezig was geweest.

Toen hij zich weer had gewend tot degene met wie hij was – de rechercheur, besefte ik met een schok van herkenning –, dwong ik mezelf weg te lopen onder het mompelen van een excuus aan de bejaarde buurman van de familie Haworth. Ik glipte door een zijopening de tent uit en liep snel de tuin door om de afstand tussen Gil en mezelf te vergroten. De koude lucht was verfrissend en ik nam diepe ademteugen om mijn hartslag te laten dalen. Ik hoefde me nergens druk om te maken. Zeker nergens bang voor te zijn. Maar ik was geschrokken toen ik hem zag staan en kon me pas volledig ontspannen toen ik het hek achter in de tuin was gepasseerd en de beschutting van de boomgaard had bereikt. De bomen stonden in keurige rijtjes en spreidden hun kale takken boven me uit, en ik liep langs het rijtje kweeperen. De vruchten waren veel te bitter voor consumptie; daarvoor waren de zomers niet lang of niet warm genoeg, maar Gerald genoot in de lente van hun bloesem. Hij had me eens verteld dat ze hun investering in de toekomst vormden. Als het klimaat een graad of twee warmer zou zijn geworden, zouden ze tot volle wasdom komen en klaar zijn voor overvloedige fruitoogsten. Dit was karakteristiek voor zijn wereldvreemde logica, die me altijd weer verraste en amuseerde.

Ik liep aan het eind van de boomgaard de hoek om, nog steeds met mijn gedachten bij de bomen, en mijn adem stokte van verbazing toen ik tegen het witte overhemd van Gil opbotste. Hij ving me op door me bij mijn bovenarmen te pakken.

'Eindelijk zien we elkaar dan eens. Je hebt me niet teruggebeld, Louise.'

'Ik had je niks te zeggen.' Mijn hartslag maakte overuren, maar ik vermande me en keek hem in de ogen alsof ik volkomen kalm was.

'O nee? Je had anders genoeg tegen anderen te zeggen, hè? Ik heb de politie langs gehad, die met me wilde praten over die arme, lieve Rebecca.'

'Ze hebben met al haar vrienden gepraat. Ook met mij.'

'Dat weet ik. Jij hebt ze immers op me afgestuurd?'

'Als je niets te verbergen hebt, zou je je daarover geen zorgen hoeven maken.'

'Waarom zou ik iets te verbergen hebben? Ze is vermoord door een seriemoordenaar. Heb ik niets mee te maken.'

Met enige moeite maakte ik mezelf los, zodat ik mijn hand in mijn zak kon steken. 'Ik heb dit gevonden.'

Hij pakte de pen van me aan en draaide hem rond om de initialen te lezen.

'Dat ben jij toch? GKM. Gilbert K. Maddick. Waar staat de K voor? Kenneth?'

'Kendall. Familienaam.' Hij gaf de pen terug en leek onaangedaan. 'Sorry, nooit eerder gezien.'

'Ik heb hem in Rebecca's flat gevonden. Jij bent er geweest, hè?'

'Niet recent.'

'Hij lag op de salontafel.'

'Misschien kende ze iemand met dezelfde initialen.' Hij klonk verveeld. 'Ik weet er echt niets van. Sorry. Maar ik zie niet in wat jij ermee te maken hebt.'

'Dat bepaal ik zelf wel.'

Hij hield me nog steeds losjes vast, zodat ik niet weg kon lopen. 'Arme Louise. Wat moet er van je worden nu Bex er niet meer is?'

'Je hoeft niet de draak met me te steken,' zei ik fel. 'Ze was mijn vriendin.'

'Ik zou niet durven.' Hij keek op me neer. 'Je ziet er moe uit, Louise.

Maar je huilt niet. Geen tranen. Je beste vriendin is dood en toch heb je de hele dag niet gehuild? Niet in de kerk, niet hier bij haar thuis. Ik heb nog nooit iemand ontmoet die zo kil is.'

'Ik ben niet kil,' zei ik werktuiglijk, maar ik moest bijna lachen toen ik de ironie ervan inzag: mijn houding was in tegenspraak met mijn woorden. Een emotioneler mens zou zich misschien hebben aangetrokken wat hij zei, maar het deed me niets, dus moest het wel waar zijn. *Quod erat demonstrandum.*

'Jij hebt geen passie in je,' ging Gil door. 'Ik heb er althans nooit iets van gemerkt.'

'En neem maar van mij aan: dat zal ook nooit gebeuren.' Ik wrong me los en liep weg, maar hij greep me bij mijn pols en trok me terug.

'Waar ga je heen?'

'Weg van jou.'

Hij staarde me fronsend aan; hij begreep er kennelijk niets van.

'Wat wil je toch van me?'

'Gek genoeg dit.' Hij boog zijn hoofd en voordat ik kon wegkomen kuste hij me hard op mijn mond. Heel even gaf ik eraan toe en drukte ik me tegen hem aan. Ik werd overspoeld door een golf van lust en ik wankelde; alle behoedzaamheid was weggevaagd en ik kon even niet nadenken.

Maar toen begonnen de gedachten mijn hoofd weer binnen te vallen als steentjes die over de rand van een diepe bron tuimelen. Dit was Gil. En het was niet goed. Erger nog, het was stom.

Ik duwde mijn handen tegen zijn borst en hij liet me los.

'Nou zeg, wat een verrassing. Ze blijkt toch niet van steen te zijn.'

'Waarom maak je niet dat je wegkomt; laat me alleen.' Ik deed mijn uiterste best om me een houding te geven en te doen alsof het me niets had gedaan, maar ik voelde dat mijn gezicht knalrood was.

'Wil je dat dan? Echt waar?'

Hier kon ik geen antwoord op geven. Eigenlijk wilde ik dat hij me nog eens zou kussen. Uiteindelijk vroeg ik hem: 'Waarom doe je dat eigenlijk?'

Hij haalde zijn schouders op. 'Omdat ik er zin in had. Ik denk dat ik er altijd al zin in heb gehad.'

'Onzin. Je bent me al die tijd dat je met Rebecca was uit de weg gegaan. Je hebt nauwelijks tegen me gepraat.'

'Ik was bang dat ze zou merken dat ik meer in jou was geïnteresseerd. Ik mocht haar graag, hoor. Maar ik ben altijd door jou geïntrigeerd geweest, Louise. En ik ben er nooit achter gekomen wat er precies in je omging.'

'Dat was waarschijnlijk maar goed ook.'

Hij lachte. 'Je hebt er inderdaad nooit een geheim van gemaakt dat je me niet mocht. Geeft niet, dat maakt niet uit. Ik zal je wel over de streep trekken.'

'Daar krijg je de kans niet toe,' verzekerde ik hem terwijl ik een stap naar achteren deed. Ik moest bij hem vandaan zien te komen. Ik moest nadenken.

'O nee?' Hij kwam dichterbij, volgde mijn passen als een danser. 'Je kunt iemand niet op die manier kussen en dan weglopen, hoor.'

'Let maar op.'

'Nog eentje als afscheid?' Hij trok zijn wenkbrauwen op en lachte toen ik mijn hoofd schudde. 'Eigenlijk wil je best, hè?'

'Als ik eigenlijk wel wilde, zou ik het zeggen.'

'Dus je wilt niet dat ik je nog eens kus. Dat het even duidelijk is.'

'Nee.'

'Nooit meer?'

'Nooit meer.'

'Want ik dacht net... dat ik je de volgende keer daar zou kussen.' Hij liet zijn vingers langs mijn arm omlaag gaan tot ze bij mijn handpalm waren en toen vouwde hij mijn vingers eroverheen. 'Of daar.' Zijn hand ging naar mijn borst en hij legde hem eromheen, en ondanks de laagjes kleding kon ik zijn warmte voelen. 'Of daar.'

Ik kon er niets aan doen; toen zijn handen over mijn lichaam gleden, vlijde ik me tegen hem aan. Ik nam me voor dat dit de laatste keer zou zijn. Ten slotte was hij degene die zich losmaakte uit de omhelzing. Met een zelfvoldane grijns liet hij zijn vinger langs mijn hals gaan. 'O jee.'

'Wat is er?'

'Ik heb mijn brandmerk achtergelaten. Je hebt een fraaie zuigplek.' Hij trok mijn sjaal omhoog om mijn hals. 'Dat moet wel betekenen dat je nu van mij bent.'

'Je bent toch geen puber? Dat kan niet per ongeluk zijn gebeurd.' De plek begon niet alleen zeer te doen, het zou ook dagen duren voordat hij vervaagde. En ondertussen zou iedereen die het wilde zien, weten wat ik had gedaan.

'Sorry,' zei hij, maar het klonk niet gemeend. Hij maakte aanstalten om weg te lopen. 'Ik denk dat we terug moeten gaan. Voordat iemand merkt dat we weg zijn.'

Ik keek hem na toen hij fluitend door de boomgaard wegliep. Hij keek niet om of ik hem achterna kwam. Ik trok de sjaal wat strakker om mijn hals en wenste dat ik een spiegeltje bij me had. Hij had alleen maar een reactie willen uitlokken, om te zien of het hem zou lukken. Ik voelde me vernederd, alsof wat hij had gezegd en gedaan een uiterst grove practical joke was geweest. En ik was er totaal ingetrapt.

'Maar wel voor het laatst,' zei ik hardop. 'Nooit weer.'

Ik verliet de boomgaard door een ander hek, zodat ik langs de andere kant van de tuin terugliep en hem niet nogmaals tegen het lijf zou lopen. Dat gebeurde ook niet, maar in de rozentuin kwam ik wel de rechercheur tegen en ik bleef even met haar staan praten. Het zat er dik in dat de plek aan mijn hals haar zou opvallen; ze leek me niet het type dat veel over het hoofd zag.

Direct nadat ik haar daar had achtergelaten belde ik een taxi en liep toen de tent weer in om afscheid te nemen van Rebecca's ouders. Ik zag Avril als eerste en ging naar haar toe. Toen pas besefte ik dat Gerald in een gesprek verzonken was met Gil.

'Ik moet helaas gaan, anders haal ik mijn trein niet.'

'Bedankt voor je komst, lieverd. We stellen het heel erg op prijs.' Ze greep me stevig bij mijn arm. 'Kom gauw nog eens langs. Vaak. We zullen je missen als je wegblijft.'

'Dat beloof ik, ik kom echt.'

'Kan ik je een lift aanbieden?' Gil klonk vriendelijk, beleefd en een beetje afstandelijk, en ik kon hem niet in de ogen kijken toen ik mijn hoofd schudde.

'Ik neem een taxi.'

'Dat is niet nodig,' zei Gerald resoluut. 'Gils auto staat voor het huis. Laat hem je afzetten. Hij vertrekt nu ook.'

Ik deed mijn uiterste best om eronderuit te komen, maar de Haworths hielden voet bij stuk en Gil hoorde mijn tegenwerpingen met een bestudeerd neutrale gelaatsuitdrukking aan. Ik moest uiteindelijk natuurlijk toegeven, want ik kon hun niet vertellen waarom ik nog geen twee meter in het gezelschap van de ex-vriend van hun dochter wilde afleggen, laat staan de weg naar het station.

Ik keek Gil nijdig aan toen hij het portier van zijn lage, klassieke, gestroomlijnde Jaguar in chic British Racing Green voor me openhield. Hij wachtte geduldig tot ik was ingestapt. 'Denk maar niet dat ik dit leuk vind.'

'O nee? Dit is beter dan zo'n oude plaatselijke taxi die naar dennenluchtverfrisser stinkt.'

'Het gezelschap laat te wensen over.'

'Doe niet zo krengerig. Ik bewijs je een dienst.'

Hij gooide het portier dicht en liep rustig achter de auto langs. Fluitend ging hij op de bestuurdersstoel zitten.

Ik keek naar hem, naar dat glimlachje met de opgetrokken mondhoeken, naar dat enorme zelfvertrouwen dat hij uitstraalde, en was niet eens verbaasd toen hij zonder te stoppen langs het station reed.

'We gaan tenslotte allebei naar Londen. Waarom zouden we niet samen rijden?'

Daarvoor had ik te veel redenen om op te noemen, dus staarde ik zonder iets te zeggen uit het raam en probeerde een glimlachje te verbergen. Ik gokte zelden – ik hield ervan op zeker te spelen –, maar deze keer genoot ik van de roekeloosheid die voortkwam uit mijn huidige situatie, van de opwinding van de vrije val waarin ik me bevond zonder te weten waar ik zou neerkomen. Ik kon Gil wel aan, dacht ik. Hij was dan wel een foute man, maar ik wist het een en ander van hem. Een gewaarschuwd mens telt voor twee. Als hij me in de maling zou nemen, zou Gil Maddock niet weten wat hem overkwam.

Dat was in elk geval wat ik mezelf voorhield.

8

Maeve

Ik arriveerde twee dagen na de herdenkingsdienst in Oxford met een aantekenboekje vol vragen en een akelig gevoel in mijn maag. Zo ver reizen was het niet eens vanaf Londen, maar de trein had er verrassend lang over gedaan, want hij stopte in elk gehucht tussen Paddington Station en de universiteitsstad. Het was dus een trage reis geweest, die nog langer had geleken door de kapotte verwarming. Toen we het station binnenreden was de binnenkant van de ruiten in mijn treinstel bedekt met een laagje ijs en was ik verkild tot op het bot.

Het was een gure, waterkoude dag. Het mistte en ik duwde mijn kin tegen mijn borst en liep snel naar mijn bestemming zonder de geringste aandrang te voelen bezienswaardigheden te bekijken. De stad wist haar charmes goed te verbergen toen ik door het winkelgebied liep, dat zo mogelijk nog deprimerender aandeed door de aangebrachte fantasieloze kerstversiering. In de Colleges deed men zijn werk achter hoge muren, die de grandeur die ik had verwacht grotendeels aan het oog onttrokken. Eigenlijk was het belangrijkste verschil tussen Oxford en elke andere provinciestad het aantal toeristen tussen de menigte mensen die kerstcadeaus kochten in de brede, drukke straat die St. Aldates heette, en waar ik me doorheen moest worstelen op weg naar mijn reisdoel. Ik was nieuwsgierig genoeg om een blik te werpen door de zware, imposante boogpoort aan mijn linkerhand toen ik Christ Church College voorbij liep; dat zou ik althans hebben gedaan als niet een man met een paarsdooraderde neus, een streng gezicht en een bolhoed op mijn uitzicht had versperd. Op een bord dat voor hem stond was te lezen dat het College voor het publiek gesloten was. Er had evengoed kunnen staan: 'Geen toegang voor schorem'.

Ik had een afspraak gemaakt met inspecteur Reid Garland op het politiebureau St. Aldates, hoewel hij een jaar eerder met pensioen was gegaan. Aan de telefoon had hij heel opgewekt geklonken bij het vooruitzicht nog eens op zijn oude honk terug te keren, en toen ik bij de balie naar hem vroeg wees de receptioniste minzaam glimlachend met haar gemanicuurde vinger naar de wachtruimte. Ik volgde haar vinger en zag een zwaargebouwde man in een blazer met stropdas en een grijs flanellen pantalon met zijn handen losjes tussen zijn knieën geklemd op een van de kunststof stoeltjes zitten. Hij had me waarschijnlijk direct bij binnenkomst al opgemerkt, maar deed alsof hij de briefjes op het bord naast de balie zat te lezen. Zijn das had een extreem lelijke tint paars en was smaller dan de mode van de dag voorschreef; ik vermoedde dat hij hem al sinds de jaren tachtig had. Hij droeg een geëmailleerde speld van de recherche van het district Thames Valley in zijn knoopsgat en de stof van zijn blazer vertoonde glimmende slijtplekken bij zijn schouders en ellebogen.

'Inspecteur Garland?' gokte ik.

Hij stond verrassend snel overeind voor zo'n grote kerel en stak zijn hand naar me uit. 'Dag kind. Maeve heet je toch? Ik heb een van de verhoorkamers voor ons geregeld. Ik hoop dat je dat niet erg vindt; het zijn niet de gezelligste kamers, maar we hebben er privacy en ik dacht dat we liever geen anderen deelgenoot wilden maken van ons gesprek, als ik je aan de telefoon goed heb begrepen.'

Hij praatte door terwijl hij me voorging naar de kantoorruimten; in zijn lage stem klonk het plaatselijke accent door, met die klinkers zo rond en glad als steentjes in een rivier. Uit de wachtruimte had hij een dossier meegenomen dat op de stoel naast hem lag en ik tuurde er begerig naar terwijl ik achter hem aan liep.

'Ik was blij met je telefoontje, ook al kwam het als een donderslag bij heldere hemel. Ik zei tegen mijn vrouw dat ik altijd al heb geweten dat deze zaak weer in beeld zou komen. Ik had namelijk geen vrede met de manier waarop hij terzijde was geschoven.' Hij hield de deur voor me open en toen stond ik in een witgeschilderd kamertje met de charme die ik verwachtte van een verhoorkamer, namelijk geen enkele. Ik nam plaats aan de tafel en sloeg mijn notitieboekje open, maar ik zat er helemaal naast met mijn gedachte dat ik inspecteur Garland zou gaan ondervragen. Hij ging aan de andere kant van de tafel zitten met een nauwelijks verholen grom van de inspanning en legde het dossier voor zich neer, waarna hij er een dikke elleboog op plantte.

'Vertel me nu maar eens hoe dat precies zit met die seriemoordenaar. Hoeveel slachtoffers hebben jullie tot nu toe?'

'Vier,' zei ik. 'Het lijken er vijf, maar we zijn er niet van overtuigd dat het vijfde meisje door dezelfde man is vermoord.'

'O nee? Ik vroeg me al af waarom je naar Oxford wilde komen. Ik begreep het verband niet.'

'Misschien is dat er ook niet,' zei ik oprecht. 'Maar ik heb Rebecca's achtergrond nader bekeken en ik wil graag wat meer te weten komen over de dood van Adam Rowley.'

'Heb je daar een bijzondere aanleiding voor?'

'Volgens de verklaring van haar ouders had ze heel heftig gereageerd op zijn dood – nogal extreem zelfs, als je bedenkt dat ze geen stel waren. Althans niet officieel.'

'Is dat alles?' De gepensioneerde politieman had een rimpel tussen zijn ogen die op het punt stond zich te verdiepen tot een frons.

'Niet helemaal. Ik heb na de herdenkingsdienst een paar vrienden van Rebecca uit haar studietijd gesproken. En die hadden wat… interessante dingen te melden.'

Nadat ik afscheid van de Haworths had genomen, was ik op mijn schreden teruggekeerd naar degenen die van plan waren geweest naar de kroeg te gaan. Ik had een groepje van nog maar zes personen aangetroffen, onder wie Mike de BOB, die een glas water met bubbels voor zich had staan, de luidruchtige Leo en Debs, die nogal sukkelig overkwam, moest ik toegeven, maar heel graag over Adam Rowley wilde praten. Leo bleef maar zeggen hoe zijn vrienden en hijzelf Rebecca hadden aanbeden, hoewel geen van hen er ooit in was geslaagd haar tot een afspraakje over te halen. Ik had bewondering voor haar smaak.

'Vertel eens,' zei inspecteur Garland.

'Volgens hen deed het verhaal de ronde aan de universiteit dat Rebecca iets wist over wat Adam Rowley was overkomen. Hij was nog-al een macho en had de reputatie van een hartenbreker – veel vrien-dinnen, veel avontuurtjes van één nacht. Rebecca had al jaren een oogje op hem, en een week of twee voor zijn dood had ze hem te pak-ken, zoals een van hun vrienden het noemde.' Dat was die charman-te Leo geweest, die zijn neus even uit een glas gin-tonic had gehaald om dit te zeggen. 'Het liep niet goed af en ze kon zijn afwijzing niet verdragen. Er werd geroddeld dat ze een obsessie voor hem had, dat ze niet bij hem in de buurt kon zijn zonder in tranen uit te barsten. Toen hij was overleden, stortte ze totaal in. Niemand heeft met zo-veel woorden gezegd dat zij verantwoordelijk was voor wat hem is overkomen, maar er werd flink gespeculeerd. Niet dat ik daar al te veel waarde aan hecht. Ik heb alleen verhalen uit de tweede hand ge-hoord van haar vrienden. Ik bedoel maar, hij is toch verdronken? Was het niet een ongeluk?'

Inspecteur Garland legde zijn forse armen over elkaar. 'Had ge-kund. Maar dat was het niet. Niet dat ik iets kon bewijzen, hoor. Op basis van de lijkschouwing hebben ze alle mogelijkheden opengela-ten, maar de officier van justitie was er vrij duidelijk over dat het waarschijnlijk een ongeluk was geweest; die jongen had gedronken en ook nog een handvol pillen genomen. Uit alles blijkt dat hij totaal van de wereld was die avond. Ik kan je alleen vertellen dat Adam Rowley een klootzak was, en als hij iets met mijn dochter was begon-nen, zou ik zwaar in de verleiding zijn gekomen hem zelf te vermoor-den.'

Ik trok mijn wenkbrauwen op. 'Zo erg?'

'Zo erg, ja.' Garland sloeg het dossier open en pakte er een glan-zende foto van twintig bij vijfentwintig uit die hij over tafel schoof. 'Dit was de heer Rowley. Onschuldig als een lammetje.'

Het was een uitvergroot detail van een grotere foto en de omtrek-ken van zijn gezicht waren niet helemaal scherp, maar de slechte kwa-liteit verhulde het feit dat Adam Rowley een knappe jongeman was geweest niet. Zijn zwarte wenkbrauwen stonden recht boven zijn donkerblauwe ogen en hij droeg zijn haar kort, waardoor zijn welge-vormde oren zichtbaar waren. Hij had hoge jukbeenderen, een lome glimlach die een wit, gelijkmatig gebit liet zien en hoekige kaken, waardoor hij er niet te mooi uitzag. Maar waar ik echt van opkeek was de opvallende gelijkenis die hij vertoonde met Gil Maddick.

Toen ik opkeek, zag ik Garland vragend kijken. 'Is er iets mis?'

'Ze viel op een type, meer niet. Ga maar door. Vertel eens iets over Adam.'

'Hij was twintig toen hij stierf. Twintig jaar en twee maanden om precies te zijn. En ik durf te zeggen dat hij elk moment van zijn leven bezig was met ellende te veroorzaken. Hij was heel intelligent. Hij studeerde wiskunde, dus dat moest ook wel. En hij speelde tennis op heel hoog niveau – als hij het niet zo druk had gehad met zijn sociale leven, had hij in het universiteitsteam kunnen spelen, heb ik gehoord.' Garland schudde zijn hoofd. 'Hij keek graag naar de meisjes, dat is zeker, maar wat Rebecca's vrienden je niet hebben verteld is dat hij een paar keer een akelige soa heeft gehad, en hoewel hij dat wist, heeft hij altijd geweigerd een condoom te gebruiken. Hij zei dat dit de beste manier was zich ervan te verzekeren dat ze hem nooit meer belden als hij ze had gedumpt.'

Terwijl Garland verder vertelde, schreef ik op dat ik in Rebecca's medische dossier moest nakijken of ze ooit een geslachtsziekte had gehad.

'Hij speelde ook graag met mensen. Toen we zijn flat doorzochten, vonden we een lijst. Hij had al zijn... overwinningen, zullen we maar zeggen, genoteerd met daarbij punten op een schaal van één tot tien. Dubbele punten als ze al een vriend hadden en hij ze had weten over te halen die te bedriegen. Driedubbele punten als hij ze kon overhalen dingen te doen die een normaal mens als ik vernederend zou vinden. Van enkelen van hen lagen er foto's, ongetwijfeld genomen buiten hun medeweten. Hij behandelde ze als vuil, snap je, en lachte er dan om met zijn vrienden, en ik moet toegeven dat ik hem niet mocht.'

'En wat is er toen gebeurd? Hoe is hij precies gestorven?'

'Ben je al in het Latimer College geweest? Weet je waar dat is?' Toen ik mijn hoofd schudde, likte hij aan zijn duim en liep het dossier door tot hij bij een plattegrond van de stad kwam. Hij draaide hem om en wees een punt aan. 'Dit is het College, daar aan het eind van High Street, even voor Magdalen Bridge. De Cherwell is de rivier, hier.' Hij volgde een lijntje langs de rand van de stad. 'Een aftakking ervan loopt vlak langs de muur van het Latimer College en die loopt daar dwars door het terrein.' Hij tikte met zijn pen op het papier. 'We denken dat Rowley hier in het water is terechtgekomen. Zijn lichaam is pas na tweeënzeventig uur gevonden. De Cherwell komt daar uit in de Theems, niet ver van het Latimer College, en het lijk was door de stroming meegevoerd. Het dook weer op bij Goring-on-Thames, even voor Reading. We hadden nog geluk dat het tevoorschijn kwam. De rivier sleurt er elk jaar wel een paar mee die helemaal in zee terechtkomen.'

'En waarom denkt u dat hij op het terrein van het Latimer te water is geraakt? Waren er sporen langs de oever?'

'Geen tekenen van een vechtpartij en geen schade aan de waterkant, maar hij had ook geen beschadigingen aan zijn lichaam, afgezien van een paar schaafplekken die hoogstwaarschijnlijk na zijn dood zijn ontstaan. Er is maar één in- en uitgang van het College en de nachtportier heeft gezworen dat hij hem niet heeft zien vertrekken. Ik geloofde hem op z'n woord. Greg Ponsett, een goeie vent. Oud-marineman. Als hij het zei, meende hij het ook.' Garland slaakte een zucht. 'Hij is inmiddels dood. Longkanker.'

'Ik zou zijn verklaring wel willen lezen,' zei ik, en ik hoopte dat de rechercheur de hint zou begrijpen en me gewoon het dossier zou geven.

'Daar staat niets in. Hetzelfde geldt voor alle andere verklaringen die hierin zitten.' Hij streek met zijn duim langs de rand van de bladzijden. 'Direct nadat de politie erbij gehaald was, sloten ze de gelederen. Niemand deed zijn mond open. Alles wat ik weet over Adam Rowley heb ik officieus gehoord van de staf en de studenten. Niet dat dat uitmaakte, want ik kon toch niet bewijzen dat het moord was geweest.'

'Maar u denkt dat hij is vermoord.'

'Daar ben ik van overtuigd.' Garland hield zijn blik op mij gevestigd. 'Zonder enige twijfel.'

'Het had nog zelfmoord kunnen zijn,' opperde ik.

'In zijn geval niet. Hij hield van het leven. Alles zat hem mee. Zijn studie liep lekker, dus daar zaten geen problemen, hij had een stageplek gevonden bij een bank, waar hij in september zou beginnen, hij had een ticket gekocht om in de zomer een reis om de wereld te gaan maken – op de dag dat hij stierf had hij nog aanvraagformulieren voor een hele reeks visums ingediend – en hij had geen geldzorgen. Zelfmoord past daar beslist niet bij.' Garland schudde zijn hoofd. 'Dat ik ervan overtuigd raakte dat het moord was, kwam door de toedracht. Hij was niet vies van drugs, maar hij had absoluut geen reden om op 30 april kalmerende middelen te nemen. 1 Mei is in Oxford een groot feest. De jongelui blijven de hele nacht op om bij zonsopgang naar Magdalen Bridge te gaan voor een groot feest. Voor de politie een ramp. Als hij al iets gebruikt zou hebben, zou het coke of speed zijn geweest. En geen diazepam.'

'Dus wat… Heeft iemand hem buiten zijn medeweten drugs toegediend?'

'Dat was mijn theorie. Of diegene heeft hem verteld dat het uppers waren. En toen hij even later lekker van de wereld was, heeft de dader hem het water in gerold, zodat de rivier zijn werk kon doen.'

'Wie had u dan in gedachten? Rebecca niet.'

'Ik kan het me niet voorstellen. Ik heb haar ontmoet, weet je. Haar ondervraagd. Ze was er kapot van; ze was niet het type mens dat in staat is een moord te plegen. Ze zou direct hebben bekend als ze het had gedaan. Zo iemand was ze. Te aardig. In feite zou ik durven zeggen dat Rebecca Haworth, afgezien van zijn ouders, een van de weinigen was die het echt naar vonden dat Adam Rowley dood was.'

'Maar wie dan wel? U moet toch wel een paar ideeën hebben gehad?'

'Die had ik, ja. En nog wel. Maar ik wil ze niet in je hoofd planten.' Hij sloot het dossier met een beslist gebaar en schoof alles over tafel naar mij toe. 'Ik weet dat je hier zelf naar wilt kijken. Ik heb eigenlijk voor mijn eigen genoegen over die oude zaak zitten praten, maar hij heeft me dan ook nooit losgelaten. Neem dat papierwerk door en kom daarna nog eens terug om me te vertellen wat je ervan denkt.'

'Hoeveel tijd heb ik daarvoor?'

'Dat hangt ervan af,' zei Garland ernstig. 'In hoeverre maak je je zorgen dat degene die Rebecca heeft vermoord nog een moord zal plegen?'

Ik had ervoor gekozen de laatste vraag van de gepensioneerde rechercheur als retorisch te beschouwen, maar toen ik op de terugweg door St. Aldates liep met mijn hoofd gebogen tegen de kou en het dossier, dat te groot was voor mijn tas, tegen mijn borst geklemd, begon ik me toch af te vragen wie mogelijke verdachten waren. Ik kon eigenlijk maar één verdachte bedenken. En diegene zou het waarschijnlijk niet veel hebben kunnen schelen wat er met Adam Rowley gebeurde. Dit uitstapje had alle kenmerken van klassieke tijdverspilling, maar ik had nooit een raadsel naast me neer kunnen leggen, en ik was er net als Reid Garland van overtuigd dat er meer achter de dood van die student zat dan bewezen kon worden.

Ongeveer halverwege High Street zag ik een koffiebar en daar wilde ik even bijkomen met een enorme mok koffie en een broodje. Ik nam plaats achter het raam vol condens waar ik de voetgangers kon zien langskomen en de bussen kon tellen die af en aan door de bochtige straat bulderden, vreemd modern tegen die middeleeuwse achtergrond. De koffiebar zat stampvol studenten die zo lang mogelijk over hun consumpties deden en boven het geroezemoes uit probeerden te praten. Er hing niet bepaald een rustig sfeertje, maar ik had het voor het eerst sinds mijn aankomst lekker warm. Ik had nog ongeveer een uur voordat ik me kon melden bij het Latimer College, en het leek me goed om meer te weten te komen over Adam Rowleys vroegtijdige dood, nu ik de kans had.

Garland had voor de rechtbank een uitgebreid rapport gemaakt van de onderzoeksresultaten: een bladzijde of dertig aan getypte beschrijvingen van wat er met de student was gebeurd. Ik keek het snel door met aandacht voor eventuele brokjes informatie die de gepensioneerde inspecteur vergeten was me te vertellen. Adam kwam uit Nottingham, was de jongste van twee zoons; zijn vader was arts. Hij had elke beurs gekregen die er te verdienen viel op zijn bevoorrechte pad van een particuliere basisschool naar kostschool en vandaar naar Oxford, waar hij zijn hoge studieniveau had weten te handhaven en ook nog de tijd had weten te vinden om met een flink aantal medestudenten plezier te maken. Hij had de laatste ochtend van zijn leven op zijn kamer doorgebracht, in zijn College. De eerstejaars en de derdejaars werden ondergebracht in het College zelf, en hij had wat Garland had omschreven als een bijzonder fraaie kamer op de eerste verdieping van Garden Building bewoond, met uitzicht op de rivier. De *scout*, een soort conciërge die verantwoordelijk was voor zijn trappenhuis, had hem om tien voor elf nog gesproken, toen hij was vertrokken naar een werkcollege in een ander College. Hij had na terugkeer in de eetzaal geluncht en had 's middags zijn tijd verdeeld tussen de inpandige bibliotheek en de gemeenschappelijke woonkamer. Om zes uur had hij in de eetzaal gegeten. (Garland had hier een briefje bijgevoegd met de uitleg dat het eten in de eetzaal gratis was voor studenten met een studiebeurs; Rowley had zich hiervoor gekwalificeerd door goed te presteren bij zijn eerstejaarstentamens en maakte gretig gebruik van alle extraatjes.) Hij was om acht uur in de bar van het College geweest en was daar gebleven tot de bar om halftwaalf dichtging. De bar van het College werd zwaar gesubsidieerd en er was een speciale aanbieding geweest: alle sterkedrank kostte slechts een pond per glas en wie er een mixdrankje bij wilde, kreeg dat gratis. Garland schreef fijntjes dat het een drukke avond was geweest en dat de meeste studenten aan het eind van de avond straalbezopen waren. Er werden in allerlei universiteitsgebouwen diverse feestjes gevierd die de hele nacht doorgingen, en van de enige toegang tot het College, bij de portiersloge, werd druk gebruikgemaakt. Zoals Garland al had gezegd, had de dienstdoende portier verklaard dat Adam Rowley niet was weggegaan, en de beveiligingscamera's bij de portiersloge leken dat te bevestigen. Geen van zijn vrienden had hem gezien nadat de bar was dichtgegaan. Niemand had geweten waar hij van plan was heen te gaan. Hij was voor drie verschillende feesten uitgenodigd en iedereen scheen te hebben aangenomen dat hij was vertrokken. Maar hij was daarentegen, zo leek het, teruggegaan naar zijn kamer.

Ergens tussen middernacht en kwart over een had een van Rowleys buren aan het trappenhuis, Steven Mulligan, voetstappen en luid gefluit gehoord, wat hij associeerde met Rowley (en waarover hij eerder al eens had geklaagd). Hij dacht dat de student het gebouw verliet, niet dat hij thuiskwam, hoewel hij er niet helemaal zeker van was, omdat het geluid hem uit een diepe slaap had gewekt. En dat was het laatste wat van Adam Rowley was vernomen, als hij het tenminste was geweest, daar op de gang. Niemand had hem naar de rivier zien lopen. Niemand had hem zien vallen, springen of erin geduwd zien worden. Geen van zijn vrienden had zich erg druk gemaakt over de vraag waar hij uithing; men ging ervan uit dat hij die avond een meisje had ontmoet en dus ergens anders druk bezig was. Hij had geen verplichtingen gehad op 1 mei, een woensdag. Niemand had het nodig gevonden alarm te slaan tot zaterdag laat, en toen ze in de gaten kregen dat Adam vermist werd, waren er nauwelijks aanwijzingen voor waar hij heen was gegaan. Zijn kamer was zoals hij hem had achtergelaten; zijn portefeuille en paspoort lagen nog steeds op zijn bureau. Zijn mobiele telefoon lag niet op zijn kamer en was ook nooit gevonden. De specificaties van de telefoonrekening en een analyse van de locaties van de gsm lieten zien dat de mobiele telefoon zich in de omgeving van het Latimer College had bevonden tot 02.00 uur op 1 mei, het moment waarop hij was uitgezet, op standby was gezet of het gewoon niet meer deed. Je hoefde geen genie te zijn om uit te vogelen dat de kans groot was dat Adam Rowleys mobiel om twee uur 's nachts samen met zijn eigenaar in de Cherwell was terechtgekomen.

Het College had de politie gewaarschuwd nadat Rowleys vrienden alarm hadden geslagen, maar tussen de regels door las ik dat het onderzoek nogal oppervlakkig was uitgevoerd tot de vroege ochtend van 6 mei, toen ene Bryan Pitman, een toerist die op visvakantie was in Goring-on-Thames, iets donkers zag hangen tussen een paar laag overhangende struiken langs de rivieroever, waarna hij zijn hengel had neergelegd om uit te zoeken wat het was. Het was een gelukkig toeval dat de rivier Adam had teruggegeven; nog beter was het dat hij een toegangspasje tot de computerruimte en de bibliotheek van het Latimer College in de zak van zijn doorweekte spijkerbroek had zitten. De politie van Thames Valley had de jongeman snel weten te identificeren. Het College had even snel elke verantwoordelijkheid van de hand gewezen. En de lijkschouwing had onder andere aangetoond dat zijn laatste maaltijd had bestaan uit geroosterd brood met zwartebessenjam, dat niet langer dan twee uur voor zijn dood was genuttigd, en dat hij een alcoholspiegel in zijn bloed had van 240 mg per 100 ml – meer dan driemaal de toegestane hoeveelheid voor wie

nog wilde rijden –, dat hij een flinke hoeveelheid diazepam had gebruikt en dat hij op z'n minst verward moest zijn geweest als gevolg
van die combinatie van bedwelmende middelen, en dat de verwondingen aan zijn gezicht en hoofd, waaronder een kneuzing aan de
schedelbasis, waarschijnlijk na het intreden van de dood waren op-
getreden, toen hij in het duister vijfenveertig kilometer stroomaf-
waarts was meegesleurd door de rivier.

Ik richtte mijn aandacht vervolgens op de foto's, waarvan er heel
wat in het dossier zaten: de close-up van Adam Rowley in levenden
lijve die Garland me had laten zien, en nog twee die in het jaar voor
zijn dood waren genomen en die mijn indruk dat hij een buitengewoon knappe jongeman was geweest bevestigden. Dan de foto's die
vanaf de rivieroever waren genomen van een heel andere Adam Rowley: opgezwollen en bleek, met bloedeloze schrammen op zijn voorhoofd en kin, met handen die er gerimpeld en week uitzagen en waarvan de bovenste huidlaag al begon los te laten. Ik draaide de foto's na
een snelle blik om, want ik was me ervan bewust dat deze drukke koffiebar niet de ideale plek was om ze nader te bestuderen. Er zaten nog
veel meer bladzijden in het dossier en ik las ze oppervlakkig door met
een stijgend gevoel van wanhoop; ik had gewoon niet voldoende tijd
om alle informatie die inspecteur Garland zo had gekoesterd door te
nemen. Getuigenverklaringen, situatiekaarten, een plattegrond van
Garden Building binnen het Latimer College, waarop Garland een
kruisje had gezet bij Adam Rowleys kamer, kaartjes van het bereik
van zendmasten die aantoonden waar Adam Rowleys mobiele telefoon zich had bevonden in de week voor zijn dood tot aan het moment dat het signaal stopte.

Ik nam de stapel verklaringen systematisch door tot ik bij die van
Rebecca Haworth kwam. Ik las hem met belangstelling door in de
hoop een glimpje van haar persoonlijkheid op te vangen, maar het
proces van het opstellen van de getuigenverklaring had een verzwak-
kend effect gehad. Er hing zoveel af van de politiefunctionaris die de
informatie noteerde; deze collega van Garland was een jargonfanaat
geweest. Ondanks het houterige, formele woordgebruik ('Ik ben ge-
huisvest op een adres dat bekend is bij de politie… Ik ken Adam
ROWLEY sinds circa tweeënhalf jaar… Ik heb hem voor het laatst ge-

zien op 30 april in de bar van het Latimer College, om circa 10.30 uur... Deze verklaring is de waarheid voor zover ik weet en geloof...') schenen Rebecca's emoties er toch doorheen. Ze had niets gezien en ze wist niets van wat hem was overkomen, maar dat ze diep verdriet om hem had kon niet in twijfel worden getrokken. Ze kon niet geloven dat hij er niet meer was. Zoals Garland had gezegd, leek ze oprecht kapot van zijn dood. Ze had ook een stevig alibi voor de betreffende nacht; ze was aanwezig geweest op een feest in het oosten van Oxford met ongeveer dertig andere studenten die konden bevestigen haar daar gezien te hebben.

Twee verklaringen verderop viel mijn oog op een beknopt verslag van Louise North, dat ik met belangstelling las. Ze had op de betreffende avond in de bar van het College gewerkt, en had Adam Rowley een paar keer in de loop van die avond bediend, hoewel hij haar niet specifiek was opgevallen. Het was een drukke avond geweest. Ze had samen met vier anderen bardienst gehad en was na sluitingstijd naar bed gegaan. Ze kende Adam Rowley oppervlakkig, maar had hem zelden gesproken. Kort en bondig, zakelijk, ongeëmotioneerd. Louise was niet veel veranderd sinds haar studententijd, vermoedde ik. Ik zou haar de volgende keer dat ik haar zag eens naar Adam vragen, want ze had zowel hem als Rebecca gekend. Ik had wel het gevoel dat Adam niet in haar geïnteresseerd was geweest, gezien zijn specifieke smaak.

Garland had verklaringen van Rowleys docenten vergaard, die eensgezind waren in hun overtuiging dat hij slim maar lui was, en van zijn buren in Garden Building, die hem luidruchtig en onattent hadden gevonden. Rowleys vrienden waren hem gunstiger gezind geweest, wat ook te verwachten was, maar er waren opvallend weinig tekenen van oprechte emoties te bespeuren. Ik kon me niet aan de gedachte onttrekken dat Rowley een dwingeland was geweest en dat zelfs zijn vrienden bijna opgelucht waren geweest dat hij er niet meer was.

Ik zou de rest van de getuigenverklaringen wel op een andere dag bekijken en richtte mijn aandacht op het rapport van de lijkschouwer, waarin ik las dat alle verse stoffelijke overschotten die in het water terechtkomen in dezelfde positie naar de bodem zinken, met afhangend hoofd en het gezicht omlaag, en dat de verwondingen aan Adam Rowleys gezicht hierbij pasten en dat ze waarschijnlijk niet voor zijn dood waren toegebracht, hoewel hij hierover geen zekerheid kon verschaffen. Rowleys longen waren groter dan normaal en zaten vol vloeistof; zijn luchtwegen en zijn maag bevatten slik en andere lichaamsvreemde stoffen uit de rivier. Dit was op zichzelf echter geen bewijs voor dood door verdrinking, schreef de patholoog-anatoom, en ik kon niet nalaten het op vermanende toon te lezen, de toon die ik zo vaak uit Glen Hanshaws mond had gehoord, want 'er bestaan geen schouwingsresultaten die pathognostisch voor verdrinking zijn. Alle andere doodsoorzaken moeten worden uitgesloten.' De stoffen uit de rivier konden tijdens het lange verblijf in het water in zijn lichaam zijn terechtgekomen. Het was noodzakelijk te overwegen dat een andere catastrofale gebeurtenis had plaatsgevonden voordat het slachtoffer te water was geraakt. De patholoog-anatoom wees erop dat de concentratie van alcohol in het bloed niet als uitgangspunt mocht worden gebruikt vanwege het volume aan water dat Adam kon hebben geabsorbeerd. Hij kon echter met een aan zekerheid grenzende waarschijnlijkheid verklaren dat het slachtoffer een significante hoeveelheid toxische stoffen had gebruikt. Dit in acht nemende was de patholoog-anatoom bereid te zeggen dat verdrinking een aannemelijke doodsoorzaak was. Ik sloeg mijn ogen ten hemel. Het was typisch een rapport van een ervaren getuige-deskundige. Laat mij mijn handen in onschuld wassen. Reid Garland had veel meer overtuiging getoond in zijn samenvatting van de zaak, maar ik herkende daarin wel de onweerstaanbare wens om de zaak rond te krijgen. De officier van justitie was dit ook opgevallen en hij had zich er niet door laten beïnvloeden. Het was waarschijnlijk terecht geweest dat er geen oordeel was uitgesproken, dacht ik, nadat ik dit alles had gelezen. Maar ook kon ik de onbeantwoorde vragen die de rechercheur zeven lange jaren waren bijgebleven zomaar opnoemen. Wie had hem die drugs gegeven? Waarom was hij die avond naar de oever van de rivier gegaan? Was hij gevallen of geduwd? Wie kon zijn dood hebben gewild? En waarom was van al zijn vrienden en kennissen juist Rebecca Haworth zo enorm van streek door zijn overlijden?

Ik kon echter niet voorbijgaan aan de ultieme vraag. Als Garland die vragen in zeven jaar tijd niet had weten te beantwoorden, hoe groot was dan de kans dat ik het wel kon?

Professor Stanwell Westcott had zijn kamers in de derde *quad* van het Latimer College, aan trappenhuis zestien; dat was in elk geval wat de portier me tot mijn grote verbijstering vertelde toen ik bij de portiersloge kwam vragen waar ik hem kon vinden. Nadat ik weer zo'n fraai bord had genegeerd waarop in witgeschilderde letters werd aangegeven dat het College niet toegankelijk was voor bezoekers, was ik onder de poort door gelopen, en ik voelde me net Alice in Spiegelland, met het steeds zwakker wordende verkeerslawaai achter me. De kleine tonronde portier, die in elk geval geen bolhoed droeg, werd opeens veel hulpvaardiger toen ik mijn politiepas liet zien, met een glimlach om niet al te formeel over te komen. Hij sprong op vanachter zijn bureau en stond erop me persoonlijk naar de voordeur van professor Westcott te brengen. Ik volgde hem over binnenplaatsen met onberispelijke gazons die, zoals hij uitlegde, *quadrangles* heetten, afgekort tot quads, waarvan deze stamde uit het begin van de zestiende eeuw en die een jaar of negentig later was aangebouwd; de New Buildings daar waren in de victoriaanse tijd gebouwd, zo nieuw waren ze dus niet, en de eetzaal lag daar boven aan dat trapje links van mij. Terwijl hij maar doorging met zijn bliksemsnelle rondleiding, dwaalden mijn gedachten af. Ik stelde me voor hoe de jonge Rebecca Haworth haastig de boogvormige doorgang tussen de eerste en de tweede quad nam op weg naar een college of een feest, of naar een afspraakje met de knappe, arrogante Adam Rowley. Op deze grauwe winterse dag brandde er licht in de meeste kamers die uitzagen op de quads met de gazons in het midden, en kriskras over de paden die we namen lagen allerlei schaduwen. Ik ben meestal niet overdreven gevoelig voor sfeer, maar nu kreeg ik de bibbers. Heel even was het alsof we het hol van een stel geesten betraden, toen we onder een bladloze klimplant door liepen die over de poort naar de derde quad heen groeide. Deze bleek de grootste te zijn, met een elegante zuilengalerij die was opgetrokken uit de warme goudgele steen die de stad een groot deel van haar charme verleende.

'Trappenhuis zestien,' zei mijn gids, toen hij was blijven staan bij een deur met een houten bord. Er stonden vier namen op, alle vier voorafgegaan door doctor of professor, en ook de naam die ik zocht. 'Professor Westcotts kamer is op de eerste verdieping, rechts. Zijn *oak* zal wel openstaan als hij u verwacht.'

Ik had geen flauw idee wat hij bedoelde, maar ik had geen zin het hem te vragen, want dan zou er beslist weer een heel verhaal volgen. Ik liep de stoffige houten trap op en merkte dat ik toch een beetje nerveus was. De conrector was aan de telefoon kortaf geweest en had zo bekakt gesproken dat hij bijna onverstaanbaar was. Ik had te horen gekregen dat de rector niet aanwezig was. Professor Westcott zou in zijn plaats met mij spreken. Ik kon niet wachten.

Toen ik boven aan de trap kwam zag ik een zware, donkergeverniste buitendeur openstaan, met een wat gewonere witgeschilderde paneeldeur erachter, die dichtzat. Ik keek van de ene deur naar de andere en besefte toen dat de portier waarschijnlijk de donkere deur had bedoeld toen hij het over 'oak' had. Het was geen wonder dat ik me niet op mijn gemak voelde. Het was alsof ik me zonder reisgids in een ander land bevond waarvan ik de taal maar nauwelijks beheerste. Ik klopte op de paneeldeur en duwde hem open toen ik een gedempt 'Binnen!' hoorde.

Professor Westcotts kamer was groot, donker en stond propvol. Ik bleef direct voorbij de drempel staan en tuurde naar de vloer uit angst dat ik een van de stapels boeken of papieren die op het vloerkleed lagen, zou omgooien. Een bureaulamp met een heel sterk peertje was de enige lichtbron, afgezien van de hoge ramen, maar het loodgrijze daglicht werd grotendeels buiten gehouden door zware overgordijnen. De boeken tegen de wanden leken ook nog eens licht te absorberen en gaven een muffe geur af. Dat wil zeggen, ik hoopte maar dat die geur afkomstig was van de boeken.

'Aha, de politievrouw.' De stem klonk vanuit het duister achter de lamp. 'U moet maar niet op de rommel letten. Ik lig op het moment verzonken in de armen van Vergilius, ben bezig met een nieuwe uitgave van de *Georgica* voor de universiteitsuitgeverij, en dat onderzoek heeft mijn kamer nogal in beslag genomen. Kent u Vergilius, mevrouw Kerrigan?'

'Niet persoonlijk. Maar uw werk klinkt fascinerend,' zei ik beleefd.

'Dat betwijfel ik.' Hij kwam enigszins gebogen achter zijn bureau vandaan en bleek een lange man te zijn met een kaal hoofd op de grijze haarkrans na; hij droeg de bril met dikke glazen die karakteristiek is voor de gedreven lezer. 'Maar wat aardig van u om dat te zeggen.'

Hij was veel vriendelijker dan ik had verwacht na zijn houding aan de telefoon. Ik begreep dat hij me op mijn gemak wilde stellen alsof ik een zenuwachtig jong studentje was en ik moest mezelf eraan herinneren dat ik echt geen verlegen achttienjarige was, maar ruim tien jaar ouder en bovendien een rechercheur van de hoofdstedelijke politie.

Er stond een kleine karmozijnrode fauteuil vol boeken en papieren bij de deur en hij wees ernaar. 'Gaat u zitten, alstublieft. Gooi dat maar ergens neer.'

Het kostte me een minuut om de rommel uit de stoel te halen, waarbij ik een eenzame kakikleurige sok vond, die ik zorgvuldig over de stapel boeken aan mijn voeten drapeerde. Ik ging zitten en zag dat professor Westcott een rechte stoel in het midden van de kamer had gezet en daarop had plaatsgenomen. Hij zat belangstellend naar me te turen.

'Sorry dat ik zo kortaf was aan de telefoon. Ik haat dat ding. Gaat nooit op een goed moment over. U wilde iets weten over een student.'

Ik zocht haastig naar mijn aantekeningen, uit het lood geslagen door zijn snelle spreektrant. 'Eigenlijk over twee studenten. Ze studeerden hier een jaar of zeven geleden; ik weet niet of u zich hen nog kunt herinneren…'

Hij wapperde met zijn gestrekte hand alsof hij wilde zeggen dat zeven jaar niet meer dan een ogenblik was, en ik begreep ook wel dat je waarschijnlijk een ander idee had van het begrip recent als je al je tijd doorbracht met denken over de literatuur en de geschiedenis van het oude Rome.

Ik zette kort uiteen dat ik de moord op Rebecca Haworth onderzocht en dat ik meer te weten wilde komen over wat er met Adam Rowley was gebeurd.

'Rowley,' herhaalde professor Westcott. 'Ach ja. Die jongen die is verdronken. Wat een tragisch ongeluk was dat.'

'Ik kom net van een gesprek met de inspecteur die zijn dood heeft onderzocht. Hij zei dat hij vermoedde dat er sprake was van moord.'

'Een vermoeden, maar geen bewijs,' zei professor Westcott, en ik had het gevoel dat hij aan andere dingen dacht. 'Ik herinner me hem ook.' Hij sloeg zijn benen over elkaar en streek zijn flesgroene corduroy broek glad over zijn knokige knie. 'Ik kan u helaas niet van dienst zijn. De staf heeft de politie alle medewerking verleend tijdens het onderzoek, en de officier van justitie heeft geoordeeld dat de omstandigheden van zijn dood niet bewijsbaar waren. De jongen had natuurlijk gedronken, zoals de meeste jongelui doen op die avond. Het is nogal een bacchanaal. De 1 meiviering is geworteld in heidense tijden; niet dat de studenten zich daarmee bezighouden, maar het is tegenwoordig een quasireligieus ceremonieel, in de christelijke traditie. U weet vast wel wat er in de Magdalen Tower gebeurt? Nee? De leden van het Collegekoor zingen de 'Hymnus Eucharisticus' om die dag te eren – niet dat je er veel van kunt horen als je beneden op de grond staat. In mijn tijd was het gebruikelijk dat je met een punter de rivier op ging om er vanaf het water naar te luisteren, maar dat wordt niet meer gedaan. Ze doen niets anders dan drinken, wat ik altijd verkeerd vind.'

'Dat is erg interessant,' zei ik zwakjes, en ik probeerde greep te krijgen op het gesprek, hoewel een gesprek met de conrector te vergelijken was met greep krijgen op een paling. 'Ik heb begrepen dat Adams lichaam niet direct is gevonden.'

'Inderdaad niet. De Isis stroomt hier snel.' Hij keek me met half dichtgeknepen ogen aan. 'Dat is de plaatselijke naam voor de Theems, liefje. Uit het Latijn, *Tamesis*. Ik vind het een veel mooiere benaming voor zo'n belangrijk water.'

'Het moet een moeilijke periode zijn geweest voor het College,' zette ik door. 'De studenten waren zeker erg van streek.'

'De staf ook. Het was een enorme schok.' Hij stond op en wenkte me naar een raam aan de andere kant van de kamer. 'Dit is de tuinzijde van het College. Dat hele stuk, van de brug tot aan die wilg daar rechts, hoort bij het Latimer College. Negen maanden per jaar ziet het er heel mooi uit, maar je kunt niet verwachten het in december op z'n mooist te zien.'

Dat was ik met hem eens toen ik naar buiten keek, naar de donkere rivier die traag stroomde tussen de doorweekte oevers, waar kale takken en treurig uitziende struiken overheen hingen. De bloembedden die deze plek later in het jaar tot leven zouden brengen lagen er nu bij als lege, donkerbruine uitgegraven figuren in alweer zo'n onberispelijk gazon. Langs de rivier, van de brug tot aan de boom die de professor had aangewezen, stond een hek. Dat bestond uit smalle staken van ongeveer één meter tachtig hoog.

'Dat hek is geplaatst na Rowleys tragische overlijden. Ik moet zeggen dat ik het jammer vind dat we niet gewoon lering hebben kunnen trekken uit hetgeen hem is overkomen, in plaats van een van de fraaiste uitzichten in Oxford zo te verpesten. Maar ja, de gevolgen voor onze verzekeringspremie konden niet worden genegeerd; de quaestor was daar zeer overtuigend in. Bovendien maakte het deel uit van de aanbevelingen van de officier van justitie, die we tot de letter hebben opgevolgd.'

Hij ging weer zitten en wachtte tot ik weer in mijn fauteuil zat. 'We hebben zelf ook een onderzoek ingesteld om erachter te komen of hij de drugs die hij had genomen binnen deze muren had verkregen. Hij had de avond in de bar van het College doorgebracht, ziet u, en we dachten dat een van de studenten misschien drugs aan het dealen was. De directeur en ik merkten tot onze grote droefheid dat er een masterstudent was – een scheikundestudent, wellicht te verwachten – die bepaalde hallucinogene stoffen fabriceerde, en hoewel hij voor zover we weten niets aan Adam Rowley had verkocht, is hij direct weggestuurd. Het College is heel duidelijk op dat punt in de informatievoorziening aan de eerstejaarsstudenten.'

'Adam had kalmerende middelen genomen,' zei ik. 'Die neem je niet als je feest wilt gaan vieren.'

Hij spreidde zijn handen. 'Ik ben onbekend met het recreatief gebruik van illegale stoffen. Maar ik heb begrepen dat je niet altijd zeker kunt weten wat je gebruikt. Adam Rowley zal niet hebben geweten welke pillen hij nam. Maar uit niets is gebleken dat hij ze van iemand op het Latimer heeft gekregen.'

'Weet u iets van wat er met Rebecca Haworth is gebeurd?' zei ik als verandering van tactiek. 'Ze is een jaar lang van de universiteit weg geweest, vanwege een zenuwinstorting, geloof ik.'

'Ik herinner me haar wel,' knikte professor Westcott. 'Ze was een heel mooi meisje. Ze zijn natuurlijk erg jong, die bachelorstudenten, en ze worden ook steeds jonger.' Hij stond zichzelf een astmatisch lachje toe. 'Alles raakt hen ontzettend diep. Ik begreep wel dat ze niet in staat was zich op haar *schools* voor te bereiden.'

Ik keek hem vragend aan.

'Schools is een ander woord voor de laatste tentamens die de bachelorstudenten maken. Het afsluitende examen.'

Waarom zei u dan niet gewoon: haar afsluitende examen, dacht ik bij mezelf.

'Het College wilde natuurlijk niet dat ze de dupe zou worden van wat haar medestudent was overkomen. Anderzijds wilden we haar niet de kans geven onder de laatste examens uit te komen, omdat het gevaar bestond dat anderen dan dezelfde weg zouden kiezen, en we konden niet het hele jaar uitstel verlenen. Zij had het geluk dat een van de wetenschappelijke hoofdmedewerkers het voor haar opnam – haar tutor was zeer overtuigend.'

'En haar tutor was…?'

'Dr. Faraday. Hij doceert hier niet meer.'

Er trok een sombere blik over het gezicht van de professor toen Caspian Faraday ter sprake kwam – dat verbeeldde ik me niet.

'U lijkt geen grote fan van hem te zijn.'

'Welnee,' zei professor Westcott neutraal. 'Een zeer kundig historicus.'

'Wanneer is hij vertrokken?'

'O, dat zal een jaar of vijf geleden zijn geweest. Misschien zes. Hij zit nu in Londen, heb ik begrepen.'

'Ik zal hem vast wel kunnen opsporen.'

De professor trok zijn wenkbrauwen op. 'Echt? Lijkt u dat noodzakelijk?'

'Ik wil graag horen wat hij te zeggen heeft, ja.' Ik besloot het erop te wagen. 'Mag ik u vragen waarom hij uit Oxford is weggegaan?'

'Dat mag u zeker vragen.'

Er viel een korte, benauwde stilte. Professor Westcott kuchte oppervlakkig.

'Neemt u me niet kwalijk. Macht der gewoonte. Het is zo'n zinnetje dat ik mijn studenten graag afleer.'

'Ik zal het voortaan proberen te vermijden.' Ik leunde voorover. 'Ik wil nog steeds graag weten waarom Caspian Faraday het Latimer heeft verlaten, professor Westcott. Voor zover ik heb begrepen, moet hij een heel goede reden hebben gehad om hier weg te gaan.' Ik had al een vrij duidelijk beeld van wat er was gebeurd, dankzij Rebecca's vrienden van de universiteit. Ik vroeg me af of hij zou bevestigen wat ze me hadden verteld: dat de vriendschappelijke verhouding tussen student en studiebegeleider iets te ver was gegaan.

Professor Westcott staarde langdurig langs mijn rechteroor voordat hij antwoord gaf, en toen hij sprak, slaagde hij erin mijn vraag niet rechtstreeks te beantwoorden. 'Toen Adam Rowley stierf, gingen we door een moeilijke periode heen. Onder leiding van de directeur hebben we dit College en de leden ervan aan een diepgaand onderzoek onderworpen. Toen dat was afgerond, waren we ervan overtuigd dat het Latimer College elke kritische blik kon doorstaan. We wisten zeker dat we niets te verbergen hadden. En ik ben dan ook bang dat ik u absoluut niet verder kan helpen, hoewel ik er het grootste genoegen in schep met u te praten.'

Ik begreep de hint. Het gesprek liep op z'n eind, of ik wilde of niet. Maar voordat ik de professor zou achterlaten met zijn boeken, wilde ik nog één ding weten. 'Herinnert u zich Rebecca's beste vriendin? Louise North. Ze studeerde rechten.'

De professor dacht even na en haalde toen zijn schouders op. 'Sorry, geen idee. Als ze rechten deed, bracht ze waarschijnlijk het grootste deel van haar tijd door op de faculteit rechten of in de bibliotheek van het College. Ik betwijfel of ze hier ooit overdag te vinden was. De jurisprudentie is een zeer veeleisende studie.'

En Louise was natuurlijk ook geen beeldschone studente die zich hulpbehoevend wist op te stellen. Arme Louise, altijd in de schaduw van Rebecca. Daarover zou ik me in haar plaats misschien best verbitterd hebben gevoeld.

Professor Westcott was opgestaan en zette de stoel waarop hij had gezeten weer tegen de muur. 'Mijn excuses als ik u opjaag, maar ik krijg over vijf minuten een student langs.'

'Nee, het spijt me dat ik u heb opgehouden. Dank u voor het gesprek.' Ik raapte mijn spullen haastig bijeen, schudde hem de hand en draaide me om. Bij de deur aarzelde ik en keek om. 'Wilt u me, voordat ik ga, nog vertellen wanneer dat diepgaande onderzoek van het College afgerond was en u zeker wist dat u niets te verbergen had?'

'O, dat moet vijf jaar geleden zijn geweest. Misschien zes,' zei de professor, en achter zijn dikke brillenglazen zakte een van zijn oogleden omlaag; het zou best een knipoog geweest kunnen zijn.

Louise

Gil zette al zijn charmes in tijdens de rit terug naar Londen en het was schandelijk, maar al heel kort na ons vertrek moest ik lachen om iets wat hij zei, en daarna leek het makkelijker te praten dan te zwijgen, en bijna te snel zette hij de auto al stil bij mijn huis.

Ik bleef even zitten, want ik had niet veel zin om het portier open te doen. In de auto zat ik in een andere wereld; erbuiten zou ik nooit met Gil praten op de ontspannen, intieme manier waarin we tijdens de autorit waren vervallen. Het kon me niets schelen dat hij een spelletje speelde; ik had genoten. Ik had nooit begrepen wat Rebecca zo leuk aan hem vond als ze samen waren, afgezien van zijn uiterlijk, maar toen had hij nooit de moeite genomen me te laten zien hoe hij ook kon zijn: warm, grappig, aardig. Ik had gemerkt dat het hielp dat hij me niet kon aankijken omdat hij zich op de weg moest concentreren en ik hem dus onopgemerkt kon gadeslaan. Hij leek niet te hebben gemerkt dat ik steeds naar hem keek, maar misschien kon het hem niets schelen. Ik had geprobeerd te bedenken waarom hij ineens aandacht aan me besteedde, maar zonder resultaat; zijn verhaal dat hij meer belangstelling had gehad voor mij dan voor Rebecca geloofde ik geen moment.

Gil had de motor afgezet en zat heel stil naast me. Ik moest uitstappen; ik kon niet de hele avond in de auto blijven zitten.

'Bedankt voor de lift,' zei ik beleefd. 'Het was niet nodig me voor de deur af te zetten, maar het was heel aardig van je.'

'Daar hebben we het uren geleden al over gehad. Trouwens, ik vond het alleen maar leuk dat je mee was.' Hij draaide het puntje van mijn paardenstaart rond. 'Je zou je haar los moeten dragen.'

Ik schudde mijn hoofd. 'Slordig.'

'Bevrijdend,' pareerde hij. Hij stak zijn hand uit en pakte de mijne, bestudeerde de rug ervan en draaide hem toen om zodat hij de palm kon bekijken. 'Je hebt een lange levenslijn. Geluksvogel.'

'Heb je ook een kristallen bol? Of gebruik je tarotkaarten?'

'Sst.' Hij fronste zijn wenkbrauwen. 'Ik krijg iets door. Ik zie dat je morgenavond uit eten gaat met een donkerharige man.'

'Doe niet zo raar.' Ik trok mijn hand terug en begon in mijn tas naar mijn sleutels te zoeken.

'Je bent wel lastig te doorgronden.' Hij keek me aan toen ik opkeek en mijn adem stokte in mijn keel toen ik zijn gezichtsuitdrukking zag. Ik zou op dat moment hebben gezegd dat hij me niet mocht, maar direct daarna glimlachte hij quasi zielig en de donkere blik die ik had gezien was verdwenen, alsof ik me die had verbeeld. 'Er zullen altijd hobbels in de weg blijven met jou, hè?'

'Welke weg?'

'Naar het restaurant. Morgenavond. Ik zou graag het genoegen van je gezelschap willen hebben,' zei hij op nadrukkelijk formele toon.

Ik had nee moeten zeggen – ik wist dat ik nee had moeten zeggen –, maar toch sprak ik met hem af en vond ik het goed dat hij me om half-acht zou afhalen.

'Waar gaan we heen?'

'Dat hoor je wel als we er zijn.'

'Daar heb ik zo'n hekel aan.' Ik keek hem boos aan. 'Hoe kan ik nu weten wat ik moet aantrekken als je me niet vertelt waar we heen gaan? Dat is neerbuigend en bevoogdend.'

'Ik vond het wel romantisch.' Hij grinnikte en ik wist dat hij niet zou toegeven.

'Oké. Morgenavond halfacht, hier. Maar het is jouw schuld als ik in een joggingpak kom. Of in mijn pyjama.'

'Een pyjama zul je niet nodig hebben, wat er morgenavond ook gebeurt.'

'Er gebeurt morgenavond helemaal niets.' Ik opende het portier en zei terwijl ik uitstapte: 'Uit eten. Daar heb ik ja op gezegd. Meer niet.'

'We zullen wel zien.'

Ik schudde mijn hoofd en gooide het portier hard dicht, liep over het pad naar mijn voordeur en ging naar binnen zonder me om te draaien om te kijken of hij er nog stond. Maar ik had er al mijn zelfbeheersing voor nodig.

Ik had het gevoel dat het al laat was, maar het was net zes uur geweest, zag ik op mijn horloge. Gil had me geen afscheidskus gegeven. Maar hij zou me de volgende avond terugzien. Misschien had hij me niet willen kussen. Maar als het niet zo fantastisch voor hem was geweest als voor mij, zou hij me dan mee uit eten hebben willen nemen? Ik liep rondjes door de keuken en beet nerveus op mijn duimnagel. Ik kon me niet voor hem optutten of ik kon me juist heel mooi maken. Hij zou verwachten dat ik me eenvoudig zou kleden. Ik wilde er mooi uitzien. Ik liep de onverlichte gang in en staarde in de spiegel naar mijn gezicht, een ovaal dat glom in het duister. Ik zei hardop: 'Wat zou Rebecca doen?'

Ik had geluk; mijn vaste kapster had net een afzegging gekregen en ik kon de volgende ochtend als eerste terecht. Ik liep met twee treden tegelijk de trap op en doorzocht de ingebouwde kasten van mijn slaapkamer. De hangertjes liet ik van links naar rechts en terug glijden; zoveel kleren en niets om aan te trekken.

Het probleem werd de volgende ochtend vroeg voor me opgelost door een koerier die een grote doos met een tulen strik eromheen kwam bezorgen. Ik trof er een eenvoudig zwart jurkje in aan en bij het zien van het label schoten mijn wenkbrauwen omhoog; het moest een fortuin hebben gekost. Ik paste de jurk en merkte dat hij de juiste maat had geweten zonder ernaar te hoeven vragen. Strak maar niet te strak; hij zat heerlijk om mijn lichaam. De strakke rok kwam tot net boven mijn knie, en de halslijn was voor en achter diep uitgesneden. Hij had ook schoenen gekocht, met naaldhakken en dieprode zolen. Er zat nog een dieprode sjaal bij ook. Die had, zag ik, precies dezelfde kleur als de plek aan mijn hals. Ik vroeg me af of hij met opzet die kleur had uitgezocht en besloot dat dat waarschijnlijk inderdaad zo was – echt een plagerijtje van Gil.

Toen ik de sjaal pakte, viel er een doosje parfum in mijn schoot en ik voelde mijn stemming even versomberen. Het was de geur die Rebecca altijd had gedragen en die ik uit haar flat had meegenomen. Ik kon er alleen maar naar raden waarom hij wilde dat ik hem droeg, maar ik was er wel door van mijn stuk gebracht.

Aan de andere kant: wat hij kon, kon ik ook. De frons op mijn voorhoofd verdween en in plaats daarvan verscheen er een traag glimlachje op mijn gezicht. Deze outfit vroeg om nog iets extra's, en ik wist precies wat dat moest zijn. Ik keek uit naar ons etentje, merkte ik en er ging een heel lichte siddering van plezierige verwachting door me heen. Wat er ook zou gebeuren, interessant zou het zeker zijn.

9

Maeve

Het kwam absoluut niet als een verrassing toen ik via de databank van de motorrijtuigendienst ontdekte dat Caspian Faraday een zwarte Aston Martin DBS V8 uit 1971 had, een droomauto voor autoverzamelaars met een waarde van een dikke zes cijfers. Evenmin keek ik ervan op dat hij een dubbel herenhuis met zes slaapkamers in het serene, lommerrijke en exclusieve Highgate Village bewoonde. Hij had tenslotte heel veel geld verdiend met drie goed ontvangen, populaire geschiedkundige boeken, om niet te spreken over de televisieserie die was gemaakt naar zijn laatste boek, dat momenteel verkrijgbaar was in gebonden uitgave en in de etalage van elke boekwinkel stond uitgestald tijdens de eindeloos lange aanlooptijd naar Kerstmis. En Google had me laten weten, in ademloze, liefdevolle bewoordingen, dat hij een goed huwelijk had gesloten met de dochter van een magnaat in magnetronmaaltijden. Ik had wel rijkdom verwacht, zelfs opzichtigheid. Maar waar ik wel van opkeek toen ik op een heldere, koude namiddag naar Highgate was gereden, was dat hij ook zijn advocaat had uitgenodigd. En dat zorgde ervoor dat ons gesprek een slechte start had, maar het zou nog veel erger worden voordat ik klaar was.

De historicus had aan de telefoon nerveus en defensief geklonken – twee emoties waar ik dol op was bij mensen die ik moest ondervragen. Zenuwen en een defensieve houding waren uitstekende signalen dat iemand iets te verbergen had, en ik bevond me in de luxepositie dat ik er een vrij goed idee van had wat dat kon zijn. De beste vragen die een rechercheur kan stellen zijn de vragen waarop hij het antwoord al weet, omdat een leugen vaak veel meer onthult dan de waarheid.

Het zag ernaar uit dat ik noch veel waarheden, noch veel leugens zou horen toen ik Caspian Faradays comfortabele, elegant ingerichte zitkamer binnenwandelde en daar een gezette man van middelbare leeftijd aantrof die me stuurs aankeek vanuit een diepe fauteuil. Hij had de halskwabben van een buldog.

'Mijn juridisch adviseur , Avery Mercer,' zei Faraday vanachter mijn rug, en ik bespeurde een lichte zelfvoldaanheid, die er nog niet was geweest toen de historicus de voordeur opendeed en me bijna zijn huis had binnengesleurd. God verhoede dat de buren die politiefunctionaris op de stoep zouden zien staan, ook al was ik in burger. En God verhoede dat die aanbiddelijke, rijke Delia Faraday van haar middagje winkelen zou terugkeren voordat ik klaar was. Ik was er vrij zeker van dat hij haar niet had verteld dat ik bij hem zou langskomen, en ook dat hij haar er niets over zou vertellen als ik eenmaal was vertrokken, als hij ermee weg kon komen. Er waren nu eenmaal dingen die een echtgenote niet hoefde te weten. Vooral als Caspian door haar zijn tijd kon verdelen tussen het huis in Londen, de villa in Zuid-Frankrijk, het landhuis in het Lake District, de maisonnette in New York en het appartement in Parijs waarover *House & Garden* een uitgebreid artikel had gepubliceerd, en dat uitkeek over de Place des Vosges. Zó goed kon je aan geschiedenis niet verdienen.

Ik probeerde gekwetst te kijken. 'Ik dacht dat ik duidelijk had gezegd dat dit een informeel gesprek was, meneer Faraday. U hebt geen juridische bijstand nodig. U bent geen verdachte.' Ik wachtte even. 'Op dit moment in elk geval niet.'

De buldog bewoog zich. 'Mijn cliënt heeft me gevraagd hierbij te zijn, omdat hij niet goed begreep waarom u hem zo graag wilde spreken. Ik ben ervan overtuigd dat u weet dat u geen conclusies kunt trekken uit mijn aanwezigheid hier.'

Ik schonk de jurist een nietszeggend glimlachje en vestigde mijn aandacht op Caspian Faraday, die in een stoel bij het raam was gaan zitten, zodat het licht vanachter hem kwam. Dat oude trucje. Toch kon hij het ook wel uit gewoonte hebben gedaan en niet uit schuldgevoel, want de eerste gedachte die bij me opkwam toen hij de voordeur had opengedaan was dat hij veel ouder was geworden sinds zijn auteursfoto was genomen. Het kortgeknipte blonde haar was nu zilvergrijs en zijn haarlijn week onverbiddelijk terug in de klassieke M-vorm; hij had op de foto die ik eerder had gezien al een hoog voorhoofd gehad, maar de tijd had ervoor gezorgd dat hij nu echt en ontegenzeggelijk kalend was. Hij had een diepbruine teint, die de rimpels rond zijn opvallend blauwe ogen zeker niet verdoezelde, en zijn zwarte polohemd camoufleerde zijn beginnende hangwangen en een beginnend buikje nauwelijks. Te veel van het leven genoten, was mijn diagnose. Ondanks dit alles was hij nog steeds aantrekkelijk: hij was lang en breedgeschouderd, had mooie handen en hij had een diepe, sonore stem. Hij was vierenveertig, wist ik van zijn rijbewijs, waarop ik ook had gezien dat hij graag harder reed dan toegestaan was, want er stonden om die reden negen punten op. Dat betekende dat hij roekeloos en impulsief kon zijn, en ik had gehoopt daar nu mijn voordeel mee te kunnen doen. Aan Avery Mercer was echter goed te merken dat hij met alle plezier op de rem zou trappen uit naam van zijn cliënt, en ik onderdrukte een zucht terwijl ik om me heen keek en overwoog waar ik zou gaan zitten. Bij de deur stond een stoeltje; ik pakte het en zette het bij het raam, dichter bij Faraday dan hij prettig vond.

'Mag ik? Ik heb goede verlichting nodig om mijn eigen handschrift te kunnen lezen,' zei ik met een brede grijns.

Hiermee had hij duidelijk moeite, en hij keek om zich heen naar de vele plekken waar ik evengoed had kunnen gaan zitten. Zijn beleefdheid zegevierde, zoals ik wel had verwacht. 'Natuurlijk. Ga rustig zitten waar u maar wilt. Maar er zijn vast stoelen die prettiger zitten.'

'Dit is prima,' zei ik. Ik ging verzitten en voelde het stoeltje daarbij heel licht meebewegen. 'Is het heel oud?'

'Begin negentiende eeuw. Maar het heeft al zoveel doorstaan, dan zal het u tijdens een – hoe noemde u het ook alweer? – informeel gesprek ook wel kunnen houden.'

'Ik zal voorzichtig zijn.'

Faraday glimlachte beleefd en wierp toen een steelse blik op zijn advocaat. Even kijken of hij zich zorgen moest maken, dacht ik, en ik haastte me niet mijn eerste vraag te stellen.

'Ik ben hier om met u te praten over Rebecca Haworth. Kunt u me vertellen hoe u haar hebt ontmoet?'

'Ik sprak haar voor het eerst toen ze een aanvraag had gedaan voor een studie aan Oxford. Ik heb een toelatingsgesprek met haar gevoerd. Dat moet zijn geweest in de maand december voordat ze daar begon, dus ruim tien jaar geleden.' Hij leek even verbaasd. 'Ik had me niet gerealiseerd dat het al zo lang geleden was.'

'Wat was uw eerste indruk? Kunt u zich daar nog iets van herinneren?'

'Ze was duidelijk intelligent. Ze wist veel en was belezen. Ze had een actieve en onderzoekende geest, en dat is wat we wilden zien bij onze studenten. Je kunt iemand wel feiten leren, maar als ze het intellect niet hebben om hun eigen conclusies te trekken, heeft het heel weinig zin dat ze in Oxford rondlopen.'

'Rebecca kon dat dus wel?'

'Zeker. Ik weet nog goed dat ik onder de indruk was van haar zelfvertrouwen, maar ook van de snelheid waarmee ze op een nieuw idee reageerde als ik dat naar voren bracht. Heel veel jongelui weten zich geen raad als je tegen hun denkbeelden ingaat, maar zij genoot ervan te discussiëren. Ik twijfelde geen seconde over haar toelating tot het Latimer College, en toen ze in oktober aankwam, leek ze zich snel thuis te voelen.'

'En u was haar tutor.'

'Een van hen. Er waren drie hoofddocenten geschiedkunde en elk gaf een deel van de werkcolleges. Ze moet ook werkcolleges in andere Colleges hebben gevolgd, in vakken waarin wij niet waren gespecialiseerd. En de faculteit geschiedkunde bood natuurlijk ook een collegeprogramma aan. Ik weet helaas niet of ze die trouw gevolgd heeft; ze zijn in principe optioneel.'

Zijn houding was prettig en openhartig, alsof hij niets te verbergen had en heel even voelde ik twijfel knagen. Maar ik had genoeg gehoord om te weten dat er meer te vertellen was dan wat hij nu losliet.

'Hoe was uw verhouding met Rebecca?'

'Ik was haar docent. Ik heb haar begeleiding en ondersteuning verleend waar dat nodig was.'

'U bent voor haar opgekomen toen ze haar examen wilde opschorten, heb ik begrepen.'

'Zoals ik dat voor al mijn studenten zou hebben gedaan.' Zijn stem klonk nog steeds kalm, maar hij leunde nu voorover in zijn stoel, met zijn ellebogen op zijn knieën en zijn handen samengebald.

'Volgens degene die ik op het Latimer College heb gesproken, ging dat niet zonder slag of stoot.'

'Wie was dat?'

'Een hooggeplaatste persoon aan het College,' zei ik neutraal, want ik zag niet in waarom ik hem meer zou moeten vertellen.

Hij zuchtte. 'Hun houding was ontzettend onrechtvaardig. Rebecca was een heel goede student, zou cum laude afstuderen volgens mij. Ze had het moeilijk. Ze konden niet verwachten dat ze haar afsluitende examen drie weken na de dood van een van haar vrienden zou afleggen met het resultaat dat ze verdiende.'

'Kende u Adam Rowley?'

'Wie? O, die jongen die was overleden. Nee. Hij was me nooit opgevallen. Hij was ook niet een van mijn studenten. Ik was zijn naam helemaal vergeten tot u hem noemde.'

Het was duidelijk dat Adam maar een bijrolletje had gespeeld in het toneelstuk van Caspian Faradays leven. Er was in de rolbezetting plaats voor maar één held, en wat hem betrof was dat Caspian zelf.

'U zei dat Rebecca niet het resultaat zou behalen dat ze verdiende, als ze toen examen had gedaan, maar uiteindelijk is ze toch niet cum laude afgestudeerd? Ze slaagde heel gemiddeld.'

Hij wuifde mijn opmerking weg. 'Het is erg zwaar om na een jaar terug te komen en examen te doen. Ik vond het niet zo gek dat ze er moeite mee had. Met name omdat ze veel tijd nodig had gehad om van haar depressie te herstellen.'

'U hebt haar wat extra lessen gegeven, dacht ik.'

Voordat hij hierop antwoordde keek hij naar zijn advocaat, en ik onderdrukte een glimlachje; nu kwamen we op gevaarlijk terrein.

'Ja, ik heb haar toen een aantal keren gezien. Niet officieel; het College was er heel duidelijk over dat ze geen extra lessen mocht volgen na het opschorten van haar studie. Maar ik vond dat ze beter verdiende, en ik was niet bereid dat beleid te volgen. Dat was een van de vele redenen dat ik het Latimer College zo'n benauwende omgeving vond. Ze waren daar geobsedeerd door regeltjes en voorschriften. Ze leken niet om de tradities heen te kunnen kijken en de studenten als mensen te kunnen zien.'

'Maar u zag haar toch als meer dan een studente?'

'Wat bedoelt u daarmee?' Zijn fluwelige stem had nu een scherp randje.

'Mij is verteld dat Rebecca en u zeer vriendschappelijk met elkaar omgingen toen ze terug was in Oxford. Ik heb begrepen dat u een seksuele relatie met haar bent begonnen. Dat wordt toch niet beschouwd als gepast?'

'Ik vroeg me al af of u daarvan op de hoogte was.' Hij probeerde nog steeds ontspannen en luchtig over te komen, maar drukte zijn handen zo krachtig samen dat de druk waaronder hij stond was af te lezen aan zijn witte knokkels. 'Formeel deden we niets verkeerd. Ze was meerderjarig en officieel niet langer mijn studente. Ik geef toe dat we ons tot elkaar voelden aangetrokken, maar er is niets gebeurd voordat ze terug was in Oxford voor haar examen. En toen er wel iets gebeurde, heeft zij daartoe het initiatief genomen.'

Van Rebecca's vrienden in de kroeg had ik een ander verhaal gehoord. Volgens hen had hij contact met haar gezocht, haar vertrouwen gewekt, haar uitgenodigd te komen eten in het huis in Cowley dat hij had gehuurd, was ze daar ook langdurig gaan borrelen en had hij haar weggehouden van de vrienden die ze nog steeds aan het Latimer had. En Rebecca, die nog steeds uit haar evenwicht was door de gebeurtenissen van het vorige studiejaar en onder de indruk was van haar briljante, knappe studiebegeleider, was meegegaan in wat hij zo overduidelijk had gewild.

'Hoe lang heeft die relatie geduurd?'

'Een maand of twee. Ik zou gaan lesgeven op een zomercursus aan Berkeley en zij was toch al van plan uit Oxford weg te gaan zodra ze haar examen achter de rug had. Ik geloof niet dat ze het daar prettig vond. Te veel herinneringen.' Hij keek me aan. 'We wisten allebei dat het geen langdurige relatie zou worden. Het was een korte, maar voor beide partijen wel een heel plezierige affaire.'

'Dat zal best.' Debs had, toen ze even niet in adoratie naar Leo had staan staren, met minachting verteld hoe Caspian Faraday Rebecca opeens zonder plichtplegingen aan de kant had gezet en nog dezelfde dag zijn koffers had gepakt en het vliegtuig naar Californië had genomen. Rebecca, die in de steek was gelaten door iemand die ze had vertrouwd en bewonderd, was erdoor uit haar doen geraakt, wat niet vreemd was. Maar het had geen zin Faraday nu op dat punt aan te vallen. Het was geen misdaad om iemands hart te breken. Maar ik hoefde hem er nog niet aardig om te vinden. 'Wat gebeurde er verder?'

'Ik snap niet wat u bedoelt.' Hij leek op zijn hoede.

'Nou, u ging naar de Verenigde Staten en Rebecca ging weg uit Oxford. Hebben jullie contact gehouden?'

'Ze heeft me een e-mail gestuurd toen haar examenuitslag bekend was. Ze was uiteraard teleurgesteld over de hoogte van haar cijfers. Die vormden geen juiste weergave van haar capaciteiten.' Hij haalde zijn schouders op. 'Toch was het beter dan niets. Ze zal hebben gemerkt dat haar cijfers haar carrière op de lange duur niet negatief hebben beïnvloed. Een bachelorsgraad van Oxford is hoe dan ook de moeite waard, onafhankelijk van de cijferlijst.'

'En tot zover reikte uw contact met haar? Een uitwisseling van e-mails?'

'Ik ben een drukbezet man. Nu meer dan toen, maar in die tijd had ik wekelijks heel wat lesuren en daarnaast nog mijn eigen onderzoek. Ik had de tijd niet om contact te houden met mijn studenten, trouwens ook niet met mijn ex-vriendinnen.'

'En daarna bent u weer gaan doceren aan het Latimer College.'

'Ja. Maar aan het eind van het jaar daarop ben ik vertrokken.'

Ik keek hem recht aan. 'Ik hoorde dat u halverwege het jaar bent weggegaan.'

'Het kan ook wel aan het eind van het Hilarytrimester zijn geweest, eind maart dus. Ik kan het me helaas niet meer precies herinneren.'

'Waarom bent u vertrokken?'

'Een heleboel redenen.' Hij zag er weer gespannen uit. 'Ik vond mijn verantwoordelijkheden te belastend. Ik had het idee dat ik zo mijn werk en mijn studenten geen recht kon doen. Toen heb ik besloten dat ik het doceren er beter aan kon geven om me te concentreren op mijn publicaties.'

'U bent bij het nemen van die beslissing wel een beetje geholpen, dacht ik.' Ik glimlachte vriendelijk. 'Wie heeft de leiding van het College verteld over uw… affaire, noemde u het geloof ik… met Rebecca?'

Zijn lippen vormden een streep. 'Daar ben ik nooit achter gekomen.'

'Ze dachten er daar heel anders over, is het niet? Ze vonden die verhouding ongepast.'

'Zoals ik al zei, ervoer ik de sfeer op het Latimer als verstikkend. Ze waren daar zo met regeltjes bezig dat ik het er niet naar mijn zin had.' Hij probeerde te glimlachen. 'Ik ben altijd iemand geweest die de grenzen probeert te verleggen, maar in dit geval zag ik echt niet in wat ik verkeerd had gedaan. Ik ben van Oxford weggegaan omdat ik het gevoel had dat ik er niet langer wilde blijven. Er lagen andere kansen en die wilde ik grijpen. En ik denk dat iedereen het met me eens zal zijn als ik zeg dat die beslissing goed voor me heeft uitgepakt.'

'Voor zover ik het heb begrepen,' zei ik poeslief, en ik negeerde zijn zelfvoldane houding, 'is u verzocht het Latimer College te verlaten en is u te verstaan gegeven dat het geen zin had te solliciteren naar enige andere docentenfunctie binnen de universiteit. U hebt sindsdien geen colleges meer gegeven; staat u op de zwarte lijst?'

'Dat is een ongefundeerde conclusie. Ik heb ervoor gekozen een andere weg in te slaan. Er was geen sprake van dat ik nergens zou worden aangenomen als gevolg van wat er was gebeurd.' Hij had zijn stem verheven en de advocaat, die steeds zo stil als Boeddha was geweest, schraapte zijn keel. Daardoor leek Faraday weer tot zichzelf te komen, constateerde ik met spijt.

'U hebt dus niet gesolliciteerd naar andere docentenfuncties.' Ik kon niet controleren of hij dat al dan niet had gedaan, tenzij ik navraag zou doen bij elk derderangsinstituut in de Engelstalige wereld, maar dat kon Faraday niet weten.

'Ik heb een paar keer zo'n functie overwogen, maar eigenlijk had ik het gevoel dat ik aan het eind was gekomen van dat specifieke deel van mijn carrière. Ondertussen was ik bezig te beslissen welke weg ik nu zou inslaan. Het verbaasde me niet dat ik geen nieuwe functie als docent aangeboden kreeg. Iedereen moet wel hebben gezien dat mijn ambitie daar niet lag.' Ik merkte dat zijn trots nog steeds gekrenkt was; hij was uitgestoten en dat deed pijn, ondanks alle welstand en roem die hij had vergaard.

'Wanneer hebt u Rebecca voor het laatst gezien?'

'In levenden lijve? Jeetje.' Hij dacht even na. 'Dat moet drie jaar geleden zijn geweest – nee, vier. Ze was naar een signeersessie gekomen en toen hebben we even wat gepraat, gewoon even bijgekletst. Ik heb haar boek gesigneerd, haar verteld dat ze er fantastisch uitzag en dat was het. Wie is de volgende uit de rij?'

Ik glimlachte naar hem. 'Dat klopt niet, hoor. Wilt u het nog eens proberen?'

'Hoe bedoelt u?' zei hij neutraal, en weer keek hij naar Mercer. De jurist zat zijn handen te bestuderen.

'Ik weet toevallig dat u Rebecca nog een keer hebt ontmoet. Vrij kort geleden zelfs. Vijf maanden geleden, niet drie jaar.'

'Nee hoor... Ik heb haar niet...'

'Jawel. U hebt haar mee uit eten genomen, naar een klein Spaans restaurantje in Marylebone.' En Rebecca had het genoteerd in haar bureauagenda, mijn mazzel. 'Dat was in juli, weet u nog? Op een donderdag. Waar was uw vrouw die avond? Of moet ik vragen waar uw vrouw dacht dat u die avond was?'

Faraday zat nu onderuitgezakt in zijn stoel en beet op zijn onderlip. Het laagstaande winterzonnetje deed de zweetdruppels op zijn voorhoofd oplichten; zijn haar was er vochtig van geworden. 'Oké, oké, u hebt me te pakken. We hebben samen gegeten. Maar dat was alleen die ene keer.'

Ik schudde mijn hoofd. 'Sorry, maar dat is niet waar. Het was de eerste keer. Twee weken later hebt u haar weer getroffen. En de week daarop weer. U hebt op 5 augustus bloemen op haar kantoor laten bezorgen.' Dat brokje informatie had Jess me doorgespeeld.

'Als u dat allemaal al weet, waarom vraagt u er dan naar?' Faraday schreeuwde nu bijna.

'Omdat ik wil horen wat er echt tussen jullie is gebeurd. Wie heeft contact opgenomen met wie? Wanneer is die affaire begonnen?' Ik keek naar mijn aantekeningen om hem even in de waan te laten dat ik niet meer wist, voordat ik hem de doodklap zou verkopen. 'En waarom hebt u twee maanden geleden tienduizend pond naar haar bankrekening overgemaakt?'

'Mijn cliënt heeft alleen in een gesprek met u toegestemd op voorwaarde dat het vertrouwelijk blijft. U denkt terecht dat er een misdrijf is gepleegd, maar het slachtoffer daarvan was de heer Faraday,' zei Avery Mercer op vermoeide toon.

'Is dat zo?'

'Het is de waarheid.' Faraday keek uitdagend; Mercers interruptie had hem genoeg tijd gegeven om zich te herstellen. 'Ik had geen zin u te vertellen wat zich in het afgelopen jaar tussen mij en Rebecca heeft afgespeeld, omdat ik er niet trots op ben. Ik was er zeker niet op uit om mijn vrouw te bedriegen; ik was absoluut nergens op uit. Ik vond het leuk dat Rebecca contact met me opnam, want ik heb haar altijd graag gemogen; het klikte heel goed tussen ons. Het was fijn om haar weer te zien. Ik heb van ons etentje genoten. Het voelde heel natuurlijk aan om haar terug te zien. En toen… tja, toen liep het een beetje uit de hand.'

'Waarom nam ze contact met u op?'

'Ze had net een relatie achter de rug, en die was nogal vervelend verbroken, zei ze. Ze vertelde dat ze al haar betekenisvolle relaties de revue liet passeren om te zien wat ze verkeerd had gedaan. Maar eerlijk gezegd leek me dat nogal een smoesje.'

Eerlijk was Caspian Faraday beslist niet. 'En dus vroeg ze u in juli om haar te ontmoeten.'

'Ja. Daarna hebben we nog een paar keer met elkaar gegeten. We zijn in augustus voor het eerst met elkaar naar bed gegaan – die bloemen heb ik na de eerste keer laten bezorgen. Het was belachelijk, en verkeerd, en ik wist dat ik het niet moest doen. Ik bedoel, iemand die zo bekend is als ik kan echt niets stiekem doen zonder uiteindelijk te worden betrapt. Maar dat maakte het ook weer extra spannend.'

'En wat maakte het de moeite waard voor Rebecca?' vroeg ik droog.

Faraday keek langs me heen, alsof hij me niet in de ogen kon kijken. 'Dat is inderdaad de vraag. Ik dacht dat ze het opwindend vond om weer met me om te gaan. Ik bedoel, de seks was geweldig. Extatisch. Ik moest terugdenken aan vroeger tijden. Maar later besefte ik dat ze alles van te voren helemaal had uitgedacht.'

'Wat gebeurde er dan?'

'Ze begon me te chanteren. Ze zei dat ze mijn vrouw zou vertellen wat we deden.' Faraday klemde zijn kaken opeen. 'Ik besefte dat het vanaf het begin haar bedoeling moet zijn geweest geld van me los te krijgen.'

'Wat naar voor u,' zei ik zonder mijn best te doen meelevend te klinken. Niemand had hem er tenslotte toe gedwongen om zijn vrouw te bedriegen. 'Hoeveel wilde ze van u hebben?'

'Ze wilde vijfduizend pond.'

'Maar u gaf haar twee keer zoveel.'

'Ik heb een deal met haar gemaakt. Ik zou haar het dubbele betalen van wat ze vroeg, op voorwaarde dat ze nooit meer, om welke reden dan ook, contact met me zou opnemen, en al helemaal niet met mijn vrouw. Ik bedoel maar, ik zit niet bepaald krap bij kas. Het was geen probleem om haar meer te geven als ik daarna van haar af was.'

'Denkt u echt dat ze zich aan die afspraak zou hebben gehouden?' Ik was oprecht benieuwd.

'Ja. Dat denk ik wel. U moet begrijpen dat Rebecca in principe geen slecht mens was. Die chantage was eigenlijk niets voor haar. Ze zei dat ze snel geld nodig had en niet wist hoe ze er anders aan zou moeten komen, maar ik had niet het idee dat ze het léúk vond, als u begrijpt wat ik bedoel. Niet toen onze gevoelens eenmaal weer een rol speelden.'

Mercer en ik wisselden een sceptische blik. Hij mocht dat denken als hij wilde. Er was op de hele wereld geen chanteur te vinden die het bij één poging zou laten. Voor Rebecca zou Caspian Faraday een wandelende geldautomaat zijn geweest.

'Ik zei tegen haar dat ze een gevaarlijk spelletje speelde. Delia zou ons allebei hebben vermoord als ze het had ontdekt.'

'Bij wijze van spreken,' zei Mercer haastig. 'Hij bedoelt het niet letterlijk.'

'Waar was Delia op 26 november?'

'Het land uit. Ik geloof dat ze in New York zat.' Opnieuw de advocaat.

Ik maakte een notitie. 'Dat trekken we na. Rijdt ze auto?'

Faraday schudde zijn hoofd. 'Ze heeft geen rijbewijs. Bovendien had ze geen enkele reden om Rebecca te vermoorden. Ik heb haar afgekocht en Delia is er nooit achter gekomen.'

Voor zover hij wist.

'Het frustrerende eraan is dat ik Rebecca dat geld gewoon zou hebben gegeven als ze erom had gevraagd. Ik mocht haar graag, heel graag. Ze begreep me.' Hij keek me weer aan. 'Bent u getrouwd, mevrouw Kerrigan?'

'Nee.'

'Nou, dan zult u het wel niet begrijpen, maar ik had Rebecca nodig. Ik had iets buiten mijn huwelijk nodig. Het ging niet alleen om de seks, het was meer het ontbreken van allerlei gedoe. Het was leuk om haar te zien. Het was leuk om bij haar te zijn. Het was als een dagje vrij van de echte wereld.'

Ik vroeg me af wat voor een vrouw Delia Faraday was. Waarschijnlijk geen makkelijke. Naast Caspian stond een portretfoto in een zilveren lijstje en door mijn onderzoek op internet herkende ik zijn vrouw erin. Ze zag er verzorgd, glamourachtig en een tikje nukkig uit, en ik betwijfelde of ze ooit uit vrije wil een van haar vaders magnetronmaaltijden had geproefd, ook al profiteerde ze graag van de opbrengst ervan.

'Rebecca heeft u voor schut gezet, nietwaar? Wilt u me serieus vertellen dat u daar niet verbitterd over bent?'

'Indertijd was ik best nijdig,' zei hij zacht. 'Ik heb haar uitgescholden voor alles wat me te binnen schoot. Maar in mijn achterhoofd had ik het idee dat we elkaar ooit nog weleens zouden tegenkomen en dat ik haar dan zou kunnen vergeven. Het is nooit ook maar in me opgekomen dat ze mogelijk voordien zou komen te overlijden.'

'U beseft natuurlijk dat u een motief hebt voor de moord op haar.'

Zijn voorhoofd fronste zich in verbazing. 'Maar ze is toch vermoord door die seriemoordenaar? De vuurmoordenaar, zo noemen ze hem toch?'

'Misschien. Maar misschien ook niet.' Ik liet hem daar even over nadenken. 'Is er nog meer wat u me wilt vertellen over Rebecca?'

'Ik denk het niet.' Hij stond op en keek uit het raam. Hij sloeg zijn armen over elkaar en toen hij begon te spreken leek hij met zijn gedachten duizenden kilometers ver weg. 'Weet u, ze was zo iemand die intenser leefde dan anderen. Ze straalde altijd. Toen ik hoorde dat ze dood was, moest ik direct denken aan die regels uit *Cymbeline*. Een enorm cliché weliswaar, maar zo toepasselijk. Kent u het stuk?'

'Nee. Vertelt u me maar wat u bedoelt.'

Hij glimlachte treurig. 'Dat zou ik wel willen, maar diep in mijn hart ben ik nog steeds leraar. Zoals het een leraar betaamt zeg ik dat u het maar moet opzoeken. Het is het uitvaartlied uit de vierde akte.'

De advocaat was opgestaan en deed me uitgeleide naar de gang; met zijn blik waarschuwde hij Faraday te blijven zitten waar hij zat en hij trok de deur stevig achter zich dicht. Hij ademde zwaar en staarde me met zijn bloeddoorlopen ogen langdurig aan voordat hij begon te spreken.

'Ik hoef u niet te vertellen dat hij geen moordenaar is. Het is een idioot, maar hij zou dat meisje nooit hebben kunnen vermoorden.'

'Daar ben ik nog niet uit.'

'Wel waar, maar dat zult u tegen mij niet zeggen.' Hij grijnsde als een wolf. 'Gun hem zijn kleine indiscretie, mevrouw Kerrigan. Ik ben ervan overtuigd dat het de laatste was.'

'Denkt u dat echt? Mijn ervaring is dat ze na één kleine indiscretie echt niet ophouden. Het wordt een gewoonte.'

Hij haalde zijn schouders op. 'Dat is iets tussen man en vrouw, vindt u niet?'

Ik stond op het punt te antwoorden toen er getik van naaldhakken klonk vanaf het pad voor het huis, waarna er een sleutel in het slot van de voordeur werd omgedraaid. Ik stapte onwillekeurig achteruit toen de deur openging en Delia Faraday tevoorschijn kwam. Ze zag er nog dunner en nog mooier uit dan ik had verwacht. Als haar gezicht in staat was geweest te bewegen zoals de natuur het had bedoeld, zou het zich hebben vertrokken tot een hatelijke grimas.

'Wie is dit, verdomme?'

Mercer was te veel een gladjanus om zich uit het veld te laten slaan. 'Niet iemand om je druk over te maken, Delia. Een van de boekhouders.'

'En wat doet die dan in mijn gang, verdomme? Ga opzij.' Ze duwde me aan de kant en liep de kamer in die wij net hadden verlaten.

Heel even overwoog ik haar te volgen, mijn politiepasje te laten zien en vervolgens precies uit te leggen wat ik daar deed, maar zo grof kon ik uiteindelijk zonder goede reden niet zijn.

'Dank u wel,' zei Avery Mercer geluidloos, en ik knikte koeltjes, draaide me om en vertrok.

Ik verliet het huis van Caspian Faraday in de volle overtuiging dat ik niet de moeite zou nemen om de vierde akte van *Cymbeline* op te zoeken, alleen om te kunnen zien hoe verdomde slim hij was. Maar de aard van het beestje deed zich gelden. Die nacht om tien over halftwee ben ik uit bed gestapt en zat met tegenzin maar met een onstuitbare drang om te weten over mijn computer gebogen te zoeken naar het uitvaartlied. En toen ik het had gevonden, begreep ik wat hij had bedoeld.

> Gouden jongens en meisjes zullen
> gelijk schoorsteenvegers tot stof vergaan.

De volgende dag in de recherchekamer zaten deze regels nog steeds in mijn hoofd; ik draaide mijn pen rond met mijn vingers en staarde in de ruimte. Tot stof vergaan. Stof bent u, tot stof keert u terug. As was u, tot as keert u terug. Terug naar verbranding in twee eenvoudige stappen. Kon ik me voorstellen dat Caspian Faraday Rebecca zou kunnen doodslaan? Kon ik me voorstellen dat hij de plaats delict systematisch zo zou inrichten dat die alle kenmerken van de werkwijze van de vuurmoordenaar bezat? Ik was verbaasd te merken dat ik dat inderdaad kon; vooral op de tweede vraag was het antwoord: ja. Dat huis in Highgate had iets stijfs gehad; het leek alsof iemand zijn uiterste best had gedaan meubilair uit de juiste periode aan te schaffen, en het toen met liefde had neergezet zoals men dat in de goede oude tijd, toen mannen nog echte mannen waren en vrouwen hun plaats wisten, zou hebben gedaan. In zijn professionele leven was hij een pietje precies, met aandacht voor details, en hij leek me iemand die ervan zou hebben genoten om een show op te voeren voor de politie. Hij zou het ook prachtig hebben gevonden om ons om de tuin te leiden. En wat hij ook voor verhaal ophing over zijn overeenkomst met

Rebecca, hij had beslist een motief om haar dood te wensen.

'Zo te zien heb je het druk.' Rob liet zich in de stoel naast me vallen en rekte zich uit.

'Ik zit na te denken. Niet iets wat jou vaak overkomt,' zei ik pinnig.

'Ik heb gehoord dat het nut daarvan nogal wordt overdreven.' Hij gaf me een paar aan elkaar geniete velletjes papier. 'Je had gevraagd om een uitdraai van de gegevens over Gil Maddick in ons systeem. Ik moet je nageven dat je een goed oog hebt voor dat soort lieden.'

Ik keek de bladzijden op topsnelheid door en mijn glimlach werd met de seconde breder. 'O mijn hemel. Zijn ex-vriendin heeft hem vier jaar geleden een straatverbod laten opleggen.'

'Weet ik,' zei hij geduldig. 'Ik heb het gelezen. En dat heeft hij overtreden; hij is naar haar flat gegaan en is toen gearresteerd.'

De rechters hadden hem echter mild behandeld; hij had zijn schuld toegegeven en een boete betaald, waardoor hij niet hoefde te zitten. Ik legde de papieren neer. 'Ik wist gewoon dat hij niet spoorde. Het ziet ernaar uit dat hij een strafblad heeft vanwege gewelddadig gedrag. Ik wed dat ik gelijk had toen ik niet geloofde wat hij vertelde over de manier waarop Rebecca haar jukbeen had gebroken.'

'Het is zeker de moeite waard verder te spitten. Ik denk dat we Chloe Sandler eens moeten opzoeken. Wat denk jij?'

'Absoluut.'

Het adres dat op de uitdraai van Gil Maddicks gegevens uit de politiedatabank stond klopte nog steeds, en door een snel telefoontje kwamen we erachter dat ze thuis was en ons graag te woord zou staan. Ze was volledig bereid om mee te werken. Haar bereidheid werd zo mogelijk nog groter toen ze haar voordeur opendeed en Rob zag staan, die er die dag net niet te slordig uitzag, wat hem des te aantrekkelijker maakte. Tijdens dit gesprek zou ik me eens op de achtergrond houden. Ik ging op een stoel bij de deur zitten en liet het aan Rob over om naast Chloe op de witte plofbank plaats te nemen.

Terwijl Rob uitlegde wie we waren en waarover we haar wilden spreken, nam ik de gelegenheid te baat om haar woonkamer te bekijken. Chloe was eenendertig, maar als je keek naar de verzameling romantische films op dvd die ze in de kast had staan en al die prulletjes waarmee haar kamer vol stond, leek ze eerder dertien: op de schouw een orkest van jonge katjes die minuscule muziekinstrumenten bespeelden, een kikker van cloisonné op de vensterbank naast een ongelooflijk lelijke, met stukjes kristal versierde hagedis, een gezin heel kleine pinguïns van geslepen glas die over de bovenrand van de televisie marcheerden. Ze zag er lief uit met haar enorme bruine ogen, die wijd uit elkaar stonden in haar hartvormige gezicht, dat werd omlijst door een Louise Brooks-achtige boblijn. Ze had een hese, zachte stem, en ik moest me inspannen om haar te verstaan.

'Ik heb Gil al in geen jaren meer gesproken. Dat wil zeggen, ik heb hem na de rechtszaak nog wel gebeld, gewoon om te zeggen dat het me speet dat ik hem zoveel last had bezorgd, maar afgezien van die keer heb ik nooit meer contact met hem gehad.'

'Een contactverbod wordt nooit zomaar uitgevaardigd,' zei Rob vriendelijk. 'Er moet in uw geval een reden voor zijn geweest. Zou u ons willen vertellen wat er was gebeurd?'

Ze knipperde een paar keer met haar ogen en keek hem vol vertrouwen aan, en ik wilde haar zeggen dat ze moest opschieten.

'Mijn reactie zal wel overdreven zijn geweest. Ach, zulke dingen gebeuren nu eenmaal weleens. Maar mijn flatgenoot van toen was erg politiek actief – een echte feministe. U kent dat wel; ze liep mee in allerlei protestbetogingen, dat soort dingen. Ze stond volledig achter me en heeft me ertoe aangezet een klacht tegen hem in te dienen.'

'Wat was er dan gebeurd?'

'We gingen al een paar maanden met elkaar.' Een glimlachje. 'Het ging allemaal heel goed. Hij was heel attent en lief, en hij is ongelooflijk intelligent. Dat vind ik nog steeds, hoor. Ik was echt dol op hem.'

En ik vermoedde dat hij die onvoorwaardelijke adoratie van haar best prettig had gevonden.

'We begonnen elkaar pas goed te leren kennen. We hadden elkaar in een bar ontmoet; we raakten aan de praat toen de barman hem negeerde en mij vroeg wat ik wilde bestellen. Ik vond het heel gênant, maar hij deed er heel lief over. Hij gedroeg zich meestal als een echte heer.' Ze klonk alsof ze nog steeds niet kon geloven wat er was gebeurd. Ik stak de punt van mijn pen diep in de vouw tussen de bladzijden van mijn aantekenboekje om de tijd te verdrijven terwijl ik wachtte tot ze ter zake zou komen.

'Ik kende eigenlijk geen van zijn vrienden en collega's, dus moest ik op mijn intuïtie afgaan toen hij me mee uit vroeg. Ik vond hem heel aardig, maar ik wilde een beetje rustig aan doen, begrijpt u? Ik wilde geen haast maken, maar ik wilde ook weer niet dat hij zijn belangstelling verloor.'

'Nee, natuurlijk niet.' Rob knikte alsof hij alles wist van de moeilijke keuzes waar alleenstaande vrouwen van in de twintig voor staan in een vijandige datingcultuur. En misschien was dat ook zo. Hij was niet iemand die veel vertelde over zijn privéleven, althans, niet aan mij.

'We waren nog niet... eh, u weet wel.'

'Met elkaar naar bed geweest?' Ik kon het niet helpen bot te zijn; ik had er genoeg van dat ze maar om de hete brij heen bleef draaien. Even keek ze beledigd, toen knikte ze.

'En hoe lang gingen jullie toen al met elkaar?'

'Drie maanden.' Ze knipperde onschuldig naar me. Ik had er iets om verwed dat ze een hele stapel zelfhulpboeken in haar slaapkamer had liggen, en dat het meest gelezen exemplaar *The Rules* was. Ze vertoonde alle tekenen van iemand die fanatiek op jacht was naar een echtgenoot. Als je wilt dat iemand je koe koopt, moet je de melk niet voor niks weggeven.

'Hij was zonder mij uitgegaan met zijn vrienden. Een avondje uit met de mannen. Ik was thuisgebleven en deed van die dingen die meisjes doen, zoals nagels lakken.' Ze stak haar hand uit naar Rob, zodat hij haar perfecte French manicure kon bewonderen. 'Het is echt lastig om tijd te vinden om dat soort dingen te doen als je in een relatie zit.' Stilte. 'Op het moment ben ik alleen, dus...'

'Heel mooi,' zei Rob galant. 'En kwam hij toen langs?'

'Om ongeveer twee uur 's nachts.' Ze trok een gezicht. 'Ik had hem nooit zo laat nog verwacht. Hij bonsde op de deur en stond te schreeuwen en ik raakte helemaal in paniek. Ik was echt bang voor hem, en hij maakte de buren wakker. Sonia, mijn flatgenoot, was woedend. Het was niet eens weekend; het was een dinsdag. Zoiets doe je gewoon niet door de week.'

'Wat heb je toen gedaan?' vroeg ik.

'Nou, ik heb hem binnengelaten.' Haar zoeklichtogen keken nu even mijn kant op. 'Ik bedoel maar, ik wist natuurlijk wel wie het was. Ik heb hem meteen mee naar mijn slaapkamer genomen, want ik wist niet zeker of Sonia weer naar bed zou gaan. Ik maakte me een beetje zorgen dat ze binnen zou komen en een scène zou maken als hij hier in de kamer of in de keuken zou zijn. Ze was zo kwaad op hem, en eerlijk gezegd konden ze niet erg goed met elkaar overweg. Nou, meteen nadat ik de deur had dichtgedaan, greep hij me vast en probeerde hij me op bed te gooien.'

Haar stem klonk nu nog zachter; ik zag wel dat ze echt van streek was nu ze die ervaring terughaalde, en ik schaamde me een beetje dat ik zo ongeduldig was geweest.

'Hij accepteerde geen nee. Ik bedoel: hij was drónken, dus hij wist waarschijnlijk niet goed wat hij deed. Hij was niet echt gewelddadig, maar hij bleef me maar achteruit duwen en ik schreeuwde dat hij moest ophouden en van me af moest blijven. Hij was veel te sterk voor me. Ik kon niet wegkomen. Hij schold me uit en zei dat ik hem wel lang genoeg had laten wachten en dat hij het zat was...' Ze sloot haar ogen en drukte de rug van haar hand tegen haar mond, terwijl ze probeerde tot rust te komen. Rob keek me aan en trok zijn wenkbrauw op.

'Doe maar rustig aan, Chloe,' zei ik. 'We hebben alle tijd.'

Ze wapperde met haar hand en hield haar ogen gesloten. 'Sorry. Het is alleen zo moeilijk. Ik bedoel: het duurde maar een paar tellen, maar het kostte me maanden om eroverheen te komen.' Ze kneep haar ogen dicht en deed ze toen wijd open; haar lange, vochtige wimpers omkransten haar ogen als de bloemblaadjes van een madeliefje. 'Waar was ik gebleven? O ja. Kennelijk had Sonia gehoord wat er aan de hand was. Ze stormde de kamer in. Gelukkig voor mij speelde ze fanatiek hockey; ze had haar hockeystick bij zich. Ze heeft hem er een paar meppen mee verkocht en toen heeft ze hem in feite de flat uit gegooid. Ze wilde de politie bellen, maar dat liet ik niet toe. Ik wilde er geen formele klacht over indienen. De week daarna heeft ze me ertoe overgehaald een verzoek tot contactverbod in te dienen.'

'U moet wel erg bang voor Maddick zijn geweest, dat u dat hebt gedaan.'

Ze antwoordde niet direct, maar begon eerst een beetje op haar stoel heen en weer te schuiven. 'Eh, ja. Ik bedoel: het zal wel. Eigenlijk bleef Sonia er maar over doorgaan. Ze printte steeds verhalen uit van internet over vrouwen die door hun ex waren vermoord. Dan kwam ik thuis uit mijn werk en vond ik er weer een onder de deur van mijn kamer door geschoven. Meisjes die mannen via datingsites hadden ontmoet, en die dan door hen werden gestalkt. De politie deed er niets aan om ze tegen te houden tot het te laat was en die vrouwen waren verkracht of vermoord of zoiets. Ik kreeg het er echt benauwd van.'

'Dat geloof ik graag.' Rob ging op de mannelijke, geruststellende toer. Chloe staarde hem vol bewondering aan. Nog even en ze zou bij hem op schoot zitten, als hij niet uitkeek.

'Uiteindelijk ben ik inderdaad naar de rechter gestapt voor een contactverbod. Gil was daar ook, om zijn kant van het verhaal te vertellen, en ik had eigenlijk best medelijden met hem, want het was ontzettend gênant. Hij legde uit dat hij alleen maar ontzettend dronken was geweest. En toen zei hij dat hij vond dat ik misschien wel wat extreem had gereageerd.' Haar ogen werden spleetjes toen ze daaraan terugdacht. 'Ik bedoel: toen was het voor mij echt over en uit. Ik was niet van plan terug te krabbelen toen hij dat eenmaal had gezegd. Als Sonia die nacht niet thuis was geweest, weet ik niet wat er zou zijn gebeurd en hij ook niet.'

'Het verbod is dus uitgevaardigd. Wanneer heeft hij het overtreden?'

'Drie maanden later.' Ze leek zich weer ongemakkelijk te voelen. 'Ik moet wel zeggen dat het niet helemaal zijn schuld was. Ik had me niet gerealiseerd hoe ernstig de politie zo'n verbod opnam.'

Door het soort zaken dat ze net had genoemd, hadden ze de hoogste prioriteit gekregen. De hoge heren van de Londense politie hadden er genoeg van gekregen zich keer op keer te moeten verontschuldigen voor het feit dat er weer een vrouw was gestorven door toedoen van een stalker. Als je huiselijk geweld beschouwde als iets met een lage prioriteit, deed je dat op eigen risico. Die harde les hadden we geleerd ten koste van een aantal kwetsbare mensen die beter hadden verdiend.

'Wat is er toen gebeurd?'

Ze keek Rob vanonder haar lange wimpers aan voordat ze met een klein stemmetje antwoordde: 'Hij had me echt een heel lieve brief gestuurd met excuses voor wat er die nacht was voorgevallen, waarin hij me vroeg hem te vergeven. Zodra ik de brief had gelezen heb ik hem in een la gestopt, maar ik kon hem maar niet vergeten; ik haalde hem steeds weer tevoorschijn. Uiteindelijk heb ik Gil gebeld om te vragen of hij wilde langskomen om de spullen die hij hier nog had liggen op te halen. Ik had alles in een doos onder mijn bed gelegd, want het leek me niet goed het weg te gooien. Sonia wilde dat ik zijn kleren naar de tweedehandswinkel zou brengen en de rest zou verbranden.' Ze giechelde, maar werd meteen weer ernstig. 'Dat was maar een smoesje. Ik wilde hem zien. Ik wilde niet op zo'n nare manier afscheid nemen. Ik voelde me een beetje ongelukkig over dat contactverbod en wilde de lucht zuiveren. Ik dacht dat het goed zou gaan.'

'Maar dat bleek niet het geval te zijn.' Rob klonk gelaten.

'O jawel hoor. Nou ja, het zou goed zijn gegaan. Sonia was die middag niet thuis, maar ze kwam eerder terug dan ik had gedacht. Ze zag zijn auto voor het huis staan en heeft de politie gebeld. Ik vermoed dat iedereen dacht dat hij me ertoe had overgehaald het goed te vinden dat hij langskwam, dat hij me had gehersenspoeld of gemanipuleerd. Maar dat was helemaal niet zo. Hij ging weg zodra de politie kwam en ik heb hun verteld dat er niets was gebeurd, dat hij me niet had bedreigd of zo. Het leek erop dat ze naar me luisterden. Ik wist niet dat hij toch weer zou moeten voorkomen.'

'Ben je meegegaan?'

Ze schudde heftig haar hoofd. 'Nee, dat kon ik niet aan. Maar de politie heeft me verteld dat hij schuld had bekend. De boete was eigenlijk maar een tik op zijn vingers. Ik bedoel: ze moeten vast hebben geweten dat hij niets verkeerds deed toen hij hier langskwam.'

'Heb je hem sindsdien nog gezien?'

Ze kreeg opnieuw een kleur. 'Nee, daarvoor schaamde ik me te erg. Ik vond het echt naar wat er was gebeurd, maar uiteindelijk was het wel zijn schuld. Ik bedoel: iedereen zegt tegen me dat ik me nergens voor hoef te verontschuldigen, maar ik heb toch steeds het gevoel dat ik er ook deels voor verantwoordelijk ben.'

'Leven is leren,' zei ik. 'Probeer je er niet druk om te maken.'

Ze wist haar blik met moeite even af te wenden van Robs gezicht. 'Dank u wel.'

'Graag gedaan.' Ik stond op. 'Volgens mij hebben we nu alles gehoord waar we voor kwamen. Ik ga alvast naar de auto.'

Rob had zich naar me omgedraaid; er stond consternatie op zijn gezicht geschreven, maar ik hield niet in. Als hij de charmante rechercheur wilde uithangen, moest hij daarvan ook de gevolgen onder ogen zien. En een van die gevolgen was dat hij zonder mijn hulp uit Chloe Sanders' woonkamer moest zien weg te komen.

Ik had alleen de tijd gehad mijn mobiel op berichten te controleren – weer een voicemail van mijn moeder, die ik, vermoeid als ik was, op dit moment echt niet kon afluisteren –, toen het autoportier openging en Rob achter het stuur ging zitten. Hij had rode randjes aan zijn oren.

'Problemen?' vroeg ik liefjes.

'Niets onoverkomelijks.'

'Zal wel niet. Volgens mij was ze eropuit dat haar iets overkwam. Maar wel tot op zekere hoogte.'

'Heb je dorst? Wil je dat ik onderweg even stop om een schoteltje melk voor je te halen?'

Ik spinde, maar werd toen ernstig. 'Wat vond jij ervan?'

Hij krabbelde afwezig aan zijn kin. 'Er zat misschien wel iets in. Misschien ook niet. Ze zei wel dat het haar idee was om hem langs te vragen, maar…'

'Maar ze is niet bepaald iemand die erg stevig in haar schoenen staat.' Ik maakte de zin voor hem af. 'Het is wel een typisch slachtoffer, hè? Hij heeft haar bijna verkracht en zij denkt dat het eigenlijk haar schuld is.'

'Ja. Maar ik betwijfel of dat hem tot onze moordenaar maakt.' Hij wierp me van opzij een blik toe. 'Wat ik wel weet is dat ik Sonia niet graag in een donker steegje zou tegenkomen, met of zonder hockeystick.'

'Je zou er beslist als verliezer uit komen,' beaamde ik. 'Die Sonia staat me wel aan. Dat is iemand met gezond verstand.'

Sonia had tussen Gil Maddick en die arme kleine Chloe gestaan.

Ze had geen stap teruggezet. Ze was niet te beleefd geweest om er een zaak van te maken.

En ze had wellicht haar flatgenote het leven gered.

Louise

Alle energie die ik aan mezelf had besteed bleek de moeite waard te zijn geweest, merkte ik direct toen ik de deur opendeed en Gils verraste blik zag. Hij staarde me een tijdje aan zonder iets te zeggen.

'En? Mooi genoeg?'

'Vis je naar complimentjes?' Hij lachte, waarmee hij het scherpe randje van zijn woorden haalde. 'Je bent beeldschoon.'

'Dat niet.' Ik stapte naar buiten en deed de deur achter me op slot. 'Maar mooi genoeg om uit eten te gaan.'

Ik wist best dat ik er mooier uitzag dan mooi genoeg. Ik droeg mijn haar los, waardoor het om mijn gezicht krulde en over mijn schouders viel, en mijn kapster had het met groot plezier twee tinten blonder gemaakt. Het bedrieglijk eenvoudige zwarte jurkje zag er perfect uit. En de chrysolieten oorbellen die van Rebecca waren geweest accentueerden het groen van mijn ogen. Ik mocht me dan niet zelfverzekerd voelen, ik maakte wel die indruk, en daar ging het tenslotte om.

'Hoe ziet je hals eruit?'

Ik draaide mijn hoofd iets opzij en hief mijn haar op, zodat hij het kon zien.

'Je ziet er bijna niets meer van.' Hij klonk bijna teleurgesteld.

'Dat komt doordat ik er make-up op heb gedaan.' Ik voelde de plek wel degelijk, steeds als ik mijn hoofd bewoog, als een acute, lichte herinnering aan iets wat ik nog steeds niet goed begreep.

'Waar heb je die vandaan?' Gil stak zijn hand uit en tikte zachtjes tegen een van mijn oorbellen, en ik probeerde met mijn hand de oorbel weer stil te laten hangen.

'Die heb ik van Rebecca cadeau gekregen.'

Ik zag dat hij heel even zijn wenkbrauwen fronste en onderdrukte een triomfantelijk glimlachje. Ze waren hem opgevallen, zoals ik al had verwacht. Ik wist dat hij ze ooit voor haar had gekocht. Ik liet mijn haar los, zodat ze weer aan het gezicht werden onttrokken en glimlachte.

'Zullen we gaan? Ik wil niet te laat komen.'

Gil reed langs de rivier tot we in Chelsea waren, waar hij in een achterafstraatje parkeerde voor een grijze, weinig veelbelovende deur. Hij opende het portier voor me en wachtte tot ik zou uitstappen.

'Is het hier?'

'Jazeker.'

'Het ziet er niet uit als een restaurant.'

'Dat is juist het leuke eraan.' Hij pakte mijn hand en trok me de auto uit; een ogenblik lang hield hij me tegen zich aan met zijn neus in mijn haren. 'Mmm. Lekker geurtje.'

'Vast een van je lievelingsparfums?'

'Ik dacht dat je het wel lekker zou vinden.'

'Grappig. Ik associeer het altijd met Rebecca.'

'Ik niet.' Hij stapte een paar centimeter naar achteren en liet zijn handen langs zijn lichaam vallen; ik kreeg het opeens heel koud van de wind, die door de fijne zijden sjaal sneed alsof ik hem niet om had.

'Ze had die geur altijd op.' Ik wist dat ik erover moest ophouden, maar een duiveltje in me deed me doorgaan. 'Althans, sinds ze jou had ontmoet.'

'Doe niet zo.'

'Hoe?' Ik voelde me plotseling zenuwachtig.

'Jaloers, denk ik.' Hij keek op me neer met een afstandelijke uitdrukking op zijn gezicht. 'Daar kan ik heel slecht tegen. Het is niets voor jou om zo te doen. En ik zou niet hoeven te doen alsof je het eerste meisje bent dat ik ooit mee uit eten heb genomen.'

'Sorry,' begon ik, en hij schudde zijn hoofd.

'Je hoeft je niet te verontschuldigen. Alleen... Ik wil alleen oprecht met je omgaan. Ik heb geen zin in al die flauwekul die je vaak in het begin hebt als je pas met iemand uitgaat. Laten we nu meteen afspreken dat we geen spelletjes met elkaar gaan spelen als we hiermee doorgaan.'

'Ik heb alleen gezegd dat ik met je uit eten zou gaan,' zei ik. 'Het is geen levenslange verbintenis. Het is gewoon een etentje.'

'Dat zou het zijn geweest, maar toen heb jij de deur op een kier gezet door er zo uit te zien.' Hij staarde op me neer. 'Ik ben niet van plan je te laten gaan, Louise.'

Ik volgde hem het restaurant in met een onwerkelijk gevoel, dat alleen maar sterker werd toen achter de grijze deur een kleine ruimte met slechts acht tafeltjes verborgen bleek te zijn die elk waren verlicht door een klein spotje, waardoor de gasten allemaal in de schaduw kwamen te zitten. De tafels waren onberispelijk gedekt en de ober, die Gil herkende en hem verwelkomde als een oude vriend, was attent zonder onderdanig te worden. Met een vragende blik op mij bestelde Gil champagne, die snel werd gebracht, roomwit in hoge flûtes. Ik liet de belletjes op mijn tong uiteenspatten terwijl ik het menu doorlas.

'Is er iets wat je niet eet?'

'Niet echt. Ja, pens. En ik houd ook niet zo van oesters.'

'Daar ben ik dol op. Je zult ze moeten leren eten.'

'Dat zal vast niet gebeuren.'

'We zullen zien.' Hij richtte zijn aandacht weer op het menu en ik trok mijn wenkbrauwen op.

'Je accepteert, geloof ik, geen nee als dat niet is wat je wilt horen?'

'Meestal niet. Maar het maakt niet uit, want er staan geen oesters op het menu van de chef en volgens mij moeten we dat nemen. Zes gangen. Doe je mee?'

Ik bekeek het niet eens. Ik herkende de vraag als de uitdaging die ze was en het enig mogelijke antwoord was ja.

Het mochten dan zes gangen zijn geweest, de porties waren gelukkig klein. Er werden ons heel kleine bordjes voorgezet die werden geïntroduceerd door de kelner; kleine kunstwerkjes waren het. Dikke witte coquilles, rond en zoet, op een bedje van lichtgroene courgettemousse. Een flinke schep paddenstoelenrisotto die glansde als een parel. Een grapefruitsorbet in een gekoeld glas om van te watertanden. Malse, rosé gebraden ossenhaas in een volle, donkere saus, die tegen een wolk van aardappelpuree gevleid lag. Een puntje vanillemousse in een zee van bittere chocolade. Een zonnig gele citroentaart met dikke frambozen.

Ik zat met waar genot te eten en vergat mijn zenuwen, vergat dat ik altijd op mijn hoede was geweest als Gil in de buurt was en waarom dat zo was. Hij zei niet veel, en als ik opkeek merkte ik vaak dat hij mij zat te bestuderen. Ik had het gevoel dat hij probeerde ergens achter te komen, iets wat met mij te maken had, en ik liet het maar zo.

We waren aan de koffie toegekomen, minuscule kopjes espresso, zo zwart als de nacht met een nertskleurig schuimlaagje, toen ik zei: 'Ben je hier ook weleens met Rebecca geweest?'

'Sorry?'

'Je bent hier kennelijk vaker geweest. Ik vroeg me gewoon af of je hier ook met haar kwam.'

'Nee, toevallig niet.' Hij leunde achterover in zijn stoel en speelde met zijn lepeltje. 'Hoezo? Zou het iets hebben uitgemaakt?'

Ik lachte. 'Het heeft geen zin te doen alsof ik niet aan haar moet denken. Als zij er niet was geweest, zouden we hier niet samen zitten.'

'Mensen ontmoeten elkaar op zoveel verschillende manieren. Ik zou niet al te veel belang hechten aan haar rol, als het erom gaat hoe we bij elkaar zijn gekomen.' Hij keek weg, liet zijn blik door de ruimte gaan alsof hij zijn belangstelling voor het gesprek had verloren.

'Daarmee kan ik je niet laten wegkomen. Ze heeft ons immers niet op een feestje aan elkaar voorgesteld of zoiets. Trouwens, ik wil het even met je over haar hebben.'

'Wat is er nu over haar te zeggen?'

'Je zou me kunnen vertellen wat je bedoelde toen je zei dat ik je intrigeerde, wat volgens jou de reden was dat je je zo afschuwelijk tegen me hebt gedragen.' Ik voelde mijn halsslagader kloppen. Ik nam een slokje water en probeerde uit alle macht mijn handen niet te laten trillen.

'Afschuwelijk is het woord niet,' protesteerde hij. 'Ik heb gewoon niet erg vaak en lang met je gepraat. Daar is niets geheimzinnigs aan. Je was niet bepaald beschikbaar. Ik had nooit van Bex kunnen overschakelen naar jou. Dat zou je nog geen seconde hebben overwogen.'

'Maar nu ze dood is...'

'Haar dood gaf me een excuus om contact met je op te nemen. Dat is alles.'

Ik schudde mijn hoofd. 'Ik geloof er niets van. Sorry hoor.'

'Waarom niet?'

'Omdat niemand ooit oog voor me had als Rebecca erbij was.' Ik zei het zoals het was, zonder zelfmedelijden.

'Dan waren het stommelingen.' Zijn blik gleed weer over me heen. 'Ze zagen blijkbaar niet wat ik zag.'

'En wat was dat?'

'Wat je in je hebt.' Hij leunde voorover. 'Je bent mooi, Louise. Heel erg mooi. Vooral nu je je niet meer verstopt achter je vriendin. Rebecca was knap om te zien en leuk om mee om te gaan, maar eigenlijk was ze maar saai. Jij aanbad haar en daarom viel het je niet op, maar ik had er schoon genoeg van tegen de tijd dat we het uitmaakten.'

'Stel je zulke hoge eisen?'

'Het hing me de keel uit dat ze altijd probeerde mij te plezieren. Ik vind jouw zelfstandigheid zo leuk aan jou. Jij hoeft niet per se aardig gevonden te worden. Je gaat je eigen weg.'

Ik lachte. 'De kat die alleen haar weg zoekt.'

'Ik heb altijd van katten gehouden.' Hij strekte zijn hand uit over de tafel en ik liet hem mijn hand pakken.

Het was tijd om te luisteren naar het stemmetje van mijn gezonde verstand, dat me steeds krachtiger voorhield dat ik mijn pleziertje wel had gehad en dat ik een volgende afspraak met Gil Maddick moest zien te mijden. En dat zou me misschien ook wel zijn gelukt, als hij mijn hand niet had vastgehouden. Het gevoel van zijn huid tegen de mijne deed me beven van verlangen naar hem, en mijn gezonde verstand had geen schijn van kans.

10

Maeve

Ik zat aan mijn bureau als een kat voor een muizenhol, wachtend tot de commissaris zou terugkeren van de dagelijkse persconferentie. In het ideale geval zou ik hem daarvoor al hebben gesproken. De persconferenties werden zo langzamerhand gedomineerd door uitdagende vragen van journalisten die alles wat ze wisten van moordonderzoek hadden geleerd van herhalingen van *Prime Suspect*, en maar niet konden begrijpen waarom we de moordenaar nog niet te pakken hadden. Godley was een voorstander van goede communicatie en hield het grote publiek graag op de hoogte, en daarom ging hij ermee door. Dat betekende echter niet dat hij het graag deed.

Hij beende de recherchekamer binnen met Judd op zijn hielen. Aan hun beider gelaatsuitdrukking was af te lezen dat het niet best was verlopen. Ik aarzelde even, maar liep toen haastig naar hem toe. Nu of nooit.

'Chef, kan ik u even spreken over Rebecca Haworth?'

Ze stonden naar het grote wandbord te kijken dat een van de muren van zijn kantoor in beslag nam, en waaraan een macabere reeks foto's van slachtoffers hing naast een enorme plattegrond van de stad, waarop met een zwart kruisje de plek was aangegeven waar elk meisje was gevonden. Data, namen, plaatsen – alles was keurig genoteerd, alsof Godley door een geordende weergave van de gebeurtenissen het patroon kon vinden dat ons allen ontging en het vervolgens zou gebruiken om te voorspellen waar en hoe de moordenaar in de kraag kon worden gevat. Hij draaide zich om en keek me vragend aan.

'Nu meteen, Maeve?'

'Als dat schikt.'

'Brand maar los.'

Judd liet zich in een stoel naast Godleys bureau vallen, alsof hij me duidelijk wilde maken dat hij beslist niet zou weggaan. Ik schraapte mijn keel.

'Het gaat erom dat ik denk dat we terecht onze twijfels hadden over dit slachtoffer. Er speelden een paar rare dingen in haar leven. Ik heb een aantal redenen gevonden waarom iemand haar dood had kunnen wensen. Als ik rekening houd met de verschillen in werkwijze van de moordenaar, ben ik geneigd te denken dat iemand heeft geprobeerd de andere moordenaar na te bootsen.'

'Ik heb geen zin dit aan te horen,' zei Judd nors. 'Je probeert hiermee de aandacht naar jezelf toe te trekken, Kerrigan, maar het eind van het liedje zou kunnen zijn dat je de hele zaak in gevaar brengt als hij voor de rechter komt.'

Ik voelde dat ik een kleur kreeg. 'Geloof me, ik wilde niets liever dan tot de conclusie komen dat ze een slachtoffer van de seriemoordenaar was.'

'We kunnen de bewijzen niet negeren,' zei Godley. 'Het komt ons misschien niet goed uit, maar we moeten alles nagaan en kijken waar we dan uitkomen.'

Judd wendde zich tot zijn chef. 'Als ze gelijk heeft en dit een afzonderlijke zaak is, delegeer die dan tenminste aan een andere leidinggevende rechercheur, zodat niets je afleidt van het onderhavige onderzoek.'

Hij schudde zijn hoofd. 'Ik wil deze zaak bij ons houden. Ik wil er geen aandacht op vestigen, om te vermijden dat we weer allemaal stront over ons heen krijgen van de media. Bovendien kan het heel nuttig zijn als men denkt dat deze moord door onze man is gepleegd. Hij zou er weleens zodanig door gefrustreerd kunnen raken dat hij zich blootgeeft om te bewijzen dat hij de enige echte is. Ga alsjeblieft door op dezelfde voet.'

Judd sprong op. 'Ik kan het er niet mee eens zijn.' Hij keek naar mij. 'Maar je kunt je tijd evengoed hieraan verspillen als aan iets anders.'

Ik beet op mijn lip en ik slaagde erin hem niet af te snauwen voordat hij het kantoor uit liep. Zijn weigering om me voor iets anders in te zetten was pijnlijk. Hoewel ik druk bezig was met hetgeen Rebecca was overkomen, werd ik er niet zo door in beslag genomen dat ik geen oog had voor de voorbereidingen van de geheime operatie die zou worden uitgevoerd in de twee volgende nachten. Ik wilde daarbij betrokken zijn. En ik wist maar al te goed dat ik er zeker de kans niet voor zou krijgen als Tom Judd de poppetjes mocht aanwijzen.

'Maak je maar niet druk om Tom. De spanning wordt hem soms te veel. Vooral als we niet veel vooruitgang boeken.'

Nu ik de kans had hem van dichtbij te bekijken, zag ik dat de commissaris doodmoe was. Zijn ogen waren roodomrand en de grijsblauwe schaduwen eronder leken wel blauwe plekken. Hij was afgevallen: de kraag van zijn overhemd sloot niet meer aan. Maar ik had tegenwoordig zelden of nooit meer de kans hem zo te spreken te krijgen, vooral niet nu de hele afdeling wist dat we aan het aftellen waren tot het moment van de volgende moord.

Ik wees naar de plattegrond. 'Denkt u dat we op het goede spoor zitten?'

'Eigenlijk niet. Ik heb vandaag langdurig zitten luisteren naar een psycholoog-criminoloog, die me vertelde dat onze moordenaar vrouwen haat. Niet bepaald een verrassing, hè? Dat had ik vast zelf ook kunnen bedenken.'

'Ik heb gehoord dat er dit weekend een geheime operatie gepland staat. Gaan onze mensen undercover in dat gebied?' Op de plattegrond was een rode lijn te zien die dwars door Lambeth liep en langs Walworth Road, tot aan Camberwell Green en dan verder door Stockwell naar Nine Elms, en weer terug over het Albert Embankment langs de rivier.

'Dat klopt, ja. Volgens het geografische profiel beschouwt hij dat gebied waarschijnlijk als zijn territorium. De psycholoog denkt dat hij alles te voet doet, omdat de lichamen niet ver van de plek waar de slachtoffers liepen zijn gedumpt. Dat beperkt het gebied enigszins. En hij voelt zich daar kennelijk op zijn gemak. Men vermoedt dat hij daarvandaan komt. We hebben collega's van de zedenpolitie geleend om als lokaas te fungeren.'

Die hadden er de opleiding voor; ik was eigenlijk blij dat ik die niet had gehad. Ik had nooit de behoefte gevoeld om die richting van het politiewerk in te gaan, niet zolang dat betekende dat je schaars gekleed op straathoeken moest rondhangen en proberen er verleidelijk uit te zien.

Godley keek somber. 'We moeten het wel proberen, maar ik kan er niets aan doen; ik heb het idee dat we hem zo waarschijnlijk niet zullen vinden. We hebben geen andere opties meer.'

'Hij is heel slim,' zei ik zacht, en ik kromp ineen onder de blik van de hoofdinspecteur.

'Hij heeft heel veel geluk, meer niet. Ik dacht dat ik duidelijk had gemaakt dat niemand moest denken dat deze seriemoordenaar meer is dan een egoïstisch, pervers individu met impulsief en gewelddadig gedrag, en dat hij uitermate veel geluk heeft gehad dat hij niet is betrapt tijdens het plegen van zijn misdrijven. Als we wisten hoe hij ze zover kreeg dat ze hem vertrouwden, hadden we hem inmiddels al gearresteerd. Maar dat is het enige bijzondere aan hem. We zijn niet op jacht naar een of andere meester-crimineel.'

Ik voelde me onnozel en mompelde maar iets. Godley gruwde van het feit dat de media onze moordenaar een bijnaam hadden gegeven. Daarmee was hij een beroemdheid geworden, had hij algemene bekendheid gekregen, was hij toegevoegd aan het selecte groepje moordenaars wier misdrijven iedereen kende. Dat was waar de moordenaar op uit was. En dat was ook zeer gevaarlijk, volgens de hoofdinspecteur.

Godley had zijn aandacht weer verlegd naar de plattegrond. Bijna tegen zichzelf fluisterde hij: 'We móéten erachter zien te komen hoe hij dat doet. Hij heeft het hoe dan ook verheven tot kunst.' Hij lachte me zijdelings toe, wat me een licht gevoel van vlinders in mijn buik bezorgde, want ook al bezwoer ik iedereen dat het niet waar was, ik kon voor mezelf niet ontkennen dat ik helemaal ondersteboven was van mijn baas. 'Misschien is hij toch slimmer dan wij.'

'Dat betwijfel ik. We krijgen hem heus wel,' zei ik blakend van zelfvertrouwen, alsof dat alleen al voldoende zou zijn.

'Wilde je me vertellen wat je precies over Rebecca Haworth te weten was gekomen?'

Ik aarzelde. 'Er is nogal veel te vertellen; dat kan even duren. Als u naar huis wilt gaan, kan ik het morgen ook wel doen.'

'Ik wil het graag horen.' Hij ging zitten en wees naar een stoel tegenover hem. 'Doe maar. Begin bij het begin. Je moet de ware Rebecca inmiddels wel kennen.'

Daar dacht ik even over na voordat ik op zijn verzoek inging. Ik had dagenlang mensen over Rebecca Haworth horen praten, maar ik begon te accepteren dat ik haar nooit door en door zou begrijpen. Wat ik had opgestoken van degenen die haar hadden gekend en haar hadden gemogen, was de omtrek van de ruimte die ze in ieders geheugen had ingenomen. Iedereen had een andere versie van Rebecca gekend, waarvan ze zelf dachten dat het de ware was.

'Volgens mij was de waarheid over Rebecca dat zelfs zij niet wist wie de echte Rebecca was. Ze was de weg kwijt. Beter kan ik het niet verwoorden. Ze was van het pad af geraakt. En ze raakte steeds verder verwijderd van waar ze hoorde te zijn. Ik denk dat het slechts een kwestie van tijd was tot er iets verschrikkelijk mis zou gaan. En ik ben er nog steeds niet precies achter waarom ze moest sterven.'

Godley strengelde zijn vingers in elkaar en leunde met een peinzende uitdrukking op zijn gezicht achterover, terwijl ik het trieste verhaal vertelde van Rebecca en hoe ze de achtentwintig jaar van haar leven had doorgebracht.

'Volgens mij was ze wanhopig,' zei ik, toen ik aan het eind was gekomen. 'De eerste grote ramp was toen de psychische knauw die ze kreeg van de verdrinking van Adam Rowley. Ze leed aan een vrij ernstige depressie, lijkt het, heeft haar universitaire studie onderbroken, kreeg een eetprobleem en scheen te denken dat ze deels verantwoordelijk was voor hetgeen hem was overkomen, althans volgens haar vriendin Tilly. Maar ze is weer uit het dal gekropen. Ze kreeg een goede baan en men was tevreden over haar werk. Ze was weer het succesvolle meisje, een ster, precies wat haar ouders voor haar wilden. En toen ging het allemaal mis. Eerst werd haar relatie onder traumatische omstandigheden verbroken, toen raakte ze haar baan kwijt, daarna kreeg ze die verhouding met Faraday, waarna ze hem een beetje begon te chanteren. Ze was verslaafd aan drugs, maar kon ze niet bekostigen. Het lijkt erop dat ze van alles probeerde om de schijn op te houden dat haar leven een succes was. En toen ging ze dood.'

'En je denkt dat ze niet door onze man is vermoord.'

'Nee. Iemand heeft het zo ingekleed dat het wel zo lijkt, en ook al denk ik te weten wie dat is, bewijzen kan ik het niet.'

'Wie denk je dan dat het heeft gedaan?'

De vraag werd op nonchalante toon gesteld, maar ik maakte niet de fout te denken dat Godley me niet serieus nam. Ik aarzelde voordat ik antwoordde, wetende dat ik een cruciale fout zou maken als ik het mis had.

'Haar ex-vriend, Gil Maddick.'

'Op grond waarvan zeg je dat?'

Ik haalde mijn schouders op. 'Ik heb er geen bewijs voor, maar ik heb het gevoel dat hij het is geweest. Ik ben nog steeds bezig uit te zoeken hoe alle stukjes in elkaar passen.'

'Ik zou chronologisch te werk gaan en een paar van die dingen uitsluiten. Helemaal aan het begin hebben we dat verdrinkingsgeval. Je moet te weten komen wat ze daarvan precies wist. Je hebt toch met een paar van haar studievrienden uit Oxford gepraat? Ga nog eens met hen praten en kijk eens wat je deze keer los kunt krijgen.'

'Ik heb er nog niet over gesproken met haar beste vriendin. Zij weet misschien wel iets.' Ik had nog niet de kans gekregen een afspraak met Louise te maken.

Godley maakte een aantekening op de blocnote die voor hem lag. 'Volgens mij moeten we wat druk uitoefenen op die ex-vriend. Ik zal Tom een doorzoekingsbevel laten regelen, zodat we de technische recherche naar zijn flat kunnen sturen voor onderzoek, en ze moeten ook zijn auto bekijken – hem eigenlijk flink lastigvallen. Jij kunt hem nog eens ondervragen en kijken of hij er nerveus van wordt. Wie weet krijg je wel een bekentenis los.'

'Hij is behoorlijk beheerst. Ik betwijfel het.'

'Ach, hij kan zich allicht verspreken.' Godley grijnsde me toe. 'Ik weet dat ik erop kan rekenen dat je het doorhebt als dat gebeurt.'

'En als het niet gebeurt?'

'Dan moet je misschien afwachten hoe de zaken zich ontwikkelen. Soms komt een doorbraak niet op het moment dat je hem verwacht. Maar dat er een komt weet ik zeker.' Hij wierp bijna reflexmatig een blik op het wandbord en duwde toen zijn stoel in één korte beweging naar achteren. 'Was dat alles?'

Ik aarzelde, maar sprak toen snel verder. 'Eigenlijk vroeg ik me af of ik niet kon worden toegevoegd aan een van de surveillanceteams van morgennacht. Ik heb de cursus gevolgd en ik zou er heel graag bij betrokken willen worden. Ik weet wel dat ik me op Rebecca moet concentreren, maar ik wil niet al het contact met het hoofdonderzoek kwijtraken. En adjudant Judd leek mijn aanwezigheid niet zo nuttig te vinden.'

Er verscheen een verticaal rimpeltje in de huid tussen Godleys ogen. Hij keek de andere kant op en begon met een pen op zijn bureau te spelen. 'We zullen zien.'

Inwendig kromp ik ineen, en ik hoopte maar dat ik hem niet had geërgerd door te klagen over de adjudant. De audiëntie was hoe dan ook voorbij. Ik bedankte hem en liep op een holletje terug naar mijn bureau om me nogmaals te bezinnen op de gesprekken. Ik probeerde me onzichtbaar te maken achter een stapel dossiers toen de hoofdinspecteur wegging. Zijn voetstappen werden trager en toen bleef hij naast me staan.

'Zorg dat je morgennacht beschikbaar bent om een dienst te draaien, dan zal ik ervoor zorgen dat je in een van de surveillanceteams wordt ingedeeld.'

Ik stamelde dankbaar iets onsamenhangends en hij liep met gebogen hoofd door, alsof het gewicht van de hele wereld op zijn schouders rustte. Hoofdinspecteur God op z'n best; hij wist dat je aandacht aan details moest besteden – zelfs als het om zo'n onbelangrijk detail ging als mijn persoon.

Het negentiende-eeuwse rijtjeshuis van Louise North bevond zich, zoals te verwachten was, in onberispelijke staat. Ik had haar gebeld, en ze wist dus dat ik zou komen, maar ik had niet de indruk dat ze het halfuur voor mijn komst had besteed aan opruimen. Het kleine voortuintje rechts van het geometrisch betegelde pad was bedekt met aangeharkte witte kiezelsteentjes, en de enige planten waren twee rondgesnoeide buxussen in zinken potten aan weerszijden van de voordeur. Ik stond er nog naar te kijken toen de deur openging, voordat ik kans had gezien aan te bellen.

'Rechercheur Kerrigan. Komt u binnen. Wilt u een kopje thee?'

'Heel graag, maar als je thee voor me gaat zetten, moet je me echt Maeve noemen.'

'Oké dan. Maeve. Loop maar mee.'

Dit was de eerste keer dat ik Louise zag in haar eigen omgeving, en ik was er direct door geïntrigeerd. Iets aan haar was hier anders; ze leek zachter. Haar haar hing los langs haar gezicht. Het zag er blonder uit dan ik me herinnerde. Ze droeg een oude verwassen spijkerbroek, gestreepte sokken in alle kleuren van de regenboog en een hemelsblauw sweatshirt met versleten manchetten en meelvlekken op het voorpand. Op de rug stond LATIMER, zag ik toen ze me door het smalle gangetje voorging naar de keuken, die klein maar gezellig was, met geelgeschilderde muren en potjes kruiden op de vensterbank. Er hing een zoete geur van zelfgemaakt gebak. Naast het fornuis zag ik een hele verzameling kookgerei dat alleen aan een echte hobbykok besteed was, en ik bekeek Louise met hernieuwd respect.

'Je gaat me toch niet vertellen dat je zelf gebak maakt?'

'Zo nu en dan. Er staat iets in de oven, maar ik heb nog wat zelfgemaakte brownies die al klaar zijn, als je er zin in hebt.'

Ik had mijn lunch overgeslagen. Het water liep me in de mond bij de gedachte aan een brownie. 'Graag. Dank je.'

'Ga maar zitten.'

In het midden van de keuken stond een ronde, vaak geboende tafel met vier stoelen met een lattenrug. Ik hing mijn jas over een van de stoelen en ging op een andere zitten. Ik legde mijn kin in mijn hand en keek naar Louise, die bedrijvig in de keuken heen en weer liep.

'Ik had jou niet ingeschat als een keukenprinses.'

'Dat ben ik ook eigenlijk niet. Maar bakken is makkelijk.'

'Als jij het zegt,' zei ik twijfelend, en ik dacht terug aan de loodzware, compacte cake en de keiharde scones die ik tijdens de kooklessen op school had gemaakt, waarna ik nooit meer had geprobeerd ook maar iets zelf te maken wat ik ook voor een habbekrats in de supermarkt kon kopen. In mijn optiek was het leven te kort om ingrediënten te gaan afwegen, en ik had nog nooit een recept onder ogen gekregen dat niet mis kon gaan. Maar Louise was iemand die plezier beleefde aan dat soort dingen. Nauwgezet. Efficiënt. Alles wat ik zou willen zijn maar niet was.

Toen ik rondkeek in de keuken zag ik twee mokken op het afdruiprek staan, twee borden in het rekje, twee wijnglazen die klaarstonden om te worden opgeborgen. In de gang had ik al een herenjas aan de trapstijl zien hangen. Tenzij ik het helemaal mis had, was Louise niet langer alleen. Ik herinnerde me met licht afgrijzen de liefdesbeet die ik tijdens de herdenkingsplechtigheid aan haar hals had gezien. Niet dat ik vond dat er iets mis was met romantiek op zich, maar de omstandigheden waren een tikje akelig als de relatie daar was begonnen. Ik zou voor mijn vertrek meer te weten zien te komen, hield ik mezelf voor, terwijl ik Louise een onschuldig glimlachje schonk.

De brownie was verrukkelijk en smolt op mijn tong; ik at hem snel op, inclusief alle kruimeltjes op mijn bord, en leunde met een zucht achterover in mijn stoel.

'Heerlijk. Als je ooit genoeg hebt van juridische kwesties, zou je een eigen banketbakkerij moeten beginnen.'

'Denk maar niet dat ik dat nooit heb overwogen. Ik wil dolgraag nog eens een theeschenkerij beginnen in een leuk stadje met veel dorstige toeristen die ik kan bedienen. Ergens aan de zuidkust waarschijnlijk.'

'Zou een stad als Oxford niets zijn? Daar komen heel wat toeristen.'

'Nee, daar niet.'

Ik maakte zomaar een praatje maar haar stem klonk gespannen, en toen ik opkeek zag ik dat ze zich weer achter haar masker van terughoudendheid had teruggetrokken.

'Ik dacht dat je het daar erg naar je zin had.'

'Dat is ook zo. Maar je weet wat ze zeggen: je kunt geen twee keer in dezelfde rivier vissen.'

'Waarom niet?'

'Geen idee.' Ze lachte een beetje. 'Ik heb er nooit echt over nagedacht. Het water in een rivier stroomt altijd. Het staat niet stil. Dus ook al sta je op dezelfde plek, dan nog is het nooit dezelfde rivier. Zou het dat kunnen zijn?'

'Zoiets denk ik wel,' zei ik aarzelend. 'Daar wilde ik het trouwens met je over hebben.'

'Over Oxford?'

'Ja. En met name over de rivier. Wat is Adam Rowley precies overkomen, Louise?'

Ze had te veel zelfbeheersing om op haar lip te bijten of te frommelen, maar aan de kleur die uit haar gezicht wegtrok voordat ze antwoord gaf kon ze niets doen. 'Ik zie niet in wat dat met Rebecca te maken heeft. Hij is verdronken. Het was een ongeluk.'

'Dat is een mogelijkheid. Maar als ik bedenk wat ik erover heb gehoord, kan het evengoed moord zijn geweest.'

'Van wie heb je dat gehoord?' Ze klonk geamuseerd, niet geschrokken, en ik zag dat ze zichzelf weer in de hand had; het dipje was zo kort geweest dat ik het me misschien wel had verbeeld.

'Van verschillende mensen. En jij, wat denk jij ervan?'

'Adam is niet vermoord. Hij was helemaal van de wereld door drank en drugs op de avond dat hij stierf. Hij is in de rivier gevallen, en eerlijk gezegd was ik verbaasd dat het nooit eerder iemand was overkomen. In die tijd waren de oevers van de rivier overal toegankelijk; er was niets wat iemand zou verhinderen in het water te vallen. Typisch het Latimer College. Zolang het er maar mooi uitziet, is het goed. Er is geen aandacht voor gezond verstand of veiligheid.' Het venijn in haar stem verraste me.

'Je had het naar je zin in Oxford. Dat heb je me de eerste keer dat we elkaar spraken al verteld. Je draagt zelfs het sweatshirt van het College,' merkte ik op.

Ze haalde haar schouders op. 'Jawel, ik had het er wel naar mijn zin, maar ik keek er wel doorheen. De docentenkamer daar is in feite een verzorgingshuis voor eeuwige studenten. Ze houden zich niet graag bezig met de echte wereld. En over het algemeen hoeft dat ook niet. Toen ik daar studeerde, leek het me heerlijk om zo afgezonderd van de werkelijkheid te kunnen leven. Inmiddels heb ik er grote twijfels over. Je hoeft maar te kijken naar hun reacties op Adams dood om te zien wat voor mensen het zijn.'

'Hoe werd er dan op gereageerd?'

'Ze begonnen een heksenjacht. Ze wilden hoe dan ook bewijzen dat zij niet verantwoordelijk waren. Er was een kwalijke invloed van buiten binnengekomen als stront aan een schoen. Het leek er verdorie op dat ze op zoek gingen naar de slang in het Paradijs. En iedereen die buiten hun kringetje viel was automatisch verdacht.'

Haar bekakte accent hield niet helemaal stand; ze liet opeens wat medeklinkers weg toen ze wat sneller begon te praten.

'Zoals jij?'

Ze lachte. 'Ik? Ik viel hun niet op. Nee, ze hebben een vriend van me weggestuurd van de universiteit. En daarmee zijn carrière geruïneerd. Alex was een briljant chemicus. Hij had de researchkant op kunnen gaan, belangrijke dingen kunnen bereiken. Maar hij heeft er nooit meer iets mee gedaan na wat er op Latimer is gebeurd. Hij heeft sindsdien nooit meer een echte baan gehad, alleen wat tijdelijk werk hier en daar om de eindjes aan elkaar te knopen. Hij zag er niet uit zoals het hoorde en hij klonk niet zoals het hoorde en toen hebben ze hem geslachtofferd om zelf mooie sier te maken.'

'Rebecca had er ook grote moeite mee, hè?'

'Dat was haar eigen keuze. Ze hield er nogal van te lijden. Ze had behoefte aan dat soort aandacht.' Ze moet mijn geschokte gezicht hebben gezien, want ze gaf me een kort glimlachje. 'O, ik was erg op Rebecca gesteld, hoor, maar ze was nogal theatraal. Ze was al nerveus – ze maakte zich zorgen om het laatste examen omdat het studeren niet zo lekker liep, en ze had weinig geslapen en gegeten, dus ze was al behoorlijk opgefokt. En toen stierf Adam. Voor haar was dat een ontsnappingsmogelijkheid – een redelijk excuus om geen examen te doen op het moment dat dat moest. Ze had haar tutor om haar vinger gewonden en die zorgde dat ze ermee wegkwam.'

'Wil je zeggen dat ze niet oprecht van slag was door zijn dood?'

'Ze was wel oprecht, hoor; begrijp me niet verkeerd. Rebecca meende altijd wat ze zei. Maar het kwam haar wel heel goed uit zo. Ze had zichzelf er volledig van overtuigd dat Adam de liefde van haar leven was, en nu was hij voorgoed verdwenen, terwijl hij in feite een akelig klootzakje was met heel weinig belangstelling voor haar, behalve dat hij haar beschouwde als makkelijk in bed te krijgen. Door zijn dood was niemand slechter af, en zij al helemaal niet, want ze was niet verstandig genoeg om bij hem uit de buurt te blijven.'

'Oeps.'

Louise keek me uitdagend aan. 'Ik mocht hem niet.'

'Je meent het.' Ik kreeg zo langzamerhand de indruk dat Louise geen enkele man goed genoeg had gevonden voor haar vriendin. Ik overwoog wat de beste manier was om erop in te gaan. 'Louise, waarom zou Rebecca hebben gezegd dat ze verantwoordelijk was voor hetgeen Adam was overkomen?'

'Wát heeft ze gezegd?' Ik had haar muur van zelfbeheersing weer doorbroken.

'Een van haar andere vriendinnen zei dat Rebecca haar had verteld dat ze betrokken was geweest bij iets afschuwelijks, en dat ze er daardoor van overtuigd was geraakt dat ze jong zou overlijden. De exacte bewoordingen waren dat ze haar leven verschuldigd was als compensatie voor dat van iemand anders. Ik moet wel aannemen dat ze het over Adam had… tenzij jij iets weet wat ik niet weet.'

Met stomheid geslagen schudde ze haar hoofd.

'Waarom zou Rebecca denken dat Adams dood iets met haar te maken had? Ze was niet eens op het College toen het gebeurde. Ze had een alibi.'

'Vast weer zo'n op zichzelf betrokken overdrijving. Ik zou niet te veel geloof hechten aan wat Rebecca erover heeft gezegd. Ze was zo iemand die niet naar de neus van haar auto kon kijken als ze 's zomers een stuk had gereden, voor het geval er dode vlinders in de grille zaten. Ze was echt overdreven gevoelig. Ze voelde zich voor alles verantwoordelijk, of ze er nu iets aan kon doen of niet.'

'Heb je haar ooit iets over Adam horen zeggen? Iets over een schuldgevoel? Of iets anders wat te maken had met de manier waarop hij is gestorven?'

'Niet dat ik me herinner. Maar ze zou het er met mij toch niet over hebben gehad. Toen ze na zijn dood instortte heb ik haar gezegd dat ze zich moest vermannen. Ik zei dat ik niet wilde horen dat ze er zo door van streek was. Ik dacht dat dat de enige manier was om haar wakker te schudden. Maar ze voelde zich zwaar beledigd. We hebben een paar maanden niet met elkaar gesproken.'

'Alleen maar omdat je niet met haar meeleefde toen ze was ingestort?'

'Omdat ik niet achter haar stond. Ik wilde dat we samen examen zouden doen en samen zouden afstuderen. Ik wist dat ze het er niet even goed van af zou brengen als ze een jaar zou wachten. En ik had gelijk. Ze probeerde ervan weg te lopen. Maar je kunt niet blijven weglopen. Vroeg of laat moet je toch doen waar je bang voor bent.'

'Angst kan zijn nut hebben,' zei ik mild. 'Soms moet je wel weglopen, voor je eigen bestwil.'

'Het heeft haar geen goed gedaan,' hield Louise vol. 'En niemand heeft me geholpen haar weer op het juiste spoor te krijgen. Als haar ouders me hadden gesteund, had ze nooit meer terug hoeven gaan en had die griezel van een Caspian Faraday haar nooit lastiggevallen – want dat was eigenlijk wat hij deed.'

'Ik weet het, ja.'

'Nou dan.' Louise leek uitgeput te raken. Ze keek me strak aan. 'Je weet van Caspian en Rebecca.'

'Ik heb hem al ondervraagd.'

'O. En wat zei hij?'

'Van alles.' Ik wist dat ze geïrriteerd zou zijn door mijn antwoord dat geen antwoord was, maar ik wist ook dat ze niet zou doorvragen. Louise had maar een half woord nodig.

Louise kneep haar ogen tot spleetjes. 'Ik snap eigenlijk niet dat je zoveel aandacht besteedt aan wat er in Oxford met Rebecca is gebeurd. Dat heeft toch niets te maken met wat haar is overkomen?'

'O nee?'

'Duidelijk niet. Ze is vermoord door een seriemoordenaar. Dan heb je gewoon pech. Je bent op het verkeerde moment op de verkeerde plek.'

Ik besloot dat de tijd was gekomen om een paar van mijn kaarten op tafel te leggen. 'We zijn er niet zo zeker van dat Rebecca het slachtoffer is geworden van de vuurmoordenaar. We denken dat de dader iemand zou kunnen zijn die ze kende, en die probeert ons te laten geloven dat ze door de seriemoordenaar om het leven is gebracht. Misschien is het iemand die ze afperste. Misschien iemand anders. Ze had een hoop problemen toen ze stierf, en er waren nogal wat mensen die haar best konden missen.'

'Wie dan bijvoorbeeld?' vroeg Louise, en ik hoorde haar stem nauwelijks, zo zacht klonk het. Ze leek doodsbenauwd.

Voordat ik antwoord kon geven hoorde ik achter me in de gang een geluid, en toen ik me omdraaide in mijn stoel zag ik Gil Maddick in de deuropening staan. Hij zag er heel knap en heel boos uit, en ik had geen idee hoe lang hij daar al stond en hoeveel hij had opgevangen, maar het viel me op dat hij blootsvoets was. Gezien zijn warrige haar en zijn totale verschijning moest hij net uit bed zijn gestapt.

'Kijk eens aan. Politieagente Aagje op huisbezoek.'

'Agentes bestaan niet meer,' zei ik rustig. 'Het is tegenwoordig voor iedereen agent. En ik ben trouwens rechercheur, dus graag rechercheur Aagje alstublieft.'

'Neemt u me niet kwalijk.' Hij sloeg zijn armen over elkaar. 'Dat ik u hier tegen het lijf moet lopen.'

'Eigenlijk ben ik even verbaasd u hier te zien.' Ik probeerde me te herinneren wat ik zojuist had gezegd. Ik had gelukkig zijn naam nog niet genoemd. Maar wat deed hij in vredesnaam bij Louise thuis?

Alsof hij op die vraag reageerde, liep hij rustig om de tafel heen en ging achter haar staan, waarna hij zijn hand onder de kraag van haar sweatshirt liet glijden en zijn hoofd boog om haar een kus op haar wang te geven. De hele tijd hield hij zijn blik op mij gericht en ik voelde me een indringer, tot ik irritatie voelde omdat hij me dat gevoel had bezorgd.

'Je had me niet zo lang moeten laten uitslapen, Loulou. Het is al bijna drie uur.'

Ze keek gegeneerd maar ook eigenaardig triomfantelijk, en de glans die me was opgevallen toen ik binnenkwam, was in volle hevigheid teruggekomen.

'Ik dacht dat je je rust wel kon gebruiken. En ik wilde ook alleen met mevrouw Kerrigan praten. Zonder te worden afgeleid.'

De hand onder haar kraag bewoog even en bleef toen stilliggen. 'Zal ik er dan maar vandoor gaan?'

'Volgens mij zijn we wel klaar.' Ze keek me aan met opgetrokken wenkbrauwen.

'Volgens mij ook.' Ik voelde me onpasselijk; het was alsof ik iemand op de rand van een steile rotswand af zag rennen, zonder dat ze enig idee had van het dreigende gevaar. 'Maar ik zou best even met u willen praten, meneer Maddick, nu u hier toch bent. Het liefst onder vier ogen.'

'Ga maar naar de woonkamer,' zei Louise direct. 'Ik wil hier even opruimen. Doe wat lampen aan, Gil. Het zal er wel donker zijn nu de zon weg is aan de voorkant van het huis.'

Ik volgde hem naar een kleine kamer die werd gedomineerd door een enorm abstract schilderij boven de schoorsteenmantel. Zo op het oog leek het een zeegezicht, door de vage blauwen en grijzen. De rest van de kamer was helemaal ingericht met IKEA-spullen, alsof ze een bladzijde uit de catalogus had gescheurd en alles wat erop stond had besteld. Praktische, comfortabele en weinig geïnspireerde meubels, die eruitzagen alsof ze nooit werden gebruikt. Ik herinnerde me wat ze had gezegd over de avonden en weekends die ze op kantoor doorbracht, en ik vermoedde dat ze haar spaarzame vrije tijd doorbracht in haar gezellige keuken. Dit was een onpersoonlijke ruimte, ondefinieerbaar levenloos, een omgeving waarin Gil Maddick totaal niet paste.

'Wat doet u hier?'

'Ik zou u dezelfde vraag kunnen stellen,' zei ik. Hij had niet de moeite genomen een lamp aan te doen, dus knipte ik de schakelaar aan de wand naast de deur aan. De felle plafondverlichting benadrukte de lijnen langs zijn mond en liet schaduwen onder zijn ogen vallen; hij zag er minder knap uit, meer als een schurk, en hoewel ik heus wel wist dat criminelen er niet altijd crimineel uitzagen, vond ik hem absoluut griezelig en ik hoopte maar dat dat niet aan me te merken was.

'Dat ligt toch voor de hand? Louise en ik hebben onze onenigheid bijgelegd. U zou blij voor ons moeten zijn, mevrouw Kerrigan. U hebt ons samengebracht.'

'Hoe komt u tot die conclusie?'

'We hadden iets gemeenschappelijks om over te praten.' Hij schonk me een vaag glimlachje dat me kippenvel bezorgde. 'We zijn heel gelukkig; Louise is heel gelukkig. Doe alstublieft niets wat dat in gevaar kan brengen.'

'Zoals bijvoorbeeld vertellen dat een van uw exen een straatverbod tegen u heeft laten uitvaardigen?'

'Waar hebt u het over?' Vervolgens: 'Hoe weet u van Chloe?' Hij keek stomverbaasd, hoewel ik ook een glimpje woede zag. 'Hebt u haar gesproken? Heeft ze uitgelegd dat het allemaal op een misverstand berustte?'

'Ja, ik heb met haar gepraat. Maar ik heb mijn eigen conclusies getrokken uit hetgeen er is voorgevallen.'

'Niet alweer die shit. Daar ben ik klaar mee. Het was niets. Trek het niet uit proportie.'

'Ik denk dat Louise moet weten dat u een verleden met gewelddadig gedrag jegens uw partners hebt. Ik denk dat ze moet weten dat Rebecca haar jukbeen heeft gebroken toen ze een relatie met u had.'

'Dat heb ik u al verteld. Ze was straalbezopen; ze is gevallen, heeft haar handen niet uitgestoken om haar val te breken en is op haar gezicht terechtgekomen. Ik had er niets mee te maken, behalve dat ik degene ben geweest die met haar in de wachtkamer in het ziekenhuis heeft gezeten en voor haar heeft gezorgd toen ze herstellende was. Dat mag u Louise rustig vertellen, hoor. Ik denk dat ik er niet al te slecht uit naar voren kom. En als ik haar dat had aangedaan, zou ze het dan niet aan haar beste vriendin hebben verteld?'

'Dat hoeft helemaal niet. Uit onderzoek blijkt overduidelijk dat slachtoffers van huiselijk geweld dat vaak verborgen houden. Ze schamen zich ervoor. Ze denken dat het hun eigen schuld is.'

'Waarom bent u zo vastbesloten te bewijzen dat ik een misdadiger ben?' Hij zette twee stappen in mijn richting en kwam daarmee onaangenaam dichtbij; hij boog iets voorover zodat zijn gezicht zich maar een paar centimeter van het mijne bevond, en ik moest mijn uiterste best doen om rustig te blijven zitten. 'Komt het doordat u denkt dat ik meer weet over wat er met Rebecca is gebeurd dan ik wil toegeven?'

'Is dat dan niet zo?'

'Toevallig niet, nee. Verzin maar een nieuwe theorie, rechercheur Kerrigan. Deze begint te slijten.' Hij praatte zachtjes, maar het effect was behoorlijk dreigend. Ik wenste bijna dat hij zou doorzetten, handtastelijk zou worden, zodat ik een reden had om hem te arresteren. Ik wilde niets liever dan hem Louises huis uit krijgen en haar zijn ware aard laten zien, en voorkomen dat ze voor die blauwe ogen die me aanstaarden zou vallen. Als het niet al te laat was.

'Ik zal eerlijk zijn, meneer Maddick. Ik vind de manier waarop u over Rebecca praat onaangenaam, en ik heb niets op met de houding die u aanneemt sinds het begin van dit onderzoek. Er zijn mensen die niets met de politie ophebben. Daar heb ik begrip voor. Maar als iemand zich al vanaf het begin vijandig opstelt zonder duidelijke reden, wekt dat mijn belangstelling. En op dit moment is mijn belangstelling op u gericht.'

Hij stapte naar achteren. 'Ik weet niet waarom u er zo van overtuigd bent dat ik een slechterik ben. Ik ben niet degene die u zoekt. Ik heb gewoon pech bij de keuze van mijn vriendinnen.'

'Zij schijnen anders ook niet al te veel geluk te hebben.' Ik overbrugde de ruimte tussen ons in weer. Laten we eens zien wat je ervan vindt om zelf het onderwerp van een beetje agressie te zijn, dacht ik. 'Ik houd u in de gaten. En als er ook maar iets met Louise gebeurt – als ze maar een vingernagel scheurt door iets wat u doet of nalaat –, dan zoek ik u op en ik zal niet rusten tot ik zeker weet dat u uw verdiende loon krijgt.'

'Maar vertel Louise alstublieft niets over Chloe. Nog niet. Ze zou het niet begrijpen.'

'Als u serieuze plannen met haar hebt, met jullie relatie, zou u het dan sowieso niet moeten vertellen?'

Hij keek hoopvoller. 'Wilt u het aan mij overlaten om het te vertellen als ik de tijd rijp acht?'

'Als u daarmee nu meteen bedoelt, dan ja.'

'Fijn.' Hij klonk somber.

'Het zal de situatie niet makkelijker maken als ze er pas later achter komt.'

'Behalve dat ze me dan misschien heeft leren vertrouwen,' zei hij gegriefd. 'Wat momenteel niet het geval is.'

'Heel verstandig van haar,' zei ik opgewekt, en voordat hij kon reageren maakte ik me uit de voeten.

Ik ging op zoek naar Louise om haar gedag te zeggen. De voordeur stond op een kier en ik vond haar buiten met rubber handschoenen en regenlaarzen aan, bezig een zilvergrijze BMW Z3 te wassen.

'Leuke auto.'

'Dank je, hij is net nieuw.' Ze bloosde. 'Ik weet dat het gek klinkt, maar ik had opeens het gevoel dat ik iets buitensporigs moest doen. Iets waar Rebecca mee zou hebben ingestemd. Mijn oude auto was een veel te verstandige keuze.'

'Wat had je er voor een?'

'Een Peugeot 306, veertien jaar oud. Marineblauw. Heel praktisch.' Ze lachte naar me terwijl ze haar handschoenen uittrok. 'Ik bedoel, ik houd van autorijden en ik kon me een flitsende auto veroorloven, dus waarom ook niet? Ik denk weleens dat ik veel te consciëntieus leef.'

'Er zijn weleens momenten waarop je roekeloos moet zijn.' Ik ging dichter bij haar staan en zei iets zachter tegen haar: 'Maar Louise, doe geen domme dingen… oké? De eerste keer dat ik je sprak maakte je je zorgen over Gil en wat hij Rebecca misschien had aangedaan. Je moet op je intuïtie vertrouwen; er was een reden dat je dat gevoel had. Nu laat je hem opeens heel dichtbij komen, en dat baart me zorgen.'

Ze wilde me niet recht aankijken. 'Ik weet wel wat ik doe.'

'Echt? Net als je vriendin toen?' Ze beet op haar lip en ik nam mijn kans waar. 'Ik zeg niet dat Gil Rebecca heeft vermoord, maar hij is nog lang niet boven verdenking verheven, en ik zou heel graag zien dat je bij hem vandaan blijft tot ik je met absolute zekerheid kan vertellen dat hij er niets mee te maken had. Hij heeft in het verleden een spoor van verwoesting achtergelaten, Louise, en ik wil niet dat jou iets overkomt. Wat hij ook heeft gedaan of niet heeft gedaan, hij is een foute man en je kunt beter van hem af zijn.'

'Je kent hem niet.' Ze keek me aan en ik zag pure koppigheid in haar blik. 'En je kent mij ook niet. Je hoeft je geen zorgen te maken. Ik red me wel.'

Ik nam snel een besluit en zocht in mijn zak naar mijn kaartje. 'Oké dan. Hier heb je mijn mobiele nummer. Bel me als er iets gebeurt.'

'Je bent mijn moeder toch niet?' Ze hield het kaartje vast tussen haar vingertoppen, alsof ze het ter plekke wilde laten vallen.

'Ik maak me gewoon zorgen om je, Louise, en veel meer kan ik niet doen. Zie het als vriendschappelijke belangstelling.'

Ze keek licht verbaasd. Toen glimlachte ze. 'Dank je wel, Maeve. Het is lang geleden dat iemand zo bezorgd om me was.'

'Het hoort bij mijn werk,' zei ik eenvoudig. En ik wilde niet hoeven toekijken als Glen Hanshaw ook een obductie op Louise zou moeten uitvoeren. 'Als je je op enig moment bedreigd voelt, moet je mij niet bellen. Bel dan de alarmcentrale. Die kunnen eerder bij je zijn.'

'Ik denk echt niet dat dat nodig zal zijn.' Ze moest haar lachen inhouden. 'Maar bedankt voor het advies.'

Ik had mijn best gedaan. Ik knikte haar toe voordat ik wegliep naar de plek waar ik mijn auto had geparkeerd. Toen ik wegreed, zag ik dat Louise op straat stond en me nakeek; ze werd steeds kleiner in mijn achteruitkijkspiegel, tot ik de hoek om ging en ze was verdwenen.

Louise

Ik ging terug het huis in en riep Gil terwijl ik naar de achterdeur liep om de emmer en de spons in het tuinschuurtje op te bergen. Hij gaf geen antwoord. Toen ik terugkwam zocht ik alle kamers af en ik trof hem aan op de bank in de woonkamer. Hij zat met zijn armen over elkaar voor zich uit te staren. Ik ging naast hem zitten.

'Wat is er?'

'Niks.' Er klonk een waarschuwing door in zijn stem: laat me met rust. Ik wist dat het dom was, maar drong toch aan. 'Is het iets wat Maeve zei?'

'Wie? O, die joet. Ik wist niet dat jullie elkaar tutoyeerden.'

'Sinds vandaag. En kijk eens, ze heeft me haar mobiele nummer gegeven.' Ik zwaaide met het kaartje naar hem.

'Hoe dat zo?'

'Voor het geval ik haar moet bellen om te vertellen dat je me hebt doodgeknuppeld.' Hij kon er niet om lachen en ik voelde mijn eigen glimlach verdwijnen. 'Gil...'

'Het is niet grappig, Louise.' Hij stond op en begon door te kamer te ijsberen, pakte dingen op en zette ze gedachteloos weer neer. 'Ze heeft het op me gemunt. Ze denkt dat ik gewelddadig ben.'

'Doe niet zo gek.' Ik stond ook op en strekte mijn arm naar hem uit, wilde dat hij ophield met rondlopen. Hij trok zijn arm terug en staarde me aan.

'Je snapt het niet, Lou. Er zijn dingen die je niet van me weet.'

'Ik weet zeker dat er ook dingen zijn die jij niet van mij weet.'

'Uiteraard,' zei hij geïrriteerd. 'Maar wat ik bedoel is een serieuze zaak. Dat wil zeggen, dat was het niet, maar ze liet het wel zo klinken.'

'Waar heb je het over? Moet ik Maeve soms opbellen en vragen wat er gaande is of ga je het me zelf vertellen?'

'Dat zou ze het liefst willen.' Hij liep weer te ijsberen. 'Ze dwingt me ertoe het aan je te vertellen, maar beloof me dat je dan niet anders over me gaat denken.'

Ik spreidde hulpeloos mijn armen uit. 'Hoe kan ik dat nu doen als ik niet weet waar het over gaat?' Hij schudde zijn hoofd en keek naar het vloerkleed; ik probeerde het nog eens. 'Jezus, Gil, blijf eens even staan en vertel me waar je je zo druk om maakt voordat ik me iets echt vreselijks ga inbeelden.'

Hij kwam niet naast me op de sofa zitten maar zeeg neer in een van de fauteuils, en zonder me aan te kijken vertelde hij me het trieste, stompzinnige verhaal van wat hij met Chloe Sandler had meegemaakt.

'Het was gewoon een nachtmerrie, en hoe meer ik probeerde het weer goed te maken, des te erger het werd. Weet je wat zo vreselijk was? Ik kon me niets herinneren van die eerste nacht, de nacht waarin ik haar zou hebben aangerand. Ik was dronken, verschrikkelijk dronken en ik heb een gat van twee uur in mijn geheugen, van voordat ik in die flat aankwam tot na mijn vertrek. Ik kon haar verhaal en dat van haar flatgenote op geen enkele manier weerleggen; ik kon alleen zeggen dat ik nooit eerder iets dergelijks had gedaan en dat ik mezelf er niet toe in staat achtte, ongeacht de hoeveelheid drank in mijn lijf.'

'En de politie geloofde je niet?'

'Volgens mij wel.' Hij keek even naar mij op en toen weer omlaag naar zijn verstrengelde vingers. 'Degene die de zaak behandelde zei bijna met zoveel woorden dat hij dacht dat het flauwekul was, maar dat ze het verzoek om een straatverbod wel moesten behandelen omdat zijn baas daar heel scherp op was in die periode. En ik had het wel degelijk overtreden. Ik had haar niet mogen opzoeken. Het was oerstom, maar ik dacht dat we het gebeurde als volwassen mensen met elkaar konden bespreken. Ik denk dat zij het ook allemaal heel vervelend vond.' Hij riskeerde nog een blik mijn kant op, probeerde in te schatten hoe ik het opvatte. 'Chloe was echt een dom wicht. Knap om te zien, maar erg onnozel. Achteraf gezien was het ook wel goed dat het toen voorbij was. Het was alleen jammer dat ik er een strafblad aan heb overgehouden.'

Hij kwam duidelijk weer tot zichzelf. Die ondeugende glimp in zijn ogen paste beter bij de Gil die ik kende.

'En je was niet van plan me dit te vertellen.' Het was een vaststelling, geen vraag.

Hij aarzelde en koos toen zijn woorden met zorg. 'Ik dacht niet dat je het nu al hoefde te weten.'

'Je bewaarde het dus voor het juiste moment. Wat leuk, zeg.' Het sarcasme droop ervan af; hij kon het niet hebben gemist.

'Ik wilde wachten tot onze relatie wat steviger was. Er is nog te weinig vertrouwen tussen ons.' Hij haalde zijn schouders op. 'En ik dacht niet dat je al te veel wilde horen over mijn exen.'

'Het zal erg lastig worden om je te vertrouwen als ik niets over je verleden weet,' zei ik, terwijl ik opstond. 'Ik begrijp best dat je me dit niet meteen wilde vertellen, maar ik wil niet nog meer dingen te horen krijgen die je voor me hebt achtergehouden, alleen omdat de politie er toevallig van weet en vindt dat je ze mij moet vertellen. Ik begin in te zien waarom Maeve zo bezorgd was om mijn veiligheid.'

'Ze denkt dat ik Rebecca ook iets heb aangedaan, omdat ze ooit eens is omgevallen. Weet je nog die keer dat ze haar jukbeen had gebroken? Dat was gewoon een ongelukje.' Hij haalde zijn schouders op. 'Domme pech. Dat mens van de politie doet dan wel alsof ik de duivel in eigen persoon ben, maar ze ziet het verkeerd. En ze kent me niet. Jij wel.' Hij stond op en kwam naar me toe.

'Ik dacht inderdaad dat ik je begon te kennen,' gaf ik toe, terwijl ik me van hem afwendde.

'Er is niets veranderd.'

'Nee. Behalve...' Ik aarzelde.

'Behalve niets.' Zijn armen gleden om me heen en ik voelde zijn adem op mijn wang. 'Jij kent de waarheid. Zij niet. En het kan me niets schelen hoe ze over me denkt, afgezien van het feit dat het heel vervelend is om mijn gedragingen steeds te moeten uitleggen omdat die knuffelgiraffe van de Londense politie schijnt te denken dat ik een bedreiging voor je vorm. Maar het kan me wél schelen hoe jij over me denkt.' Hij legde zijn gezicht tegen het mijne en trok me dichter naar zich toe. 'Dus vertel me dat maar.'

'Ik denk,' zei ik, en ik sprak met vaste stem hoewel ik beefde door het contact dat zijn lichaam met het mijne maakte, 'ik denk dat het makkelijker is om het je te laten zien.' Ik maakte aanstalten om naar de deur te lopen en hij trok me steviger tegen zich aan.

'Laat het me hier maar zien.'

Ik keek over mijn schouder naar het raam. 'Maar het is klaarlichte dag. Iemand zal ons zien.'

'Dat maakt het alleen maar leuker.'

Ik keek hem weer aan, niet zeker of hij het meende. Hij grijnsde naar me.

'Neem eens een risico, Loulou. Ik daag je uit.'

Ik wilde nee zeggen, maar had het gevoel dat Gil dat niet zou accepteren. Hij stelde me weer op de proef, wilde weten hoe ver ik bereid was te gaan. Rebecca zou het zonder enig voorbehoud hebben gedaan, gewoon omdat hij het vroeg, en desondanks was ze niet in staat geweest hem aan zich te binden.

Uiteindelijk was het een makkelijke beslissing. Als het erop aankwam, was ik nog niet bereid Gil te laten gaan. Ik wist een glimlachje te produceren en te zeggen wat hij wilde horen.

'Ik heb nooit weerstand kunnen bieden aan uitdagingen.'

II

Maeve

Hoewel Godley me had beloofd dat ik mocht deelnemen aan de surveillanceoperatie, was ik er ergens vanbinnen toch van overtuigd dat het me niet zou worden toegestaan. Tijdens de briefing zat ik achter in de recherchekamer en deed mijn best niet op te vallen. Ik was nu eens niet de enige vrouw in het gezelschap, en in mijn spijkerbroek en sweatshirt trok ik zeker niet de meeste belangstelling. De collega's die undercover gingen pasten in het profiel van de slachtoffers; het waren jonge, aantrekkelijke vrouwen met lang haar. Ze droegen hoge hakken en rokken tot boven de knie, uitgaanskleding met daaroverheen een volstrekt uit de toon vallende uniformtrui. De rechercheurs die recht voor me zaten hielden er geen rekening mee dat deze vrouwen hun collega's waren, maar bespraken hen in geuren en kleuren en in taal die het schaamrood op mijn wangen bracht, ook al was ik eraan gewend en had ik heus geen erg dunne huid.

Het was bloedheet en overvol in de kamer, en de opwinding werd dan misschien wat getemperd door een cynische instelling omtrent onze kansen op succes, het geluidsniveau werd daar niet veel lager door. Ik genoot ervan Judd helemaal vooraan te zien wippen op de bal van zijn voeten terwijl hij met een vernietigende blik de kamer vol politiemensen overzag, in afwachting van de stilte die maar niet kwam, en te zien hoe zijn gezicht steeds maar roder werd. Pas toen Godley zelf opstond en zijn hand opstak stierf het geroezemoes weg.

'Oké, dit is de briefing voor operatie Mandrake. Jullie weten allemaal waarom we hier zitten,' begon Judd. Hij klonk nog norser dan anders; zijn stem was schor van de spanning. 'We zijn proactief in onze speurtocht naar de seriemoordenaar die momenteel actief is in het stadsdeel Kennington. De kans is groot dat hij vanavond op pad gaat, volgens het profiel dat dr. Chen voor ons heeft geschreven.'

De psycholoog-criminoloog zat voor in de kamer met haar gezicht naar ons toe; ze hield haar hoofd schuin en haar blik was omlaag gericht terwijl ze naar Judd luisterde. Ze had een gepijnigde uitdrukking op haar gezicht, dat een katachtige, driehoekige vorm had, met die hoge jukbeenderen en puntige kin. Ze had haar kleine mond net als haar vingernagels felrood gemaakt, maar zat met haar lippen stijf opeengeklemd, zodat de kleur van haar lippenstift slechts als een dun lijntje te zien was. Ik had haar al een paar keer eerder ontmoet, maar nu ik haar van achter in de kamer gadesloeg, besefte ik dat ik haar eigenlijk nog nooit had zien glimlachen. Ze zat met haar benen over elkaar geslagen en ik vroeg me af wat ze zou denken van haar op en neer bewegende been als haar zou worden gevraagd een analyse te maken van haar eigen lichaamstaal. Dr. Chen had hier geen vrienden en dat wist ze maar al te goed. Ik bewonderde haar om de moed die ze toonde door op zo'n prominente plaats te gaan zitten, ook al vond ik haar niet sympathiek.

'We weten dat hij tot nu toe actief is geweest op donderdag-, vrijdag- en zaterdagavond. We maken ons grote zorgen dat hij vanavond weer op pad zou kunnen gaan. Uiteraard zijn de surveillanceteams van deze operatie cruciaal als vangnet voor de undercoveragenten die zich op straat zullen begeven. Jullie zullen discreet maar alert moeten zijn. Jullie gaan in paren optreden en ik wil niet dat jullie op enig moment beiden je ogen van de bal hebben, waarmee ik de undercoveragent bedoel – nooit gelijktijdig een plaspauze nemen of eten gaan halen.' Judd keek de kamer rond. 'Denk erom, dames, jullie gaan vanavond niet door voor prostituees. Zijn slachtoffers zijn leuke jonge meiden die een avondje uit zijn, en niks anders aan hun hoofd hebben. We willen hem immers niet afschrikken?'

De undercoveragenten leken niet onder de indruk te zijn; als dit hun eerste ervaring met de adjudant was, had hij hun zojuist alles verteld wat ze over hem moesten weten, namelijk dat hij de natuurlijke charme had van een makreel die al tien dagen dood was. Judd ploegde voort.

'We hebben de beschikking over een speciale radiofrequentie, maar probeer de communicatie tot een minimum te beperken. Ik heb straks dertien teams die ik in de gaten moet houden, dus ik wil niet dat jullie zomaar wat gaan kletsen. De undercoveragenten gebruiken oortjes en verborgen microfoontjes. Het weerbericht voorspelt regen, maar ik wil dat jullie het hele toegewezen gebied doorkruisen en niet in een portiek blijven staan of achter in de auto blijven zitten, alsjeblieft. We weten dat hij vrouwen neemt die lopend onderweg zijn naar huis of naar een bushalte. We weten ook dat hij ze niet erg ver meeneemt van de plek waar hij ze aantreft, en daarom denken we dat hij ook lopend is. Besteed vooral aandacht aan voetgangers, vooral als je ze meer dan eens ziet. Dr. Chen heeft me verteld dat hij waarschijnlijk veel tijd besteedt aan het doorkruisen van zijn territorium om te zien wat er speelt voordat hij handelt, dus letten we op iedereen die te veel belangstelling lijkt te hebben voor wat er gaande is. Benader iedereen die een praatje met jullie wil aanknopen heel behoedzaam, dames, tot je er zeker van bent dat hij geen bedreiging vormt. Dit is een gewelddadige man die snel handelt, en hoewel je zou kunnen denken dat zijn werkwijze roekeloos is, hebben we hem nog in de verste verte niet kunnen betrappen en daarom moeten we aannemen dat hij goed is in wat hij doet.'

Dr. Chen boog zich naar voren. 'Mag ik u even onderbreken? Mijn profiel duidt erop dat we op zoek zijn naar een zeer competent en beheerst individu – iemand die bereid is een gecalculeerd risico te nemen om bevrediging te bereiken. Zijn methode duidt niet op veel verfijnde technieken, maar het niveau van zijn gewelddadigheid is significant en wordt steeds hoger, en hij is uitermate gevaarlijk. We denken dat hij zijn slachtoffers toevallig tegen het lijf loopt, maar dat wil niet zeggen dat de moorden de vervulling van een plotseling opkomende behoefte zijn. Hij plant, hij bereidt voor, hij is zelfverzekerd en hij zal niet ophouden tenzij wij hem daartoe dwingen.' Haar kleine handen lagen tot vuisten gebald in haar schoot en hoewel ze zacht sprak, was haar toon nadrukkelijk. Ik begreep heel goed dat ze gespannen was. Haar reputatie hing ervan af dat de moordenaar er op deze natte, koude avond op uit zou trekken, op zoek naar een slachtoffer.

Judd stond te wachten tot ze uitgesproken was; elke lijn van zijn lichaam maakte zijn ongeduld zichtbaar.

'Surveillanceteams, wees je er alsjeblieft van bewust dat jullie misschien een positie zullen moeten innemen die jullie geen goed overzicht van het toegewezen gebied geven. Ik wil dat jullie erg oppassen dat je niet in de gaten loopt. Dit zijn de teams. Luister goed. Team 1: Pollock en Dornton in de auto, jullie undercoveragent is Rossiter, en jullie concentreren je op gebied A, dat wil zeggen Myatt's Field en de straten eromheen. Jullie identificatiecode is TA61. Team 2: Elliot en Freebody in de auto, undercover is Fairchild. Gebied B. Jullie code is TA62.'

Ik luisterde passief tot ik mijn eigen naam zou horen. Toen dat moment kwam, was ik niet echt verbaasd te horen dat ik in een team zat met Sam Prosser, en ook niet dat het gebied dat ons werd toegewezen het parkje was waar het lichaam van Alice Fallon was aangetroffen.

Katy Mayford, de jonge undercoveragent die met ons zou moeten samenwerken, was er niet gelukkig mee. 'Heeft het wel zin om ons te concentreren op plekken waar hij al eens is geweest? Hij zal daar toch vast niet nog een keer heen gaan?'

'Integendeel,' zei dr. Chen, 'het is heel goed mogelijk dat hij terugkeert naar een plek waar hij het er goed van af heeft gebracht, misschien niet om weer op jacht te gaan, maar wel om de ervaring van de eerder gepleegde moord te herbeleven. Het komt veel voor bij seriemoordenaars dat ze terugkeren naar de plaats van een eerder delict, vooral als die locatie op enige manier belangrijk voor hen is. In dit geval verwacht ik dat de moordenaar groot genot haalt uit een bezoek aan genoemde locaties, met name doordat er op sommige plaatsen delict nog steeds sporen van zijn werk zichtbaar zijn, zoals schroeiplekken op de grond, verbrande bomen en struiken. Vergeet niet dat deze misdrijven waarschijnlijk een seksuele component hebben, ook al is die niet direct duidelijk voor ons. Jullie moeten goed opletten of zich in een dergelijk gebied iemand bevindt die zich exhibitioneert of masturbeert.'

Dat wekte lacherigheid op in de kamer en dr. Chen keek geërgerd. Judd klapte in zijn handen.

'Oké, genoeg zo. Jullie hebben mevrouw Chen gehoord. Als jullie een exhibitionist of zo'n viezerik zien, hebben we een paar geüniformeerde collega's in de buurt rondlopen die hem kunnen arresteren zonder dat de undercoveroperatie in gevaar wordt gebracht. Geef het door en laat het alsjeblieft aan hen over.'

Hij ging door met de lijst van teams en locaties, die het geselecteerde gebied in keurige pakketjes verdeelde. Het was een uitgebreide operatie waaraan heel veel agenten deelnamen, en zelfs al zou het waarschijnlijk uitdraaien op een enorme tijdverspilling, het was naar het publiek toe toch een zeer effectief blijk van goede wil en inzet. Er zou gelekt worden naar een de politie welgezinde journalist – geen details, net genoeg om de afdeling die met deze zaak bezig was er dynamisch en creatief uit te laten zien. Iedereen zou dan tevreden naar huis kunnen gaan in de wetenschap dat ze hun best hadden gedaan, terwijl wij zouden doen wat we niet openlijk konden toegeven, namelijk wachten op het volgende stoffelijk overschot.

Toen Judd eindelijk klaar was, gaf Godley ons ten slotte zijn zegen op de wijze van een hogepriester die een offerritueel uitvoert. Toen ook dat achter de rug was, stond ik net als alle anderen in de kamer op en schuifelde naar de deur, met de bedoeling om een paar laatste voorbereidingen te treffen voordat ik Sam en Katy ging ophalen en we erop uit zouden gaan. Ik was van plan ergens waar het rustig was de aantekeningen die ik van de briefing had gemaakt nog eens door te lezen en een broodje te eten. Voor de rechercheurs die tijdens de briefing voor me hadden gezeten, bestonden de laatste voorbereidingen uit een sigaretje, een wc-bezoek en een bekertje vieze, bittere koffie, het enig verkrijgbare op het politiebureau in Zuid-Londen waar de briefing was gehouden. Ieder zijn meug.

De gang buiten de recherchekamer stond bomvol. Ik baande me moeizaam een weg en probeerde tegen niemand op te botsen of, nog erger, met mijn lichaam tegen dat van een van de oudere rechercheurs gedrukt te worden. Ik ving in het voorbijgaan gespreksfragmenten op.

'Die vrouw is ervan overtuigd dat haar man iemand anders heeft…'

'… houdt hem aan omdat hij zijn veiligheidsgordel niet om had…'

'… ook een lekker kontje…'

'… komt vroeg thuis, denkt dat ze hem met haar in bed aan zal treffen, zit hij gewoon op de bank voetballen te kijken. Maar toch vertrouwt ze het niet. Ze doorzoekt het hele huis, van boven tot onder, kijkt onder alle bedden, in elke kast, zolder, kelder, de hele reutemeteut…'

'… kijkt in de achterbak en daar ligt verdomme een enorme zak coke. Hij trekt dus de bestuurder uit die auto, slaat hem in de boeien, zet hem op de achterbank van de politieauto…'

'… ze is zo geil als boter…'

'… krijgt die vrouw een gigantisch hartinfarct en valt dood neer. Komt ze in de hemel, is de eerste die ze ziet haar buurvrouw…'

'… hij kijkt onder die stoel en vindt daar een afgezaagd geweer, helemaal geladen. Hij stapt weer in de politieauto en zegt tegen die vent: "Je bent er gloeiend bij, man."'

'Dus zij zegt: "Cynthia, hoe ben jij doodgegaan?" "Ik ben doodgevroren," zegt ze. "En jij?" Dus zij vertelt het hele verhaal: vroeg thuisgekomen, het huis doorzocht.'

'Hij zegt: "Dat geweer maakt me niet uit, maar ben ik mijn rijbewijs kwijt?"'

'… tot ze niet meer recht kon lopen.'

'Dus Cynthia zegt: "Wat zonde. Had maar in de vriezer gekeken."'

Toen ik een rechercheur met de vorm en omvang van een volwassen neushoorn mijn kant op zag komen, dook ik zijdelings weg en kwam weer boven achter een rug die ik herkende.

'Hoe gaat het, Rob? Welk gebied heb jij gekregen?'

Hij draaide zich om en zijn gezicht vertoonde pure gêne. 'O. Maeve. Eh… hoi.'

Ik keek langs hem heen en zag dat de twee rechercheurs met wie hij in gesprek was, Harry Maitland en Ben Phipps, in een deuk lagen. Ik kende ze maar vaag, maar goed genoeg om te denken dat ik degene was om wie ze zoveel lol hadden. Een flard van een zin die ik even tevoren had gehoord schoot me te binnen en nu realiseerde ik me dat Rob die had uitgesproken. *Tot ze niet meer recht kon lopen…* en ik wist zonder enig voorbehoud dat het eerste deel van deze zin niet voor herhaling vatbaar was in een fatsoenlijk gezelschap. Het had geen verrassing moeten zijn te ontdekken dat hij net als de anderen was, maar toch was het dat, en ik vroeg me af wie van de undercover-agenten hem was opgevallen.

'Ben je nog niet omgekleed, Maeve? Ik had verwacht dat je je net zo erg zou optutten als de anderen.' Maitland grijnsde naar me met ontblote gele tanden; hij dacht kennelijk dat hij me charmant toelachte. 'Je stelt ons teleur.'

'Ach, wat jammer nu,' zei ik. 'Je weet dat ik altijd streef naar jullie goedkeuring.'

De glimlach verbreedde zich. Hij had witte smurrie die misschien ooit brood was geweest tussen zijn kiezen zitten. 'Langton zegt dat je er zo goed uitziet als je halfnaakt bent. Misschien kunnen we je nog overhalen je straks een beetje bloter te kleden voor ons.'

Mijn gebruikelijke tactiek om de confrontatie niet op te zoeken na een dubbelzinnige opmerking zou hier niet helpen. 'Jaja, en misschien moest jij maar de kolere krijgen.' Terwijl Maitland zijn comeback voorbereidde, wendde ik me tot Rob, die niet wist waar hij het zoeken moest. 'Kan ik je even spreken?'

'Tuurlijk,' mompelde hij, en hij liep met me mee de gang uit, bij de anderen vandaan.

'Wat was dat nou, verdomme?' Ik glimlachte nog steeds, bleef rustig. Niemand zou aan me merken dat ik beefde van woede.

'Wat bedoel je?'

'Het kan me echt niets schelen als je wilt meedoen met die seksistische bullshit jegens de undercoveragenten; dat moet je zelf weten en dat raakt me niet, maar het kan me wel degelijk schelen dat je Maitland mij laat beledigen zonder er wat van te zeggen.'

'Ik kreeg niet echt de kans om er iets van te zeggen.' Rob klonk gekwetst. 'Je reageerde zo snel.'

'En wat was dat voor verhaal over hoe ik er halfnaakt uitzie? Heb je hun verteld dat je bij me thuis bent geweest? Heb je goddomme verteld wat ik áánhad? Jezus.'

'Nee, niet echt. Nee. Ik heb gewoon… het kwam gewoon ter sprake.' Hij streek met zijn hand over zijn voorhoofd, door zijn haar en streek het toen weer glad. 'Shit. Moet je horen, Maeve…'

'Nee, jij moet nu eens horen. Je had nooit iets mogen zeggen over die avond. Het was na werktijd, we hadden geen dienst, je was te gast in mijn huis en ik had het volste recht van je te verwachten dat je er niet tegen anderen over zou opscheppen.' Ik keek hem verbijsterd aan. 'En God weet dat er niets over op te scheppen valt. We delen een pizza en dat is stof voor een roddel? Heb je ook verteld dat mijn vriend thuiskwam toen jij er was?'

Rob keek over zijn schouder en trok een gezicht. Ondanks mijn goede bedoelingen was ik harder gaan praten en was er niets meer over van de kalme houding die ik me met zoveel moeite had aangemeten. We trokken het verkeerde soort aandacht. Hij pakte me bij mijn arm en trok me iets verder de gang in, de hoek om, waar we niet in het zicht stonden.

'Hoor eens even, ik was niet van plan er iets over te zeggen. Ze speculeerden erover hoe jij eruit zou zien in een kort rokje, oké? Niemand hier heeft jou ooit gezien in iets anders dan een broekpak, een broek of een degelijke rok, en ik weet dat je dat met opzet doet omdat je serieus genomen wilt worden, maar op die manier slaag je er verdomd goed in je figuur te verbergen. Phipps zei dat hij dacht dat je waarschijnlijk geen mooie benen had; volgens hem hebben lange meiden die nooit. Ik vertelde hem alleen maar dat hij het bij het verkeerde eind had. Je hebt prachtige benen.' De verlichting in de gang was niet zo best, maar ik was er vrij zeker van dat hij een rood hoofd had gekregen. 'Sorry, maar ik kon er niets aan doen dat ik dat zag.'

'Jezus, man,' zei ik weer, maar de angel was uit mijn boosheid gehaald. Onwillekeurig begon ik te grinniken. 'Dus ik moet je eigenlijk bedanken voor het compliment?'

'Nee.' Hij keek me aan met een blik die gelijktijdig verlegen en brutaal was. 'Ik moet me bij jou verontschuldigen. Maar zou je in plaats daarvan een kop koffie accepteren?'

Ik keek op mijn horloge. 'Daar is geen tijd meer voor.'

'Nu niet. Later. Wij zitten straks niet ver van jouw post vandaan. Ik kom om een uur of twee naar je toe.'

'Dan kun je beter drie koffie meebrengen,' zei ik. 'Sam en Katy zullen het niet leuk vinden als ik de enige ben die een cafeïnestoot krijgt.'

'Geen punt. Het spijt me echt. Ik moest maar eens gaan.' Hij liep achteruit bij me vandaan, nog steeds met die brutale grijns op zijn gezicht, en hij leek wel een jaar of negentien, met zijn slordige haar en zijn T-shirt half in zijn spijkerbroek gepropt. 'Maar toch is het jammer. Jij had van iedereen in die kamer de mooiste benen. Geen van die undercoveragenten kon daaraan tippen.'

'Schiet op, Langton,' zei ik met de meest dwingende stem die ik kon opbrengen, ook al voelde ik een raar gefladder in mijn buik; het leek alsof mijn maag opwipte toen hij me toegrijnsde. Ik keek hem na en mijn glimlach veranderde in een frons.

Het kon niet zijn dat ik verliefd op hem was. Dat was het niet. Het was iets anders. Zenuwen vanwege de undercoveroperatie of de voortdurende spanning van de jacht op degene die Rebecca had vermoord en op de vuurmoordenaar. Het had niets te maken met collega Langton, daarvan was ik absoluut overtuigd.

Dat kon helemaal niet.

Ik kon er geen eed op doen dat Judd met opzet het meest deprimerende, het somberste en het meest verlaten gebied op de kaart had uitgezocht voor ons surveillanceteam, maar als hij eropuit was geweest de ergste plek voor ons te vinden om de nacht door te brengen, had hij geen betere plaats kunnen treffen dan onze huidige locatie. Sam had de auto geparkeerd in een zijstraatje met uitzicht op het parkje, dat ik herkende van de politiefoto's als de plek waar Alice Fallons lichaam was aangetroffen. Het was precies negen weken geleden dat haar stoffelijk overschot was ontdekt naast de muur aan de andere kant van het park, van ons uit gezien, en toen ik de plaats delict door mijn onopvallende infraroodkijker bezag, kon ik de schroeiplekken nog steeds enigszins zien op de B2-blokken van de muur. Op de kinderspeelplaats bungelde doelloos een schommel die was losgeraakt van een van de kettingen. De kunststof glijbaan was aan de onderkant versplinterd; er was een halfrond stuk afgebroken, waardoor er een gevaarlijk scherpe rand was ontstaan en de glijbaan niet meer kon worden gebruikt. Er lagen nu meer dorre bladeren op de grond en het beetje gras dat er lag was door hevige regenval veranderd in een modderpoel. Verder was alles nog hetzelfde.

'Die kun je beter wegleggen. We willen niet dat je ons verraadt.' Sam had de rugleuning van zijn stoel zo ver mogelijk laten zakken en lag met zijn armen over elkaar door de voorruit naar buiten te turen. Hij droeg een zwart sweatshirt dat betere tijden had gekend en dat nu de nuttige rol vervulde van onofficieel archief van wat Sam pas nog had gegeten. Eigeel (van een om middernacht genuttigde boterham) en harde kruimels waren dominant aanwezig.

'Nee, want we zien er al zo onopvallend uit.'

'Ik weet niet waar je het over hebt. Het is heel normaal dat een dikke ouwe kerel de nacht met twee mooie meiden doorbrengt. In een auto. Midden in de winter. Geheel gekleed, maar desondanks door en door verkleumd.' Hij leunde voorover en zette de verwarming aan.

'Je zorgt er alweer voor dat de ramen beslaan.' Ik draaide mijn raam een centimeter of twee open en de ijzige wind blies een vlaag scherp aanvoelende regendruppels naar binnen. Ik duwde mijn kin tegen mijn borst en trok mijn sjaal over mijn gezicht in een poging mijn neus warm te houden. Ik zat dik ingepakt in een donsjack, maar na een urenlang verblijf in de auto leek de kou tot in mijn botten te zijn doorgedrongen.

'Dat draagt wel bij aan het algehele effect, nietwaar? Het lijkt erop dat je me een reden geeft om de ramen te laten beslaan.'

'Getver.' Katy zat op de achterbank te bibberen met een deken over haar knieën. 'Dit is de ergste klus die ik ooit heb gehad. Waarom doen we dit ook alweer?'

'Proactief politiewerk,' zeiden Sam en ik in koor.

'Nog twee minuutjes en dan moest je maar weer naar buiten.' Sam tikte op het dashboardklokje. 'Je kunt niet de hele nacht in de auto blijven zitten. Je hebt gehoord wat Judd zei. Je zou je grote kans weleens kunnen mislopen.'

'Ik wed dat Tom Judd nog nooit in een visnetpanty en een minirokje door een park heeft hoeven lopen,' zei Katy mistroostig. 'In elk geval niet midden in de winter.'

'Maar ik wed dat hij dat soort dingen wel degelijk draagt. Als hij alleen thuis is.'

We bleven even zwijgend zitten, met het beeld dat ik had geschetst voor ogen. Sam zei wat we alle drie dachten: 'Jezus.'

Een guts regen kletterde tegen de voorruit en Katy kromp ineen. 'Is dat natte sneeuw?'

Ik was ineens druk bezig met het bekijken van het surveillanceverslag op mijn schoot en liet het aan Sam over om het slechte nieuws te vertellen.

'Inderdaad ja. En er komt nog meer aan, vermoed ik. Je zou in dit weer toch nog geen hond naar buiten sturen? Wat vind jij, Maeve?'

'Hou op, Sam,' zei ik rustig. 'Katy, denk je dat je het aankunt om nog een rondje te lopen? Het is alweer een tijdje geleden.'

'Ach ja, waarom ook niet.' Ze pakte haar tas en controleerde haar make-up in de achteruitkijkspiegel. Zachtjes zei ze: 'Ik kreeg net weer gevoel in mijn voeten. Zou niet best zijn als ik daaraan zou wennen.'

'Komt wel goed, lieve schat.' Sam rekte zich uit en begon aan zijn buik te krabbelen. 'Ik weet wel een paar dingen te bedenken waar je warm van wordt als je weer terug bent.'

Ze smeet de deur zo hard dicht dat we er beiden van schrokken en ik keek haar nijdig aan toen ze wegliep. Ik hoopte dat ze niemand in de huizen aan weerszijden van ons had wakker gemaakt. Het was een eigenaardige wijk, waar woonhuizen en bedrijfspanden elkaar afwisselden – een wijk die haar eigen gezicht voor een groot deel ontleende aan het feit dat hij tijdens de Blitzkrieg was platgebombardeerd. De halve rijtjes stadswoningen hier en daar wezen op een prestigieus verleden, maar de meeste waren omgebouwd tot flats, die niet erg goed waren onderhouden.

'Er is niemand op straat. Wat niet zo gek is, gezien het weer,' merkte Sam op.

'Ja, en de seriemoordenaar. Vergeet hem niet. Hij zal waarschijnlijk ook wel een flink aantal buurtbewoners afhouden van een lekkere avondwandeling.'

Katy liep door het parkje alsof ze een stuk van haar route wilde afsnijden en bleef halverwege staan om een sigaret op te steken. Het microfoontje dat ze droeg gaf het raspende geluid van de aansteker door en elk ritselend geluid dat haar kleding maakte. Ze nam de tijd om langzaam om zich heen te kijken terwijl ze een trekje van haar sigaret nam, en ze fluisterde met haar hand nog steeds over haar mond: 'Nog steeds niks.'

We zagen haar langzaam doorlopen.

'Wat is dat?' Sam ging eindelijk rechtop zitten en wees naar een auto die heel langzaam door de straat aan de andere kant van het park reed, met ongeveer acht kilometer per uur. 'Eén inzittende, zilvergrijze sedan – een Ford Focus of iets dergelijks. Wat is die van plan?'

Ik pakte de kijker weer en stelde hem met kloppend hart scherp op de bestuurder. Er hadden heel wat zilvergrijze sedans op de beveiligingsbeelden gestaan die ik de afgelopen weken bekeken had. Misschien hadden we toch iets over het hoofd gezien. Hij zat met zijn vinger aan zijn navigatiesysteem en zijn gezicht was spookachtig verlicht. Ik schatte hem in de veertig, hij was blank en had een dikke bos grijzend haar en een zware baard. Even later ging de auto sneller rijden en sloeg een van de andere straten die op het parkje uitkwamen in, in de richting van Stockwell.

'Loos alarm,' zei ik, en ik legde de kijker weer weg. 'Maar je zou via de radio kunnen melden dat hij rondrijdt, voor het geval iemand anders hem ook verdacht ziet handelen. Ik denk eerlijk gezegd dat hij Katy niet eens heeft gezien. Hij leek helemaal niet naar het park te kijken.'

Weer kwam er een harde windvlaag, die de haag van struiken om het parkje heen bijna omverblies en de kapotte schommel nutteloos rond liet draaien. De regen die de voorruit had bespikkeld werd opeens heviger en de wereld buiten de auto vervaagde. Sam vloekte zacht en zette de ruitenwissers aan. Een daarvan sleepte zich met zo'n schril gepiep over de ruit dat ik er kippenvel van kreeg. Katy had ongedeerd de andere kant van het parkje bereikt en liep met gebogen hoofd de straat uit, met als enige bescherming tegen de elementen een felgekleurde paraplu. Ze verdween en verscheen terwijl ze achter de kale bomen langsliep. Kiekeboe, kiekeboe, dacht ik.

Ik schrok me te pletter toen het portier achter me opeens openging en er een vlaag koude lucht binnenkwam. Die rook naar koffie, en toen Rob op de achterbank ging zitten met een kartonnen dienblaadje dat hij op één hand liet balanceren, draaide ik me naar hem om. Er dropen regendruppels uit zijn haar langs zijn neus omlaag.

Hij droeg een marineblauw windjack dat glibberig was van het water en zijn spijkerbroek leek doorweekt.

'Nat buiten, hè?'

'Een beetje maar,' zei hij opgewekt en hij gaf me een bekertje. 'Zwart voor jou. Sam, zwart of met melk?'

'Met melk, twee suiker.'

Rob wroette in de zak van zijn jack en haalde er een handvol zakjes suiker, cupjes gesteriliseerde melk en een paar roerstaafjes uit, die hij in het muntenbakje achter de handrem stopte. Sam keek ernaar en trok zijn wenkbrauw op. 'Ik had geen idee dat we een vestiging van Starbucks op onze achterbank hadden. Is er nog kans op een bosbessenmuffin?'

'Wees maar blij met wat je hebt. Heb je enig idee hoe moeilijk het is om op dit tijdstip aan koffie te komen?'

'Niet zo heel erg moeilijk. Deze zijn van de benzinepomp even verderop,' merkte ik op. 'Het moet je wel drie minuten hebben gekost om erheen te lopen.'

'Oké, maar het regende wel, voor het geval je dat nog niet was opgevallen, en het was koud ook.'

'Arme schat.'

'Waaraan hebben we dit genoegen te danken?' vroeg Sam. 'Verveelde je je?'

'Ik had beloofd dat ik voor koffie zou zorgen.' Hij ving even mijn blik en knipoogde nauwelijks merkbaar, en weer maakte mijn maag dat sprongetje – wat was er toch met me aan de hand? 'En trouwens, Andrews laat de ene wind na de andere. Ik moest er echt uit, anders was ik van mijn stokje gegaan.'

'Wij hebben hier hetzelfde probleem. Sorry, Maeve, maar het is gewoon zo. Ik heb je nog zo gezegd dat je vanavond geen bonen in tomatensaus moest eten.'

'Rot op, Sam,' begon ik, maar voordat ik nog iets kon zeggen, legde Rob zijn hand op mijn schouder en kneep er hard in.

'Stil eens, wat is dat?'

De zilvergrijze auto was terug en reed met gedoofde lampen langs het eind van de straat. Terwijl we toekeken, gingen de remlichten aan en bleef de auto met lopende motor stilstaan. Van de bestuurder was alleen het silhouet zichtbaar, maar ik kon de baard wel onderscheiden en de straatlantaarn zorgde voor een metaalkleurige glans op zijn haar. Zijn volle aandacht was gericht op de overkant van het parkje, waar een felgekleurde paraplu ritmisch op en neer ging op de staccatopassen van een undercoveragent die het heel koud had. Ik pakte de microfoon van mijn radio.

'Katy, we hebben een man in een vierdeurssedan, zilvergrijs, kenteken nog onbekend; hij staat stil aan de westzijde van het park. Hij lijkt jou in de gaten te houden, maar we laten hem nog even met rust om te zien wat hij gaat doen.'

Haar stem klonk gedempt toen ze zachtjes oké fluisterde. Niet ver weg gierde de motor van een brommer. Het geluid kwam door het open autoraam en de echo ervan klonk door Katy's microfoontje; hij moest zich aan haar eind van het park bevinden. Ik kon nu zien dat de zilvergrijze auto inderdaad een Ford Focus was.

'We hebben het kenteken nodig om in het politiesysteem te kunnen zoeken.'

Rob had het portier al opengedaan en stapte behoedzaam uit, zo laag mogelijk bij de grond. 'Dat regel ik. Ben over twee minuten terug.' Hij bleef staan. 'Mijn radio doet het trouwens niet. Kun jij het nummer dan voor me checken?'

'Doe ik,' zei Sam. 'Ga nu maar.'

De motor van de brommer veranderde van klank en leek nu op een stotterende horzel; het geluid klonk harder door Katy's microfoon naarmate de brommer dichterbij kwam. Ik zag Rob omzichtig over straat lopen tot hij een plek had bereikt vanwaar hij de achterkant van de Ford kon zien, maar zo dat hij zelf onopgemerkt bleef. Even later kwam hij weer naar ons toe. Sam liet zijn raam zakken en stak zijn hand uit om het papiertje te pakken dat Rob hem aangaf.

'MP van TA zes-vijf,' mompelde hij in de radiomicrofoon.

'MP ontvangt u, zegt u het maar.' De centralist in de hoofdregelkamer van de Metropolitan Police klonk ongeduldig, alsof het een drukke avond was.

'Zou u het kenteken van een voertuig in het systeem willen nagaan?' Sam gaf de centralist de locatie van de auto en het kenteken; hij klonk zo rustig alsof het een routinevraag was. Mijn keel deed zeer van de spanning.

'Wacht een tel.' De centralist ging een paar seconden uit de lucht. 'Dat is een Ford Focus, zilvergrijs, APK in orde, verzekerd, kenteken staat op naam van de *Sunday Courier.* Geen bekeuringen. Is alles doorgekomen?'

'TA zes-vijf, alles doorgekomen, dat was het.' Sam wendde zich tot Rob, die naast zijn portier gehurkt zat. 'Het is zo'n verdomde journalist, die op de bonnefooi rondrijdt. Wil jij even met hem gaan praten of zal ik het doen?'

'Ik ga met het grootste genoegen met dat heerschap babbelen als je het niet erg vind dat ik dat doe.'

'Mij best hoor,' zei Sam, en Rob liep nogmaals als een geest de straat door, bijna onzichtbaar in de schaduw. Deze keer liep hij naar de achterkant van de auto en verder langs de passagierskant, waar hij halverwege bleef stilstaan. Hij klopte met de rug van zijn hand tegen het raam, twee korte tikken die boven het geluid van de regen uit door de stille straat werden gedragen naar de plek waar wij zaten. Het geluid was zo hard dat het de journalist in de auto, die zich totaal niet bewust was geweest van Robs aanwezigheid, de stuipen op het lijf moet hebben gejaagd. Ik zag hem schrikken en hij draaide zijn hoofd zo snel om dat het bijna grappig was. Rob gaf hem genoeg tijd om in paniek te raken, maar boog zich toen naar het raam, hield zijn politiepas zo dat de man hem kon zien en wees toen veelzeggend omlaag: maak je raam open, eikel.

Door de radio klonk een gedempte stem en ik pakte hem op en hield hem tegen mijn oor om te kunnen verstaan wat er werd gezegd.

'Hoi,' zei Katy met een lach in haar stem. Ze klonk geamuseerd. Ik kon alleen haar kant van het gesprek duidelijk horen, dus hield ik mijn vinger op om Sam het zwijgen op te leggen, die langdurig commentaar zat te leveren op de staat waarin de pantalon van de journalist zou verkeren sinds Rob hem had aangesproken.

'Ja, het is ook laat. Ik sta op mijn vriend te wachten; hij zou me hier ophalen, maar hij is te laat.' Katy deed het geweldig; elk woord klonk oprecht. 'Hij heeft me net ge-sms't dat hij pas over twintig minuten hier kan zijn.'

Nog wat gedempte geluiden. De regen beukte tegen het autodak alsof hij op het punt stond er gaten in te slaan. Rob had de journalist uit de auto gehaald om hem te fouilleren, wat een beetje overdreven leek.

'Inderdaad ja. IJskoud.'

Mompel mompel mompel.

'Ik houd zeker van pizza's.' Ze lachte. 'Maar ik heb nu geen trek. Toch bedankt.'

Mompel.

'Nee, echt niet. Maar bedankt voor het aanbod.'

Er viel een stilte. Rob liet zijn Maglite door de achterbak van de zilverkleurige auto schijnen terwijl de man boos gesticulerend naast hem stond.

De brommermotor gierde een paar keer en stierf toen weg in de verte. Katy lachte in haar microfoontje. 'Hoorden jullie dat? Die bezorger wilde me een gratis pizza geven. Hij zei dat hij was besteld, maar dat er niemand thuis was toen hij hem wilde afleveren. Het was zijn laatste bestelling vanavond en hij had een gulle bui.'

Iets aan wat ze zei maakte dat ik me niet op mijn gemak voelde. Dat bracht me in verwarring en ik volgde de draad van mijn gedachten terug naar mijn gesprek met Rob eerder die dag; wat had hij ook alweer over me gezegd tegen die andere rechercheurs? Ik drukte de knop van de radio in. 'Jammer. Wij waren wel toe aan iets lekkers.'

'Als hij nog terugkomt, zal ik hem wel aannemen.'

'Hoe gaat het met je?'

'Oké. Een beetje koud en nat, maar dat is niet zo gek.' Haar stem werd wat serieuzer. 'Hoe zit het met die vent in die grijze auto? Ik zag hem langsrijden.'

'Journalist. Een van de collega's is met hem aan het praten.' Katy maakte een geluid dat een woord had kunnen zijn, in elk geval had ik het niet verstaan. 'Wat zei je?'

De radio siste zachtjes, een tikje luider dan de standaardruis, terwijl ik wachtte op haar reactie.

'Katy, wil je het laatste herhalen?'

Niets.

'Katy, kun je me horen?'

Er klonk geritsel en toen vulde de auto zich met een afschuwelijk geluid van iemand die geen adem kreeg. Nog voordat het wegstierf had ik mijn hand al op de deurhendel, en zonder een bewust besluit om in actie te komen was ik de auto uit gesprongen en rende door de regen zonder op Sam te wachten. Het was ongeveer tweehonderd meter langs de rand van het parkje naar de plek waar ik Katy het laatst had gezien en ik overbrugde die afstand in seconden die wel uren leken, zonder dat me iets opviel, behalve dat mijn radio niets anders doorgaf dan een zwak geluid als van metaal op metaal. Al mijn aandacht was gericht op de plaats waar ik verwachtte haar te zien, en toen ik de hoek om rende, zag ik drie dingen die me zo lieten schrikken dat ik even bleef staan.

Een open paraplu, die in trage cirkels met de wind mee over het natte trottoir draaide.

Een brommertje met L-bordjes en een rode kist achterop, en met een nummerplaat waaraan een hoekje linksboven ontbrak, dat stond geparkeerd op de hoek van de straat.

Het toegangshek van het recreatieterrein dat openstond.

Ik bleef even staan om de situatie in me op te nemen terwijl het ene besef na het andere in mijn hoofd op z'n plek viel.

Ten eerste was het Katy's paraplu, en er was geen enkele reden te bedenken waarom ze die zou hebben laten vallen, want de regen kletterde nog steeds op de kale takken boven mijn hoofd en tingelde nog steeds op de metalen straatlantaarns.

Ten tweede had ik dat brommertje talloze keren op de beveiligingsbeelden van dat gebied gezien zonder er ook maar iets bij te denken; als het me al was opgevallen, dan moet ik het direct van me hebben afgezet als niet relevant. Wat is er nu gewoner dan een koeriersbrommer? Ze maakten deel uit van het decor, waren vrijwel onzichtbaar en reden op elk moment van de dag, weer of geen weer. Toch had ik hem gezien, en te vaak ook, deze specifieke brommer met die beschadigde nummerplaat, die zich daarmee onderscheidde. En wat zou een betere manier zijn om het vertrouwen van een potentieel slachtoffer te winnen dan haar een gratis pizza aan te bieden? Het begon allemaal gruwelijk op z'n plek te vallen.

Het laatste wat me opviel, en het belangrijkste, was het toegangshek van het recreatieterrein; het hek, dat nu wijd open stond, was de laatste keer dat ik het had gezien heel goed afgesloten geweest met een kettingslot, en hoewel ik dit niet wilde doen, hoewel ik bang was, moest ik erdoorheen. Bij die gedachte vermande ik mezelf en liep verder; ik was misschien maar twee seconden blijven staan, maar dat was lang genoeg geweest. Met één hand haalde ik de traangasspray uit mijn jaszak, met de andere drukte ik op de alarmknop van mijn radio. Als je daarop drukte werden alle andere communicatiesignalen op die frequentie weggedrukt en werd een verzoek om onmiddellijke assistentie verzonden; het was het alarmnummer voor politiemensen en ik wilde er niet aan denken waarom Katy haar knop niet had kunnen indrukken, tenzij ze hem niet nodig had gehad, tenzij er niets met haar aan de hand was, tenzij ik totaal overdreven had gereageerd.

Maar als dat niet het geval was, kon ik niet blijven wachten op assistentie. Ik keek door het hek en sperde mijn ogen zo wijd mogelijk open om iets te kunnen onderscheiden in het donker, maar ik zag alleen het gebarsten betonnen pad, dat nat en modderig was en uit het zicht verdween buiten het bereik van de straatlantaarn. Dichte bossen laurierstruiken met galgeel bespikkelde bladeren stonden rondom de ingang en verhinderden dat ik de rest van het park kon zien. Ik controleerde of de opening voor het gas van me af was gericht en liep het park in, terwijl ik wenste dat ik mijn uitschuifbare knuppel en mijn handboeien niet in de auto had laten liggen. Ik moest het maar doen met dat verdomde traangas. Misschien zou het me lukken in de juiste richting te spuiten, maar ik had tijdens de opleiding gehoord dat niet iedereen er gevoelig voor is, en als ik bedacht hoe weinig geluk ik meestal had, zou de vuurmoordenaar er vast immuun voor zijn. Ik zou er net zo min iets aan hebben als… Ik riep mezelf tot de orde. Concentreer je. Mijn hersenen draaiden overuren en vulden het duister met zinloze beelden, wierpen gedachten af als waren het vonkjes. Het heldere licht in de kamer van de briefing dat de flaporen van de collega die voor me zat roze deed oplichten. Een beetje lippenstift dat op de tanden van dr. Chen was blijven plakken. Het moment in de auto dat ik tegen beter weten in een van Sams vieze kaasuienchips had gegeten. Ik kon ze nog proeven. Ik beet hard op mijn onderlip en bleef lopen; de seconden tikten weg terwijl ik zocht en zocht.

De ene voet voor de andere zetten. Zo snel je kunt. Maar wel voorzichtig. Niet uitglijden. Maak niet te veel lawaai. Links of rechts, kies een pad uit. Welke kant? Stop. Luister...

Ergens in de verte hoorde ik de zware ademhaling van iemand die met slepende tred over een pad loopt en geen moeite doet om geen geluid te maken.

'Maeve! Maeve!' Het was een hees gefluister, het klonk ongelooflijk luid in het stille park, en het was direct herkenbaar als Sams stem. Ik sloeg mijn ogen ten hemel en probeerde hem met mijn wil het zwijgen op te leggen. Als ik Katy maar kon horen... als ik haar maar kon zien... als ik er maar zeker van kon zijn dat ik op de juiste plaats zocht...

Ik had het midden van het parkje bereikt, waar zich in een klein, naargeestig, bakstenen gebouwtje openbare toiletten bevonden. Als ik even had nagedacht, had ik misschien beseft dat dit gebouwtje beschutting tegen de regen bood, en dat beschutting, als je op zo'n natte avond van plan was om iemand dood te slaan en haar stoffelijk overschot te verbranden, weleens een van je prioriteiten zou kunnen zijn. Toen ik er voorbij rende, hoorde ik angstaanjagend dichtbij een vaag geluid dat gejammer zou kunnen zijn, en vrij ver achter me klonk een kreet. Ik draaide op één voet snel om mijn as en terwijl ik dat deed, voelde ik het meer dan dat ik het zag: iets doorkliefde de lucht en kwam op mijn hoofd af. Ik was me niet bewust van pijn toen de klap neerkwam, alleen maar van een duizeligmakende sensatie van ongelooflijke zwakte. Ik wist dat ik in beweging moest blijven; ik moest hier weg, maar mijn benen wilden me niet dragen en ik hoorde nog steeds iemand roepen, iemand riep mij, riep mijn naam. Ik zocht verwoed naar de traangasspray en voelde hoe die uit mijn hand gleed en op het pad kletterde, en nu kwam de pijn op, alsof hij van heel ver kwam, en ik was me ervan bewust dat er meer klappen neerkwamen en de pijn breidde zich uit langs de zijkant van mijn hoofd en ik viel op mijn knieën en bedacht ondertussen dat ik iets moest doen, bedacht dat mijn ouders erg teleurgesteld in me zouden zijn, bedacht dat Ian gelijk had gehad, bedacht dat Rob woedend zou zijn. Ik had het er beter van af willen brengen. Ik had gehoopt dat ik het er beter van af zou brengen. De wereld trok zich terug, maar mijn ge-

dachten bleven irrationeel malen toen de grond omhoog, naar me
toe kwam en mijn wang ertegenaan klapte en ik mijn ogen opende
en zag hoe een laars op mijn gezicht afkwam en dat was hetgeen wat
uiteindelijk gewoon zorgde

dat alles

stopte.

Louise

Gil was attent nadat Maeve was vertrokken, bijna té attent. Hij volgde me kamer in, kamer uit en keek wat ik deed. Ik voelde me claustrofobisch; het was te vol in mijn eigen huis, waar ik gewend was alleen te zijn. Toen hij de volgende middag wegging, ervoer ik dat als een opluchting. Hij zei dat hij een paar dingen moest regelen. Ik vroeg niet wat. Ik was te blij dat ik wat tijd voor mezelf had, om na te denken, om te ademen.

Ik had de behoefte gevoeld om alleen te zijn, maar toen ik in mijn huis rondstruinde borrelde er toch een geluksgevoel in me op. Overal trof ik bewijzen van Gils aanwezigheid aan, en ik liep te zingen tijdens het opruimen. Ik liet een bad met rozengeur vollopen en bleef er lang en zwoel in weken met een glas robijnrode Australische shiraz naast me. Het was stil zonder hem en ik voelde dat ik me ontspande. Bijna soezend dreef ik gewichtloos in het warme water en liet mijn gedachten gaan waarheen ze wilden; ze bleven even hangen bij Gil en wat hij tegen me had gezegd en wat hij had gedaan... Onvermijdelijk stond ik even stil bij Rebecca. Ze had Gil en mij samengebracht, maar hij had gelijk: als ze nog had geleefd, zou ze ons van elkaar gescheiden hebben gehouden. Haar dood had ons bevrijd. En ik was sinds haar dood ook veranderd. Ik had meer zelfvertrouwen gekregen. Ik zat beter in mijn vel dan ooit tevoren.

Ik pakte het glas van de badrand en hield het omhoog. 'Proost, lieve Rebecca. Bedankt voor alles.'

De wijn rook naar bramen en smaakte hemels, en ik nam kleine nipjes tot het glas leeg en het badwater lauw was.

Toen Gil zichzelf had binnengelaten met de sleutel die ik hem had gegeven, was ik al weer aangekleed en aan het eten begonnen.

'Wat ruikt het hier lekker.' Hij kwam zo arrogant en zelfvoldaan de keuken binnen alsof hij een prijs had gewonnen. Hij liep recht naar de plek waar ik broccoli aan het snijden was. Ik liet het mes vallen om mijn handen door zijn haar te halen, toen hij me omdraaide en me gretig begon te kussen alsof we elkaar geen uren maar maanden niet hadden gezien.

'Je hebt gedronken.'

'Ik heb een fles wijn opengemaakt.' Op tafel stond een glas op hem te wachten.

'Wat decadent.' Hij duwde mijn benen met zijn knie zachtjes iets uit elkaar en schoof mijn korte denim rokje langs mijn dijen omhoog. 'Wat eten we?'

'Een ovenschotel van gehakt met aardappelpuree.' Hij kuste mijn schouder, trok mijn topje omlaag om mijn naakte huid te strelen en ik leunde tegen het aanrecht en voelde dat ik wegsmolt.

'Zet de oven maar even uit.' Hij trok zich abrupt terug. 'Ik denk al urenlang aan alles wat ik met je wil doen en ik wil me niet hoeven haasten.'

'Dat wil niemand,' verzekerde ik hem, en ik liet het eten voorlopig voor wat het was. Dat kon best wachten.

Toen ik achter hem aan de keuken uit liep, zag ik een zwart tasje op tafel staan; het was vierkant, glanzend en het had zwartzijden gevlochten handvatten.

'Wat is dat?'

Hij fronste, niet blij met de onderbreking, maar veranderde toen van gedachte en begon te lachen. 'Dat was niet eerlijk van me. Ik mocht niet van je verwachten dat je zomaar langs een tasje van een juwelier zou lopen.'

'Een juwelier?' Ik pakte het van de tafel. 'Wat is het?'

'Kijk maar even.'

'Is het voor mij?' Ik hield het tasje behoedzaam vast.

'Voor jou en voor jou alleen.' Hij stond tegen de deurpost geleund en keek toe hoe ik een klein leren doosje uit het tasje in mijn handpalm liet vallen. Ik klapte het dekseltje voorzichtig open.

'O, Gil. Wat prachtig.' Er lagen twee diamanten te glinsteren tegen het zwarte satijn; ze waren zo groot en rond als erwtjes, en aan elke diamant hing een druppelvormige parel. 'Mag ik ze indoen?'

'Ga je gang.' Hij bekeek me met een toegeeflijke blik terwijl ik op een holletje de gang in liep naar de dichtstbijzijnde spiegel. Ik streek mijn haar naar achteren en bewoog mijn hoofd van links naar rechts om ze volledig tot hun recht te laten komen. De parels hadden een bijzonder warme, bijna roze tint en de diamanten glinsterden als vuurwerk bij elk sprankje licht dat ze opvingen.

'Ik kan het gewoon niet geloven. Maar waarom?'

'Ik wilde dat je iets voor jezelf zou hebben.' Hij kwam zo staan dat ik hem achter me zag staan in de spiegel. 'Geen tweedehandsjes. Vind je ze mooi?'

'Schitterend.'

'Mooi, dan zijn ze van jou. Op één voorwaarde.'

Ik voelde mijn glimlach verstarren. 'Welke?'

'Dat jij mij Rebecca's oorbellen teruggeeft. Ik vind het niet prettig om te zien dat jij ze draagt.'

Ik draaide me om zodat ik hem beter kon zien. 'Waarom niet?'

Hij keek geërgerd. 'Maakt dat wat uit?'

'Eigenlijk wel, ja.' Ik zette mijn handen op mijn heupen. 'Kom nou, Gil. Ze zijn voor mij gewoon een leuk aandenken aan Rebecca. Waarom mag ik ze niet houden?'

'Omdat Rebecca dood is.' Hij hield mijn blik gevangen in de zijne en zijn gezicht stond ondoorgrondelijk. 'En jij bent haar niet.'

Ik wilde weglopen, maar hij pakte me bij mijn arm en trok me weer naar zich toe.

'Je bent haar niet, Lou, en ik wil dat ook niet. Ik wil dat jij jij bent. Ik weet heus wel dat je je Rebecca wilt herinneren – ze was tenslotte je vriendin. Maar laat haar alsjeblieft los. Ze is dood.' Hij schudde me even door elkaar, niet hard. 'Ze is er niet meer. Laat haar met rust.'

'Ik weet best dat ze er niet meer is. Ik praat ook niet steeds over haar. Wat dat aangaat, ben jij degene die haar zonet ter sprake bracht,' zei ik, niet onredelijk.

Hij ontplofte en schreeuwde: 'Godsamme, doe nou één keer wat ik je vraag. Zo moeilijk is dat niet.'

'Gil!' Ik staarde hem ontzet aan, en dat leek hem alleen maar bozer te maken. Hij hield mijn arm nog steeds vast en nu trok hij er zo hard aan dat ik mijn evenwicht verloor. Hij sleurde me de gang door en gooide me tegen de trap, waar ik onelegant met mijn benen wijd op neerkwam.

'Schiet op. Ga ze pakken.'

Ik bleef even roerloos liggen; ik proefde bloed op mijn lip en voelde een schaafwond van de trapbekleding branden boven mijn rechteroog. Toen rolde ik om op mijn elleboog en keek hem aan.

'Nee.'

'Wát zeg je?'

'Ik zei nee. Nee, ik ga ze niet halen.' Het ging niet over de oorbellen; dat wist ik wel. Het ging erom wie het voor het zeggen had. En ik wilde en kon niet toegeven.

Hij stond onder aan de trap en ademde zwaar; zijn armen hingen langs zijn zij en hij balde zijn handen keer op keer tot vuisten, maar ik had mijn twijfels of hij dat zelf in de gaten had. Zijn haar zat in de war en zijn blik was wezenloos. Ik had het gevoel dat hij me niet echt zag. Toen hij in beweging kwam verwachtte ik dat hij me zou slaan, maar hij liet zijn handen onder mijn rok omhoog glijden, pakte mijn heupen vast en trok me naar zich toe. Ik probeerde me van hem af te draaien, maar hij was te sterk voor me. Hij had mijn slipje omlaag getrokken en nu hield hij met één hand mijn polsen vast, zodat ik hem niet kon wegduwen of met mijn nagels bij zijn ogen kon komen. Wat ik ook deed, ik kon me niet loswringen. Hij fluisterde: 'Waarom moet je toch voortdurend de strijd aangaan? Houd daar toch eens mee op.'

Ik hield er ook mee op. Ik moest wel. Anders zou hij me pijn hebben gedaan, dacht ik, en ik werd er misselijk van toen hij met zijn hele lichaam boven op me ging liggen. En dit was Gil nog wel. De Gil met wie ik mijn bed had gedeeld. Ik had hem gewillig geneukt op diverse plekken en manieren. Dit was niet anders.

Maar dat was het wel. Het was een demonstratie van macht, een tentoonspreiden van kracht. Ik staarde omhoog naar de ganglamp en probeerde uit mijn gedachten te bannen wat hij aan het doen was toen hij bij me binnendrong, in mijn oor hijgde, en ik zijn zweet kil tegen mijn wang voelde toen hij klaarkwam en boven op me neerzeeg. Hij had me pijn gedaan, was met geweld bij me binnengedrongen en nu voelde ik een scherpe pijn, toen hij uit me gleed en een natte veeg op mijn dij achterliet. De traptreden drukten moeten in mijn rug en mijn heup, en mijn arm zat gevangen onder zijn lichaam; ik was blij toen hij in beweging kwam. Hij rolde zich van me af en ging naast me zitten; zijn ademhaling was nog steeds hoorbaar en onregelmatig.

'Jezus, Lou. Dat was ongelooflijk.'

Ik voelde dat hij naar me keek en mijn reactie probeerde in te schatten, dat hij probeerde erachter te komen of hij me van streek had gemaakt.

Ik maakte geen scène. Ik zei helemaal niets. Integendeel, ik glimlachte en voelde daarbij een scherpe pijn in mijn lip waar het scheurtje zat. Want de enige manier om te overwinnen – de enige manier om hem te verslaan – was hem te laten zien dat het me niets kon schelen.

Rob

In theorie was het heel opwindend om betrokken te zijn bij een undercoveroperatie die als doel had een uiterst gevaarlijke, productieve seriemoordenaar in de val te lokken. In de praktijk kon ik wel een paar dingen bedenken die ik liever had gedaan dan midden in de nacht in de regen te staan, op gevaar af een longontsteking op te lopen. Dingen als het ontstoppen van een geblokkeerde afvoerpijp met mijn blote handen. Naar snooker kijken op een zwart-wittelevisie. Met een gigantische kater op zaterdagochtend uit bed worden gebeld door een stel Jehovagetuigen. De surveillancedienst was op zichzelf al erg genoeg; dat de *Sunday Courier* opdook maakte het er niet beter op. En het weer was de laatste druppel. Ik was al doorweekt van het rondlopen in Zuid-Londen in het donker, wat mijn gemoedstoestand er niet beter op had gemaakt toen ik de zilvergrijze Ford van achteren naderde. Het enige voordeel van de regen was dat die me bijna onzichtbaar maakte. Maar die journalist keek toch al de andere kant op.

Ik tikte twee keer hard op het raam aan de passagierskant en zag met genoegen dat hij zich rot schrok. Ik hield mijn politiepas voor het raam, waar hij hem kon zien, en wees naar de grond tot hij begreep wat ik bedoelde en het raampje liet zakken.

'Goedenavond, meneer. Kan ik u ergens mee van dienst zijn?'

Mijn toon moet hem in verwarring hebben gebracht. Ik zag de radertjes in zijn hoofd ronddraaien terwijl hij een reden voor zijn aanwezigheid daar probeerde te bedenken. 'Nee... eh... ik zocht alleen maar een adres. Ik probeer mijn navigatiesysteem op orde te krijgen, want het stuurt me steeds deze straat in.'

'Waar wilt u dan heen?'

Hij was van zijn stuk gebracht, deed zijn mond open en weer dicht. Ik begreep zijn probleem. Het moest hier ergens in de buurt liggen, een buurt die hij kennelijk niet erg goed kende, maar het kon geen al te bekend adres zijn, anders zou hij geen navigatiesysteem nodig hebben om er te komen. Voordat hij iets had bedacht, schudde ik mijn hoofd.

'Doet u geen moeite. We weten dat u journalist bent, en we weten ook wat u hier komt doen.'

Hij liet zijn schouders even moedeloos zakken. Zoals ik had verwacht, had hij niet veel tijd nodig om zich te herstellen. 'Als u dat allemaal weet, dan weet u ook dat ik het recht heb om hier te staan.'

'Jazeker, maar we zijn hier bezig met een operatie die u misschien in het honderd laat lopen. Ik vraag het u vriendelijk. Gaat u weg alstublieft.'

'Dit is een openbare weg. U kunt me niet dwingen weg te gaan.'

'Goed dan,' zei ik. 'Uitstappen.'

'Wat?'

'Wilt u even uitstappen alstublieft? En als u uw rijbewijs bij zich hebt of een ander identiteitsbewijs met een foto, dan zou ik dat graag willen zien.'

'Hoezo?'

'Het is midden in de nacht en u rijdt alleen rond. U hebt me geen geldige reden gegeven voor uw aanwezigheid ter plaatse. Ik heb het vermoeden dat u in het bezit van gestolen goederen of verboden stoffen bent, dus ga ik u fouilleren en uw auto doorzoeken op grond van artikel 1 van de Police and Criminal Evidence Act.' Dit kwam woord voor woord uit het handboek over aanhouden en doorzoeken; het was volkomen legaal en helemaal bedacht als een excuus om hem te ergeren. En hij wist dat net zo goed als ik.

'Dat kunt u niet doen.'

'Als u me tegenwerkt, wordt u gearresteerd.' Ik zei het alsof ik het meende. Het enige geluid was het tikken van de regendruppels op het dak van de auto.

'Verdomme.' Met een uiterst negatieve lichaamstaal deed hij het portier van de auto open en stapte uit, ondertussen in zijn zak graaiend. 'Perskaart. Rijbewijs. Wat wilt u nog meer hebben?'

Ik liep naar zijn kant van de auto en duwde hem twee stappen achteruit, zodat hij met zijn rug tegen de muur stond, weg van zijn auto. 'Blijft u daar staan, meneer.'

In het licht van mijn zaklantaarn zag ik op de kaartjes een jongere versie van Spencer Maxwell, razende reporter. De baardige, dikbuikige werkelijkheid was minder indrukwekkend. Zijn adres was in Hackney en ik trok mijn wenkbrauwen op. 'Was u onderweg naar huis? En besloot u een omweg te maken?'

'Ik was wat onderzoek aan het doen. Ik wilde een beetje sfeer voor een stuk over de moorden dat ik aan het schrijven ben. De sfeer hier.' Hij wuifde vaag met zijn hand naar de straat en het park. Zijn haar lag nu plat tegen zijn hoofd en de schouders van zijn pak waren donkergekleurd. Nog een minuut of twee en hij zou lekker doorweekt zijn, berekende ik, en toen ging ik over tot een vluchtig onderzoek van de auto, terwijl hij bleef mekkeren dat het belachelijk was, en pesterij en dat hij mijn naam en nummer wilde hebben. Om zijn avond compleet te verpesten had ik ook nog kunnen laten nagaan of hij een strafblad had, maar toen ik het knopje van mijn radio even probeerde, bleek de lijn dood te zijn. Dus keek ik nog even onder de stoelen en in de achterbak, waar ik zonder commentaar te leveren bleef staren naar de berg rommel die er lag, tot hij het gevoel kreeg te moeten uitleggen dat hij niet de enige was die deze auto gebruikte en dat hij niet eens had geweten dat die spullen daar lagen.

'Geen gestolen goederen toch zeker?'

Hij keek met verwilderde blik naar het rattennest dat ik had blootgelegd: plastic tasjes, een sleepkabel, een lekkende fles motorolie, lege waterflesjes, zakjes chips, verpakkingen van sandwiches en een paar oude, gescheurde exemplaren van de *Courier*. 'Nee… Ik bedoel… het is toch gewoon rommel?'

'Daar lijkt het wel op.' Ik sloot de achterklep en draaide me om; ik scheen met de zaklantaarn in zijn ogen. 'Ik vond het alleen vreemd dat u zei dat u niet wist dat het daar lag.'

Zo vreemd was het niet. Iedereen liegt tegen de politie, overal en nergens over. Ik zou hem heus niet arresteren omdat hij een sloddervos was, maar toch kon hij niet toegeven dat hij die rotzooi zelf had gemaakt. Ik hief mijn hand op om hem te laten ophouden met dat gebazel.

'Oké. Ik heb een aantekening op uw kaart gezet, meneer Maxwell. En nu wegwezen, anders breng ik u op wegens obstructie en kunt u de rest van de nacht in de dronkenmanscel op het bureau doorbrengen. Ik weet zeker dat de dure advocaat van uw krant u morgenochtend wel vrij zou krijgen.'

Hij zag een beetje groen bij de gedachte. 'Dat is niet nodig. Ik ga al.'

'Doet u dat vooral,' begon ik, maar ik werd afgeleid door een geluid links van mij. Ik keek om en zag Sam langs het park rennen, écht rennen, terwijl hij hijgend in zijn radio sprak.

'Sam!' Hij hoorde me niet, althans, hij keek niet om maar bleef doorrennen. Ik wierp een snelle blik in de richting van de surveillancewagen om te zien of Maeve of de undercoveragente erin zat, maar beide voorportieren hingen open en het interieurlampje bescheen lege stoelen, en ik dacht alleen maar: waarom moest er verdomme net iets gebeuren terwijl ik me bezighield met de meest afgeleefde hork van een journalist die er bestond?

Nu ik al zo laat was, bleef ik niet hangen. De kortste weg naar het recreatieterrein was toevallig over het hek, dus die nam ik. Ik sprong eroverheen en rende al voordat ik de grond raakte, en nu was ik me bewust van een vechtpartij ergens voor me uit, van een paar doffe dreunen die klonken als iets zwaars wat neerdaalde op spieren en botten. Ik holde de speelplaats over en dook tussen twee bomen door, waarvan de laagste takken langs me heen schuurden, en kwam uit op een open plek, waar zich voor mijn ogen een scène uit een nachtmerrie afspeelde. Half tegen de muur van het toiletblok lag als een kapotte lappenpop met haar hoofd opzij bungelend de undercoveragente die aan Maeves team was toegewezen. Op de grond daar vlakbij lag een ineengedoken figuur die tot mijn ontzetting Maeve zelf bleek te zijn. En over haar heen gebogen stond iemand in een leren motorpak. Terwijl ik toekeek hief hij zijn been naar achteren voor een schop die rechtstreeks tegen haar hoofd zou terechtkomen.

Ik had gerend zo hard ik kon, maar wist ergens vandaan nog wat extra kracht te halen en ik stormde over het gras heen. Het zou verstandiger zijn geweest om op assistentie te wachten, maar ik had al zaklantaarns heen en weer zien bewegen tussen de bomen aan de overkant door, dus zo lang zou ik niet op mezelf zijn aangewezen. Trouwens, dit was een noodsituatie. Ik was natuurlijk te laat. Zijn voet raakte Maeve met een misselijkmakende kracht, een fractie van een seconde voordat ik me als een kanonskogel op hem stortte, waardoor hij uit balans raakte en ik boven op hem viel. Ik vergat al mijn training en technische vaardigheden; het enige waaraan ik kon denken was dat ik hem volledig in elkaar wilde rossen. Ik slaagde erin hem een paar flinke, korte stoten op zijn gezicht te verkopen en gaf hem een hengst met mijn elleboog die zijn neus deed kraken, maar toen begon hij terug te vechten. Hij was sterk en had niets te verliezen, en bijna meteen dreigde ik het onderspit te delven, hoewel ik geen scrupules had om gemeen te vechten. Na een paar klappen op mijn hoofd die me deden duizelen en maakten dat ik sterretjes zag in het donker, stak ik mijn duim in zijn oog en duwde mijn onderarm hard tegen zijn keel. Ik had gedacht dat dat genoeg zou zijn om hem elke vechtlust te ontnemen, maar voordat ik het wist probeerde hij zijn kaken te sluiten door mijn arm heen. Ten langen leste hoorde ik het welkome geluid van een uitschuifbare knuppel die achter me werd opengeklikt, vergezeld van een gierende ademhaling. Ik had net genoeg tijd om opgelucht te zijn dat er assistentie was gekomen, toen ik een snijdende pijn in mijn been voelde.

'Mij niet, Sam, godsamme. Sla hém!'

Sams tweede poging lukte iets beter, en toen er twee geüniformeerde agenten kwamen aanrennen om hem bij te staan, moest zelfs mijn tegenstander wel toegeven dat het allemaal voorbij was. Ik rolde weg toen hij met zijn gezicht omlaag lag en zijn handen achter zijn rug waren geboeid door de grootste van de twee agenten, die boven op hem zat. Ik bleef even op mijn rug liggen om op adem te komen en hield mijn ogen dicht tegen de regen. Langzamerhand begon ik de ernstigste kwetsuren te voelen. Ik ging abrupt overeind zitten. Ik voelde me al zo gemangeld, maar Maeve moest er slechter aan toe zijn. Ik had me te zeer geconcentreerd op het gevecht om aan haar te denken, en nu kon ik aan niets anders denken.

Het kon niet langer dan een minuut of twee geleden zijn geweest dat er alarm was geslagen, maar er waren al twee ambulances gearriveerd. Een van de ambulancemedewerkers knielde naast de undercoveragente en praatte tegen haar terwijl hij haar onderzocht. Er stonden er drie om Maeve heen, die nog steeds roerloos op de grond lag. Er zaten bloedvlekken op hun handschoenen en onder haar hoofd lag een zich uitbreidende plas bloed. Ze stonden over haar heen gebogen, dus ik kon haar gezicht niet zien en ook niet inschatten hoe ernstig ze eraan toe was. Maar ze lag slap terwijl ze bezig waren en ik besefte met een schok dat ik haar nog geen enkel geluid had horen maken. Ik slikte; mijn mond was opeens kurkdroog. Als ze zwaargewond was…

Ze hadden haar op een brancard gelegd. Ik dacht niet meer aan de verdachte en stond op om te kijken hoe het met haar was, maar een van de ambulancemedewerkers versperde me de weg. Ze was klein, breed en moederlijk, en ze wilde niet opzijgaan.

'Mag ik even?' zei ik na mijn derde mislukte poging om haar te passeren. 'Ik wil zien hoe mijn collega eraan toe is.'

'Daarvoor is nog tijd genoeg in het ziekenhuis, nadat u bent behandeld.'

'Ik ga niet naar het ziekenhuis.' Ik probeerde over haar schouder heen te kijken. Ze schoven de brancard een van de ambulances in.

'Daar gaat u wel degelijk heen. U hebt een snee in uw wenkbrauw die moet worden gehecht en ik weet niet wat er verder nog mis is.' Ze keek me misprijzend aan. 'Wat hebt u zichzelf aangedaan?'

Ik keek naar de plek die ze aanwees en zag dat er bloed van mijn vingers druppelde. Ik boog ze en vertrok mijn gezicht toen er een pijnscheut door mijn arm ging. 'Niets bijzonders.'

'Kom nou. Ik accepteer geen weigering. Laat me op z'n minst even de schade opnemen.'

'Ik beloof u dat ik voor onderzoek naar het ziekenhuis zal gaan, oké? Zeg nou maar waar ze Maeve heen brengen, dan ga ik daar ook heen.' Ik keek de ambulance na, die met blauw zwaailicht over een van de paden in de richting van het hek wegreed.

'Uw collega?' Ze keek me schrander aan. 'Ik vraag het even voor u na. Maar belofte maakt schuld. U gaat voor onderzoek naar de spoedeisende hulp.'

'Erewoord,' zei ik, en ik hield drie vingers op.

'Ik betwijfel of u weet wat dat is.' Ze liep hoofdschuddend weg. Ze had wel een beetje gelijk. Maar ik zou mijn belofte hebben gehouden als Judd niet twee tellen later trillend van opwinding en met een woeste blik in zijn ogen was komen opdagen.

'Waar is hij?'

'Wie? O, hij.' Ik was hem bijna vergeten. 'Daar.'

'Heb je hem al gefouilleerd? Zijn identiteitsbewijs bekeken? Hem door het systeem laten halen?'

'Ik heb het een beetje druk gehad,' zei ik mild. 'Misschien heeft een van de anderen wel tijd gehad.'

'Ik hoop wel dat iemand hem op zijn rechten heeft gewezen?' Ik deed er als antwoord het zwijgen toe. 'Jezus, moet ik dan álles zelf doen? Kom mee.'

Hoezo, heb je iemand nodig die je handje vasthoudt? Ik zei het niet hardop; ik was niet zo dom dat ik dacht dat Judd een brutale opmerking zou vergeten of vergeven, zelfs niet op de mooiste dag van zijn miserabele carrière.

De verdachte stond nu met gebogen hoofd te wachten, geflankeerd door geüniformeerde agenten. De agenten hadden zijn armen iets omhooggetrokken, zodat hij voorover moest buigen om de druk op zijn schouders te verminderen. Een beetje pijn doet veel om van iemand een mak schaap te maken.

Toen we dicht genoeg in de buurt waren gekomen, zag ik dat hij beefde. Het was koud, ook al was de wind iets afgenomen. Maar toen hij even opkeek en direct daarna zijn hoofd weer liet hangen, zag ik dat hij veel jonger was dan de moordenaar volgens het profiel van de psycholoog zou zijn én dat hij doodsbang was.

Judd kwam gewichtig naderbij. 'Wie heeft de arrestatie uitgevoerd?'

Stilte. Ik huiverde. Ik vermoedde dat ze op mij hadden gewacht om de formaliteiten af te handelen, hoewel ik daar niet aan had gedacht. Ik zag het niet bepaald als een eer, ook al was ik de eerste die hem bij de kladden had gegrepen. Nou ja, het was tijd om door te zetten. 'Dat ben ik, denk ik.'

'Denk je dat?' Hij draaide zich snel om. 'Je wilt me toch niet vertellen dat je hem nog niet hebt gearresteerd? En dat ook niemand anders dat heeft gedaan?'

Ik haalde mijn schouders op, wat erg pijnlijk was. 'Misschien wel. Zoals ik al zei: ik heb het een beetje druk gehad.'

'Doe het nu dan, en doe het volgens de regels.' Judd sprak met opeengeklemde kaken. Dat had ik nog nooit iemand in het echt zien doen… Zoals altijd was het ook nu heel leerzaam om in de buurt van de adjudant te zijn.

'Doe jij dat maar, Tom.' De zachte stem van de hoofdinspecteur klonk vanachter me. 'Dat lijkt me wel passend. Dat vind je toch niet erg, Rob?'

'Helemaal niet.'

Godley sloeg me op mijn schouder en ik slaagde erin geen krimp te geven. 'Goed zo. Tom, ik laat hem aan jou over. Regel het.'

Judd zou alles volgens het boekje doen. Hij zou zelfs nog een kick halen uit het papierwerk. Ik bleef niet toekijken, want ik beschouwde mijn werk hier als afgehandeld. Toen ik wegliep, zag de moederlijke ambulancemedewerker me en ze riep me toe: 'St. Luke's.'

Ik hief mijn duim naar haar op en ze keek me fronsend aan. 'Echt gaan hoor.'

'Doe ik.' Ik zou er zeker heen gaan, hoewel ik me waarschijnlijk niet zou laten behandelen.

Een paar meter verderop zag ik Sam op een bankje zitten. Hij was een toonbeeld van ellende, zoals hij daar voorovergebogen zat, en ik liep op hem af.

'Nog bedankt voor die klap. Wat heb ik je eigenlijk aangedaan? Ik dacht dat je me daarna nog zou besproeien met traangas. Wil je de volgende keer de seriemoordenaar te grazen nemen?'

'Sorry.' Hij keek op. 'Denk je dat het goed zal komen met haar?'

Ik hoefde niet te vragen wie hij bedoelde. 'Ik hoop het.' En daarna, omdat ik de behoefte had het tegen iemand anders te zeggen: 'Het zag er akelig uit.'

'Ik had veel sneller bij haar moeten zijn. Ze was de auto al uit en al halverwege de straat voordat ik zelfs maar in de gaten had dat er iets mis was.'

Hij had gelijk, maar het had geen zin om hem een nog beroerder

gevoel te bezorgen dan hij al had. 'Je bent er nu eenmaal niet op gebouwd om een sprintje te trekken, hè? En het is niet eerlijk, maar
Maeve is in het voordeel met die benen van haar.' Er kon geen lachje
van af. 'Man, ze is een vechter. Ze redt het wel.' Ik klonk verdomd
veel zekerder van mijn zaak dan ik me voelde.

Sam schudde koppig zijn hoofd. 'Ik zal het mezelf nooit vergeven.'

'Oké dan, kom maar op met die vioolmuziek. Wil je misschien
iets nuttigs doen in plaats van hier gaan zitten kniezen?'

Zelfs in het diepst van zijn wanhoop was Sam een te sluwe vos om
direct ja te zeggen. 'Dat hangt ervan af. Waar gaat het om?'

'Ze hebben haar naar St. Luke's overgebracht. Enig idee hoe we
daar kunnen komen?'

Hij stond op en zag er al een stuk opgewekter uit. 'Ik heb de auto.'

'Ik vroeg me al af wanneer je daaraan zou denken.' We liepen geza-
menlijk het park uit. Het pad leidde langs de plek waar de jongeman
systematisch werd gefouilleerd terwijl Judd en Godley toekeken.

We bleven tegelijk staan.

'Jezus, moet je dat zien.'

Voor de jongeman lagen zijn bezittingen uitgestald: een portefeuille, een sleutelbos, een mobieltje. Tot daaraan toe, normale spullen. Niet zulke normale spullen: het kleine rechthoekige ding van
zwarte kunststof met twee uitsteeksels dat ik herkende van briefings
als een stungun, het breekijzer, de betonschaar, een rolletje groen
touw, een bikhamer met een zwart rubberen greep.

'Ik neem aan dat dit betekent dat hij het is,' zei Sam mat.

'Ja. Je weet dat je oud wordt als seriemoordenaars eruit gaan zien
als jochies.'

De verdachte was alleen nog gekleed in een wit T-shirt en zijn lange broek. Ze hadden zijn laarzen uitgetrokken om ze vanbinnen te
onderzoeken en zijn blote voeten staken blauwig af tegen het koude,
natte beton. Hij keek naar ons op met een somber gezicht vol ontsto-
ken rode acnepuisten. Hij had rode kringen om zijn ogen en rode
vlekken op zijn neus waar hij tijdens de worsteling was geraakt. Hij
was lang en zwaargebouwd, maar zijn gezicht was dat van een tiener.
Toch kon hij geen tiener meer zijn. Niet als je terugdacht aan wat hij

had gedaan. Aan het geweld dat hij had gebruikt. Aan de vrouwen die hij had vermoord.

Ik liep weg en Sam volgde me. We liepen zwijgend het park uit. De vuurmoordenaar was in hechtenis genomen, maar we waren toch geen van beiden in jubelstemming.

Het ziekenhuis leek wel het einde van de wereld. De wachtkamer was versierd met uitgezakte groene glinsterfolie en gouden papieren sterren die op geen enkele wijze de kamerbrede lelijkheid wegnamen, maar me er wel aan herinnerden dat het bijna kerst was en dat er maar heel weinig was om vrolijk over te zijn. De kunststof banken zaten vol met lichtgewonde overlevenden van kerstborrels, dronken kantoorlieden, vieze zwervers en jongens die hun mannenavond hadden afgesloten met een bloedige vechtpartij. Er kwam een bedompte geur met een vleugje kotslucht op ons af toen we binnenkwamen en ik bleef walgend staan.

'Jezus.'

'Zelfs Hij zou zich niet om deze lieden bekommeren.' Sam, die mentaal alweer behoorlijk was opgekrabbeld, liep snel naar de ontvangstbalie achter glas. Erachter zag ik ten minste vijf ziekenhuismedewerkers, die er uitstekend in slaagden de rij wachtenden te negeren. Sam liep alle wachtenden tot hun grote ergernis voorbij, tikte op het ruitje en hield zijn politiepas ervoor. Het zou overdreven zijn te zeggen dat de receptionistes zich haastten om te weten te komen wat hij wilde, maar uiteindelijk kwam er een donkerharige vrouw met overhangende oogleden naar hem toe om te horen wat hij te zeggen had. Ze verdween en Sam keek om zich heen. 'Ze is even gaan kijken.'

'Ik ga me even opknappen. Ga niet weg zonder mij.'

'Natuurlijk niet.'

Nadat ik snel de staat van het herentoilet in ogenschouw had genomen, ging ik het invalidentoilet maar in. Het grote voordeel daarvan was dat het afgesloten kon worden. Ik riskeerde een blik in de spiegel en zag de snee waarover de ambulancemedewerker zo bezorgd was geweest en die dwars door mijn rechterwenkbrauw liep. Er was bloed langs mijn wang en mijn hals gelopen; ik zag er niet veel beter uit dan die jongens in de wachtkamer. Ik depte mijn huid met een beetje nat toiletpapier om iets toonbaarder te worden. Ik zag het begin van een blauw oog en een kneuzing bij mijn kaak, waar hij me had geraakt met een linkse directe, maar verder viel het nogal mee. Ik trok mijn doorweekte jack uit en liet het op de vloer vallen; toen trok ik het sweatshirt uit dat ik daaronder aanhad en ik vloekte zachtjes toen het langs het opdrogende bloed aan mijn arm schuurde. Die beet zag er niet best uit; dat zag ik zelfs. Hij had dwars door mijn huid heen gebeten, waardoor ik nu twee halfronde boogjes in mijn arm had waar nog steeds bloed uit sijpelde. Daarbinnen zat een vuurrode kneuzing en de hele plek deed zeer. Ik wist niet meer of je een tetanusinjectie nodig had voor een menselijke beet, maar ik had een vaag vermoeden dat het niet iets was om te verwaarlozen. Ik moest er echt naar laten kijken, bedacht ik afwezig, zonder er vaste plannen voor te maken.

Ik haalde snel mijn T-shirt over mijn hoofd, trok mijn arm voorzichtig door de mouw en draaide vervolgens mijn bovenlijf naar links en toen naar rechts, om te zien of ik nog meer verwondingen had opgelopen. Er begonnen al een paar kneuzingen zichtbaar te worden bij mijn ribben en mijn borst, maar er waren verder geen snijwonden. Alleen oppervlakkige schade, dus niets ernstigs, niets om je erg druk om te maken. Maar ik was moe en ik had het koud, dus ik bleef even hondsberoerd tegen de wastafel aan hangen om genoeg moed te verzamelen om me weer aan te kleden.

Het T-shirt was nat en roze aan de hals, waar het door de regen verdunde bloed was terechtgekomen dat langs mijn hals omlaag was gesijpeld. Ik maakte er een prop van en gooide het in de prullenbak, waarna ik het sweatshirt weer aantrok, omdat dat er nog enigszins toonbaar uitzag. Ik liep mijn jaszakken na en stopte mijn mobiel en die van Maeve in mijn spijkerbroek. Ik had de hare gebruikt om Ian te bellen vanuit de auto, toen we onderweg waren naar het ziekenhuis. Het leek me netjes om dat te doen; in zijn plaats zou ik het hebben willen weten. Hij had alle fases doorlopen van irritatie via bezorgdheid tot het soort stekende angst om haar die ik ook voelde. Maar hij had er alle recht toe zich zo te voelen, sprak ik mezelf toe. Ik niet.

Toen ik met mijn jack over mijn arm het toilet uit liep, merkte ik dat Sam was verdwenen. Terwijl ik hem in stilte vervloekte liep ik naar de receptie, waar ik de aandacht van de vrouw met de overhangende oogleden trok.

'Uw vriend is al naar binnen. Loop maar naar de deur, dan druk ik hem voor u open.'

Hij had dus niet op me gewacht. In het deel van de Spoedeisende Hulp waar gewerkt werd zag het er niet veel beter uit: te weinig personeel en te veel mensen op brancards. Ik liep een paar zalen binnen zonder Sam te vinden en pakte toen een passerende verpleegster bij haar arm; ze was dun en van middelbare leeftijd, en zag er gekweld uit.

'Politie, mevrouw. Ik zoek een van mijn collega's die zojuist is binnengebracht vanuit Kennington; ze was gemolesteerd.'

'O ja. Ze ligt daar.' Ze wees naar een plek met dichtgetrokken gordijnen eromheen in de hoek.

'Gaat het goed met haar? Ik bedoel, mag ik bij haar?'

'Het gaat prima. We hebben de gordijnen alleen maar dichtgetrokken om haar wat privacy te gunnen. Het is hier vanavond een gekkenhuis.'

Opluchting was niet het juiste woord voor wat ik voelde. Ik keek haar breed glimlachend aan. 'Ik zou denken dat jullie daar wel aan gewend zijn.'

'Hier wen je nooit aan.' Ze trok haar wenkbrauwen op toen er een man met een stel voelhoorns op zijn hoofd langs ons heen werd geleid; hij hield een witte prop verbandgaas tegen zijn oog aan en droeg witte kniekousen en een groene onderbroek, meer niet. Ik begreep wat ze bedoelde.

Ik wenste haar succes, liep naar de plek in de hoek en trok het gordijn behoedzaam opzij. 'Klop, klop.'

Het was Maeve niet die in het bed lag en ze zat er ook niet naast. De undercoveragent – Katy, herinnerde ik me – lag met een bleek gezicht en haar hand tegen haar hoofd languit op de onderzoeksbank. Een van de andere undercoveragenten zat naast haar met een glas water in haar hand. Katy kwam overeind op haar ellebogen toen ze me zag.

'Hoe is het met Maeve? Gaat het goed met haar?'

'Daar probeer ik juist achter te komen.' Toen dacht ik aan mijn manieren. 'Eh… hoe voel jij je?'

'Kut,' zei ze, en ze ging weer liggen.

'Ze zit vol blauwe plekken,' zei haar vriendin. 'Maar hij heeft god-zijdank niet de kans gekregen haar al te veel aan te doen.'

'Mij niet, maar hij heeft anderen genoeg aangedaan,' zei Katy. Ze keek mij weer aan. 'Als je Maeve vindt, laat je me dan weten hoe het gaat?'

'Doe ik.'

Ik ging weg en liep de verpleegster die ik eerder had gesproken te-gen het lijf. Volgens haar naamplaatje heette ze Yvonne. 'Dit is een andere collega. Hebt u er nog een gezien?'

'Nee, maar u heb ik wel gezien. Kom eens even mee.' Ze had al een onderzoeksruimte gereedgemaakt en voordat ik er iets tegen in kon brengen zat ik op de onderzoeksbank met mijn hoofd achterover. Er scheen een fel licht in mijn ogen. 'Daar moet een hechting in. We moeten de dokter ernaar laten kijken.'

Yvonne maakte de snijwond schoon en ik sloot uitgeput mijn ogen.

'Hoe hebt u dit voor elkaar gekregen, als ik vragen mag?'

'Ik was iemand aan het arresteren.'

'Al vechtend zeker? En wie kwam er het slechtst van af?'

'Ik,' gaf ik toe. Maar ja, mij hing geen dubbele levenslange gevan-genisstraf boven het hoofd – die extra drijfveer van mijn tegenstan-der had ik niet gehad.

'Nu gaat het even prikken.'

Ze had gelijk; het desinfecterende middel was pijnlijker dan de snijwond zelf. 'Oei.'

'Even flink zijn. Het is bijna klaar.'

'Kunt u voor me uitzoeken wat er met mijn collega is gebeurd? Ze heet Maeve Kerrigan.' Ik keek haar met half dichtgeknepen ogen aan. 'Alstublieft?'

Een knikje. 'Wat heeft hij u nog meer aangedaan?'

Het leek me het beste om er maar mee voor de dag te komen. Ik stroopte mijn mouw op en liet haar mijn arm zien. 'Alleen dit nog.'

Ze fronste toen ze de beet zag. 'O jee. Ik ga de dokter even halen.'

'Kunt u het niet schoonmaken en er een pleister op plakken?'

'We nemen beten heel serieus. Wanneer heeft hij dit gedaan?'

Ik had geen idee. 'Een uur geleden, vermoed ik.'

'U zult naar een behandelkamer moeten gaan om de wond te laten spoelen en verbinden. Maakt u zich geen zorgen, u voelt er niets van.'

Ik had al spijt dat ik haar de plek had laten zien. 'Tja, ik zou niets liever willen, maar ik heb het een beetje druk en…'

Opeens kwam er een groot hoofd met een dubbele kin tussen de gordijnen door. 'Wat doe jij hier, man?'

'Sam, waar was jij nou gebleven? Hoe is het met Maeve? Heb je haar gevonden?'

'Ja en nee. Ik heb haar niet gezien, maar ik weet wel waar ze is. Iets verderop in de gang op de reanimatieafdeling. Ze zijn nog met haar bezig.' Hij zag grauw, alsof hij tien jaar ouder was geworden sinds ik hem voor het laatst had gezien. 'Ze denken aan een schedelfractuur. Ze maken zich zorgen over inwendige bloedingen.'

'Gaat het goed komen met haar?'

Hij haalde hulpeloos zijn schouders op. 'Ze doen hun best.'

Ik bevrijdde mijn arm uit Yvonnes greep, stond op en pakte mijn jack.

'Waar wilt u naartoe?'

'Ik moet haar zien.'

'U moet zorgen dat uw arm behandeld wordt.'

Sam boog zich voorover om de wond beter te kunnen zien. 'Oeps. Met zoiets moet je heel voorzichtig zijn. Ik weet van een vent die tijdens een gevecht buiten een club in East End was gebeten. Die is bijna zijn hand kwijtgeraakt.'

'Oké, Sam, je hebt je punt gemaakt.' Ik wendde me tot de verpleegster. 'Hoe lang gaat het duren om dit te regelen? Ik bedoel maar, ik moet van u naar een behandelkamer. Maar dat gebeurt niet nu meteen, toch?'

Ze haalde haar schouders op. 'Zodra er een gaatje is. Ik ga proberen te zorgen dat u snel aan de beurt bent.'

'Maar dat zal zeker niet binnen nu en een kwartier zijn?'

'Nee,' gaf ze toe.

'Als ik beloof dat ik direct weer terugkom, mag ik dan nu alstublieft even gaan kijken hoe het met mijn collega is?'

'Ik kan u niet tegenhouden. Maar u moet echt over vijf minuten terug zijn, zodat de dokter ernaar kan kijken.'

'Tien minuutjes.' Ze keek streng en ik keek haar aan met mijn beste smekende blik. 'Alsjeblieft, Yvonne?'

'Als u het belooft.'

Ik was al weg voordat ze het laatste woord had gezegd.

Yvonne bleek een fluitje van een cent vergeleken met dokter Gibb, die absoluut geen belangstelling had voor mijn dwingende redenen om Maeve te zien. Ze was een kleine, donkerharige, serieuze en onvermurwbare vrouw, en ze was net door de dubbele deuren die toegang gaven tot de reanimatieafdeling gekomen; met andere woorden: ze stond tussen mij en waar ik moest zijn.

'Op deze afdeling is geen bezoek toegestaan. We zullen de familie van de patiënt op de hoogte houden van haar conditie, maar als u alleen maar een collega bent…'

'Ik ben niet alleen maar een collega, ik ben met haar bevriend.' Het was alsof ik niets had gezegd.

'… zou het haar privacy in gevaar brengen als ik u over haar behandeling zou inlichten.'

'Ik wil weten hoe het met haar is.'

'U wordt vast wel door haar familie op de hoogte gebracht.'

Door wanhoop gedreven haalde ik ergens een glimlachje vandaan. Als niets helpt, zet dan je charmes in… 'Ach, u zult het vast wel begrijpen. Ik was erbij toen ze werd aangevallen. Ik geef echt om haar en ik wil alleen maar weten of het goed gaat. Alstublieft?'

Ze schudde haar hoofd. 'Ik kan u niet van dienst zijn. Ik stel voor dat u ophoudt mijn tijd en de uwe te verspillen.'

'Godskolere,' beet ik haar toe, nu tot het uiterste getergd. Sam plukte aan mijn mouw. 'Kom mee, man. Laat nou maar. Ga maar braaf terug naar je eigen behandelkamer.'

Ik moest wel; mijn tijd was verstreken en belofte maakte schuld. Zachtjes vloekend liep ik weg met Sam naast me.

'Ik heb nooit geweten dat je zulke gevoelens voor Kerrigan had.'

'Wat? O dat. Dat je daar intrapt, zeg. Ik probeerde gewoon de dokter ertoe over te halen me bij haar toe te laten.'

'Ja, vast.' Hij produceerde een piepend lachje en ik keek hem dreigend aan.

'O, je voelt je kennelijk al een stuk beter? Gelukkig maar, want je hoeft je er niet voor te schamen dat je je eigen snelheidsrecord hebt gebroken door de tweehonderd meter in twintig minuten af te leggen.'

'Doe niet zo. Alleen maar omdat ik hoorde wat je daar zei…'

'Ik heb je al uitgelegd dat ik dat niet meende. En als je het ooit tegen iemand anders zegt, Sam, tegen wie dan ook, dan spoor ik die vent met zijn voelsprieten op, leen ze van hem en ga ze ergens in stoppen waardoor jij een week lang heel gek gaat lopen.'

'Rustig, rustig, niet zo agressief…'

Ik was als eerste bij de onderzoeksbank en trok het gordijn voor zijn neus dicht. Ik kon Sams gezelschap de rest van de avond niet meer verdragen. Ik ging op de rand van de onderzoeksbank zitten en voelde me hondsberoerd; het wachten was op de volgende leuke gebeurtenis.

Yvonne was een vrouw van haar woord. Het duurde maar een paar minuten voordat de dokter mijn arm kwam bekijken. Het feit dat de dokter in kwestie dokter Gibb bleek te zijn, was toch wel typerend voor het verloop van mijn avond.

Ze lieten me gaan zodra ze mijn arm hadden behandeld; ik werd weggestuurd met een verband tot mijn elleboog en een plastic zakje met een paar stevige pijnstillers die ik niet van plan was in te nemen. De meeste mensen zouden nu naar huis zijn gegaan – ik had naar huis moeten gaan –, maar ik reed naar het politiebureau en ik wilde niet dat de pijn die ik leed werd gedempt door een pilletje, hoe prettig dat ook zou zijn. Over Maeves toestand was niets naar buiten gebracht en ik dacht dat ik op het bureau misschien meer te weten kon komen. Daarbij kwam dat ik toch geen rust in mijn lijf had, nu ik wist dat het niet goed met haar ging. De gedachten dwarrelden door mijn hoofd. Als ik ietsje sneller was geweest… Als ik niet met die journalist bezig was geweest… Had ze het me maar gemeld voordat ze was weggerend om Katy te helpen…

Ik was ook wel redelijk benieuwd naar wat er met die jongeman was gebeurd die ik bijna had gearresteerd. Uit mijn eerdere observaties concludeerde ik dat hij zonder twijfel de moordenaar was naar wie we op jacht waren. En we hadden op een heel verkeerd spoor gezeten. Algemeen wordt aangenomen dat seriemoordenaars niet uit het niets opduiken; er is een patroon van wetsovertredingen voordat het escaleert en ze gaan moorden. Maar die vent met wie ik had gevochten zag er niet uit als iemand die de tijd had gehad om veel misdrijven te plegen, en ik herkende hem ook niet als een van de plaatselijk opererende smeerlappen die we ten koste van zoveel manuren hadden opgespoord. Ik was er vrij zeker van dat hij tot nu toe niet in het onderzoek was opgedoken. Hij was dus heel slim, óf, en dat leek waarschijnlijker, we hadden ons enorm vergist in het type crimineel waarnaar we op zoek waren.

Gezien het gebeurde vlak voor zijn arrestatie verwachtte ik niet dat hij door de dokter zou zijn goedgekeurd voor verhoor. Ik zou ook niet zijn goedgekeurd; ik vertoonde de alertheid en de veerkracht van doorgekookte broccoli. Maar hij was kennelijk harder dan ik, want toen ik om zes uur op het bureau aankwam, zag ik direct al Chris Pettifer staan, die in de gang een lesje kreeg van Judd. Pettifer was een van de speciaal opgeleide ondervragers die we op de afdeling hadden, en zijn aanwezigheid op dit uur van de ochtend kon alleen betekenen dat de verdachte mentaal en fysiek in orde was en op het punt stond verhoord te worden. Ik liep voorbij zonder hen te interrumperen, want ik zag dat Judd er nog gedrevener uitzag dan anders. Ik was erg blij dat de verantwoordelijkheid om een bekentenis los te krijgen niet bij mij lag.

Ik trof Peter Belcott aan in de verhoorkamer, wat geen verrassing was. Hij had er slag van op te duiken zodra het interessant werd.

'Praat me even bij, makker. Wie is hij?'

'Ik ben je makker niet.' Belcott bond in. 'Hij heet Razmig Selvaggi.' Hij liet de lettergrepen rondrollen in zijn mond, genoot kennelijk van de klank van de naam. 'Vierentwintig jaar oud. Zijn moeder is Armeense, zijn vader Italiaan. Hij woont in Brixton bij zijn ouders, die een afhaaltent runnen. Hij brengt bestellingen voor hen rond. Staat niet in het politiesysteem. Dat is alles.'

'Heeft hij al bekend?'

'Ze gaan zo met hem praten. De beelden worden rechtstreeks uit de verhoorkamer doorgeschakeld, als je wilt meekijken.' Belcott knikte naar de kleine vergaderkamer, waar het licht van de televisie flikkerde.

'Dat is geen slecht idee.' Ik maakte aanstalten weg te lopen.

'Ik hoorde dat Kerrigan hem met haar gezicht tot staan heeft gebracht. Zou niet voor het eerst zijn dat ze zo'n effect op een man had.'

Voordat ik het kon verhinderen, hadden mijn handen zich tot vuisten gebald. 'Ze is gewond geraakt toen ze een collega assistentie verleende, dus ik zou er maar geen grappen over maken, als ik jou was. En waar was jij gisteravond? Een spannende date met *World of Warcraft* misschien?'

'Rot op.'

'Graag zelfs.'

Ik liep de vergaderkamer in, waar al een stel collega's zat te wachten tot het schouwspel zou beginnen. Ik ging achter hen tegen de muur aan staan. Ik had een dof kloppend gevoel in mijn arm en ik voelde me over het geheel genomen behoorlijk beroerd. Ik wilde Selvaggi graag nog eens zien, maar ik was ook blij met de afleiding.

Op het tv-scherm ging de deur open en kwam Pettifer binnen met Judd in zijn kielzog. Het geluid stond uit, maar ik zag dat de adjudant nog steeds aan het woord was. Kennelijk had hij niet voldoende vertrouwen in Pettifer om hem zijn werk te laten doen. Pettifer baalde zichtbaar en daar kon ik inkomen. Een van de rechercheurs die voor me zat riep hard 'boe!' en gooide een prop papier naar het scherm. Judd mocht de arrestatie dan wel voor zijn rekening hebben genomen, maar de populariteitspoll zou hij niet snel winnen. Ze namen beiden plaats aan de tafel en Pettifer wierp nog even een blik over zijn schouder naar de camera. Hij wist dat we zaten te kijken en ik vroeg me af of de gedachte dat we hem moreel steunden zou helpen of dat hij dat juist als een extra belasting ervoer.

Toen de deur weer openging, werden Selvaggi en zijn advocaat de kamer binnengelaten. Er waren inmiddels nog een paar collega's binnen komen lopen en toen hij in beeld kwam, steeg er een geroezemoes van commentaar op. De kneuzingen in zijn gezicht kleurden al mooi donker. Hij had zijn schouders opgetrokken van spanning en zag er bepaald niet indrukwekkend uit toen hij aan de tafel ging zitten.

'Wat is hij jong, hè?' Colin Vale zei hardop wat ik dacht. Hij zag er jonger uit dan vierentwintig, vooral toen hij ook nog op zijn nagels begon te bijten.

Zijn advocaat was ook jong. Ze zal wel dienst hebben gehad voor een van de plaatselijke advocatenkantoren; het was weekend en ze moest dus een van de allerjongste juristen zijn. Ze had lang, steil rood haar met een zware pony. Het gezicht daaronder zag bleek, wat gezien het vroege uur niet zo vreemd was. Haar kleren waren gekreukt en ze leek me nerveus toen ze naast Selvaggi ging zitten en zich naar hem toe boog om hem iets in het oor te fluisteren. Ook dat was niet zo vreemd. Er zijn weinig misdrijven ernstiger dan dit.

Ik werd me ervan bewust dat iedereen in de vergaderkamer voorover geleund zat. 'Doe eens wat aan het geluid, Colin.'

Toen het geluid aanstond, hoorden we Pettifer de geijkte frases zeggen waarmee elk verhoor begon: het vermelden van de tijd, de datum, de plaats en wie de aanwezigen waren – dit alles ten behoeve van de bandopname. Toen Selvaggi werd gevraagd naar zijn naam en geboortedatum, gaf hij antwoord met een stem die zo zacht en schor klonk dat ik mijn best moest doen om te verstaan wat hij zei. Hij had een licht Zuid-Londens accent dat maakte dat zijn woorden in elkaar overliepen. De naam van de advocaat was Rosalba Osbourne. Ze klonk absurd zakelijk, alsof wat ze hier deed haar gewone dagelijkse werk was en niet iets om opgewonden van te raken. Theoretisch klopte dat wel, maar het was in elk geval voor mij overduidelijk dat ze hoopte dat niemand haar nervositeit zou opmerken, die maakte dat ze onrustig met haar pen zat te spelen. Pettifer las Selvaggi zijn rechten voor en ging toen van start met het verhoor. Alles volgens het boekje. Niets waar een vraagteken bij gezet kon worden.

'Oké dan,' zei Pettifer zodra de formaliteiten waren afgehandeld. 'Meneer Selvaggi, weet u waarom u vanochtend bent gearresteerd?'

'Een persoonsverwisseling.'

'Wat bedoelt u daarmee?'

Hij schraapte zijn keel, maar dat hielp niet veel; hij was nog steeds schor toen hij zei: 'U hebt me verward met iemand anders. Die serie-moordenaar.'

'U bent toch gearresteerd in het park aan Campbell Road?'

Hij knikte en zei toen, na een knikje van zijn advocaat: 'Ja.'

'Wat deed u daar?'

'Ik maakte gewoon een ommetje.'

'Valt u vaker vrouwen aan als u zo'n ommetje maakt?'

Hij keek zijn advocaat aan, die haar hoofd schudde. 'Geen commentaar.'

'U bent betrapt toen u er vannacht twee aanviel, zoals u weet. Toevallig waren het allebei politieagenten, maar dat wist u niet.'

'Geen commentaar.'

'Toen we u fouilleerden, hebben we deze artikelen op u aangetroffen.' Pettifer wachtte tot Judd de plastic zakken met bewijsmateriaal voor Selvaggi op tafel neerlegde. 'Een stungun. Een hamer. Een breekijzer. Touw. Een betonschaar. Waarom had u dat allemaal bij zich?'

'Die had ik gevonden.' Het was dom dat hij zich liet verleiden tot een verklaring en ik dacht ergernis op Rosalba's gezicht te zien, maar ze liet hem uitspreken. 'Ze lagen op de grond en ik heb ze opgeraapt.'

'Was dat voor- of nadat u de vrouwen had aangevallen?'

'Heb ik niet gedaan. Zij lagen ook op de grond.'

'Wie heeft ze dan wel aangevallen, meneer Selvaggi?'

'Iemand anders.'

'Hebt u iemand anders gezien? Want we waren bezig met een surveillanceoperatie in dat gebied en ik denk dat het ons zou zijn opgevallen als er nog iemand had rondgelopen.'

Hij haalde weer zijn schouders op.

'Ten behoeve van de bandopname: de heer Selvaggi haalde zojuist zijn schouders op.' Pettifer nam een slokje water. Toch verliep het niet slecht. Maar het was dan ook moeilijk je voor te stellen hoe hij zich hieruit kon redden, in aanmerking genomen dat ik hem op heterdaad had betrapt.

Judd had kennelijk het idee dat hij het er beter van af zou brengen dan Chris. 'Verwacht u echt dat we geloven dat u heel toevallig langs de plaats delict liep? Wat is uw verklaring voor de aanwezigheid van het benzineblik in de kist op de bagagedrager van uw bromfiets?'

'Dat is voor het geval ik zonder benzine kom te staan,' was het genadeloze weerwoord van Selvaggi, en om me heen klonk er een bulderend gelach op in de vergaderkamer; Judd had zo'n beetje het enige uitgekozen waarvoor Selvaggi een goede verklaring had.

'We gaan uw huis doorzoeken,' zei Judd bits. Zijn oren waren knalrood geworden. 'We gaan alles wat aan u toebehoort doorzoeken, en alles wat uw ouders en uw zusters toebehoort. We halen alles ondersteboven. En dan zullen we nog weleens zien of u een verklaring hebt voor wat we vinden.'

'Laten we maar hopen dat we iets vinden,' zei een van de oudere rechercheurs sarcastisch. 'Anders is dat een nogal loos dreigement.'

Aan Selvaggi's gezicht was niet veel af te lezen, maar de kwaliteit van de beelden en het camerastandpunt waren zodanig dat details ook wel moeilijk te zien waren.

'Wanneer gaat die doorzoeking plaatsvinden?' vroeg ik, in de hoop dat iemand het wist.

'Nu. We hebben het doorzoekingsbevel net binnen.' Ik had hem niet horen aankomen, maar hoofdinspecteur Godley stak zijn hoofd om de hoek van de deur. 'Rob, ik hoopte al dat je hier zou zijn. Wil je mee?'

'Heel graag.' Ik duwde mijn rug van de muur en volgde Godley naar de auto die stond te wachten om ons naar Brixton te brengen. Ik wist dat dit zijn manier was om me te bedanken voor het feit dat ik Selvaggi overmeesterd had; het was echt iets voor hem om daaraan te denken en ik waardeerde zijn geste. Ik vond het ook prettig dat ik afleiding kreeg van mijn zorg om Maeve, want zelfs het kijken naar Judd in zijn krachtmeting met Selvaggi was niet voldoende geweest om haar uit mijn gedachten te bannen.

'Er is nog geen nieuws,' zei Godley abrupt toen we in de auto stapten. 'Over Maeve. Ik heb het ziekenhuis net gebeld.'

'O, oké. Bedankt voor de informatie.'

'Ik laat het je weten als ik iets hoor.'

'Erg vriendelijk van u,' zei ik, maar ik slaagde er niet in mijn gêne te verbergen. Godley pakte zijn mobiel en belde de directe medewerker van de districtschef om hem op de hoogte te brengen. Ik staarde door het raampje naar de straat, en vroeg me af of iedereen op de afdeling inmiddels had gemerkt wat ik voor haar voelde, en of zij het misschien al hadden geweten voordat ik er zelf achter was.

Selvaggi bleek te wonen in een bescheiden negentiende-eeuwse tussenwoning. Het huis was bedrieglijk smal; het was heel diep, wat verklaarde dat er plaats genoeg was voor hemzelf, zijn ouders en zijn drie zusters. De dakkapellen verrieden dat ze de zolder hadden uitgebouwd, en daar woonde Selvaggi in wat in feite een volwaardig appartementje was, had Kev Cox ons verteld.

'We hebben de rest van het gezin al verplaatst. Onnodig te zeggen dat ze daar niet blij mee waren, maar ze zijn gaan logeren bij familie in Carshalton.'

Het huis was inmiddels al onbewoonbaar. Kev had geregeld dat er stukken zeil aan een frame voor de ramen op de benedenverdieping waren geplaatst en ook om de auto van het gezin heen, die even verderop in de straat geparkeerd stond. Net als de rest van het team dat de doorzoeking uitvoerde droeg Kev een wit ketelpak met een capuchon en blauwe handschoenen. Godley en ik doken achter het zeil om papieren overalls en handschoenen aan te trekken voordat we het huis betraden; we zouden absoluut niet verder dan de drempel komen als er ook maar de geringste kans bestond dat we mogelijk bewijsmateriaal zouden verstoren. De buren hadden hun best gedaan om de pers te waarschuwen en er jengelde een helikopter boven ons hoofd, van waaruit het onderzoek in het kleine tuintje werd gefilmd. De straat was aan beide zijden afgezet, dus hoefden we niet bang te zijn dat de media te dichtbij zouden komen, maar de bewoners op kijkafstand van het huis waren alles aan het opnemen wat ze konden zien. Het zou allemaal heel snel te zien zijn in de nieuwsuitzendingen. Echt interessant was het wat mij betrof niet, maar het bericht van een arrestatie was wel sensationeel en ze hadden nu eenmaal wat beeldmateriaal nodig om bij hun verslag uit te zenden. Kev was met een gezicht vol spanningsrimpels bezig wat tenten uit te zoeken als afdekking voor de plekken in de tuin waar gezocht moest worden, zodat hij onbespied zijn werk kon doen. Godley en ik lieten hem met rust en stapten behoedzaam door de voordeur het huis binnen, anoniem in onze pakken met capuchon en mondkapjes.

'Kan ik u helpen?'

De stem was die van Kevs tweede man, Tony Schofield. Het was een lange, slungelige man die normaal niet erg doortastend was, maar Kev had hem waarschijnlijk opdracht gegeven de plaats delict te beheren.

'Hoofdinspecteur Godley en rechercheur Langton,' zei Godley met maar een zweempje ergernis in zijn stem. 'Kev weet dat we er zijn.'

'Sorry… Ik wist niet… Ik bedoel…' Schofields ogen waren wijd van schrik. 'Ik dacht dat ik het het beste even kon navragen.'

'Heel goed. Kun je ons even wegwijs maken?'

'Natuurlijk.' Hij haastte zich de doos die hij vasthield neer te zetten en gebaarde naar de voorkamer. 'We zijn hier begonnen, maar eerlijk gezegd verwachten we niet veel te vinden. Het ziet ernaar uit dat hij het meeste van zijn spullen boven in zijn kamer bewaarde.'

'De zolderverdieping? Laten we daar dan maar beginnen.'

Vanuit de gang keek ik de keuken in, waar agenten elk potje openmaakten en elk pakje dat in de vriezer zat controleerden. Ik kreeg de indruk dat dit een keurig huishouden was voordat wij arriveerden. Mevrouw Selvaggi zou niet blij zijn als ze thuiskwam, wanneer dat ook mocht zijn.

Ik volgde Schofield en Godley de trap op naar de tweede verdieping. Er was net ruimte genoeg voor ons drieën als we in het midden van de kamer bleven staan, maar het plafond liep onder een scherpe hoek af. Er stonden een eenpersoonsbed en een ladekastje en er waren een paar ingebouwde boekenplanken, maar het grootste deel van de bergruimte bevond zich achter schotten onder het dak. De deurtjes hingen open als bewijs van de stormachtige wijze waarop de leden van het doorzoekingsteam in de kamer hadden huisgehouden. De kamer maakte een overvolle indruk, maar de bewoner had er een plek voor hemzelf aan, afgezonderd van de rest van het gezin, en hij beschikte zelfs over een badkamertje met een douche.

'Hij woont voornamelijk hier boven. Eet hier. Slaapt hier. Brengt hier overdag veel tijd door. Houdt zich ook afzijdig volgens een van zijn zussen. Ze weten vaak niet eens of hij wel thuis is. Hij brengt ook uren door in de sportschool; hij doet aan gewichtheffen. Officieel heeft hij geen baan; hij doet hier en daar zwart wat timmerwerk en verdient wat zakgeld bij in het bedrijf van zijn ouders door bestellingen te bezorgen. We hebben zijn werkschoenen en zijn gereedschap gevonden. Die zijn al naar het lab.'

'En verder?' Godley klonk gespannen. We hadden hem op heterdaad betrapt, maar van jury's kon je nooit op aan; we hadden meer bewijzen nodig die hij niet zou kunnen verklaren.

'Op die planken' – Schofield wees ernaar – 'had hij waargebeurde misdaden staan. Heel wat boeken over seriemoordenaars, vooral met vrouwelijke slachtoffers: twee over de Yorkshire Ripper, een paar over het echtpaar West, een over de Suffolk Strangler, een over het onderzoek naar de moord op Rachel Nickell en dan nog een paar over buitenlandse moordenaars: Bundy, de Green River Killer, Andrei Chikatilo, Ed Gein, de Hillside Strangler, Charles Manson.'

'Alle grote namen,' was het commentaar van Godley.

'Je moet de lat hoog leggen,' mompelde ik.

'Ik neem aan dat hij naar tips zocht,' zei Schofield ernstig. 'Hij had ook nog de memoires van een profielschetser van de FBI en een boek over forensisch onderzoek. Hij had zich goed in de materie ingewerkt. Hoe je het moet doen en hoe je zorgt dat je niet wordt gepakt. Het lijkt erop dat hij wat langer over dat tweede had moeten nadenken. Hij had ook een paar boeken over occultisme. Aleister Crowley en dat soort dingen. Amateursatanisme.'

De discussie over Selvaggi's leesgewoonten begon me te vervelen. 'Verder nog iets?'

'Onder zijn matras hebben we een verzameling pornotijdschriften en een paar porno-dvd's aangetroffen, voornamelijk sm; ik heb me laten vertellen dat het om wat gespecialiseerder materiaal gaat dan er meestal op de bovenste plank in de winkel staat. In deze la,' en hij wees naar de onderste van het ladekastje naast het bed, 'lag een kartonnen doos met sieraden voor vrouwen erin.'

'De vermiste sieraden van de slachtoffers?' vroeg Godley.

'Dat zou ik niet weten. Maar alles is al weg om te worden gefotografeerd en voor DNA-onderzoek. Voordat de zus wegging hebben we haar ernaar gevraagd en ze zei dat ze voor zover zij wist niet van haar zusters of haar moeder waren, maar dat laten we nog bevestigen.'

'Dat is mooi,' zei ik. 'We hebben iets nodig wat hem in verband brengt met de andere slachtoffers.'

'Wat dat aangaat kan ik u misschien van dienst zijn.' Schofields ogen stonden helder boven zijn mondkapje uit. 'In die kast achter u, helemaal achterin, lag een plastic zak met daarin een shirt, compleet met bloedvlekken, en twee hamers. Toen we er een bekeken, zagen we vlekken, hoogstwaarschijnlijk bloedvlekken, met een paar vrij lange haren er nog aan. Ik zou wel willen weten wat voor verklaring hij daarvoor heeft.'

'Ik ook.' Godley klonk blij maar ook vermoeid, alsof hij eindelijk de eindstreep van een marathon had gehaald. 'Bedankt, Tony. Is er nog meer?'

'We zijn bezig het afvoerputje en de afvoerbuizen van de badkamer na te kijken, voor het geval dat hij nog meer bewijsmateriaal van zijn lichaam heeft gewassen. Afgezien daarvan is het gewoon een kwestie van het pand doorzoeken en ons ervan te verzekeren dat we niets over het hoofd hebben gezien.'

'Prima. Ga zo door,' zei Godley.

Schofield knikte. 'Als er verder niets is…'

'Ga rustig door met waar je mee bezig was. Bedankt voor de rondleiding.'

Hij stoof de trap af naar beneden en Godley keek me aan. 'Wat denk jij ervan?'

'Ik denk dat zelfs het meest achterdochtige jurylid wel over de brug moet komen als de hamer en de sieraden worden opgevoerd. Een deel ervan is volkomen indirect bewijs, zoals de porno en de boeken over waargebeurde misdaden. Ik ben er redelijk zeker van dat een paar van onze teamleden ook zo'n soort boekencollectie hebben. Maar dr. Chen zal zich er helemaal op uitleven.'

'Dan heeft ze iets te doen terwijl ze bezig is redenen te bedenken voor het feit dat ze een verkeerd profiel heeft geschetst.'

'Inderdaad ja.' Ik keek de kamer rond, de openhangende kastdeurtjes, het afgehaalde bed met een scheefliggend matras, de lege boekenplanken. Het was allemaal zo treurig, zo magertjes. 'Van niets naar moord in één stap. Geen eerdere veroordelingen. Hoe kan dat?'

'Misschien is hij gewoon nooit gepakt. Of misschien was zijn fantasie groot genoeg om hem te bevredigen.'

'En toen bereikte hij een punt waarop zijn fantasie niet langer toereikend was.'

Godley was zo onvoorzichtig om rechtop te gaan staan en stootte hard zijn hoofd. 'Au. Oké. Laten we teruggaan. We zullen zien wat Pettifer kan met het nieuwe bewijsmateriaal. Ik wed dat we rond het middaguur wel een bekentenis zullen hebben.'

De hoofdinspecteur zat er een uur en tien minuten naast: Selvaggi bekende alle vier de moorden om precies 10.50 uur. Ik was even weggeglipt om te ontbijten (koffie met een broodje ham dat ik liet liggen na de eerste hap, die niet lekker viel) en kwam net op tijd terug om te zien hoe hij zijn verzet staakte. Zijn advocaat had haar stoel steeds een stukje opzijgeschoven tijdens de uren van ondervraging die daaraan vooraf waren gegaan, en de tussenruimte tussen hen was nu duidelijk zichtbaar. Ze maakte met een rode pen aantekeningen alsof haar leven ervan afhing; ze concentreerde zich meer op het notitieblok voor haar dan op haar cliënt. Judd zat nog steeds voorover geleund met al zijn spieren gespannen, maar Pettifer hing ontspannen in zijn stoel en moedigde Selvaggi rustig aan hem te vertrouwen.

'Vertel ons eens over de eerste moord. Nicola Fielding.'

'Dat was in september,' zei Selvaggi met een afwezige blik in zijn ogen. Hij praatte kalm. 'Het was warm die avond. Een mooie avond voor een wandeling.' Hij giechelde met een hoog stemmetje. 'Dat zei ze. Ik zag haar toevallig lopen en bleef staan. U weet wel. Even een babbeltje. Dat had ik weleens vaker gedaan. Blijven staan, bedoel ik, als ik een meisje alleen zag.'

'Je hebt wel wat meer gedaan dan babbelen,' merkte Pettifer op. 'Wat was er anders aan dit meisje?'

'Eigenlijk niks.' Hij keek naar zijn voeten. 'Behalve dat ik erover na had lopen denken voordat ik haar zag. En ik had de spullen meegenomen. De dingen die ik nodig had. Ik zou gewoon een praatje met haar maken, maar we stonden vlak naast het park en ik had mijn stungun gepakt toen ik haar zag. Ik zou hem alleen maar vasthouden terwijl we stonden te kletsen, zeg maar om me voor te stellen hoe het zou kunnen zijn, en toen opeens deed ik het gewoon.' Hij klonk alsof hij nog steeds versteld stond over zijn moed. 'Het was alsof iets mijn lichaam overnam, en ik zag dat ik mijn hand uitstak met de stungun erin. Ze heeft er niet eens iets van gemerkt. Het ene moment stond ze me over haar avond te vertellen, het volgende moment lag ze op de grond.'

'Je liet haar toch niet daar op de grond liggen? Je hebt haar overgebracht naar het park en toen heb je haar net zo lang geslagen tot ze dood was.'

'Dat wilde ik al zo lang doen. En nu had ik de kans gekregen. En niemand had me gezien.' Er klonk een eigenaardige mengeling van verlegenheid en triomf door in zijn stem, alsof hij wist dat het verkeerd was wat hij had gedaan, maar er toch trots op was.

'Was het zoals je had gehoopt dat het zou zijn?' Pettifer leek oprecht nieuwsgierig. 'Ik bedoel, toen je het aan het uitdenken was? Voldeed het aan je verwachtingen?'

'Haar doodmaken?' Selvaggi staarde met ogen als sterren over de tafel heen. 'Het was fijner. Veel fijner.'

Ik werd weer onpasselijk en wendde me af. De zaak was waterdicht. Hij zou schuld bekennen en levenslang krijgen; de kans dat hij ooit weer vrij zou komen was nihil. Gerechtigheid zou zegevieren.

Maar ik dacht aan de offers die waren gebracht om zover te komen en kon mezelf er niet van overtuigen dat ze het waard waren geweest.

12

Maeve

Stukje bij beetje kwam ik weer tot leven, bij de gratie Gods en met hulp van de engelen. Levende engelen, zoals het ambulancepersoneel dat mijn ademhaling op gang hield terwijl we met gillende sirenes naar het ziekenhuis reden, de artsen die zich over mijn toestand beraadden en de verpleegkundigen die over me waakten in de kritieke uren waarin niemand wist of ik de ochtend zou halen. Alle engelen en heiligen in de hemel, als je het mijn moeder zou vragen die al tientallen jaren haar toevlucht zocht bij de rozenkrans en volledig vertrouwde op de heilige maagd Maria en de diverse, aan haar ondergeschikte gelederen in de hemelse hiërarchie. Later vertelde mijn vader me dat ze iedereen de stuipen op het lijf had gejaagd, van hoofdinspecteur Godley tot Ian, die het grootste deel van zijn tijd buiten haar bereik doorbracht in de wachtkamer.

Ik had toen uiteraard geen weet van dit alles. Ik wist van niets, was me alleen bewust van de pijn in mijn hoofd en in de rest van mijn lichaam, en onderging de rare verwarring van ontwaken in een geheel prikkelvrije ziekenhuiskamer, zonder dat je je kunt herinneren hoe je daar bent beland. Ik had geen idee wat ik daar deed of wat me was overkomen, of het dag of nacht was, of ik zou sterven of blijven leven en ik voelde me vooral veel te beroerd om me daar zorgen over te maken.

Toen ik voor het eerst weer volledig bij bewustzijn kwam, zag ik een arts in een operatiepak over me heen hangen. Hij had een van mijn oogleden opgetild en scheen met een fel lampje in mijn oog.

'Au.' Mijn stem was schor doordat ik lang niet had gesproken en niets had gedronken; ik kuchte even, wat heel pijnlijk was.

'Welkom terug. Kun je zeggen hoe je heet?'

'Jazeker. Kunt u dat ook?'

'Ik moet je naam echt horen. Sorry.'

'Maeve Áine Kerrigan. Nu u.'

Hij lachte. 'Niks mis met je, hè?'

'Wat is er mis met me? Wat doe ik hier?'

'Weet je nog wat er is gebeurd?'

Ik wilde best antwoord geven, al was het maar om zo snel mogelijk van hem af te zijn, maar toen ik mijn mond opendeed om het hem te vertellen, kwam er niets uit. Ik fronste mijn wenkbrauwen.

'Neem rustig de tijd.'

'Niet nodig.' Ik plukte aan de deken die over me heen lag en voelde een rilling van angst, die zich vanuit mijn maag langs mijn ruggengraat verspreidde door mijn lichaam. 'Ik kom er zo wel op.'

'Hm…' De dokter ging rechtop staan en pakte een pen uit zijn zak om iets op mijn status bij te schrijven. Ik had het gevoel dat ik gezakt was voor een belangrijk examen.

'Mijn hoofd doet pijn.'

'Dat verbaast me niets. Je hebt een schedelbreuk.'

'O.'

Dat klonk niet goed. Ik sloot mijn ogen weer en probeerde me te herinneren hoe en waar ik die had opgelopen. Een auto-ongeluk? Ik had in een auto gezeten; ik wist nog dat ik me had omgedraaid naar iemand op de achterbank. Maar die reed volgens mij niet. Dat kon het niet zijn.

Toen ik mijn ogen weer opendeed was de dokter weg. Maar in zijn plaats waren mijn ouders er nu; ze zaten aan weerszijden van mijn bed. Ze zagen er vermoeid en een beetje verfomfaaid uit. Mijn vader droeg een vest dat verkeerd was dichtgeknoopt en mijn moeders haar zat plat op haar hoofd – heel anders dan haar gebruikelijke kapsel van keurige bruine krulletjes.

'Wat doen jullie hier?' Ik klonk al beter, hoorde ik tot mijn vreugde. Krachtiger. Minder krakerig.

'Je bent wakker.' Heel even zag ik een uitdrukking van pure opluchting op het gezicht van mijn moeder en toen ik mijn hoofd naar

mijn vader wendde, zag ik er een afspiegeling van op mijn vaders gezicht.

'Hoe voel je je, schat?'

'Mijn hoofd doet zeer, papa.' Die kinderlijke benaming ontglipte
me voordat ik me kon inhouden, maar ik voelde me dan ook als een
kind, alsof ik geknuffeld en getroost en gekoesterd wilde worden.
Toen wist ik het weer. Het was belangrijk hun te vertellen wat me was
overkomen. 'Ik heb een schedelbreuk.'

'Dat wisten we al. De artsen hebben ons op de hoogte gebracht. Je
hebt de afgelopen zesendertig uur telkens weer het bewustzijn verloren.' Mijn moeder had haar gebruikelijke vinnige toon weer terug,
merkte ik enigszins opgelucht. Zó erg kon ik er dus niet aan toe zijn.
'Ze zeiden dat ze moesten afwachten hoe het zich zou ontwikkelen.
Het schijnt dat er mogelijk blijvende schade is.'

'Schade?'

Mijn vader klakte geïrriteerd met zijn tong. 'Jeetje, Colette. Maak
haar niet van streek.'

Ik wendde me tot hem. 'Wat is er gebeurd?'

'Weet je dat niet meer?' Mijn vader keek me bezorgd aan en ik
deed voor hem extra mijn best het me te herinneren.

'Ik was aan het werk…'

'Inderdaad, dat was je zeker,' zei mijn moeder bits. 'Werk. Betalen
ze je extra bij zulke gevaarlijke opdrachten? Je had daar nooit heen
mogen gaan.'

'Het was een surveillanceoperatie.' Het begon me te dagen. 'Ik zat
in de auto op de uitkijk.'

'Je bent een andere agent te hulp geschoten en toen werd je zelf
aangevallen.' Mijn vaders stem klonk rustig maar zijn woorden deden me opschrikken.

'Wie ben ik te hulp geschoten? Wat is er gebeurd? Ben ik door de
seriemoordenaar aangevallen?'

'Je hebt een andere vrouwelijke agent het leven gered. En ja, ze
denken dat het de vent was die jullie zochten.'

'Is hij gearresteerd?'

'Volgens mij wel.' Mijn vader klonk vaag. 'We hebben het journaal niet gezien; we zaten hier.'

'Af te wachten of je weer zou opknappen.' Mijn moeder leunde achterover in haar stoel alsof ze aan het eind van haar Latijn was. 'Sorry hoor, Maeve. Ik kan maar niet begrijpen waarom jij zo nodig bij de politie moet werken. Ik heb het nooit begrepen en dat zal ik ook nooit doen. Je bent een slimme meid, je had van alles kunnen doen. En dat kan nog steeds. Heb je weleens overwogen het onderwijs in te gaan? Of jurist te worden? Die verdienen altijd goed.'

Mijn moeder was dertig jaar lang doktersassistente geweest. Mijn vader had in de verzekeringen gezeten. De moed zonk me in de schoenen bij de gedachte dat ik hun zou moeten uitleggen wat ik zo geweldig vond aan mijn baan – vooral nu ik er zo bij lag –, maar ik probeerde het toch maar.

'Het werk bij de politie is met niets te vergelijken, mam. Vooral als je bij de recherche werkt. Ik mag de grootste misdrijven onderzoeken, de ergste dingen die kunnen gebeuren, en als ik mijn werk goed doe, worden de mensen die die misdrijven plegen uit de maatschappij verwijderd. Het belangrijkste is niet eens dat je zorgt dat er recht geschiedt, het gaat erom dat je ervoor zorgt dat gewone, fatsoenlijke mensen niet in angst hoeven te leven.' En dan was er nog die adrenalinekick natuurlijk. 'Het is belangrijk werk. Echt belangrijk. We redden er levens mee. Als we de vuurmoordenaar te pakken hebben gekregen...'

'Dan zal hij niemand meer vermoorden,' maakte mijn moeder op vermoeide toon af. 'Maar Maeve, hij heeft jou bijna vermoord.'

Er viel een korte stilte. Ik wist niets anders te zeggen dan dat ik er nog was, ondanks zijn inspanningen, maar ik vermoedde dat ze dat niet erg zouden waarderen. Ten slotte vroeg ik: 'Is Ian er ook?'

Mijn ouders wisselden een snelle blik. 'Hij was er wel,' zei mijn vader; hij hield zijn stem bewust neutraal. 'Hij heeft een poosje samen met ons zitten wachten. Maar hij moest weg.'

'Hij zei dat hij morgen weer zou komen,' voegde mijn moeder eraan toe.

Ik rekte me uit en voelde de infuusnaald in mijn arm bewegen. 'Hij maakte zich dus niet al te veel zorgen om me.'

'Hij was heus wel ongerust.'

Als mijn moeder wanhopig genoeg was om Ian iets na te geven, moest het haar wel ernst zijn. Ik vond het vreselijk om te zien dat ze zo van streek was, maar ik had er te hard voor gewerkt om bij de politie te komen en ik zou mijn baan nu voor geen goud opgeven.

Ervan uitgaande dat ik hier geen te ernstige blijvende schade van zou overhouden, natuurlijk.

De volgende dag lag ik niet echt te wachten op de komst van Ian, maar toen de dag op z'n eind liep was ik me er wel van bewust dat ik hem nog niet had gezien. Ik had mijn ouders ertoe weten over te halen de avond vrij te nemen en naar huis te gaan. Er was niets bijzonders op tv en ik had nog te veel hoofdpijn om te kunnen lezen. Dus ging ik maar zitten nadenken en zo kwam ik tot een paar interessante conclusies. Ik moet in slaap zijn gesukkeld, want toen ik weer wakker werd stond Ian naast mijn bed naar me te kijken.

'Hoe voel je je?'

'Ik voel elk uiteinde van elke zenuw.' Hij droeg een donkerblauw pak met een dun streepje en daarbij een wit overhemd met openstaande boord. 'Hoi.'

'Jij ook hoi.'

'Kom je van je werk?'

'Ja.'

'Waar is je stropdas?'

'In mijn zak.' Hij liet hem aan me zien. 'Jij moet ook altijd alles weten, hè?'

'Ik wil graag op de hoogte blijven.' Ik zweeg even. 'Het is toch nog steeds maandag?'

'Nog steeds maandag.' Hij keek op zijn horloge – een Rolex Oyster die hem een fortuin had gekost. Een speeltje voor rijke jongens, en ik had een goedkope Sekonda die ik ooit van mijn ouders als kerstcadeau had gekregen. Ik had zijn horloge talloze keren gezien, maar opeens kon ik mijn ogen er niet van afhouden. 'Het is tien voor half-acht. Het bezoekuur is jammer genoeg om acht uur afgelopen, dus lang kan ik niet blijven. Ik ben gekomen zo gauw als ik kon.'

Ik haalde één schouder op. 'Je moest werken, dat begrijp ik heus wel.'

'Ja. Als er iets is waar je de noodzaak van inziet, is dat het wel.' Hij keek me aan met een eigenaardige uitdrukking op zijn gezicht. Hij streek met zijn vinger langs mijn wang. 'Mooi, hoor.'

'Dat zeg je altijd als ik er afschuwelijk uitzie,' zei ik wantrouwig.

'Nee hoor. Alle kleuren van de regenboog.'

'O. Mijn gezicht.'

'Ja.' Hij stond met zijn handen in zijn zakken naast het bed. 'Kan ik iets voor je halen?'

'Zoals?'

Hij haalde zijn schouders op. 'Druiven? Dat is geloof ik wat je hoort mee te brengen.'

'Geen trek.' Mijn mond was kurkdroog. 'Is er misschien wat water?'

Hij schonk een glas vol uit een plastic kan op het nachtkastje en hielp me een beetje overeind, zodat ik kon drinken. Door de inspanning begon de kamer te draaien en ik viel kreunend terug in de kussens.

'Gaat het wel?'

'Nu even niet, maar geef me even de tijd.'

Hij keek bezorgd en ik voelde opeens genegenheid voor hem; hij was echt wel een goed mens.

'Je had dus toch gelijk. Politiewerk bleek toch een beetje gevaarlijk te zijn.'

Hij lachte. 'Is dit een goed moment om je voor te houden dat ik je dat al eens had gezegd?'

'Daarvoor is het nooit het juiste moment.' Ik verzamelde moed en pakte door. 'Net zoals het nooit een goed moment is om te zeggen dat het voorbij is tussen ons. Het gaat gewoon niet, hè?'

Zijn glimlach stierf weg. 'Maeve…'

'Je zegt het niet omdat ik verzwak en gewond ben, maar het is de waarheid. We hebben het een tijdlang fantastisch gehad, maar er zit geen toekomst in. We verschillen te veel. We willen verschillende dingen.'

'Wanneer ben je tot die conclusie gekomen?' Zijn gezicht stond neutraal en ik kon niet zien wat hij dacht.

'Ik heb eindelijk wat tijd gehad om na te denken, maar het zat er al een tijdje aan te komen. En jij voelt toch hetzelfde?' Ik wist dat het antwoord ja was; hij hoefde het niet eens te zeggen. En ik wist dat ik er goed aan deed.

'Komt dit door je bijna-doodervaring? Het leven is te kort om niet op zoek te gaan naar de ware?'

'Om eerlijk te zijn: nee. Het is meer dat ik vind dat we het allebei verdienen gelukkiger te zijn dan we de laatste tijd waren. En ik denk niet dat ik jou gelukkig kan maken, Ian.'

Hij ging er niet tegen in, maar zei: 'Je hoeft niet op stel en sprong te verhuizen. Je bent niet in de conditie om op zoek te gaan naar een appartement.'

'Jij wilt echt niet dat ik in jouw appartement ga revalideren; ik zou je maar in de weg lopen. Trouwens, mijn ouders willen dat ik thuiskom.'

Hij trok een gezicht. 'Als jij dat oké vindt…'

'Ik vind het prima. Daar kan ik me ontspannen,' loog ik. Maar ik slaagde er niet in overtuigend over te komen.

'Goed dan. Maar er is geen haast bij. Neem er de tijd voor. Zorg dat je weer helemaal beter bent voordat je weer begint rond te vliegen. Je vergt te veel van jezelf.'

Ik glimlachte. 'Ik ben blij dat je het niet erg vindt.'

'Dat zei ik niet.' Ians stem klonk lief. 'Het is naar dat we het niet hebben gered. Maar ik geef je geen ongelijk.'

'Ik vind het ook naar. Laten we als vrienden uit elkaar gaan.'

'Absoluut,' stemde hij in.

Ik stak mijn hand uit en hij nam hem aan en bleef even zitten met mijn hand in de zijne. Er werd geklopt en daarna ging de deur een paar centimeter open; Rob stak zijn hoofd om de deur. Hij zag ons hand in hand zitten en hield direct in.

'Sorry. Ik kom straks wel terug.'

'Nee, wacht!' Ian en ik zeiden het in koor en Rob bleef staan.

'Ik moest maar eens gaan.' Ian legde mijn hand terug op het bed. 'Ik zie je gauw weer. Wil je dat ik alvast begin met inpakken?'

'Doe maar geen moeite. Mijn moeder zal het heerlijk vinden als ze de kans krijgt eens lekker door mijn spullen te neuzen,' zei ik slaperig. 'Ik zal haar het nuttige met het aangename laten verenigen.'

Hij kromp ineen. 'Oké. Het zou heel goed kunnen dat ik er niet ben als ze komt.'

'Slappeling.' Ik grinnikte. 'Ik kan het je niet kwalijk nemen. Telkens als ze op bezoek komt gaat mijn bloeddruk omhoog. De artsen denken dan steeds dat ik een terugval heb.'

Ian boog zich naar me toe en kuste me licht op mijn wang; zijn lippen streken nauwelijks langs mijn huid. 'Beterschap.' Hij draaide zich om en liep snel naar de deur, waar hij Rob in het voorbijgaan iets toefluisterde. Ik zag dat Robs gezicht oplichtte door een glimlach als een bliksemflits. Hij was ook even snel weer verdwenen; als ik niet heel goed naar hem had gekeken, zou ik hebben gedacht dat ik het me had verbeeld. De deur ging dicht, Rob liep naar het bed en bleef staan op de plek die Ian juist had verlaten.

'Wil je alsjeblieft gaan zitten? Als ik omhoog moet kijken krijg ik pijn in mijn nek.'

'En dat willen we niet.' Hij keek om zich heen en zag een stoel; hij trok hem bij en ging er zuchtend op zitten. Ondanks de gedimde verlichting in mijn ziekenhuiskamer zag ik dat hij bleek was, blauwe kringen onder zijn ogen had en onder zijn baardstoppels een donkere kneuzing aan zijn kaak. Ook had hij een snijwond in een van zijn wenkbrauwen.

'Je ziet er afschuwelijk uit,' zei ik. 'Wat is er gaande?'

'Hoe kom je erbij dat er iets gaande is?'

'Je bent de eerste collega die ik heb gezien sinds ik hier lig. Daarom denk ik dat de anderen iets beters te doen hebben.'

'In het begin mocht er alleen familie bij je komen,' wierp Rob tegen. 'Ik ben direct gekomen toen dat mocht.'

'Je bent er nu in elk geval.' Ik keek hem vragend aan. 'Wil je me vertellen wat er die nacht is gebeurd?'

'Als ik een pond zou krijgen voor elke keer dat een vrouw me dat heeft gevraagd…'

'Jezus, Rob!'

'Oké, oké. Je hebt niet genoeg haar meer om het te berge te laten rijzen.'

Ik legde zonder erbij na te denken mijn hand op mijn hoofd en voelde verband. 'Je kunt toch niet zien of ze het hebben afgeknipt? De verpleegster heeft me bezworen dat de chirurg mijn hoofd niet heeft geschoren.'

Hij moest lachen. 'Sorry. Ik kon het niet laten. Ik ben ervan overtuigd dat je zo in een Vidal Sassoon-advertentie kunt als je verband eraf is.'

'Ik weet niet waarom ik me er zo druk over maak,' zei ik verbaasd. 'Normaal gesproken kan zoiets me geen bal schelen.'

'Misschien heeft die trap tegen je hoofd je persoonlijkheid veranderd. Wie weet heb je het geluk dat je een echt meisje wordt.'

'Ik ben al een echt meisje,' zei ik waardig. 'Jij weet dat alleen niet.'

'Je weet het anders goed te verbergen.' Ik moest er weer gekwetst uitzien, want hij boog zich voorover en sloeg me zachtjes op mijn hand. 'Het is maar een grapje, Kerrigan. Er is niks mis met je.'

'Nou ja. Kunnen we even terugkomen op wat je aan het vertellen was over die nacht?' Ik keek hem verwachtingsvol aan.

'Ik mag niet met je over werk praten.'

Ik slaakte een kreet uit pure frustratie en hij stak zijn handen omhoog. 'Goed dan. Je hebt me overtuigd. Wat kun je je er nog van herinneren?'

'Katy,' zei ik direct. 'Hoe is…?'

'Het gaat goed met haar. Beter dan met jou. Kneuzingen, blauwe plekken en een brandwond van de stungun.'

Ik liet mijn adem langzaam ontsnappen. Ik had het niemand anders durven vragen, niet dat ik had verwacht dat ze me dan iets zouden hebben verteld. Maar Rob sprak de waarheid, daarvan was ik vrij zeker. 'Dus het was hem inderdaad.'

'O ja. Absoluut. De vuurmoordenaar in al zijn vierentwintigjarige glorie.'

'Je meent het niet.'

Hij schudde zijn hoofd. 'Weet je nog, al die analyses van de psycholoog? Hij zou achter in de dertig tot halverwege de veertig zijn, alleen wonen, waarschijnlijk een verleden vol geweldsdelicten hebben, blablabla? Klopte niet helemaal.'

'Wat is het voor iemand?'

Ik hing aan zijn lippen terwijl hij me alles over Razmig Selvaggi vertelde.

'Hij is een moederskindje; hij kan in haar ogen niets verkeerd doen. Volgens zijn zus laat ze hem overal mee wegkomen.'

'Ik kan me daar werkelijk geen voorstelling van maken,' zei ik serieus.

'Razmig heeft eigenlijk een appartementje voor zichzelf op zolder, en de rest van het gezin mag daar niet komen. Heel veel privacy. De ouders maken lange dagen in hun afhaalrestaurant en zijn zusters houden niet in de gaten waar hij is of wat hij doet. En de scooter is natuurlijk eigendom van de zaak, dus hij hoeft niet eens zijn eigen benzine te betalen.'

'Precies wat je nodig hebt als je op het moordenaarspad bent.'

'Inderdaad. En hij gebruikt de pizza om contact te maken; gratis iets te eten aanbieden is een goede methode om te zorgen dat zo'n meisje even blijft staan voor een praatje.'

'Heeft hij bekend?'

'Hij had niet veel keus,' zei Rob openhartig. 'Bij de doorzoeking van zijn huis kwamen we sieraden tegen die van de slachtoffers bleken te zijn, en niet te vergeten een hamer met bloed eraan.'

'Precies wat we zochten.'

'Inderdaad. Zelfs zijn advocaat had niet veel te zeggen toen ze de foto's van wat ze hadden aangetroffen op de tafel in de verhoorkamer gooiden. Als je zo in de tang zit, kun je weinig anders doen dan praten, en dat deed die beste Razmig dan ook.'

De gedachten buitelden door mijn hoofd. 'Heeft hij ze allemaal bekend? Hoe zit het met Rebecca Haworth?'

Rob leunde achterover en grijnsde. 'Er is geloof ik niets mis met je hersenen. Nee, de moord op Rebecca heeft hij niet bekend. Hij heeft een alibi. Zijn nicht is getrouwd op de dag dat Rebecca stierf en Razmig is de hele avond en tot diep in de nacht op het bruiloftsfeest geweest. Er is onder andere een video van. Hij was niet alleen tegen negenen al heel erg dronken, maar de bruiloft was ook nog eens in Hertfordshire. Hij zou naast de vaardigheid die hij heeft om vrouwen in vijf eenvoudige stappen te vermoorden, ook de kunst moeten hebben verstaan op twee plaatsen tegelijk te zijn.'

'Ik wist het wel.'

'Hij was een beetje boos op degene die zijn werkwijze heeft gepikt, en hij popelde om ons te vertellen dat hij het niet had gedaan.'

Ik was nog steeds verbaasd over zijn leeftijd. 'Zei je echt dat hij pas vierentwintig was?'

'Ja. Nooit een vriendin gehad.' Rob boog zich voorover om een kopie van een kleurenfoto uit zijn achterzak te halen. 'Dit is de politiefoto. Dat is Razzi.'

Het was een close-up van een jongeman met een dikke nek en zachte, droevige, donkere ogen en een slappe, vochtige mond die opvallend rood was, zoals je bij kinderen wel ziet. Hij had kort zwart haar met een rand van tweeënhalve centimeter die met gel was behandeld en over zijn lage voorhoofd was gekamd. Zijn neus was lang en smal. Hij kon in de verste verte niet worden beschouwd als aantrekkelijk, maar heel lelijk was hij ook niet – behalve dat je het vage gevoel kreeg dat er iets ontbrak, als je naar hem keek. Maar wie zou er nu niet enigszins moedeloos uitzien na een arrestatie op verdenking van het plegen van vier moorden?

'In zijn vrije tijd doet hij aan gewichtheffen,' merkte Rob op, terwijl hij de foto pakte. 'Vandaar die nek. Je zou zijn armen moeten zien.'

Ik had meer belangstelling voor die van Rob. Toen hij zijn arm uitstrekte om de foto te pakken, was zijn mouw iets teruggeschoven, waardoor ik een wit verband zag dat om zijn onderarm zat, van zijn pols tot aan zijn elleboog. 'Wat is er met jou gebeurd?'

Hij trok een gezicht. 'Dat is niets bijzonders. Ze zijn een beetje al te enthousiast geweest bij het verbinden.'

'Wat heb je uitgespookt?'

'Weet je nog dat mijn radio het niet deed die avond? Toen jij Razmigs avondje uit verstoorde, hoorde ik niet dat je je rode knop had ingedrukt. Ik merkte pas dat er iets mis was toen ik Sam met de snelheid van het licht voorbij zag waggelen, puffend als een walrus. Hij liep de hoek om naar het hek waar jij het park in was gelopen, en ik ben toen over de omheining gesprongen en ben er vanaf de andere kant heen gerend.'

'Ben je er met je arm aan blijven hangen? Oei.'

Hij schudde zijn hoofd. 'Het wordt nog veel mooier. Ik ren dus rond in het donker en probeer jou te vinden zonder al te veel geluid te maken, en als ik je eindelijk zie, lig je op de grond en staat er een vent in een leren motorpak over je heen. Jij had je helemaal klein gemaakt, wat verstandig was. Ik ben als een gek over het gras gerend en heb hem besprongen. Maar niet op tijd om te voorkomen dat hij jou in je gezicht schopte. Sorry daarvoor.'

Ik wuifde het excuus weg met wiebelende vingers. 'Daar heb ik het minst last van. Het schijnt er vandaag best leuk uit te zien.'

'Hm…' zei hij. 'Je hebt zeker nog niet in de spiegel gekeken? Hou dat maar even zo.'

'Je hebt me nog steeds niet verteld wat er met je arm is gebeurd,' riep ik hem in herinnering.

'Ja. Nou, voordat de geüniformeerde collega's erbij kwamen, heb ik een paar flinke klappen gekregen. Ik was wel een beetje geïrriteerd, eerlijk gezegd. Katy leek er ernstig aan toe te zijn, en jij lag daar…' Hij zweeg en schudde zijn hoofd. 'Ik dacht dat ik te laat was.'

'Arme Rob.'

'Ik weet het. Zet de vioolmuziek maar aan. Ik was dus wat aan het worstelen met Razzi en toen opeens béét hij me.' Er klonk diepe walging door in zijn stem. Ik kon mijn lachen niet inhouden. 'Ik ben blij dat je het grappig vindt.'

Ik rekte me uit en voelde een heel klein beetje energie terugkomen in mijn armen en benen. 'Bedankt dat je me hebt gered.'

'Ik doe het zo weer.' Hij zag me sceptisch kijken. 'Dat meen ik. Als je ooit nog eens aan een operatie deelneemt, wil ik dat je met mij een team vormt. Als het aan Sam had gelegen om tussenbeide te komen, zou je nu in het mortuarium liggen. In dit geval moest hij even gaan zitten toen alle opwinding voorbij was. Iemand heeft hem zelfs een kop thee gegeven.'

'Ik zal speciaal naar jou vragen. Maar ik mag Sam wel.'

'Sam is de reden dat er een verplichte jaarlijkse conditietest zou moeten komen,' zei Rob ongezouten. 'Hoe eerder hij met pensioen gaat, hoe beter.'

'Alles is uiteindelijk goed gekomen.' Ik sloot mijn ogen weer, maar niet lang. 'Wacht eens. Ik kan niet geloven dat ik daar niet aan heb gedacht. Hoe zit het met de zaak Haworth en met de druk die op Gil Maddock zou worden uitgeoefend? Hebben ze zijn huis doorzocht?'

'Ja. Er is niets bijzonders gevonden. Ze hebben wat vrouwenkleren gevonden, een haarborstel, wat cosmetica, maar niets ervan was aan Rebecca gerelateerd. Hij lijkt nogal een charmeur te zijn. Is hij knap om te zien?'

'Als je op dat type valt. Is alles goed met Louise?'

'Voor zover ik weet wel.'

Nu Selvaggi was ingesloten zouden we onze aandacht van de vuurmoordenaar kunnen verleggen naar de dood van Rebecca, en ik hoopte dat we daarmee de bewijzen in handen zouden krijgen die we nodig hadden om Gil Maddick te arresteren. Ik had niet langer het gevoel dat ik Louises enige verdedigingslinie was en dat was eerlijk gezegd een opluchting.

Een verpleegster stak haar hoofd om de deur, zag Rob en tikte veelzeggend op haar pols.

'Ik moet maar gaan voordat ze me eruit gooien.'

Zonder erbij na te denken stak ik mijn hand uit. 'Nee. Blijf nog even.'

'Jij hebt rust nodig en ik moet weer aan het werk.' Zijn stem klonk warm maar vastberaden terwijl hij opstond. 'We trekken momenteel wat dingen na om er zeker van te zijn dat de zaak waterdicht is. Het OM wil geen enkel risico nemen met deze zaak.'

'Nee, natuurlijk niet.' Ik voelde een blos opkomen. We waren in de allereerste plaats collega's. We hadden over het werk gepraat. Rob zag mij waarschijnlijk niet in een ander licht. Uiteraard nam hij aan dat ik wilde doorpraten over het werk. 'Als je moet gaan, dan moet je gaan. Ik wilde dat ik mee kon.'

'Die tijd komt wel weer. Wanneer mag je weg?'

Ik haalde mijn schouders op. 'Niemand vertelt me hier iets.'

'Ga je terug naar Primrose Hill?' Robs stem klonk bedrieglijk nonchalant, maar ik zag de glinstering in zijn ogen.

'Zoals je waarschijnlijk hebt opgevangen, heeft Ian afscheid van me genomen. We zijn uit elkaar. Ik ga bij mijn ouders revalideren.'

'Dat is leuk. Knusse huiselijkheid.'

'Ik zal daar sneller opknappen omdat ik uit alle macht weg zal willen.'

'Laat het me maar weten als je hier ontslagen wordt. Dan help ik je met de verhuizing naar je ouders, als je wilt.'

Ik dacht aan iets anders. 'Rob, wat zei Ian tegen je toen hij wegging?'

Een glimlach verpreidde zich langzaam over zijn gezicht. 'Dat vertel ik je een andere keer wel.'

'Rob!'

Hij tikte op mijn hand. 'Wind je niet op. Denk aan je bloeddruk.'

'Je bent een enorme oetlul, Langton.'

Hij stond op en rekte zich uit. 'Als er iemand een Gurkha is, ben jij het wel.'

Dat was politietaal voor agenten die nooit iemand arresteerden. Ik keek hem fronsend aan. 'Omdat ik Razmig Selvaggi niet heb ingerekend?'

'Nee, omdat je vecht tot de dood erop volgt.' Hij boog zich over me heen en inspecteerde mijn gezicht. 'Er is nergens een plek zonder kneuzing waar ik je een kus kan geven.' Ten slotte gaf hij me maar een vluchtig kusje op het puntje van mijn neus. En voordat ik een passende reactie had kunnen bedenken was hij al verdwenen.

De volgende dag kwam er een gestage reeks bezoekers bij me langs, maar desondanks was ik mijn verblijf in het ziekenhuis meer dan zat op het moment van ontslag. Ik vertrok met mijn moeder, die bezorgd als een kloek om me heen hing, met een halve apotheek aan pillen en met een dossier onder mijn arm. Dat was het cadeautje dat hoofdinspecteur Godley me had gegeven bij zijn bezoek; hij was aan mijn bed komen zitten en had gezellig met mijn vader zitten keuvelen alsof hij hem al jaren kende, en hem niet voor het eerst had ontmoet toen hij zaterdagochtend bij mijn ouders was langsgegaan om te vertellen wat er was gebeurd. Hij had ze zelf naar het ziekenhuis gebracht. Ik voelde me niet helemaal op mijn gemak nu mijn twee werelden op deze manier met elkaar in aanvaring waren gekomen. Ik zag wel aan de boze blik van mijn moeder dat ze niet inzag waarom Godley me had verzocht tijdens mijn ziekteverlof het dossier van een onderzoek door te nemen. Maar ik wilde niets liever dan de kans krijgen mee te helpen achterhalen wat er met Rebecca Haworth was gebeurd, en dit dossier was het beste beterschapspresentje dat ik me had kunnen wensen. Het zou ertoe bijdragen dat ik me weer nuttig voelde en het zou voorkomen dat ik weer aan het werk ging voordat ik helemaal fit was. Godley wist hoe hij zijn mensen moest managen.

'En ik kom je opzoeken, hoor,' had Godley beloofd. 'Bel me maar als er iets is wat je wilt bespreken. Als je wilt dat we iets natrekken, dan is Peter Belcott daarvoor beschikbaar. Jij bent beter op de hoogte van deze zaak dan welk ander teamlid ook. Ik heb jouw kennis over de partijen die een rol spelen nodig, je inzicht in hun karakter. Ik weet dat je je eigen ideeën hebt over wie haar heeft vermoord, maar zet die uit je hoofd als je kunt en bekijk de feiten zonder vooringenomenheid.'

'Adjudant Judd had de leiding van het onderzoek naar Rebecca's dood,' begon ik, maar de hoofdinspecteur schudde zijn hoofd.

'Maak je niet druk om Tom. Hij is met andere dingen bezig. Ik had toch al niet de indruk dat hij evenveel aandacht had voor deze zaak als jij. Ik heb het gevoel dat jij alle antwoorden kent, Maeve, als je jezelf de kans geeft het tot je te laten doordringen.'

'Ik waardeer uw vertrouwen in mij, maar daar heb ik mijn twijfels over,' stamelde ik, want ik had allesbehalve het gevoel dat ik zoveel inzicht had.

'Je zou weleens verbaasd over jezelf kunnen staan.' Hij keek mijn moeder aan. 'Maar je mag natuurlijk niet te hard werken.'

Ik had me voorgenomen niet oververmoeid te raken, maar ik was vastbesloten hem en mezelf niet teleur te stellen. Als dat inhield dat ik in de auto op het dossier moest zitten en het onder mijn kussen moest leggen als ik ging slapen zodat mijn moeder het niet kon laten verdwijnen, dan moest dat maar.

Thuis in de onmenselijk opgeruimde omgeving van de twee-on-der-een-kapwoning van mijn ouders in Cheam nam ik de eetkamer, die vrijwel nooit werd gebruikt, in bezit. Ik spreidde de inhoud van het dossier uit over de tafel en maakte er keurige stapeltjes van, alsof dat me zou helpen er wijs uit te worden, alsof ik vanzelf achter de waarheid zou komen als ik er een leuk patroon van zou maken. De dag erop kwamen er twee dozen bij, gebracht door Rob, die berustend toekeek hoe ik ze leeghaalde. Hij vond, en zei dat ook met zoveel woorden, dat ik niet moest proberen te werken, wat hem de absolute aanbidding van mijn moeder opleverde. Ik stuurde hem weg om een kop thee te gaan drinken en leefde me uit in een orgie van sorteerwerk. Eén stapeltje bestond uit verhoren waarvoor Judd andere rechercheurs opdracht had gegeven: met Rebecca's buren, haar voormalige cliënten en een paar mensen met wie ze ooit een appartement had gedeeld. Een ander stapeltje betrof Oxford. Dat bekeek ik met aarzeling, want ik was er nog steeds niet van overtuigd dat die periode zo'n prominente plaats verdiende, maar ten slotte schoten me Tilly Shaws woorden en haar ernstige blik te binnen. 'Ze zei dat ze haar eigen leven verschuldigd was ter compensatie van dat van iemand anders en dat ze haar schuld ooit zou moeten inlossen.' Als de dood van Adam ervoor had gezorgd dat Rebecca een weg was ingeslagen die tot de moord op haar leidde, wilde ik haar weg volgen. Nog een stapeltje bevatte de weerslag van het onderzoek naar Rebecca's dood: forensische rapporten, het verslag van de lijkschouwing, foto's, beschrijvingen van beelden van beveiligingscamera's, getuigenverklaringen, gegevens van telecombedrijven over gebruik van mobiele telefoons, financiële documenten. En tot slot had ik nog de aantekeningen van mijn eigen verhoren. Ik moest alles, echt alles, opnieuw doornemen voor het geval ik iets over het hoofd had gezien, iets wat een van de anderen was opgevallen zonder dat diegene het belang ervan had begrepen. Godley had gelijk. Als ik de antwoorden die hij nodig had niet kon vinden, kon niemand het.

Ik was halverwege toen Rob zijn hoofd om de deur stak. 'Ik ga ervandoor.'

'O.' Dat kwam er veel te teleurgesteld uit. Ik spande me in om te glimlachen. 'Oké. Ik dacht al dat je er zo langzamerhand wel genoeg van zou hebben. Langdurige blootstelling aan mijn moeder heeft dat effect op mensen.'

'Waar heb je het over? Ze is een schatje,' zei hij lachend.

'O ja? Nou, mocht je Ian ooit nog eens tegenkomen, vraag het hem dan maar. Hij zal je de waarheid vertellen.'

'Dank je wel, ik kan dat zelf wel bepalen. Succes met je werk en doe rustig aan.' Hij zwaaide vanuit de deuropening en verdween.

Ik haalde hem in toen hij zijn portier ontsloot. 'Je hebt me nog niet verteld wat Ian in het ziekenhuis tegen je zei.'

'Inderdaad niet.' Hij keek me even aan en boog toen vooover om me een kus te geven die ik totaal niet had zien aankomen. Ik slaagde erin niet tegen te sputteren, maar ik draaide me wel even om naar het huis om te kijken of iemand het had gezien.

'Vat geen kou,' zei Rob zo kalm alsof er niets was gebeurd. 'Je bent niet gekleed voor buiten.' Hij nam plaats achter het stuur en startte de motor.

Ik trok mijn vest wat strakker om me heen en probeerde even kalm te doen als hij, hoewel mijn hele lijf tintelde. 'Ik heb het niet koud. Vertel me wat hij heeft gezegd. Ik meen het, Rob.'

'Als je het beslist wilt weten, hij wenste me veel geluk. Hij zei dat ik dat nodig zou hebben.'

Ik wist niet wat ik moest zeggen en Rob hielp me niet. Met één wenkbrauw opgetrokken sloot hij het portier en reed hij achteruit de oprit af, waarna hij snel wegreed en mij achterliet met duizenden onbeantwoorde vragen en een stapel papieren om door te lezen.

Het kostte dagen om erdoorheen te komen; ik maakte ondertussen aantekeningen, haalde mijn energie uit talloze kopjes thee en mijn afleiding uit ruzietjes met mijn moeder, puur uit gewoonte. Mijn vader had zijn toevlucht gezocht in de voorkamer, waar een enorme televisie stond met Sky Sports aan, en heel even was het net alsof ik mijn tienertijd herbeleefde. Dat effect werd nog vergroot toen mijn moeder mijn broer Dec had geronseld om haar te helpen mijn spullen uit Ians appartement te halen. Mijn leven stelde nauwelijks iets voor, nu het ingepakt zat in tassen en dozen. Dec droeg de hele boel naar mijn oude kamer boven, waar alles opgestapeld bleef liggen, omdat ik beslist niets wilde uitpakken.

Het was typisch iets voor Dec om te proberen me over te halen thuis te blijven. 'Papa en mama zouden het geweldig vinden als je hier wat meer was. Ze zien je veel te weinig.'

Hij was vier jaar ouder dan ik, maar leek de middelbare leeftijd al te hebben bereikt. Hij was op z'n vijfentwintigste getrouwd en had twee kinderen, meisjes. Hij woonde in Croydon, niet ver van onze ouders, maar ik wist, omdat hij me dat had verteld, dat hij vond dat ik wat meer aandacht aan hen moest besteden. Hij had tenslotte zijn verantwoordelijkheden. Ik schijnbaar niet.

Je zou denken dat de kleinkinderen mijn moeder voldoende afleiding zouden bieden, maar toch slaagde ze erin haar gevoelens van wrok te koesteren als ik niet vaak genoeg belde. Ik had het idee dat Dec gepikeerd was over het feit dat zijn toewijding niet als zodanig werd gewaardeerd. Maar hij had dan ook nooit echt geleerd dat het leven niet eerlijk is. Ik legde Decs commentaar naast me neer. Ik hield mezelf voor dat ik slechts tijdelijk thuis woonde. Ik zou snel weer mijn eigen weg gaan, ook al wist ik nog niet waarheen.

Dit was natuurlijk niet het enige wat me bezighield. Over het geheel genomen was het aantal dingen dat ik niet wist veel groter dan het aantal dingen dat ik wel wist, zowel privé als beroepshalve, maar het verschil was dat ik geen hoofdpijn kreeg van de raadsels die het politiewerk me voorschotelde. Ik was voortdurend aan het verwerken wat ik had gelezen, wat ik had gezien en wat ik had gehoord. En toen ik op de derde dag het laatste stapeltje van me af schoof, had ik een vel papier vol aantekeningen en vragen voor me liggen, en raakte ik er steeds meer van overtuigd dat ik ontzettend dicht bij de ultieme oplossing was. Ik had een lijst met verdachten die een duidelijk motief hadden voor de moord op Rebecca Haworth; ze had veel meer vijanden dan de gemiddelde achtentwintigjarige. Ik wist dat een aantal van hen had gelogen, en opnieuw had gelogen – dat kon ik bewijzen. Maar ik kon nog niet bewijzen wie van hen haar had vermoord.

Ik zocht in de dozen die ik nog niet had uitgepakt tot ik inspecteur Garlands dikke map met ezelsoren vol aantekeningen over Adam Rowley had opgedoken. Ik liep hem door tot ik zijn rapport over het leven van Adam Rowley tot zijn vroegtijdige einde had gevonden, en met name het deel over zijn familieachtergrond. Ik las dit met hernieuwde belangstelling voordat ik mijn mobiel pakte. Belcott nam op toen hij voor de tweede keer overging.

'Belcott.'

'Peter, met Maeve Kerrigan. Ik heb begrepen dat jij aan de zaak Haworth werkt. Ik heb hier iets waarvan ik graag zou willen dat je het uitzoekt.' Ik had mijn liefste stemmetje opgezet, wetende dat hij tot het uiterste getergd moest zijn nu hij voor mij werkte.

'Natuurlijk,' zei hij stijfjes. 'Wat wil je dat ik doe?'

'Er is in 2002 een twintigjarige man, Adam Rowley' – ik spelde de naam – 'verdronken in Oxford. Ik wil zijn oudere broer opsporen. Ik heb geen voornaam en weet verder ook niets van hem, maar hij moet destijds in Nottingham hebben gewoond en zijn ouders heetten Tristan en Helen Rowley. Tristan Rowley was arts, als dat helpt.'

'Eigenlijk niet veel. Enig idee of die ouders nog steeds in Nottingham wonen?'

'Nee,' zei ik opgewekt. 'Bel maar even terug als je iets over hem te weten bent gekomen. Als je hem te pakken krijgt: ik zou hem graag willen spreken.' Ik wilde erachter komen wie er behalve Rebecca nog meer om Adam kon hebben getreurd. Ik wilde weten wie misschien wraak had willen nemen.

Hij hing op zonder gedag te zeggen, wat me niets deed. Ik was druk bezig in mijn notitieboekje na te kijken wat ik had opgeschreven tijdens mijn gesprek met Caspian Faraday, toen hij verrassend snel terugbelde.

'Adam Rowleys broer Sebastian is eenendertig, gehuwd, woonachtig in Edinburgh. Ik heb zijn vrouw net gesproken. Seb is met het spreekuur bezig, zei ze, maar hij belt je zodra hij klaar is. Hij is dierenarts. Een praktijk voor gezelschapsdieren.'

'Wat heb je veel gevonden.' Ik was onder de indruk.

'Mevrouw Rowley jr. houdt van een praatje. Was er nog iets anders?'

'Ja. Ik zou graag willen dat je alles probeert te weten te komen over Delia Faraday, Caspian Faradays vrouw. Met name waar ze was op zesentwintig november en de dagen daarvoor, en in welk type auto ze rijdt. En wat verder nog van belang voor me kan zijn.'

'Oké.' Hij aarzelde. 'Denk je echt dat zij erbij betrokken was?'

'Ik wil het een en ander uitsluiten.' Ik hield me expres op de vlakte; ik was er nog niet klaar voor iemand anders te vertellen wat ik dacht, en Belcott al helemaal niet, die zonder enige aarzeling mijn ideeën zou jatten.

'Ik sta geheel tot uw dienst,' zei hij en verbrak de verbinding.

Een uur of twee later werd ik gebeld door Seb Rowley. Hij klonk heel aardig en opgewekt, maar ook nieuwsgierig en nogal verbaasd dat de recherche uit Londen contact met hem had gezocht. Ik stelde hem een paar vragen over de dood van zijn broer en kreeg niets nieuws te horen, behalve dat Adam een moeilijk, nukkig kind was geweest en dat hij nooit met zijn broer had kunnen opschieten.

'Drie jaar is op die leeftijd een groot verschil. Misschien waren we als volwassenen wat meer naar elkaar toegegroeid, als hij langer had geleefd.' Zijn schouderophalen was merkbaar door de telefoonverbinding heen. 'Maar dat is niet gebeurd.'

Ik zette door. 'Was er iemand in de familie met wie Adam een bijzonder goede band had? Een neef of zo?'

'Nee. We hebben geen grote familie. Mijn ouders waren beiden enig kind, dus neven hadden we niet.' Zo te horen was hij verbaasd maar niet op zijn hoede, en ik moest wel aannemen dat hij de waarheid vertelde. Hij kende niemand die Gil Maddick heette. Een doodlopend spoor.

Belcott had iets op mijn voicemail ingesproken, ontdekte ik toen ik mijn gesprek met Seb Rowley had afgerond. Delia Faraday had in dit land geen rijbewijs, maar er stond behalve de Aston Martin ook nog een zwarte Range Rover Vogue op het adres in Highgate geregistreerd.

Ik liep terug naar de tafel, naar de documenten over de beveiligingsbeelden. We hadden overal naar aanwijzingen gezocht en er waren heel wat beveiligingsbeelden van de omliggende straten binnengehaald. Colin Vale, een lange, akelig bleke rechercheur die eruitzag alsof hij in geen jaren daglicht had gezien, had wekenlang alleen maar kentekens afkomstig van de beveiligingsbeelden van operatie Mandrake door de politiedatabase en de dienst wegverkeer gehaald, de eigenaars en de bestuurders nagetrokken en ze vervolgens uitgesloten omdat ze een alibi hadden voor de moorden die de vuurmoordenaar had gepleegd. Vervolgens had hij dit ook gedaan voor de zaak Haworth, als gevolg van Godleys beslissing om dat onderzoek naast het hoofdonderzoek te laten lopen. Als agent Vale ergens goed in was, dan was het in het verwerken van informatie. De spreadsheets die van hem afkomstig waren, waren van een grote schoonheid. Ik had ze al bekeken toen ik het dossier aan het doorploegen was, maar nu bekeek ik ze nogmaals, en concentreerde me daarbij op de auto's die het label 'niet van belang/niet nagetrokken' hadden gekregen, want ik zocht naar de Range Rover. Ongeveer halverwege bladzijde vier zag ik iets wat ik totaal niet had verwacht, iets waarvan ik zo schrok dat mijn hart begon te bonzen. Een merk en type dat ik herkende. Eén inzittende.

Godley, of wie het dossier in zijn opdracht ook had samengesteld, was zo grondig te werk gegaan dat hij er drie schijfjes beveiligingsbeelden bij had gestopt, en Vale had liefdevol elke post in zijn verslag voorzien van tijdsaanduiding en locatie. Het juiste schijfje was snel gevonden; het duurde iets langer om mijn vader ertoe over te halen de afstandsbediening vijf minuutjes af te geven – 'Hoezo? Wat is er dan? Is het een film? Ik zet hem wel voor je op' –, en het zoeken naar het juiste deel van de opname kostte slechts een paar seconden. Het was een opname van een benzinestation in de buurt van de New Covent Garden-markt en het camerastandpunt was zodanig dat je het passerende verkeer ongeveer twee seconden kon volgen. Ik hield mijn adem in toen de auto die ik wilde zien onder in het beeld langskwam; er was één inzittende, die niet heel scherp maar – vooral op mijn vaders enorme televisiescherm – duidelijk genoeg te zien was om de gelaatstrekken te kunnen invullen en te weten naar wie ik zat te kijken. Het was misschien niet voldoende om een jury te overtuigen, maar ik was wel overtuigd.

En dat zette alles op z'n kop.

Louise

Na het incident op de trap besloot ik dat ik niet verder kon met Gil. Niet omdat ik het onvergeeflijk vond wat hij had gedaan – gek genoeg had ik er rekening mee gehouden dat hij zo met me zou omgaan; zo zat hij in elkaar. Ik wist tevoren dat hij even gevaarlijk was als een open vlam; ik kon alleen mezelf verwijten dat ik voor nachtvlinder had gespeeld. Ik had ten langen leste mijn lesje geleerd en was alleen maar dankbaar dat het was gebeurd voordat ik hem mijn vertrouwen had geschonken of verliefd op hem was geworden. Niet dat daar kans op was geweest, stelde ik mezelf gerust. Ik had het gewoon goed gespeeld. Maar ik had er genoeg van om een rol te spelen, had er genoeg van om de versie van Rebecca te zijn waarvan hij voor altijd had kunnen houden. Het nieuwtje was eraf. En ik schaamde me een beetje dat ik er nog zo lang mee was doorgegaan. Ook al was het leuk geweest te proeven hoe het was om zijn vriendin te zijn, het was de hoogste tijd ermee te stoppen.

Maar ik gaf hem nog vierentwintig uur. Een hele dag om in de waan te blijven dat hij me had kleingekregen. Dat hij de baas over me was. Me een lesje had geleerd. En hij geloofde dat echt. Ik trof hem aan in de logeerkamer, waar hij tussen zijn tanden fluitend het raamkozijn stond te schuren alsof het zijn eigendom was. Hij deed dat op de ouderwetse manier met een stukje schuurpapier om een houten blokje heen, waarmee hij elk hoekje van de oude post had bereikt en alle sporen van de vergeelde verf had verwijderd.

'Wat ben je aan het doen?'

'Ik maak dit even voor je af. Je bent niet bepaald opgeschoten.'

Daar had hij gelijk in. Ik had de kamer helemaal gestript en toen de deur achter me dichtgedaan. Niets was meer zoals het vroeger was; de kierende vloerdelen waren kaal en het pleisterwerk op de muren was vuilwit en hobbelig. Het nieuwe interieur bestond alleen in mijn hoofd.

'Ik heb nog geen gelegenheid gehad ermee door te gaan. Het is druk geweest.'

'Inderdaad, ja.' Hij draaide zich half om en lachte naar me. Ik glimlachte niet terug. 'Gaat het wel goed met je?'

'Prima hoor. Laat dat maar zitten, alsjeblieft. Dat doe ik zelf wel een keer.'

'Van uitstel komt afstel,' zei hij zonder zich om te draaien. 'Die kleur staat je goed. Je zou altijd blauw moeten dragen.'

Ik plukte aan het hemelsblauwe T-shirt dat ik aanhad. 'Leuk dat je het mooi vindt. Dit was Rebecca's lievelingskleur.'

Dat trok zijn aandacht. Hij legde het schuurpapier demonstratief traag neer op de vensterbank en draaide zich naar me om. 'Dat hebben we, dacht ik, besproken. Waarom blijf je haar er steeds maar bij halen?'

'Ze houdt me bezig,' zei ik eenvoudig.

'Nou, dat zou niet moeten. Ze is iemand uit het verleden. Je zou alleen aan het heden en aan de toekomst moeten denken.' Hij kwam op me af lopen en trok het T-shirt bij de zoom omhoog en over mijn hoofd heen. 'Je zou alleen nog aan mij moeten denken.'

Ik liet toe dat hij mijn shirt uittrok; niet dat hij zou zijn opgehouden als ik had tegengestribbeld, dat zag ik wel. Ik liet het niet op de vloer vallen, maar hield het tegen mijn borst gedrukt. 'Toevallig heb ik inderdaad aan jou gedacht. En aan de toekomst.'

'Zo.' Hij keek me vragend aan, op zijn hoede, alsof hij niet goed wist waar ik heen wilde.

'Sorry, maar ik denk niet dat jij daar een rol in zult spelen. In mijn toekomst, bedoel ik.' Een onverbloemde aanpak leek me het beste.

'Hoe bedoel je dat?'

'Ik bedoel dat ik er klaar mee ben. Ik heb geen zin meer in spelletjes.'

Zijn gezicht versomberde. 'Is dat wat we aan het doen zijn? Spelletjes spelen?'

'Uiteraard.' Ik haalde mijn schouders op. 'Je hebt dit toch zeker niet serieus opgevat?'

Gil kon absoluut niet geloven dat ik het zou kunnen uitmaken. 'Heel grappig.'

'Ik maak geen grapjes,' zei ik zacht. 'En ik heb het je gemakkelijk gemaakt. Ik heb je spullen al gepakt.' Ik deed een stap achteruit, alert op wat hij zou kunnen doen.

'Hè?' Hij sloeg zijn armen over elkaar. 'Wat sta je verdomme voor onzin uit te kramen?'

'Terwijl je hier bezig was, heb ik je spullen bijeengeraapt,' legde ik uit. 'Ze zitten in een vuilniszak die buiten bij de voordeur staat. Ik zou maar opschieten, want het zou heel naar zijn als iemand dacht dat er vuilnis in zat.' Ik had bedacht dat hij wel zou gaan, en vlug ook, als ik zijn spullen buiten zou neerzetten.

'Waarom doe je dit?' Hij deed een paar stappen in mijn richting en ik stak mijn hand uit om hem tegen te houden, waarmee ik hem ook de pepperspray die ik op internet had besteld liet zien. Bijna hoopte ik dat hij me een reden zou geven om hem te gebruiken. Hij keek er stomverbaasd naar, maar kwam niet dichterbij.

'Het leek me de beste manier om er zeker van te zijn dat we radicaal met elkaar breken.' Ik wierp hem het T-shirt toe. 'Alsjeblieft. Als je een nieuw meisje vindt dat je in Rebecca wilt veranderen, kun je haar dit geven met de groeten van mij. En wens haar geluk. Dat zal ze nodig hebben.'

Ik draaide me om en liep naar de deur. Hij bleef verbijsterd midden in de kamer staan.

'Dit kun je niet doen,' riep hij me na. 'Dit pik ik niet.'

Ik bleef bij de deur staan. 'Jawel Gil. Ik kan dit wel degelijk doen. Het spijt me, maar jij hebt er niets over te zeggen. Je hebt je pleziertje gehad en ik het mijne. Luister naar wat ik zeg en verdwijn.'

Hij was een bullebak en een lafaard. De pepperspray was voldoende om ervoor te zorgen dat hij niet met me in discussie ging. Hij was niet het type dat het risico zou nemen het onderspit te delven. Ik voelde alleen minachting. Ik wenste dat ik hem nooit in mijn leven had toegelaten. Maar die vergissing had ik nu eenmaal gemaakt en die zou ik niet meer herhalen. Ik wachtte niet af wat hij verder nog te zeggen had en liep weg.

Ik hoorde hem langs mijn slaapkamer komen, waar ik een ander T-shirt aantrok.

'Gil.'

'Ja?' In die ene lettergreep zat een hoopvolle ondertoon.

'Vergeet niet de sleutel achter te laten als je weggaat.'

Ik hoorde een paar seconden later de voordeur dichtslaan en aan het geritsel van de vuilniszak hoorde ik dat hij hem had opgepakt. Heel zachtjes fluisterde ik: 'Vaarwel.'

13

Maeve

Godley had me gezegd dat ik hem kon bellen als ik iets te bespreken had, maar ik had niet verwacht dat hij me die dag zou komen opzoeken. Ik voelde me gevleid maar ook doodnerveus. Hij stond in de deuropening van de eetkamer en leek veel te lang, zo tegen de achtergrond van mijn ouderlijk huis. Hij liet zijn blik gaan over alles waar ik mee bezig was.

'Dat is nogal wat om door te nemen. Ik vroeg me af hoe lang je ervoor nodig zou hebben.'

'Ik zeg niet dat ik alles al op een rijtje heb,' waarschuwde ik. 'Maar ik ben er vrij zeker van dat we voldoende hebben voor een arrestatie, hoewel misschien niet voor een veroordeling. Het merendeel is indirect bewijs, maar ik kan me gewoon niet voorstellen dat er een andere verklaring is voor wat ik heb ontdekt.'

Hij trok zijn jas en zijn colbertje uit en gooide ze over de rug van een stoel, ging tegenover me zitten, rolde zijn mouwen op en trok een onbeschreven vel papier naar zich toe om notities te kunnen maken. 'Begin maar bij het begin, Maeve. En laat niets weg.'

'Oké. Nou, zoals u weet wisten we, toen we bij de plaats delict stonden, niet zeker of Rebecca al dan niet het slachtoffer van de vuurmoordenaar was geworden, op grond van de wijze waarop haar lichaam was achtergelaten. Het was een exacte imitatie van zijn werkwijze wat betreft de moord zelf en de manier waarop de moordenaar zich had ontdaan van het lichaam, maar toch was er iets wat niet klopte. Er sprak iets van onzekerheid uit. Het was hem niet, maar het was iemand die zijn best deed te zijn zoals hij. En diegene is Louise North.'

Godley vertrok geen spier, maar toch bespeurde ik twijfel in zijn houding en ik ging vlug door met vertellen wat ik had ontdekt.

'Ik kon geen enkel spoor vinden van Rebecca Haworth in de vierentwintig uur voordat ze stierf. Niemand had haar gezien of gesproken – haar buren niet, haar vrienden niet en haar ouders niet. Ze kwam op geen van de beveiligingsbeelden die we hebben bekeken voor. Ze heeft haar ov-kaart niet gebruikt. We hebben taxibedrijven uit de hele stad benaderd en niemand kan zich herinneren haar te hebben meegenomen. In feite was het laatste levensteken dat ik van haar kon vinden het signaal van haar mobiel. Op donderdagavond hield dat op bij London Bridge, in de buurt van haar appartement; dus toen is hij uitgezet of vernietigd. Maar voor die tijd is hij in Fulham geweest, en wel binnen honderd meter, met een afwijking van plus of min een paar meter, van de gsm-mast die het dichtst bij het huis van Louise staat.

'Misschien was ze op bezoek bij haar vriendin.'

Ik schudde mijn hoofd. 'Louise zei dat ze haar al weken niet had gezien.'

'Oké, dan was ze misschien bij iemand anders op bezoek.'

'Maar wie dan? Ze had verder geen vrienden in die buurt, voor zover ik weet. We kunnen langs de deuren gaan en vragen of iemand anders haar in die buurt heeft gezien op die woensdagavond, of op de donderdag erna. Maar volgens mij heeft Louise haar woensdagavond naar haar huis gelokt, met de bedoeling haar daar tot donderdag te houden. Ik heb de labverslagen gezien; de toxicologische analyse van de lichaamssappen die dr. Hanshaw naar het lab had gestuurd wijst uit dat er kalmerende middelen in zaten. Stel dat Louise haar daar heeft gehouden, wetende dat ze waarschijnlijk niet zou worden gemist omdat ze geen baan, geen flatgenoot en ook geen vriend had? Stel dat ze haar slaapmiddelen heeft gegeven? Stel dat ze haar heeft vermoord?'

'Bewijzen, Maeve. In een woonwijk is de locatie van een mobiele telefoon niet nauwkeurig genoeg te bepalen. Het signaal stuitert rond van mast tot mast; je kunt het op z'n hoogst beperken tot een gebied met een diameter van vierhonderd meter.'

'Beschouw het dan als een indicatie van waar we moeten zoeken.

Dit is niet alles.' Ik schetste in korte bewoordingen hoe ik Louises auto had gevonden in de registratie van de beveiligingsbeelden en vertelde dat ik had nagekeken of zij inderdaad in die auto zat. 'Ze had geen enkele reden om daar op dat vroege tijdstip te zijn. Ze heeft mij er ook niets over verteld, ook niet toen ze had gehoord waar Rebecca's lichaam was gevonden. Ik kan nauwelijks geloven dat ze niet iets over die samenloop van omstandigheden zou hebben gezegd als ze onschuldig was. En ondertussen heeft ze haar auto weggedaan en een nieuwe gekocht. Een cadeautje aan zichzelf, geloof ik. Misschien als beloning voor een goed uitgevoerde klus.'

'Oké. Dat klinkt beter. Het is mooi dat we haar op het juiste tijdstip op die relevante locatie kunnen vastpinnen. Maar als ze haar auto heeft weggedaan, kunnen we geen forensisch onderzoek laten doen.'

'Ik vermoed dat dat haar gedachtegang was. Ze heeft hier en daar een paar valse sporen voor ons uitgezet; ze heeft eraan gedacht de voicemailberichten op Rebecca's telefoon te laten staan, zodat het leek alsof ze probeerde met haar in contact te komen toen ze al dood was. Ze heeft zelfs een bericht achtergelaten op Rebecca's nummer van haar vroegere werk. Maar Louise wist best dat Rebecca daar niet meer werkte. Ze had haar namelijk geholpen bij het leegruimen van haar bureau. Rebecca's assistente herinnerde zich haar naam toen ik haar vandaag belde en een beetje aandrong. Waarom zou ze een nummer bellen waarvan ze wist dat het niet zou worden beantwoord, tenzij ze ons juist wilde laten denken dat het contact met Rebecca was verwaterd? En vergeet niet dat we haar in Rebecca's appartement aantroffen toen we daar een kijkje gingen nemen. Ze was daar bezig alles op te ruimen om ervoor te zorgen dat er geen aanwijzingen zouden achterblijven voor het feit dat ze haar de dag voor haar dood te eten had gevraagd – geen notities van Rebecca die ons op het idee konden brengen dat ze een motief had. Ze zei dat Rebecca erg slordig was in haar privéleven. Alle anderen die ik heb gesproken zeiden juist dat ze heel precies was, en goed georganiseerd. Ik dacht dat het een teken was van de druk waaronder Rebecca de laatste tijd leefde, maar je kunt het ook zo zien dat Louise ons heeft voorgelogen.'

'Je noemde een motief; wat zou haar motief kunnen zijn geweest?'

'Daar ben ik nog niet uit. Maar misschien is het gewoon dat ze het eindelijk spuugzat was om altijd in de schaduw van Rebecca te staan. Hoewel Louise ook in Oxford studeerde toen Adam Rowley stierf, en ze het niet prettig vond dat ik daarnaar vroeg. Ze raakte echt van streek. Ik dacht toen dat ze bang was dat Gil Maddock ons afluisterde, maar nu denk ik dat ze misschien bang was voor haar eigen hachje, omdat ik iets te dichtbij kwam.'

'Maddick.' Godley trok een gezicht. 'Dat is deels wat ik er problematisch aan vind. Ik snap niet hoe je eerst kon denken dat ze een potentieel slachtoffer was en er nu van overtuigd bent dat zij de moord heeft gepleegd.'

'Het was de bedoeling dat ik haar als slachtoffer zou zien. En ik had het daar zo druk mee dat ik vergat haar als mogelijke verdachte te zien. Dat was het plan. Ze heeft me al die tijd in de richting van Gil Maddick geduwd; hij is de ex van Rebecca, hij heeft zijn vriendinnen vaker gewelddadig bejegend, en het verbreken van zijn relatie met haar leek het startschot te zijn voor de rampzalige privéomstandigheden waarin ze kwam te verkeren, zoals het verlies van haar baan en haar toenemende drugsgebruik en eetprobleem. Louise was niet de enige van Rebecca's vrienden die me vertelden dat Maddick bezitterig was. Het lijkt erop dat hij probeerde haar bij hen vandaan te houden; dat is klassiek overheersend gedrag. Maar het bewijst niet dat hij haar dood wenste. Ik kan niets vinden waaruit blijkt dat ze voor haar dood contact met elkaar hebben gehad – geen e-mails, geen telefoongesprekken, geen sms'jes. Ik ben er oprecht van overtuigd dat hij is verdergegaan met zijn leven.'

'Maar je was er honderd procent zeker van dat hij de schuldige was, Maeve.' Godley klonk vriendelijk. 'Dat kun je moeilijk wegredeneren, nu je er even zeker van bent dat Louise het heeft gedaan.'

'Ik dacht dat hij een gewelddadige man was die het niet kon verkroppen dat zijn ex een nieuw leven was begonnen, maar die gedachte klopte gewoon niet met de feiten. Hij staat als begunstigde in haar levensverzekeringspolis, maar hij is zelf al vermogend, en hij had volgens mij geen flauw idee dat hij er als begunstigde in stond. Toen dacht ik dat hij misschien wraak wilde nemen op Rebecca; hij lijkt opvallend veel op de jongen die toen in Oxford is overleden, degene die bij Rebecca zoveel schuldgevoelens opriep. Maar ik denk echt dat het toeval was. Het is niet zo vreemd dat ze dezelfde dingen in een andere man aantrekkelijk vond; ze was geobsedeerd door Adam Rowley.'

'En welke plaats heeft Rowleys dood in dit alles?'

'Dat weet ik ook niet,' gaf ik toe. Voordat Godley kwam had ik inspecteur Garland gebeld. Hij zat toen in een café, maar als hij gedronken had, was hij er beslist niet minder scherp door geworden.

'Ik vroeg me al af of ik ooit nog van je zou horen. Wat vond je ervan? Ben je al iets opgeschoten in het onderzoek naar de dader?'

'Ik denk niet dat u ooit in staat zult zijn voldoende bewijzen te vergaren voor een arrestatie – in dit stadium in elk geval niet –, maar ik heb inderdaad wel wat ideeën over wat Adam Rowley is overkomen.'

'Steek van wal, liefje. Ik luister.'

Ik had hem mijn vermoedens verteld: dat Rebecca en Louise meer hadden geweten van Rowleys dood dan ze hadden laten merken. Of Rebecca had hem zelf vermoord en Louise had haar geholpen alle sporen uit te wissen, of Louise was op de een of andere manier betrokken geweest bij zijn dood met medeweten en steun van Rebecca. Louise had zich staande weten te houden onder de druk van het daaropvolgende onderzoek, maar Rebecca was ingestort. Dat was de reden dat de vriendschap was bekoeld.

'Louise wist heel goed dat Adam erg dronken was en dus kwetsbaar, want ze had hem de hele avond in de bar bediend. Ze hadden hem allebei een duwtje kunnen geven, zodat hij in de rivier zou vallen.'

Van de andere kant van de lijn klonk een lang, zacht gegrinnik.

'Goed gedaan, meisje. Zover was ik ook gekomen, heel lang geleden, maar er was geen enkele kans op dat het OM het op zou pakken. Ik ben altijd op mijn hoede geweest voor Louise North. Een kouwe kikker. Ik kon haar niet van haar stuk brengen, en neem van mij aan dat ik dat heb geprobeerd.'

'Interessant dat inspecteur Garland haar niet mocht,' was het commentaar van Godley toen ik ons gesprek had naverteld. 'Maar hij heeft toch geen bewijsmateriaal gevonden dat haar in verband bracht met de dood van die jongen?'

'Nee, maar hij heeft ook niet de kans gekregen om er een moord-onderzoek van te maken, toen de onderzoeksrechter had besloten dat het een ongeval moest zijn geweest. De mogelijkheid bestond dat Adam zonder het te weten drugs had gebruikt, zodat hij enigszins van de wereld was. Maar hij had die pillen ook vrijwillig genomen kunnen hebben. Er zat een schaafwond op zijn achterhoofd die door een klap kon zijn veroorzaakt, maar die wond paste ook in het ver-drinkingsverhaal. Aan zijn val in het water leek geen worsteling te zijn voorafgegaan; het was een gezonde jongeman in goede conditie en hij heeft geen enkele poging ondernomen om weer op de oever te klimmen. Hij was op dat moment dronken, maar toch vind ik het gek dat hij niet heeft geprobeerd zichzelf te redden. Ik heb alleen het idee dat Louise aan hetgeen er die nacht is gebeurd een belangrijk motief heeft overgehouden om Rebecca dood te wensen.'

'Leg eens uit.'

'Op het moment van haar dood balanceerde Rebecca op het rand-je van totale mislukking; ze was de baan kwijt die ze dolgraag had wil-len houden, zo graag zelfs dat ze haar baas aanbood met hem naar bed te gaan om hem van gedachte te laten veranderen, en als u hem zou zien, zou u meteen weten dat dat geen makkelijke uitweg was. Ze probeerde het feit dat ze geen werk had verborgen te houden voor haar ouders en haar vrienden, en daarom hield ze haar heel dure ap-partement aan en deed ze haar best haar levensstijl te handhaven. Ze had een waanzinnig dure drugsverslaving die ze in stand moest hou-den, en haar liefdesleven was op z'n zachtst gezegd gecompliceerd. We weten dat ze een van haar minnaars chanteerde en tienduizend pond van hem had losgekregen als ze niet aan zijn vrouw zou vertel-len wat hij had uitgespookt. Ik zal niet zeggen dat hij het niet ver-diende; hij is er zo nog goed van afgekomen, maar ik vraag me af of Louise was geschrokken toen ze hoorde wat Rebecca had gedaan. Ze kon het risico niet nemen dat Rebecca zou overwegen haar ook te chanteren.'

'Maar er zijn geen bewijzen voor dat ze dat overwoog, dacht ik?'

'Nee. Als ze haar al geld heeft gegeven, dan heeft ze dat contant ge-daan. En ik betwijfel ten zeerste dat ze het zich kon veroorloven om haar af te kopen, wat het andere slachtoffer wel kon, want ze heeft wel een goedbetaalde baan, maar ook een hypotheek op een duur huis. Dan is er nog de dreiging van reputatieverlies waarmee we rekening moeten houden. Louise heeft heel hard gewerkt om op haar huidige positie te komen. Ik denk dat ze niet blij zou zijn als alles in duigen zou vallen omdat haar beste vriendin een werkloze cokesnuiver is.'

'Je denkt dus dat ze een pact hadden gesloten om Adam Rowley te vermoorden, wat we niet kunnen bewijzen. En hun motief kennen we ook niet. Je denkt dat Louise bang was dat ze omwille daarvan zou worden gechanteerd, en ook daarvoor hebben we geen enkel bewijs. Je denkt dat Louise Rebecca kalmerende middelen heeft toegediend, haar vervolgens vierentwintig uur lang verborgen heeft gehouden, haar daarna heeft vermoord en gedumpt, en dat alles op grond van een paar beelden van een beveiligingscamera en een plaatsbepaling van Rebecca's mobiele telefoon. Misschien kunnen we er wel iets van bewijzen, maar haar voorsprong is groot genoeg geweest om het meeste bewijsmateriaal weg te werken.'

'Daar komt het ongeveer op neer.'

De hoofdinspecteur bleef een tijdje stil zitten; hij hield zijn hand voor zijn ogen en ik vroeg me af of ik er een enorme puinhoop van had gemaakt, of ik misschien iets gigantisch over het hoofd had gezien en of ik mezelf onherroepelijk voor gek had gezet. Ik wist best dat ik weinig bewijzen had om mijn theorie te staven, en dat alles wat ik had nog indirect bewijs was ook. Juist toen de stilte ondraaglijk werd, keek hij op; zijn ogen waren diepblauw en hij glimlachte.

'Er zitten gaten in. Maar er zit wel wat in. En ik wil niet dat ze ermee wegkomt als je gelijk hebt.' Hij stond op en trok zijn colbertje aan. 'Ben je al voldoende opgeknapt om met me mee te gaan? Ik wil even krijgsraad houden. We zullen eens zien of we een manier kunnen vinden om mevrouw North voor eens en voor altijd te slim af te zijn.'

Ik zei ja, natuurlijk; ook al was ik nog wiebelig en de uitputting nabij, dit wilde ik niet missen. Godley reed in recordtijd terug naar het bureau nadat hij Judd had gebeld en hem had opgedragen een paar van de cruciale teamleden bijeen te roepen.

We hadden net het centrum van Londen bereikt toen mijn mobiel ging. Ik keek op het schermpje en verstijfde.

'Chef, het is Louise. Waarom zou ze mij mobiel bellen?'

Godley fronste zijn wenkbrauwen. 'Neem niet aan. Als ze een bericht inspreekt, kunnen we het samen afluisteren.'

Het leek uren te duren tot het belsignaal stopte. Even later klonk er een piepje: een nieuw voicemailbericht. Ik ademde uit en merkte toen pas dat ik mijn adem had ingehouden. Ik speelde het bericht af op de speaker.

'Rechercheur Kerrigan… Maeve? Ik wilde je alleen even laten weten dat ik het heb uitgemaakt met Gil. Ik zag op het journaal dat je gewond bent geraakt… en ik weet dat je in het ziekenhuis hebt gelegen, dus het zal je vast niet zoveel kunnen schelen, maar ik wilde het je toch vertellen.' Ze klonk aarzelender dan anders. 'Ik wilde zeggen… ik dacht dat je dit moest weten: toen ik Rebecca's appartement aan het opruimen was, heb ik een pen met Gils initialen erop gevonden – GKM. Daardoor vroeg ik me af of hij was langs geweest voor haar dood. Hij zei van niet, maar…' Er volgde een korte stilte en toen een zucht. 'Ik weet niet meer wat ik ervan moet denken.' Klik.

Ik keek Godley aan met opgetrokken wenkbrauwen. 'Wat denkt u ervan?'

Hij hield zijn aandacht bij de weg. 'Ik denk dat je een uitstekende politiefunctionaris bent met een prima intuïtie.'

'U bent er niet van overtuigd dat we Gil Maddick zouden moeten arresteren?'

'Jij wel dan?'

'Nee.' Ik was er heel zeker van. 'Ik raak er alleen maar meer van overtuigd dat zij de schuldige is.'

'Laten we dan eens bedenken hoe we haar te pakken kunnen krijgen.'

Voordat we dat konden doen moest Godley een kamer vol uiterst sceptische rechercheurs ervan overtuigen dat we een sluitende zaak tegen Louise North zouden kunnen maken. Dat was makkelijker gezegd dan gedaan. Terwijl de hoofdinspecteur uitlegde wat de bedoeling van de bijeenkomst was, keek ik de tafel rond en was ik me meer dan bewust van het feit dat ik een spijkerbroek en een trui droeg in plaats van mijn gebruikelijke broekpak, en dat mijn gezicht nog vol

kneuzingen zat, die ik bij mijn ontmoeting met Selvaggi had opgelopen. Adjudant Judd zat naast Godley en zag er vermoeid maar niet
vijandig uit, in tegenstelling tot Peter Belcott. Rob was er ook; hij zat
aan het andere uiteinde van de tafel en keek bemoedigend naar me.
Na mijn eerste vluchtige blik in zijn richting durfde ik hem niet nog
eens aan te kijken uit angst te worden afgeleid. Ben Dornton en
Chris Pettifer waren erbij omdat ze de verhoorspecialisten van het
team waren; Sam, Kev Cox en Colin Vale maakten de groep compleet. En geen van allen leken ze volkomen overtuigd toen Godley
had uitgelegd wat we wisten, wat we dachten en wat we moesten uitzoeken, voordat hij mij het woord gaf.

'Is dat alles?' Peter Belcott had zijn bovenlip vertrokken in een
sneer die zijn abnormaal lange voortanden blootlegde.

'Ik kan geen andere verklaring voor die beelden bedenken. Louise
North rijdt in een zeer fraaie BMW-sportwagen, die ze heeft gekocht
in de week waarin Rebecca stierf. Ze heeft haar oude auto weggedaan, een auto waarvan ze zei dat het een veertien jaar oude blauwe
Peugeot was die betere tijden had gekend.'

Ik pakte een afstandsbediening en richtte hem op de dvd-speler
achter me. Ik had hem zo ingesteld dat hij op de juiste plek zou beginnen.

'Dit is nog geen tweehonderd meter van de plek waar Rebecca
Haworth is gevonden. Deze beelden zijn opgenomen in de nacht
van vrijdag 26 november om 02.57 uur. Dit' – ik wees ernaar – 'is een
blauwe Peugeot met één inzittende, een vrouw, die in de richting van
het braakliggende terrein rijdt waar Rebecca's lichaam is gedumpt. Je
kunt haar gezicht van opzij zien.' Ik drukte op stop en spoelde door
naar het beeld van een andere camera dat ongeveer een minuut later
was opgenomen, en waarop de achterkant van de auto zichtbaar was
toen hij remde voor een verkeerslicht. De bestuurder was onherkenbaar, alleen het silhouet was te zien. 'Hier is hij weer. Je kunt op dit
beeld maar een gedeelte van het kenteken zien, want de volgende auto blokkeert een stukje van het zicht erop. Ik heb het kenteken van
Louises vorige auto gecontroleerd en dat klopt met dit gedeeltelijk
zichtbare nummerbord.' Ik spoelde nog eens door. 'Dit is van twintig minuten later, beelden van de tweede camera. De auto komt te-

rug uit de richting van de plaats waar het lichaam is gedumpt. Hier kunnen we de bestuurder vrij goed zien.' Ik zette het beeld stil om iedereen te laten kijken naar het enigszins wazige maar volledig herkenbare beeld van Louise North. 'Voor wie het zich afvraagt: ze woont in Fulham. De eerste keer dat ik haar sprak zei ze dat ze de nacht van de moord op Rebecca thuis was geweest. Ze heeft beslist niets gezegd over een spannende nachtelijke wandeling langs de zuidoever van de rivier.'

Colin Vale schudde zijn hoofd. 'Die auto paste niet in het profiel. Als ik had geweten…'

'Je had geen enkele reden om met speciale belangstelling naar deze auto te kijken,' zei ik sussend. 'Ik zou hem over het hoofd hebben gezien als ik hem niet in je overzicht had zien staan. En op dat moment was ik op zoek naar een heel andere auto. Het was stom toeval dat Louise me vertelde dat ze een andere auto had gekocht en erbij zei van welk merk en type haar oude was, en het was ook toeval dat hij me opviel.'

'Een gelukkig toeval,' zei Godley vanaf het hoofd van de tafel, waardoor iedereen zijn hoofd in zijn richting draaide als kompasnaalden die zich op het noorden richtten. 'Maar het was ook goed recherchewerk. En zoals Maeve al zei, als je de auto niet had genoteerd, zouden we hem over het hoofd hebben gezien.'

'We kunnen die beelden eventueel analyseren,' zei Colin. 'Om te zien of de auto zwaarder beladen was toen hij in de richting van de plek reed waar het lichaam is gedumpt.'

'Ja, en daar zal het helaas bij moeten blijven, want volgens Louise is de auto gesloopt.'

'Nou, dan is er nog iets wat we kunnen doen,' merkte Kev Cox op. 'De auto opsporen. Uitzoeken waar hij is heen gegaan en waar hij zich nu bevindt. Misschien kunnen we nog wat sporenmateriaal redden, ook al is hij door de pers gehaald.'

'Dat is niet erg waarschijnlijk,' zei Judd. 'En de verdediging zal er met genoegen op wijzen dat het bewijsmateriaal door vele handen is gegaan en niet betrouwbaar is.'

'Bij ontstentenis van een beter idee zullen we het toch proberen,' beval Godley. 'Colin, dat lijkt me echt iets voor jou.'

De lijkbleke lange lijs knikte. Hij leek niet al te enthousiast bij dit vooruitzicht, maar dat was begrijpelijk. Het zou een moeizame klus zijn, vooral omdat de kans op het vinden van enig bewijsmateriaal minimaal was.

'Waarnaar was je op zoek toen je haar auto in het overzicht zag staan?' Judd had zijn wenkbrauwen gefronst.

'Toen Rebecca nog studeerde, had ze een ongepaste verhouding met haar tutor. Die verhouding hebben ze een paar maanden geleden hervat, maar deze keer heeft ze hem erom gechanteerd.'

'Academici hebben geen geld,' was het commentaar van Judd.

'Deze wel. Caspian Faraday.'

'Ik heb zijn boeken. Ik ken hem van tv.' Colin Vale klonk geschokt. Ik was er niet vaak getuige van dat een idool van zijn voetstuk viel, en ik had even met hem te doen.

'Hij is met een rijke erfgename getrouwd, Delia Waynflete. Ik heb sterk de indruk gekregen dat het bewaren van een goede relatie met zijn vrouw voor hem de hoogste prioriteit heeft. Ik wil hem er niet van beschuldigen dat hij haar ziet als degene die zijn luxeleventje mogelijk maakt, maar ze draagt zeker veel bij aan zijn levensstandaard. Ik kon me er wel iets bij voorstellen dat hij besloot niet te kunnen leven met de angst dat zijn vrouw zijn buitenechtelijke relatie zou ontdekken. Ik kon me ook voorstellen dat hij de moord op Rebecca in scène zou kunnen zetten. Ik kon me minder goed voorstellen dat hij haar zou vermoorden, maar misschien zou hij onder de juiste omstandigheden toch wat bruutheid kunnen opbrengen. Zijn vrouw heeft echter voldoende financiële middelen om iemand in te huren om een rivale uit de weg te ruimen, als ze het niet met haar eigen handen zou doen. En Faraday zelf lijkt zo zijn twijfels te hebben gehad; hun advocaat loog tegen me toen ik vroeg of ze ten tijde van Rebecca's dood in het land was. Belcott heeft wat speurwerk verricht en heeft bij een agentschap foto's gevonden waar ze op stond tijdens een liefdadigheidsbal op de dag na de vondst van het lijk. Ik was op zoek naar haar auto of die van haar echtgenoot.'

'Je zou denken dat hij alleen al om het geld zijn pik wel in zijn broek zou laten,' zei Ben Dornton.

Ik trok een gezicht. 'Ik heb niet veel tijd aan een analyse van zijn karakter besteed, maar ik vermoed dat hij zo'n ongelijkwaardige relatie als een domper op zijn mannelijkheid ervaart. Hij heeft zelf een behoorlijke carrière opgebouwd, vooral gezien het feit dat hij in principe een in ongenade gevallen academicus is, maar zij is astronomisch rijk. Het moet moeilijk zijn de levensstijl die hij er nu op na houdt op te geven, maar dat wil niet zeggen dat hij er trots op is.'

'Laten we dr. Chen maar wegdoen en Maeve haar werk laten overnemen.'

Ik keek Rob strak aan. 'Dank voor de suggestie, collega Langton. Het is maar een mogelijke lezing, zoals je weet.'

'Het zijn allemaal mogelijke lezingen,' klaagde Belcott. 'Hoe kwam je tot de conclusie dat die historicus en zijn vrouw geschrapt konden worden?'

'Rebecca was voor Faraday een spannend avontuurtje; hij wilde haar niet dood hebben. En ik vermoed dat Delia niet eens zou hebben overwogen haar rivale te laten vermoorden. Ze zou haar echtgenoot eraan hebben herinnerd waar zijn prioriteiten lagen en hem dwingen een poosje in een andere stad te gaan wonen.' Ik wees naar het scherm. 'Achteraf gezien is Louises gedrag eigenlijk al verdacht vanaf het eerste moment, toen we haar in Rebecca's appartement aantroffen. We hebben Rebecca's adresboek, haar agenda en het notitieboekje dat ze altijd bij zich had nooit gevonden. Ik heb het idee dat ze in Louises Prada-tas mee naar buiten zijn gegaan.' Ik wendde me tot Sam. 'Weet je nog dat ze opeens in snikken uitbarstte en naar de badkamer liep om zich een beetje op te knappen? Wedden dat ze de rest van het appartement heeft afgestruind om zich ervan te overtuigen dat ze niets over het hoofd had gezien, terwijl wij in de woonkamer zaten te praten?'

'Zou me niets verbazen,' zei Sam. 'Dat hebben we niet voorzien.'

'Totaal niet,' viel ik hem bij. 'Maar als we er niet waren heen gegaan, hadden we niet eens geweten dat ze in dat appartement was geweest.' Ik slaagde erin niet Godleys kant op te kijken terwijl ik dat zei. Bij mij had hij zich al verontschuldigd voor het feit dat hij ons ervan langs had gegeven. Waarschijnlijk zouden de excuses aan Sams adres na de bijeenkomst volgen.

'Waarom zou ze het risico hebben genomen om het eruit te laten zien als een moord van de vuurmoordenaar?' vroeg Judd.

'Ze zal hebben gedacht dat ze ermee weg zou komen. Ze moet het wel erg hoog in haar bol hebben, dat ze het risico nam naar Rebecca's appartement te gaan om daar te gaan schoonmaken. Maar denk eraan: als ik gelijk heb, is ze al eens met een moord weggekomen. En er zit iets opzichtigs aan dit misdrijf, iets waarvan ik althans was overtuigd dat het paste bij dat flamboyante zelfvertrouwen waar Gil Maddick in grossiert. Al vanaf het begin heeft Louise geprobeerd me zijn kant op te sturen. Ze had hem al helemaal klaarstaan als zondebok, voor het geval dat we niet overtuigd zouden zijn dat Rebecca slachtoffer van de seriemoordenaar was. Dat was natuurlijk al zo voordat ze een verhouding met hem begon. Ik moet er wel van uitgaan dat die verhouding met hem geen deel uitmaakte van haar oorspronkelijke plan, want dat zou overdreven roekeloos zijn geweest. Rebecca was altijd dominant toen ze bevriend raakten; zij was het mooie, populaire meisje en Louise stond eigenlijk in haar schaduw. Ik heb de indruk dat Louise sinds de dood van Rebecca de kans heeft gekregen te stralen en dat ze die kans aangrijpt, hoe onverstandig dat soms ook is.'

'Toch zit ik nog ergens mee,' zei Judd. 'Je hebt ons verteld hoe ze het heeft gedaan, maar niet waarom.'

'Omdat ik daarover geen zekerheid heb tot we haar verhoren, en dan moet ik nog maar afwachten of ze die reden opbiecht, waarover ik mijn twijfels heb. Ze is tenslotte jurist. En ze is daar erg trots op. Ze heeft veel te verliezen als haar reputatie wordt geschaad. Dat is volgens mij de reden dat Rebecca moest sterven.'

'Omdat ze een bedreiging was voor haar reputatie?' vroeg Colin Vale.

'Omdat Louise het risico niet kon nemen dat ze die zou schaden. Haar enige verzekering bestond erin dat Rebecca, als ze in voldoende mate betrokken was geweest bij de moord op Adam Rowley, haar niet kon chanteren. Dan zou ze haar eigen veiligheid namelijk in gevaar brengen. Maar Rebecca was blut en wanhopig en had bovendien al die tijd blijk gegeven van een ongelooflijk slecht beoordelingsvermogen. Louise kon haar niet vertrouwen. Ze was zeven jaar eerder al met een moord weggekomen, waarom zou ze dan niet hetzelfde kunstje flikken, nu ze zoveel meer te verliezen had als ze het na-liet?'

'Gaan we dit bij het OM aandragen op grond van een voicemailbe-richt en wat bewakingscamerabeelden?' vroeg Judd aan Godley.

'We hebben voldoende voor een arrestatie. Of we haar kunnen aanklagen voor moord hangt van het verhoor af. We hebben een be-kentenis nodig.' Godley keek de tafel rond. 'Ben en Chris, hebben jullie aantekeningen gemaakt? Het is nu aan jullie om deze zaak rond te breien.'

Dornton en Pettifer knikten nadenkend. Ik wenste hun geluk bij hun pogingen Louise de baas te worden als ze was opgebracht; ik zou niet in hun schoenen willen staan. Ik pakte mijn aantekeningen van tafel en was zo moe dat ik nauwelijks uit mijn ogen kon kijken. God-leys stem deed me opschrikken.

'Maeve, blijf maar in de buurt. We zullen alles regelen voor de ar-restatie en dan direct met het verhoor beginnen. Je moet met me meekijken. De kans bestaat dat jou iets opvalt wat wij over het hoofd zien, net als bij die auto.'

'O. Echt? Ik…'

'Het zal nog wel een uur of twee duren voordat we haar arresteren. Ga dus maar even wat eten of zo. Uitrusten. Kalm aan doen.'

'Ik ging net…' Ik brak mijn zin af. Godley luisterde niet naar me. Hij zat alweer zachtjes te overleggen met Judd over het inlichten van de officier van justitie. Ik stond onvast op mijn benen van uitputting en wilde niets liever dan naar huis gaan.

Vanuit mijn ooghoek zag ik Rob opstaan, zich uitrekken en naar mij toe komen slenteren. Rob, die ik al meer dan een jaar kende zon-der dat ik ooit uit mijn evenwicht was gebracht door zijn aanwezig-heid. Rob, met wie ik in talloze auto's en tijdens talloze verhoren en instructiebijeenkomsten schouder aan schouder had gezeten. Rob, die mijn hart absoluut nooit eerder zo wild en onregelmatig had doen kloppen door gewoon naast me te staan en mijn naam te zeg-gen. Ik draaide mijn hoofd om en glimlachte, in de hoop dat hem de kleur die naar mijn wangen was gestegen niet zou opvallen.

'Gaat het een beetje?'

'Ik ben alleen erg moe.'

'Dat moet wel. Al dat praten.'

'En denken. Vergeet het denken niet.'

'Want dat ben je natuurlijk niet gewend. Ga je mee koffie halen? Daar heb je wel tijd voor als ze pas over een paar uur wordt verhoord.'

Ik schudde mijn hoofd. Ik kon me niet voorstellen dat er iets bestond wat erger was voor mijn huidige toestand dan koffie. Ik voelde me al beverig, nerveus over de arrestatie van Louise, bang dat ik misschien iets over het hoofd had gezien of dat mijn theorieën op drijfzand berustten. Ik had last van het soort vermoeidheid dat je kunt hebben aan het eind van een zeer lange vlucht, wanneer de wereld zich lijkt terug te trekken in een smalle tunnel. Zelfs Rob was opeens heel ver weg.

'Het gaat wel zo.' Ik keek zielig de kamer door, alsof er opeens een bed voor me zou staan als ik er een wenste. 'Ik zou wel dolgraag even willen rusten.'

'Dat is te regelen.' Hij zocht in zijn zak naar autosleutels. 'Ik breng je wel naar huis.'

'Naar mijn ouders? Te ver. We zouden niet eens genoeg tijd hebben voor de heen- en terugreis voordat het verhoor begint.'

'Dan breng ik je ergens anders heen. Kom maar mee.'

'Waarnaartoe dan?'

Zonder te antwoorden glimlachte hij en liep de kamer uit. Ik volgde hem, te moe om nieuwsgierig te zijn. Het kon me niet eens veel schelen of iemand ons samen het gebouw zag verlaten. Niemand zou er iets van denken. We gingen zo vaak samen ergens heen. En Rob gedroeg zich ook niet alsof er iets te verbergen viel.

Hij onderbrak mijn gedachtegang door buiten op de stoep stil te blijven staan en me op te nemen. 'We kunnen maar beter een taxi nemen. Je ziet eruit alsof je de hoek niet eens zou halen zonder om te vallen.'

'Ga jij niet rijden?'

'Geen parkeerplaats,' zei hij kort, en wenkte een zwarte taxi. Hij boog zich door het raampje aan de bestuurderskant om het adres door te geven, zodat ik niet kon horen waar hij me heen bracht. Het verkeer was verschrikkelijk, zoals gewoonlijk, en het duurde even voordat we onze bestemming hadden bereikt, ook al bleek die niet ver weg te zijn. Rob zat met zijn gezicht van me afgewend door het raam naar buiten te kijken, en in plaats van hem uit te vragen zoals ik normaal altijd deed, liet ik mijn hoofd tegen de leuning rusten, waarna ik met mijn ogen dicht wat doezelde. Ergens was Louise met haar gewone beslommeringen bezig, geheel onwetend van de inspanningen die werden getroost om haar in hechtenis te nemen, min of meer in mijn opdracht. Ik voelde een golf van misselijkheid opkomen en dwong die terug. Als ik gelijk had, verdiende ze het. Als ik het mis had... maar ik kon het niet mis hebben.

Rob bleek me te hebben meegenomen naar een heel klein hotelletje tussen twee winkels ergens in een zijstraatje in Knightsbridge, een hotel dat met luxe compenseerde wat het aan ruimte ontbeerde. Hij zette me in een oorfauteuil bij de open haard in de bar en ging met de receptioniste praten, en ik knapte zo op van de warmte dat ik er klaar voor was tegen te stribbelen toen hij terugkwam.

'Dat kun je niet maken. We kunnen niet gewoon een kamer in een hotel nemen, als ik even wil rusten.'

'Wel hoor. Is al gebeurd.' Hij liet de sleutel voor mijn ogen bungelen. 'Wil je gaan kijken of er een minibar is?'

'We hebben dienst,' zei ik automatisch.

'Spelbreker.'

'Dit is belachelijk.' Ik liet toe dat hij mijn arm pakte, me uit mijn stoel hielp en me begeleidde naar de lift, voorbij de receptiebalie, waar twee tot in de puntjes opgemaakte meisjes stonden, die hun ogen discreet hadden neergeslagen toen we langskwamen. 'Wat moeten zij er wel niet van denken?'

'Ze denken maar wat ze willen,' zei Rob kordaat terwijl hij op het liftknopje drukte. 'Als je terug naar het bureau wilt, moet je het zeggen en dan bestel ik een taxi voor je. Maar ik blijf hier.'

Ik stribbelde tegen tot we in kamer 4 waren aanbeland, waar ik stokstijf bleef staan, want het was een juweeltje van een kamer met roze wanden, een bad met leeuwenpoten in de zwart-wit betegelde badkamer, grote ramen met diverse lagen gordijn ervoor die het verkeersgeluid van beneden dempten, en een enorm bed met dikke kussens en een satijnen dekbed dat het grootste deel van de kamer in beslag nam.

'Wauw. Hoe wist jij van het bestaan hiervan af?'

Hij lachte. 'Wil je dat echt weten?'

Ik had genoeg tijd om een steek van pure jaloezie te voelen in de fractie van een seconde voordat hij serieus antwoordde.

'Het is niet wat je denkt. Ik heb vroeger bij de sectie hotelmisdrijven gewerkt. En toen heb ik hier iemand gearresteerd. De assistent-manager maakte deel uit van een bende uit Kosovo die een lekker zaakje had lopen door de gasten te bestelen. Ik geloof dat hij vier jaar heeft gekregen. En ik heb van de uiterst dankbare manager een kortingskaart gekregen, die ik tot vandaag nog niet heb kunnen gebruiken.'

'O. Dus het is geen vast adres voor romantische afspraakjes.'

'Nee. Ik heb hier nog nooit iemand mee naartoe genomen. Alleen jou.' Hij draaide zich om en duwde zijn hand in het bed. 'Ik hoop dat het een fatsoenlijk matras is. Wil je gaan liggen?'

Dat wilde ik wel. Maar ik wilde daar niet alleen liggen. Voordat ik kon bedenken hoe ik mijn gevoelens zou kunnen overbrengen zonder goedkoop over te komen, knielde hij neer aan mijn voeten en begon hij de veters van mijn sportschoenen los te maken, terwijl hij zachtjes voor zich uit en op een heel onromantische manier een melodietje floot.

'Ik voel me als een paard bij de hoefsmid,' zei ik toen hij mijn voet optilde om mijn sportschoen uit te trekken.

'Hoho, Bessie.' Hij trok de andere ook uit en ging heel dicht bij me staan, en alweer voelde ik die golf van opwinding en nervositeit die me eerder zo uit mijn evenwicht had gebracht. Ik staarde naar zijn mond en bedacht hoe het zou zijn als ik iets voorover zou leunen en met mijn lippen over de zijne zou strijken… Ik helde iets naar voren, zo ver dat ik de warmte van zijn huid kon voelen.

Hij schraapte zijn keel. 'Maeve.'

Ik kwam met een schok weer bij zinnen en keek naar hem op, en doordat ik het bloed in mijn wangen voelde kloppen besefte ik dat mijn gezicht de kleur van de kamermuur had gekregen.

'Ik dacht dat je misschien wel even wilde uitrusten. Denk vooral niet dat ik vergeet dat je wellicht hersenletsel hebt opgelopen door die schop tegen je hoofd.'

'Het gaat prima. Ik voel me al een stuk beter. Echt waar, afgezien van mijn vermoeidheid ben ik weer helemaal de oude,' ratelde ik, en hij legde zijn vinger tegen mijn lippen om me te laten ophouden met praten.

'Denk dan maar niet dat ik zal nalaten misbruik te maken van je verzwakte conditie. Als dat mag.'

Ik pakte zijn hand en haalde die weg van mijn mond. 'En hoe zou je dat aanpakken?'

'Ik dacht dat ik zo zou kunnen beginnen.' Hij boog zijn hoofd om me te kussen, en het voelde tegelijkertijd heerlijk en vreemd en helemaal goed.

'Het enige aan mijn lijf wat verzwakt is,' merkte ik daarna op, 'zijn mijn knieën.'

'Echt?' Rob klonk geïnteresseerd. 'Laat maar eens zien dan.'

Dat leek het makkelijkst als ik mijn spijkerbroek zou uittrekken. En algauw hadden we de eerste onhandige bewegingen, het gelach, het gerommel achter de rug. Wat we deden was serieus. Maar het was meer: het klopte.

En het was fijner dan ik me ooit had kunnen voorstellen.

'Nog een keer?' vroeg hij iets later toen we naast elkaar lagen, met onze gezichten naar elkaar toegewend, nog geen tien centimeter van elkaar verwijderd. Hij streek met zijn vinger langs mijn ruggengraat, heen en terug, in een traag ritme.

'Ja. Nee. Nog niet.' Ik had moeite mijn ogen open te houden, zo loom was ik geworden door het overweldigende gevoel van voldoening. 'Rob.'

'Maeve.' Hij gebruikte dezelfde stem als ik, en hij klonk en keek absurd ernstig. Ik prikte met mijn vinger in zijn borstkas.

'Even serieus alsjeblieft. We moeten praten.'

'Nu?' Hij rolde op zijn rug en legde zijn onderarm over zijn ogen, waarmee hij mij buitensloot. 'Echt waar?'

'Echt waar.' Ik kwam overeind en trok het dekbed om me heen. 'We zouden dit niet moeten doen. Zo maken we onze goede werkrelatie alleen maar ingewikkeld. En als je dit aan iemand van de afdeling vertelt, zal ik me niet meer in de recherchekamer kunnen vertonen.'

Hij verschoof zijn arm, zodat hij me met één oog kon aanstaren. 'Hoezo denk je dat ik dit zou vertellen?'

'"Maeve heeft prachtige benen en nog een lekker kontje ook. Ze lust er wel pap van. Ik zou haar neuken tot ze niet meer recht kon lopen,"' bootste ik hem na. 'Zo was het toch? Of ben ik nog iets vergeten? Ik heb er maar stukjes van opgevangen, maar ik denk dat ik de essentie wel heb begrepen.'

'Dat was heel wat anders. Dat was gewoon kletspraat.' Hij stak zijn arm uit en trok me naar zich toe. 'Maar laat me toch eens proberen of ik het voor elkaar kan krijgen.'

'Jezus,' protesteerde ik, half lachend, half boos. 'We moeten met elkaar werken. We kunnen wat we hier doen onmogelijk doen zonder alles op het spel te zetten. Op z'n minst zal een van ons het team uit moeten, of dit nu ergens op uitloopt of niet. Nou ja, ik kijk te ver vooruit. Het is niet dat ik in de toekomst probeer te kijken, maar we moeten ons verstand blijven gebruiken.'

Rob fronste en had zijn ogen neergeslagen, zodat ik zijn blik niet kon zien. 'Als je nu eens zou stoppen met nadenken over wat er in de toekomst gaat gebeuren en je in plaats daarvan zou concentreren op het hier en nu?'

'Kan het je dan helemaal niets schelen wat ik net zei?' Beschouwde hij dan wat we hier deden als een eenmalig nummertje?'

Hij dacht even na terwijl zijn handen onder het dekbed gleden dat ik nog steeds om me heen hield. 'Nee. Oké, ik waardeer je inspanningen om jezelf in te pakken als mijn kerstcadeau, maar ik ben heel braaf geweest en ik zou het graag een paar dagen eerder willen uitpakken.'

Het was toch makkelijker mijn twijfels te onderdrukken. Makkelijker om toe te laten dat hij me nogmaals in zijn armen nam. Makkelijker om mijn handen over zijn huid te laten gaan en elke centimeter ervan te ontdekken, en de echte wereld buiten te sluiten, terwijl die maar doorratelde ver onder onze ramen.

Makkelijker om alles maar over me heen te laten komen.

Het was schemerig in de kamer toen ik mijn ogen opendeed en me afvroeg waarvan ik was wakker geworden. De enige lichtbron was een lampje op de tafel bij het raam. Ik draaide, even gedesoriënteerd, mijn hoofd om en keek recht in Robs ogen. Hij stond over me heen gebogen naast het bed. Voor zover ik kon zien vanuit mijn positie leek hij te hebben gedoucht en stond hij geheel gekleed klaar om te vertrekken.

'Je bent al op,' zei ik, en ik ging overeind zitten. Ik voelde me nog wat versuft en wat ongemakkelijk omdat ik nog in bed lag.

'Ja. Sorry, schat, maar jij moet nu ook opschieten.' Hij vouwde zijn hand open om me een mobieltje te laten zien, het mijne. Ik reikte ernaar en griste het uit zijn hand; op het schermpje zag ik dat ik één voicemailbericht had.

'Van Godley.'

Ik keek op, stond op het punt uit te vallen omdat hij mijn berichten had afgeluisterd. Hij hief zijn handen omhoog.

'Ik heb er niet aan gezeten, hoor. Ik hoorde hem overgaan en zijn nummer stond op het schermpje.' Hij haalde zijn schouders op. 'Ik dacht dat je liever niet zou hebben dat ik hem opnam.'

'Dat heb je heel goed gezien.' Ik gaf hem een teken even zijn mond te houden, zodat ik de warme stem van de hoofdinspecteur via mijn mobiel kon verstaan. Ik was direct weer terug in de echte wereld.

Het was maar een kort berichtje, en toen het afgelopen was keek ik Rob aan; ik wilde liever niet degene zijn die erover begon. Maar hij wist het al.

Het was tijd om terug te gaan.

Louise

Ik riskeerde een steelse blik op mijn horloge onder de tafel en kreunde bijna. Het was tien over zes en de bespreking met de cliënt was al meer dan drie uur aan de gang. Niet dat me dat verbaasde. De verkoop van dochterondernemingen van Pientotel UK aan Kionacom was de belangrijkste transactie waarbij ik ooit betrokken was geweest, en dit zou voor mij als de leidinggevende associé geweldig spannend geweest moeten zijn. Ik keek langs de tafel naar de verzamelde hotemetoten van Kionacom, die fronsend zaten te luisteren naar de afdelingshoofden van Preyhard Gunther voor belastingen, onroerend goed, financiën, pensioenen en personeelszaken. Ze rapporteerden over de resultaten van de inzet waarmee we de belangen van Pientotel hadden behartigd, en ik wenste dat ik ergens anders was.

De vergaderzaal lag op de bovenste verdieping van het kantoor van Preyhard Gunther; de wind waaide op mooie dagen al woest rond het gebouw, maar vandaag stond er een echte storm en ik kon nauwelijks verstaan wat de oudste partner, die de vergadering voorzat, zei. Uit het papiergeritsel en gefrummel om me heen maakte ik op dat ik niet de enige was die niet kon wachten om door te gaan met het dagelijkse werk. Ik had een angstaanjagende achterstand aan werk liggen, dingen die ik al weken eerder had moeten afhandelen. Het was niets voor mij om de boel te laten versloffen, maar het was ook niets voor mij om een gepassioneerde, foute relatie aan te gaan met een totaal ongeschikte, veeleisende man. Ik werd misselijk bij de gedachte aan Gil. De stress had me uit mijn evenwicht gebracht. Ik had een paar twijfelachtige beslissingen genomen, maar dat was nu allemaal voorbij. Ik zat weer op het juiste spoor.

Ik riep mezelf tot de orde, ging rechtop zitten en concentreerde me zo goed mogelijk, maar ontdekte toen dat de vergadering eindelijk werd afgerond. Ik begon aan een lijstje van taken die ik in volgorde van prioriteit zou afwerken, maar merkte dat ik alweer afdwaalde na punt zes: het bijwerken van de visitatieverslagen over elk van de dochterondernemingen met de gegevens van de huidige directieleden en aandeelhouders. Er lag weer een sprankelende avond op kantoor voor me in het verschiet. Ik was die avond ook van plan geweest te werken, eigenlijk moest het ook wel, als ik ernstige problemen op het werk wilde voorkomen. En hoewel ik Gil niet miste, helemaal niet zelfs, voelde ik het nu al als een gemis geen privéleven meer te hebben.

Zielig gewoon.

Ik richtte me weer op mijn lijstje en krabbelde er punten bij die me te binnen schoten: klusjes die nog niet waren gedaan, e-mails die ik nog moest schrijven, documenten die ik nog moest nalezen. Ik schrok ervan, het was veel meer werk dan ik in één avond kon verzetten.

Het enige prettige van altijd maar op kantoor zitten was dat ik onbereikbaar was. Sinds de dag nadat ik het had uitgemaakt waren er cadeautjes gekomen: een gouden hanger in de vorm van een bloem met een parel erin; een ruw geslepen amethist die eruitzag als een paars viooltje dat in ijs was ingevroren; een klein achttiende-eeuws miniatuurtje met een portret van een blond meisje met een rood mondje; een ivoren netsuke in de vorm van een ezel, vermoedelijk omdat ik zo'n stijfkop was. Ik had ze allemaal in een doos onder mijn bureau gelegd, verleidelijk dicht bij de prullenbak. Als een van de schoonmakers ze per ongeluk zou weggooien, zou ik er geen traan om laten. Ook werden er dagelijks bloemen bezorgd. Ik had Martine gevraagd ze niet meer te laten zien. Ik had geen belangstelling. Ze deden me niets.

Onder het tafelblad tikte mijn voet tegen de vloer. Kom op, Louise, hou je hersens erbij, dacht ik.

'Dan denk ik dat we het hierbij kunnen laten. Tenzij iemand nog iets te bespreken heeft.' De oudste partner keek verwachtingsvol de tafel rond.

Alsof het was afgesproken, werd er aan de deur gerammeld. Net als alle andere aanwezigen strekte ik mijn nek om te zien wat er aan de hand was. Tot mijn niet geringe schrik en verbijstering zag ik dat het Martine was die binnenkwam, met een droevig vertrokken gezicht.

'Het spijt me vreselijk dat ik u moet storen,' begon ze, 'maar ik wilde Louise even spreken.'

Ik was al opgestaan en liep om de tafel heen, ongerust maar ook enigszins geïrriteerd dat ze niet even had kunnen wachten. De vergadering was bijna afgelopen. Het was gênant om te worden weggeroepen. Ik kon geen enkele reden bedenken. Wat had Gil nu weer gedaan?

En toen zag ik achter haar het overbekende lange lichaam van de politieman die de leiding had van het onderzoek naar de vuurmoordenaar, en die ook de moord op Rebecca onderzocht. Ik herkende hem van het nieuws. Ik liep gewoon door, maakte de afstand tussen ons nog steeds kleiner, maar het leek alsof alles trager ging, alsof de afstand die ik over de vloerbedekking moest afleggen opeens kilometers lang was, alsof mijn voeten niet snel genoeg wilden lopen. Ik moest bij de deur zijn voordat hij iets zou gaan zeggen. Ik kon hem meenemen naar mijn kantoor en dan zou niemand ooit hoeven weten wat hij van me wilde; ik zou wel wat verzinnen. En misschien hoefde dat niet eens. Misschien was hij hier wel alleen maar om me op de hoogte te brengen van de voortgang van het onderzoek. Misschien was er niets om me zorgen over te maken.

De laatste sprankjes hoop stierven weg toen hij op me afkwam en Martine met zijn schouders opzij duwde alsof ze er niet stond.

'Louise North,' begon hij, 'ik neem u in hechtenis op verdenking van de moord op Rebecca Haworth. U hoeft niets te zeggen, maar het kan uw verdediging schaden als u iets verzwijgt waarop u later in de rechtszaal een beroep wilt doen.' Hij ging door met me op mijn rechten te wijzen, sprak de bekende zinnen: dat alles wat ik zei zou worden genoteerd en zou worden beschouwd als bewijsmateriaal, maar ik luisterde niet echt. Ik was blijven staan en had me omgedraaid naar mijn collega's, de afdelingshoofden van de firma, de oudste partner. Ik wilde hun gezichten zien. Ze zaten stokstijf met hun mond open; hun geschokte gezichten hadden een identieke gelaatsuitdrukking, van de ene kant van de kamer tot de andere. Het was bijna grappig.

Ik wendde me weer tot de politieman met het zilvergrijze haar, die stond te wachten tot ik zou doorlopen. Hij stak zijn hand uit naar mijn arm en ik schudde mijn hoofd; ik zou zelf wel naar buiten lopen, geen handboeien, ik hoefde niet in bedwang te worden gehouden. Het eind van mijn carrière was behoorlijk dramatisch te noemen. Ik kon er maar beter voor zorgen dat het ook een beetje waardig zou verlopen.

14

Maeve

Ik had niet gedacht dat Louise tijdens het verhoor haar zelfbeheersing zou verliezen. Ik was niet zo naïef te denken dat ze een bekentenis zou afleggen, hoe deskundig het verhoor ook zou worden geleid. Maar anderzijds had ik ook niet verwacht dat ze zou kiezen voor de optie waarvan elke overduidelijk schuldige beroepscrimineel die ik ooit had meegemaakt gebruikmaakte, en 'geen commentaar' op elke gestelde vraag zou antwoorden.

'Hebt u op 26 november van dit jaar Rebecca Haworth vermoord?' vroeg Chris Pettifer op zijn gebruikelijke neutrale toon, allesbehalve confronterend.

'Geen commentaar.'

'Hebt u op 30 april 2002 Adam Rowley vermoord?'

'Geen commentaar.' Ze antwoordde telkens op dezelfde normale gesprekstoon, alsof het een spelletje was.

'Hebt u geprobeerd de plaats delict waar Rebecca is gevonden zodanig in te richten dat het erop leek dat ze het slachtoffer was geworden van de vuurmoordenaar?'

Geen krimp. 'Geen commentaar.'

Ik ging naast de hoofdinspecteur zitten om mee te kijken naar het televisiescherm waarop de beelden uit de verhoorkamer live te zien waren. Godley zat doodstil en knipperde zelfs nauwelijks met zijn ogen, zo geconcentreerd was hij op het verhoor. Achter ons kwamen en gingen andere rechercheurs; ze bleven een paar minuten of uren staan kijken naar Louise, die onze beste verhoorspecialisten de baas was, verhoorspecialisten die erop waren getraind om mensen die waren beschuldigd van de zwaarste misdrijven om te krijgen. Ze probeerden beurtelings de gereserveerde houding van de vrouw voor hen te doorbreken, maar slaagden er niet in haar kalmte te verstoren.

'Dat is een harde, zeg,' merkte Bill Pollock vanachter me op. 'Ze vertrekt geen spier.'

'Zo is ze altijd,' zei ik zonder om te kijken. 'Zo functioneert ze.'

Godley wendde zijn blik heel even van het scherm af om me aan te kijken, verrast door de sombere klank van mijn stem. 'Maeve, niet aan jezelf twijfelen, hoor. Ze heeft je aanvankelijk dan wel om de tuin geleid, maar je hebt haar uiteindelijk doorgekregen. We hebben de bewijzen. De feiten liegen niet. En ook al is de rest gebaseerd op vermoedens, die zijn overtuigend.'

Het was aardig van hem om zo positief te reageren, maar ik wist dat het OM schoorvoetend had toegestemd in de arrestatie. Ik kende de officier van justitie aan wie de zaak Haworth was toegewezen nadat de moord op Rebecca volledig, definitief en permanent was verwijderd van de lijst van misdrijven waarvan Razmig Selvaggi werd verdacht. Haar naam was Venetia Galloway en haar voornaam was het enige zwierige aan die boerse vrouw van midden veertig; verder was ze strikt zakelijk en ze had, voor zover ik wist, geen enkel gevoel voor humor. Op het moment dat de zaak die we aan het opbouwen waren bij gebrek aan een bekentenis dreigde ineen te storten, had ik haar van een afstandje in Godleys kantoor zien staan, met haar armen stevig over elkaar en haar mond samengeknepen als een zak die je met een trekkoord hebt dichtgemaakt.

En die bekentenis zouden we niet krijgen. Louise gedroeg zich vriendelijk. Ook heel persoonlijke, bijna beledigende vragen leken haar niet van haar stuk te brengen. Haar advocaat zat naast haar – een grote, zware man in een krijtstreepkostuum en met een zware gouden zegelring aan de pink van zijn rechterhand, aan wiens houding was af te lezen dat hij al heel lang niet meer op een politiebureau had hoeven zitten. Hij stond aan het hoofd van een groot strafrechtelijk advocatenkantoor, dat algemeen werd beschouwd als het beste op dat gebied, en dat landelijk gezien zeker een van de kantoren was waar de grootste sommen geld voor juridische bijstand terechtkwamen. Het feit dat Louise Thaddeus Sexton zelf aan haar zijde had weten te krijgen toonde wel aan dat ze wist wat ze deed. Zijn reputatie was even indrukwekkend als de man zelf. Niet dat hij overigens op dit moment veel deed om zijn honorarium te verdienen. Zoals hij daar zat met geloken ogen, leek hij wel een walrus die enige tijd had doorgebracht bij de kleermakers aan Savile Row en daar veel geld had uitgegeven; hij liet het aan zijn cliënt over om de vragen te beantwoorden.

'Was u jaloers op Rebecca?' Dornton probeerde het met een wat krachtiger aanpak dan zijn collega. Die had echter hetzelfde effect op Louise.

'Geen commentaar.'

Er klonk een duidelijke sneer door in zijn stem toen hij vroeg: 'Het klopt toch dat u met haar voormalige vriend naar bed bent geweest?'

'Geen commentaar.'

'Iedereen hield van haar, hè? En niemand hield van u?'

'Geen commentaar.'

Getraind als ze waren, lieten Dornton en Pettifer hun frustratie om Louises onverzettelijke houding niet merken, maar eenmaal buiten de verhoorkamer konden ze hun gevoelens de vrije loop laten, en dat deden ze ook. De frequente onderbrekingen moesten voor Louise en Sexton wel een indicatie zijn dat onze ideeën begonnen op te raken, vooral omdat de klok doortikte. We moesten haar binnen vierentwintig uur na haar arrestatie in staat van beschuldiging stellen of haar laten gaan, en aan beide mogelijkheden kleefden risico's.

'We krijgen het niet voor elkaar,' merkte ik op toen de beeldverbinding opnieuw werd verbroken vanwege een pauze in het verhoor. Ik keek naar Godley, die peinzend voor zich uit keek.

Voordat hij kon reageren ging de deur open. Chris Pettifer was gewoonlijk een uiterst milde man, maar nu kwam hij met een rood hoofd binnen. Hij duwde de deur zo hard open dat hij tegen de muur knalde en er een paar flintertjes stucwerk neerdwarrelden, die als sneeuw op de vloerbedekking bleven liggen. 'Dat kutwijf.'

'Rustig maar, Chris,' zei Godley. 'Neem even pauze en ga zitten.'

'Ze zit daar maar te glimlachen tegen die vetzak. Ik word er beroerd van.'

Dornton strompelde achter hem aan naar binnen, zelfs te moe om te vloeken. 'Ik heb het helemaal gehad. We hebben gedaan wat we konden, toch? Alles geprobeerd. Ze gaat niets zeggen.'

'Dat denkt Maeve ook.' Godley stond op en rekte zich uit. 'Oké. Als we bezig zijn onze tijd te verspillen, dan moeten we ermee ophouden. Hoe laat is het?'

'Tien over halfvier,' zei ik na een blik op de grote wandklok.

Alsof het zo was afgesproken, stak Judd zijn hoofd om de deur. 'We hebben nog iets meer dan twee uur de tijd. Wat wilt u dat we gaan doen?'

'Ik heb nog niets besloten. Is Venetia in de buurt?'

'Die is over een halfuur hier. Ze heeft net gebeld.' Judd trok een gezicht. 'Ze is niet blij.'

'Mooi zo,' zei Godley afwezig, en ik vermoedde dat hij niet verder had geluisterd toen hij eenmaal had gehoord dat ze onderweg was. 'Oké. Dit is het plan. We vragen Venetia wat ze wil dat we doen. En wat ze ook zegt, we gaan Louise North hoe dan ook in staat van beschuldiging stellen.'

'En hoe denkt u daarmee weg te komen? Wat doen we als ze zegt dat we haar moeten laten gaan?'

'Laat haar maar aan mij over, Tom. Ik krijg haar wel om.'

De blik op Judds gezicht sprak boekdelen: ongeloof, ontzag en bezorgdheid. 'Ik wil er niet eens over nadenken hoe u van plan bent dat aan te pakken.'

'Dat hoef je ook niet,' zei de hoofdinspecteur. 'Je hoeft alleen maar te wachten tot ik het heb geregeld en ervoor te zorgen dat alles in gereedheid is om mevrouw North in staat van beschuldiging te stellen.'

'Weet u het zeker?' Ik voelde weer paniek opkomen. 'Ik bedoel, het is toch echt nodig dat ze zegt dat ze het heeft gedaan? Daarover waren we het allemaal eens. U hebt het zelf gezegd. We moeten een bekentenis hebben.'

'En jíj zei net dat we dat niet voor elkaar zullen krijgen. En daar ben ik het wel mee eens. Maar ik heb heel sterk het gevoel dat de jongedame in onze verhoorkamer schuldig is, en dat soort mensen laat ik niet graag lopen.' Hij haalde zijn schouders op. 'Het proces is nog ver weg. Er kan nog van alles gebeuren. Als we haar in staat van beschuldiging kunnen stellen, komt ze in ons systeem terecht en dan zullen we eens zien of het indruk op haar maakt als we haar in voorlopige hechtenis nemen. De vrouwengevangenis in Holloway biedt wat minder comfort dan ze in Fulham gewend is.'

Ik dacht aan het huis waar ik was geweest, met die warme zonnige keuken en de kille woonkamer. 'Ik ben benieuwd. Maar ik zou er niet al te zeer op vertrouwen dat het haar iets zal uitmaken om in de gevangenis te zitten. Ik denk dat ze zich alleen maar meer zal afsluiten, dat we nog minder grip op haar krijgen. En ik weet niet hoe we haar uit haar schulp kunnen krijgen.'

'Met geluk,' zei Godley lachend. 'Met een beetje geluk.'

Hij liep fluitend naar zijn kantoor en zoals gewoonlijk liep Judd twee stappen achter hem aan. Ik keek hen na en mijn verbazing moet zichtbaar zijn geweest. Pettifer, die zijn goede humeur weer terug had, barstte in lachen uit.

'Zo kende je Charlie zeker nog niet? Als je hem een riskant voorstel doet, zal hij er altijd op ingaan. En het mooiste is dat het meestal goed afloopt.'

'Ik hoop het. Ik hoop het echt. Maar ik zou toch niet wedden dat Louise het onderspit delft. En vergeet niet dat hij Venetia eerst nog moet overhalen.'

Hoe hij ermee wegkwam zal ik nooit weten, maar om twaalf minuten over zes op 18 december stelde hoofdinspecteur Godley Louise North officieel in staat van beschuldiging voor de moord op Rebecca Haworth. Op zijn uitnodiging stond ik met een groepje rechercheurs naast het bureau van de arrestantenbewaker terwijl hij de formaliteiten van de beschuldiging tegen haar doornam.

'Louise North, ik beschuldig u van de volgende misdrijven: dat u tussen 24 november en 26 november 2009 op onwettige en schadelijke wijze Rebecca Haworth hebt opgesloten en haar tegen haar wil hebt gevangengehouden, en dat u op 26 november 2009 Rebecca Haworth hebt vermoord.'

Terwijl Godley dit voorlas keek ik naar Louise en zocht naar een teken van angst of boosheid. Ze was volkomen rustig, maar haar gezicht was lijkbleek terwijl ze luisterde. Sexton klopte haar met zijn dikke hand op de arm en ze reageerde er niet op, behalve door een stapje bij hem vandaan te zetten. *Raak me niet aan.* Naast hem was ze klein, bijna broos, en het schoot me met verbazing te binnen dat ze even oud was als ik. Ze zag er veel jonger en volkomen ongevaarlijk uit. Tja, schijn bedriegt soms. Ik verwachtte dat ze me wel zou aankijken, maar zolang Godley aan het woord was hield ze haar blik strak op hem gericht en naderhand keek ze naar de vloer tot ze naar het cellenblok werd gebracht, alsof er niemand anders aanwezig was.

De volgende ochtend vroeg zat ik met een plastic bekertje slappe thee en pijn in mijn hoofd in het gerechtsgebouw van de rechter-commissaris aan Horseferry Road te wachten tot Louise voor het eerst zou worden voorgeleid. Thaddeus Sexton zou er alles aan doen om haar uit het huis van bewaring te houden in afwachting van de rechtszaak; wij zouden er alles aan doen om te voorkomen dat ze op borgtocht vrij zou komen, en dat was voor beide partijen de kans om een slag te winnen. Ik vroeg me af hoe ze zich in gevangenschap staande hield. Vergeleken met de cellen in dit gebouw was het politiebureau waar ze de nacht had doorgebracht als een kamer in het Savoyhotel. Het was daarbeneden lawaaierig en chaotisch, verre van wat Louise gewend was.

Hierboven was het allemaal niet veel beter. Ik gooide mijn thee weg en liep de juiste rechtszaal binnen om te wachten tot Louise zou verschijnen. Het was er te warm en te vol, en de officier van justitie had een enorme stapel dossiers voor zich liggen, wat erop wees dat het een drukke ochtend was. Ik deed een schietgebedje dat Louises zaak als een van de eerste zou worden behandeld; ik had geen zin te moeten blijven wachten tot er een hele reeks mensen die in hun dronkenschap de openbare orde hadden verstoord, of die voor drugsbezit of mishandeling werden voorgeleid, was langsgekomen, routinegevallen voor de rechter-commissaris.

Ik zag Sexton ergens vooraan zitten; hij keek alsof hij net in de hondenpoep had getrapt. Deze rechtbank was zo ver beneden zijn stand dat ik ervan opkeek dat hij zelf was gekomen. Maar ja, Louise was wel een cliënt die veel aandacht van de media zou krijgen. Het was voor hem de moeite waard aanwezig te zijn.

De kantonrechter die de zaken in deze rechtbank behandelde was een vrouw; ze was het type dat bewust geen make-up droeg en ze werkte uiterst efficiënt. Ze handelde de eerste paar zaken van de lijst vrijwel zonder onderbreking af, en degene die de zaken afriep had het er maar druk mee; hij liep onafgebroken heen en weer tussen de wachtruimte en de rechtszaal. Ten langen leste las hij bij binnenkomst mistroostig op: 'Nummer zeventien op uw lijst, Louise North, bijgestaan door mr. Sexton.'

Een eigenaardigheid van deze rechtbank was dat je de zware beveiligde deuren tussen de cellen en het beklaagdenbankje met een hoog metalig geknars en gerammel van zware sleutels kon horen open- en dichtgaan. De spanning steeg behoorlijk naarmate het geluid van sloten die werden opengedraaid en deuren die dichtsloegen dichterbij kwam. Ik zat op mijn stoel te draaien om te kijken of er nog meer bekenden aanwezig waren. Achter in de zaal zag ik een bekend gezicht: Gil Maddick. Hij zag er vermoeid uit, alsof hij geen oog had dichtgedaan, en hij had zijn blik strak gericht op de deur achter het beklaagdenbankje. Ik keek dezelfde kant uit en op dat moment zag ik de deur opengaan en Louise naar binnen komen; ze werd geflankeerd door twee bewakers. Ze droeg een witte blouse en een zwarte rok en haar gezicht stond volkomen neutraal.

Haar rol in het geheel bleef beperkt tot het noemen van haar naam, geboortedatum en adres, en dat deed ze met zachte maar heldere stem. Pas als de zaak in de Old Bailey werd voortgezet zouden requisitoir en pleidooi volgen. De griffier hakkelde een beetje bij het voorlezen van de aanklacht en de rechter-commissaris luisterde met gebogen hoofd. Zodra hij klaar was, knikte ze. De gebruikelijke gang van zaken was dat ze de zaak zou doorverwijzen naar de Old Bailey, zodat de officier van justitie en de advocaat de zaak zouden kunnen voordragen, en dat was precies wat er gebeurde.

'Over zes weken zal de zaak daar dienen.'

Thaddeus Sexton reageerde hierop door te gaan staan. 'We willen verzoeken om vrijlating op borgtocht, mevrouw.'

De rechter wendde zich tot de officier van justitie, die een korte, om niet te zeggen oppervlakkige, beschrijving van zijn standpunt gaf. Hij sprak snel en hees, zodat hij soms moeilijk te verstaan was. 'Het openbaar ministerie maakt bezwaar tegen het verlenen van borgtocht op grond van het feit dat mevrouw North zal nalaten haar proces bij te wonen vanwege de ernst van de aanklachten en de levenslange gevangenisstraf die haar met zekerheid zal worden opgelegd bij veroordeling. Ze heeft geen familie, ook geen andere banden binnen de gemeenschap. Ze heeft een aanzienlijk vermogen, waartoe ze ongehinderd toegang heeft en dat zou haar in staat stellen de jurisdictie te ontvluchten; tevens heeft ze grote vindingrijkheid aan de dag gelegd bij haar pogingen om berechting te voorkomen en is er alle reden voor te denken dat ze hetzelfde zal doen om het risico van een veroordeling ten tijde van het proces te vermijden.'

'Mevrouw de rechter, mijn cliënt is van onbesproken gedrag; ze is een gerespecteerd jurist zonder strafblad,' bracht Sexton ertegen in. 'Er zijn andere opties behalve inbewaringstelling. Ze kan onder huisarrest worden gesteld met toezicht door middel van een elektronische enkelband. Ze is bereid zich dagelijks te melden op het politiebureau van haar wijk; ze zou haar paspoort af kunnen geven en haar huis verder niet verlaten.' Hij sprak met overtuiging en stond wat te wiebelen op de bal van zijn voeten; hij bracht zijn argumenten met zwier, maar de rechter had er niet meer dan drie seconden voor nodig om ze beslist af te wijzen.

'Borgtocht wordt afgewezen omdat er zwaarwegende redenen zijn om aan te nemen dat beklaagde haar proces niet zal bijwonen als ze wordt vrijgelaten. U kunt haar meenemen.'

De bewakers maakten aanstalten om Louise terug naar de cellen te brengen, maar ze bleef even staan en staarde naar de andere kant van de rechtszaal, waar Gil zat. Haar blik was ondoorgrondelijk. Ik draaide me om op mijn stoel om naar hem te kijken; hij maakte een radeloze indruk. Toen ze werd weggebracht krabbelde hij overeind, en voordat ik kon proberen zijn aandacht te trekken, haastte hij zich de rechtszaal uit.

Ik bleef peinzend zitten terwijl de ene na de andere verdachte het beklaagdenbankje in schuifelde en zijn of haar lot onder ogen moest zien. Gil had boos op Louise moeten zijn; hij moest zich inmiddels hebben gerealiseerd dat haar bedoeling was geweest hem de moord in de schoenen te schuiven, nu hij de korte versie van de aanklacht had gehoord. Maar het leek er meer op dat het andersom was. Er was van de kant van Louise geen sprake van liefde, dat was wel duidelijk. Maar Gil had eruitgezien alsof hij tot over zijn oren verliefd was. Ik slaakte een zucht. Mensen waren rare wezens. En de liefde was nog veel raarder.

En ik had, sinds Rob en ik twee dagen tevoren elk onze eigen weg waren gegaan, niets meer van hem gehoord.

De zes weken tussen Louises voorgeleiding bij de rechter-commissaris en de volgende hoorzitting gingen snel voorbij. De kerstdagen kwamen eraan, en oud en nieuw, en we hadden een onvergetelijke slempavond uit gehad met Godleys team, toen de hoofdinspecteur zijn creditcard bij de bar had afgegeven en de jongens hun uiterste best hadden gedaan om al drinkend zijn limiet te bereiken. We waren nog steeds bezig met de afhandeling van de zaken tegen Razmig Selvaggi en Louise North, en er kwamen steeds nieuwe zaken bij die onze aandacht vroegen, maar de druk was eraf. We werden niet meer voortdurend in de gaten gehouden. We hadden gedaan wat van ons verwacht werd.

Ook voor mij waren zes weken lang genoeg geweest om mijn leven te veranderen. Ik had bijvoorbeeld een huurappartement in een huis in Camden gevonden. Op papier was ik er sinds Primrose Hill wel op achteruitgegaan, maar het was heerlijk om weer helemaal op mezelf te wonen, hoe klein en hokkerig de woning ook was.

En dan was Rob er ook nog natuurlijk. Ik was er nog steeds niet helemaal uit wat we eigenlijk aan het doen waren, en hij ook niet, geloof ik. We waren beiden een beetje terughoudend om te snel te ver te gaan. Hoewel hij wel gevoelens voor me leek te koesteren, was ik erg onzeker; ik twijfelde of ik hem kon vertrouwen en of ik mijn plaats op de afdeling kon riskeren, en of het een goed idee was om zo snel na Ian al met iemand anders in zee te gaan. Ik wist niet wat Rob ervan vond. Maar ik dacht wel erg vaak aan hem. Meer dan ik wilde toegeven, ook aan mezelf.

Er is dus heel veel gebeurd.

Maar al die tijd zat Louise in mijn hoofd. Ik droomde van haar en werd dan paniekerig wakker met een droge mond. Hoe wist ik niet, maar de voorvallen van die avond waarop Selvaggi was gearresteerd, waren verstrengeld geraakt met mijn zorg om Louise en de schok die ik had ervaren toen ik ontdekte dat ik haar zo verkeerd had ingeschat. In mijn dromen rende ik over duistere paadjes terwijl er natte takken aan mijn haar en mijn kleren bleven hangen en in mijn gezicht zwiepten. Ik zag haar hulpeloos op de grond liggen met haar blonde haar als een kaarsvlam boven haar hoofd uitgespreid op de grond. Een onherkenbare donkere figuur stond dreigend over haar heen gebogen. Eén keer draaide die donkere figuur zich om en stak een stiletto in mijn buik. Van dichtbij zag ik zijn ogen; ze waren zilvergrijs, net als die van Louise. Ik vond dat ik naar haar toe moest gaan om mezelf eraan te herinneren wat ze in werkelijkheid was.

Om te beginnen: schuldig.

Zoals we wel hadden verwacht, diende ze tijdens de eerste voorgeleiding in de Old Bailey opnieuw een verzoek tot vrijlating op borgtocht in. Dit was de rechtbank die haar zaak uiteindelijk zou behandelen, en ik kon de opwinding die me beving toen ik door het beveiligingspoortje liep en op weg ging naar Rechtszaal 1 niet onderdrukken.

Ik was nooit eerder voor mijn werk in de Old Bailey geweest en de geschiedenis van het gebouw leek in elke gang gereflecteerd te worden: beruchte, onschuldige, krankzinnige en gewoon gewetenloze mensen hadden daar door de eeuwen heen gelopen en nu liep ik hier. Ik glipte door de dubbele deuren Rechtszaal 1 binnen, een kleine zaal met eiken lambrisering die nu het decor vormde van een langdurig proces, en de tafels van de advocaten lagen dan ook vol met stapels documenten en dossiers, die terzijde werden geschoven om plaats te maken voor de instructie van de verdediging in de zaak van Louise. Ik gaf er de voorkeur aan in de buurt van de deur te gaan zitten en niet bij de andere politiemensen op een van de banken achter de advocaten en hun assistenten. Mijn plek bevond zich het dichtst bij de beklaagdenbank, die wat hoger was geplaatst maar niet was afgeschermd, zodat ik haar duidelijk zou kunnen zien.

Thaddeus Sexton was er; het zweet stond op zijn voorhoofd, zag ik toen hij over de rug van het advocatenbankje leunde om zachtjes iets tegen Louises eerste raadsman en zijn assistent te zeggen. Ik had deze eerste raadsman al buiten de rechtbank gezien; het was een lan-

ge man met een rood gezicht en wat strengen grijs haar over zijn bolle hoofd gekamd. Hij straalde een onwrikbaar zelfvertrouwen uit,
alsof zijn succes tevoren al vaststond, en ik kon een lichte twijfel of
het verzoek om vrijlating op borgtocht wel zou worden afgewezen
niet onderdrukken. Ik keek omhoog en zocht het balkon met de publieke tribune af. De eerste die ik zag was Gerald Haworth, aan het
eind van de voorste rij, dus in Louises blikveld. Ik nam aan dat hij
daar met opzet was gaan zitten en ik hoopte voor zijn bestwil dat hij
niet van plan was een scène te maken als ze vanuit de cel zou worden
binnengebracht. Hij was als altijd onberispelijk gekleed, vandaag in
een grijs kostuum met een eenvoudige blauwe stropdas. Hij zag er
gedistingeerd maar onopvallend uit, en je zou nooit hebben vermoed dat hij in relatie stond tot het slachtoffer en de verdachte, of
dat hij ook maar enigszins emotioneel betrokken was bij de rechtszaak. Of het lichte verstrakken van de huid rond zijn ogen en het
spannen van zijn kaakspier moest je zijn opgevallen, toen de bode
zich door de zaal haastte en grapjes begon te maken met de advocaten
die al op hun plaats zaten. Zijn kalmte leek zo dun als tissuepapier,
alsof er maar een heel lichte aanraking voor nodig was om hem te verscheuren. Ik wist natuurlijk beter dan menig ander dat de een zijn
brood de ander zijn dood was. Dat was tenslotte mijn werk; ik verdiende ook mijn brood aan andermans tragedies. En je kon niet verwachten dat het rechtbankpersoneel voortdurend respectvol was,
hoe ernstig de aanklacht ook was die als volgende op de lijst stond.
Het was vriendelijk badinerend en niet beledigend wat er gebeurde,
maar toch voelde ik met Gerald Haworth mee. Het moest erg kwetsend voor hem zijn.

De deur achter me zwaaide voortdurend open, ik keek telkens onwillekeurig om en zag dan een rechtbankverslaggever binnenkomen,
of een advocaat in zwarte toga die met een geoefende zwaai een paardenharen pruik op zijn of haar hoofd zette. Er schoven ook andere
journalisten de banken achter de advocaten in, die hun collega's met
een knikje begroetten. Zo'n hoorzitting werd over het algemeen niet
als interessant beschouwd, maar Louise North vormde goed materiaal voor de kranten en Rebecca was een aantrekkelijk slachtoffer geweest. De volgende dag zouden ze een plaats in de kranten krijgen.

De deur achter aan de publieke tribune sloeg hard dicht en ik keek automatisch omhoog, keek weer weg en keek toen weer omhoog, terwijl Gil Maddick het trapje af liep naar de eerste rij. Zo moeilijk als de spanning van het gezicht van Gerald Haworth af te lezen was, zo weinig moeite kostte het de stress op dat van de jongere man te herkennen. Hij was kilo's kwijtgeraakt in de zes weken sinds de laatste keer dat ik hem had gezien, en zijn ogen lagen diep in hun kassen. Hij schuifelde de rij langs met hier en daar een verontschuldiging, tot hij bij de lege stoel naast Gerald Haworth kwam, die hem kort toeknikte, zijn jas weghaalde en op zijn schoot legde. Even laten raakten de twee mannen in gesprek, en opeens schoot me te binnen dat Gil de familie Haworth natuurlijk goed kende en dat hij vaak bij hen thuis te gast was geweest.

De heel gewone deur achter de beklaagdenbank ging nu open en ik voelde een nerveuze trilling onder mijn ribben. De twee mannen op de publieke tribune leunden voorover toen Louise werd binnengeleid. Haar haar zat achterovergekamd in een paardenstaart, maar niet strak; ze had wat zacht golvende plukken losjes uit haar gezicht gestreken waardoor ze er eenvoudig, ernstig en wat jonger uitzag. Ze was ook afgevallen, wat haar een bijna etherische lichtheid verleende; haar ogen leken enorm groot in haar smalle gezicht. Ze droeg een leigrijze wollen jurk die als een habijt in plooien om haar heen viel, en de enige decoratie die ze zichzelf had toegestaan waren heel kleine oorknopjes en iets aan een zilveren ketting die over de hoge halslijn van haar jurk neerhing. De ketting reflecteerde het licht op de plek waar die haar uitstekende sleutelbeenderen raakte. Haar huid glansde, maar dat kwam eerder door een zachte bleekheid dan door een gezonde blos. Ze deed me denken aan de Schotse koningin Mary, van wie werd gezegd dat haar huid zo doorschijnend was dat je rode wijn door haar keel kon zien glijden als ze een slokje nam. Louise zag er ernstig maar waardig uit. Ze bleef even staan om de rechtszaal in zich op te nemen en verloor haar kalmte niet bij het zien van alle nieuwsgierige blikken die op haar waren gericht, tot ze de twee mannen op de publieke tribune zag. Haworth was half opgestaan en Gil stak zijn hand uit om hem tegen te houden. Louise staarde hen geschokt aan en toen liep er één traan ongehinderd langs haar wang.

Hij verdween in de halsopening van haar jurk, waar hij vervloeide tot een houtskoolkleurige vlek in de stof. Ik onderdrukte de neiging te applaudisseren. Het was een subliem stukje theater. Ze had pech dat de rechter nog in zijn kamer zat en het had gemist, en nog meer pech dat er geen jury was op wie ze indruk kon maken, en het allerergste was die verandering in haar uitdrukking in een fractie van een seconde, toen ze haar blik van hen afwendde en mij aankeek. De mildste interpretatie van haar blik die ik kon bedenken was kille walging, en ik leunde met het voldane gevoel dat ik mijn werk goed had gedaan achterover in de bank.

Opeens werd er kort op de deur van de rechterskamer getikt en tegelijkertijd zei de griffier van de rechtbank, een magere, gebogen man in een zwarte toga met een pruik op: 'Allen staan.' De edelachtbare heer Horace Fentiman liep haastig naar zijn plaats; de rechter was een klein, dik, bijziend mannetje, dat door een bril met dikke glazen tuurde. Hij keek met half toegeknepen ogen de zaal door en wekte de indruk verbaasd te zijn dat er iemand voor hem stond toen de griffier Louise verzocht op te staan en voluit haar naam te noemen. Maar toen hij begon te spreken verdween de indruk van stuntelige vaagheid onmiddellijk.

'Gaat uw gang, meneer Barlow,' zei hij tegen de officier van justitie, terwijl hij een groot rood notitieboek opensloeg en de dop van een vulpen draaide. Hij had een lage, welluidende stem en een directe benaderingswijze. Hij wilde de hoorzitting kennelijk snel afhandelen en verspilde dan ook geen tijd toen de officier van justitie zijn opponent eenmaal had voorgesteld.

'Kunnen we de aanklacht horen?'

Louises advocaat stond half op van zijn stoel en antwoordde: 'Jazeker, voorzitter.' Hij was heel wat van zijn opzichtige zelfverzekerdheid kwijt nu de zitting was begonnen, zag ik tot mijn genoegen.

De griffier deed er een minuut of twee over om de aanklachten voor te lezen en Louise te vragen of ze zich schuldig achtte of niet; haar 'niet schuldig' klonk steeds luid en duidelijk.

'Wanneer kunnen we het proces vastleggen? Hoe schat u de duur in?' informeerde de rechter.

'Drie weken,' zei de officier van justitie nadat hij fluisterend had overlegd met zijn opponent.

'Meent u dat, meneer Barlow? Ik heb de kranten gelezen en ik moet zeggen dat ik niet kan bedenken wat u de meesten van deze getuigen gaat vragen. Wat is de zaak van de verdediging?'

Louises advocaat leek zich even niet lekker te voelen, maar herstelde zich snel. 'Absolute ontkenning van enige betrokkenheid, edelachtbare.'

'Dat had ik al begrepen uit het feit dat uw cliënte zich niet schuldig acht. Ik vroeg wat de zaak van de verdediging is.' Hughes moest worden nagegeven dat hij erin slaagde minutenlang vage taal uit te slaan over indirecte bewijzen en hoe onbetrouwbaar de resultaten van plaatsbepalingsanalyses van mobiele telefoons zijn, zonder ook maar in de buurt te komen van een antwoord op de vraag van de rechter. Ik was danig onder de indruk. De rechter was dat misschien niet, maar drong verder niet aan.

Toen de formaliteiten achter de rug waren, vroeg de rechter: 'Zijn er verder nog punten?'

'Ik heb begrepen dat de verdediging een verzoek tot vrijlating op borgtocht wenst in te dienen,' antwoordde de officier van justitie. Hij slaagde erin verbaasd te klinken, alsof het een volkomen bizar idee was.

De rechter keek Louises advocaat doordringend aan voordat hij zich weer tot de officier van justitie wendde. 'Welnu, meneer Barlow, dan moest u maar eens een overzicht van de feiten geven en de tegenwerpingen van de Kroon. Want ik neem aan dat u bezwaar wenst te maken.'

Barlow lachte iets harder dan het grapje verdiende, en bracht toen zijn bezwaar onder woorden.

'De ernst van de elementen van deze moord, namelijk de voorbedachte rade, de gedetailleerde planning, de vrijheidsberoving van het slachtoffer, zal waarschijnlijk leiden tot een hoge minimumstraf als er na veroordeling een levenslange gevangenisstraf wordt opgelegd.'

En terecht, dacht ik bij mezelf. Wat ze had gedaan was heel gemeen geweest.

Louises advocaat bracht hier van alles tegen in, maar de rechter wilde er niets van weten. Tot mijn voldoening zou ze niet vrijkomen.

En tot mijn opluchting. Ik hoopte van harte dat haar proces aan deze rechter zou worden toegewezen.

Ik glipte de rechtszaal uit voordat de hoorzitting helemaal was afgelopen. Ik rende om het gebouw heen naar de uitgang van de publieke tribune, waar ik op Gerald Haworth en Gil Maddick bleef wachten. Rebecca's vader zag er totaal ontredderd uit toen hij naar me toe liep; zijn haar zat een beetje in de war, alsof hij er gedachteloos met zijn handen doorheen had gestreken. Ik stak mijn hand uit.

'Meneer Haworth, ik weet niet of u zich herinnert dat we elkaar vorig jaar tijdens de herdenkingsplechtigheid voor Rebecca hebben gesproken, maar…'

Mijn stem stierf weg, zo schrok ik van de uitdrukking op zijn gezicht. Hij negeerde mijn uitgestoken hand en ik maakte er een vuist van en liet mijn arm langs mijn zij vallen.

'Dat herinner ik me inderdaad, ja. U hebt met mijn vrouw en mij over onze dochter gesproken. We hadden vertrouwen in u, mevrouw Kerrigan.'

'Dat heb ik zeer gewaardeerd.' Ik wierp een snelle blik op Gil Maddick, die nog steeds vlak naast Rebecca's vader stond. 'Begrijp ik het goed: denkt u dat de verkeerde is gearresteerd?'

'Natuurlijk.' Haworth schudde zijn hoofd. 'Dit is allemaal volkomen belachelijk. En dan laten ze haar zonder enige reden in die gevangenis zitten. Ik snap er niets van.'

'Moord is een zeer ernstige aanklacht.' Ik gebruikte het woord met opzet en zag dat het hem trof als een mokerslag. 'En de datum waarop het proces begint ligt niet ver weg.'

'Maar toch te ver weg. U hebt haar gezien. Ze heeft het er ontzettend moeilijk mee.'

'Hebt u haar bezocht?' Ik kon niet geloven dat hij Holloway zou hebben getrotseerd om de vrouw die zijn enige kind had vermoord te bezoeken, maar hij knikte.

'Eén keer maar. Ik wilde haar vertellen dat Avril en ik weten dat ze het niet heeft gedaan.' Hij beefde een beetje, zijn handen trilden. 'We hebben u verteld dat ze als een tweede dochter voor ons was. Hoe kon u zo wreed zijn om ons haar ook nog af te nemen?'

'Meneer Haworth, ik wilde echt geloven dat Louise Rebecca niet

heeft vermoord, gelooft u me. Helaas liegt het bewijsmateriaal niet.'
Maar zij wel, en nog wel aan één stuk door en zonder met haar ogen
te knipperen, dacht ik, maar ik slaagde erin dat voor me te houden.

'Daar zal de jury zich over moeten uitspreken,' zei hij bits. 'En wat
mij betreft, zal die inzien dat ze Rebecca nooit kan hebben vermoord. Ze was dol op haar. Wat u hebt geïnsinueerd is grievend en
rancuneus, en ik kan me niet voorstellen waarom u dit hebt gedaan,
of het moet zijn om er beter van te worden in uw carrière. U hebt er in
elk geval Avril en mij niet mee geholpen, en dat had u ons beloofd,
nietwaar?'

'Ik heb beloofd de waarheid boven tafel te krijgen,' zei ik rustig.
'En dat heb ik volgens mij gedaan.'

Hij schudde zijn hoofd en liep voor zich uit mompelend weg.

Ik keek Gil Maddock strak aan. 'En u? Hebt u haar ook opgezocht? Hebt u haar verteld dat u haar verhaal gelooft?'

Hij zag er gepijnigd uit. 'Nee. Nee, dat heb ik niet gedaan. Ik wilde het wel, maar... eerlijk gezegd wist ik niet wat ik ervan moest denken. Als u gelijk hebt, dan heeft ze geprobeerd mij de schuld in de
schoenen te schuiven.'

'Inderdaad.' Hij intrigeerde me. 'Maar toch wilt u haar zien?'

'Ik houd van haar. Dat wil zeggen, ik dacht dat ik van haar hield.
Maar ik heb gehoord wat voor bewijzen u hebt, en daar heb ik geen
verklaring voor. Dat wil niet zeggen dat ik het met jullie versie van
het gebeurde eens ben, maar ik wil dat ze me vertelt wat er werkelijk
is gebeurd. Als ze het goedvindt dat ik haar opzoek. U weet dat ze onze relatie heeft verbroken.'

'Mag ik vragen waarom?'

'Dat zou ik zelf ook wel willen weten.' Hij keek somber. 'Ik snap er
nog steeds niets van. Het ene moment deed ze alsof ze voor mij hetzelfde voelde als ik voor haar. Het volgende moment gooide ze me
het huis uit.'

'U schijnt nogal eens problemen met vrouwen te hebben, meneer
Maddick.' Ik dacht aan Chloe Sandler en haar straatverbod, en toen
hij zijn gezicht vertrok wist ik dat hij helemaal begreep wat ik bedoelde.

'Nou ja, meestal zijn zij niet degenen die een eind aan de relatie maken.' Hij klonk als een nukkige tiener. 'Ik ben er wat dat betreft nog steeds niet uit.'

'Misschien mag u blij zijn er zo van af te zijn gekomen.'

'Ik geloof niet dat ik gevaar liep.' Hij fronste zijn wenkbrauwen. 'Denkt u dat ik haar zou moeten opzoeken?'

'Daar kan ik geen ja of nee op zeggen. Maar als u het wel doet… u weet dat ze tegen de politie alleen maar 'geen commentaar' heeft gezegd. Ze heeft geen verklaring gegeven voor wat ze heeft gedaan. Ik zou graag geloven dat ze onschuldig is, maar ze vertrouwt ons niet genoeg om met ons te praten.'

'Vindt u dat gek?'

'Niet echt, nee.' Ik keek hem recht in de ogen. 'Maar stel dat ze met u wel praat, zou u het dan oké vinden om me te vertellen wat ze heeft gezegd?'

'Absoluut niet.' Hij klonk vastbesloten, maar ik drong toch aan.

'Als u de indruk krijgt dat ze schuldig is, zult u vast niet willen dat ze wordt vrijgelaten. En als u ervan overtuigd raakt dat ze onschuldig is, dan beloof ik u dat ik me tussen nu en het begin van het proces alleen nog maar zal bezighouden met het vinden van een mogelijke andere dader van de moord op Rebecca.'

'Daar moet ik over nadenken.'

Hij liep met gebogen hoofd en zijn armen over elkaar een stukje bij me vandaan, en ik zag dat hij een innerlijke strijd leverde. Ik wilde hem niet storen. Na een paar minuten kwam hij terug. 'Ik begrijp wel waarom u wilt dat ik dat doe. En ik begrijp ook waarom ik het zelf wil. Maar ik denk dat ik niet trots op mezelf zou zijn als ik het deed. Het voelt als verraad.'

'Zo zou u het kunnen zien. Maar het enige wat ik wil, en het enige wat u zou moeten willen, is waarheidsvinding. En als ze onschuldig is, heeft ze niets te vrezen.'

'En als ze me niet wil spreken?'

'Dat wil ze vast wel,' zei ik met een vertrouwen dat ik niet echt voelde. 'Waarom zou ze dat niet willen?'

'Waarom zou ze onze relatie hebben verbroken?'

Ik kon wel duizend redenen bedenken, maar omdat hij het kennelijk beschouwde als een even groot mysterie als de verdwijning van

Atlantis, hield ik het maar bij een meelevend schouderophalen.

'Zal ze het te weten moeten komen? Naderhand bedoel ik?'

'Waarschijnlijk niet. Maar bekijk het eens zo: als het gevolg is dat ze vrijkomt, zal ze u alleen maar dankbaar zijn. En als het tegen haar pleit…'

'… dan zal ik er niet rouwig om zijn,' maakte hij de zin af. De seconden leken uren te duren terwijl hij me peinzend bleef aanstaren. Ik hield mijn adem in. Ten slotte slaakte hij een zucht.

'Ik doe het.'

'Geweldig.'

'Ik doe er toch goed aan?'

'Absoluut.'

Hij zag grauw. 'Waarom voel ik me dan zo'n Judas?'

Ik nam terecht aan dat het een retorische vraag was, dus keek ik hem meelevend aan tot hij daar genoeg van had en dezelfde kant op liep als Gerald Haworth. Ik zuchtte terwijl ik hem nakeek. Als we erop moesten vertrouwen dat Gil Maddick de doodsteek toe zou brengen, hadden we een probleem.

Na de hoorzitting ging ik terug naar het bureau om verslag uit te brengen. Godley zag me direct bij binnenkomst en liep naar de deur van zijn kantoor.

'Maeve, dit wil je horen.'

Er was een kleine vergadering belegd in het kantoor, merkte ik. Judd, Colin Vale en Peter Belcott. Ze zagen er allemaal opvallend opgewekt uit, en Judd en Vale hadden eigenlijk nooit een vrolijke bui. Ik wendde me tot Godley.

'Wat is er aan de hand?'

'Colin heeft de auto gevonden.' Vijf woorden die de hele zaak veranderden.

'Hoe heb je dat voor elkaar gekregen?'

'Ik heb alle sloperijen in de regio's rondom Londen afgebeld en zo degene gevonden die Louise North heeft gebruikt. Het was een kleintje in Kent, vlak bij Ashford.'

'Maar ze heeft weken geleden al gezegd dat ze hem had weggedaan.'

'Normaal gesproken zou die auto binnen twee dagen zijn geplet, maar hij was nog in zo'n goede staat dat de sloper hem aan zijn zoon heeft gegeven.'

Belcott nam het over. 'Ik ben erheen gegaan om hem op te halen en toen bleek dat er zelfs nog niemand in had gereden. Die knul is pas zestien en zou op zijn verjaardag met rijles beginnen; dat is over een paar weken. De Peugeot stond daar gewoon op het terrein, naast het kantoortje. We hebben Kev Cox gevraagd hem te onderzoeken en hij heeft er bloed in aangetroffen.'

'Waar precies?'

'In de kofferruimte. Hij heeft alles met luminol besproeid en het lichtte op bij uv-licht. Er zat een behoorlijke hoeveelheid in, ook al was het niet zichtbaar met het blote oog. Het was in de bekleding van de kofferruimte getrokken. Het ziet ernaar uit dat Louise heeft geprobeerd hem schoon te maken, maar niet al te grondig. Ik neem aan dat ze dacht dat het wel zou zijn verdwenen voordat we de auto vonden, als we die al ooit zouden vinden.'

'Mooi werk, Colin.' Ik kreeg het mijn strot niet uit om Belcott te feliciteren. Hij had eigenlijk niets gedaan; hij was alleen degene geweest die het resultaat was gaan ophalen. Ik kon nauwelijks geloven dat hij meedeelde in het succes, maar dat was typisch Belcott. Op het juiste moment op de juiste plaats, zoals gewoonlijk.

'Er zaten ook nog een paar haren in. En Kev zei dat er op Rebecca's jurk wat vezels waren gevonden die misschien gelijk zijn aan de vezels van de bekleding van de kofferruimte. De kleur leek te kloppen.'

Ik wendde me tot Judd en Godley. 'Daarvoor valt toch geen onschuldige verklaring te bedenken? En geen onderbreking in de bewijsketen? Rebecca was al dagen dood voordat de auto in andere handen overging.'

'Nee. We hebben haar te grazen.' Godleys gezicht glom van overwinning.

'Hebt u Venetia al op de hoogte gebracht?' Ik kon de verleiding niet weerstaan.

'Dat wilde ik net doen.' Hij pakte de telefoon. 'Het zal haar leren me niet te vertrouwen.'

Judd schudde zijn hoofd. 'Je kon absoluut niet weten dat we die auto zouden vinden. Dat was pure mazzel.'

'Het was een combinatie van geluk en goed speurwerk. En als je voldoende van het een hebt, heb je het ander niet nodig.' Hij knikte de rest van ons toe. 'Prima werk, allemaal. We zullen afwachten tot het forensisch lab het bevestigt voordat we het breed bekendmaken, maar ik zit er niet mee als de afdeling het meteen hoort. Dit is absoluut een paar drankjes waard.'

Ik ging terug naar mijn bureau en bleef daar in een sfeer van zelfvoldaanheid, getemperd door een lichte angst, voor me uit zitten staren. Ik zag niet in hoe Louise zich hieruit zou kunnen kletsen. Zelfs het allerdomste jurylid zou de bewijzen zien voor wat ze waren. Maar toch kon ik gewoon niet geloven dat het zo makkelijk zou gaan.

En toen knalde de deur tegen de muur: Rob kwam binnen. Hij zag me, trok zijn wenkbrauwen op en glimlachte, en opnieuw vergat ik op slag alles wat met Louise North te maken had.

Louise

Tegen beter weten in stemde ik ermee in Gil te ontvangen. Het zal wel hebben gelegen aan de eentonigheid van het leven in de gevangenis, dat ik alles wat de geestdodende routine daar onderbrak welkom heette. Of aan de behoefte om iemand uit de buitenwereld te zien die geen jurist is. Of simpelweg aan mijn nieuwsgierigheid naar zijn reden om me te komen bezoeken. Toen ze me vertelden dat hij er was, verliet ik mijn cel en liep ik zonder haast door de smalle gangen naar de ruimte waar hij zat te wachten; dankzij de sportschoenen die ik droeg schoof ik geluidloos langs de deur naar binnen. Hij zat stilletjes in gedachten verzonken, en zijn knappe voorkomen viel totaal uit de toon tegen de achtergrond van B2-blokken waar iemand slordig saaie roze verf overheen had gesmeerd. Ik zag zijn profiel het eerst en ondanks alles kon ik alleen maar reageren zoals ik altijd reageerde als ik iets moois zag: met die siddering van puur genoegen, als mijn oog viel op iets van natuurlijke perfectie. Hij draaide zijn hoofd om, zag me en stond onhandig en abrupt half op uit zijn stoel.

'Blijf maar zitten.' Ik bleef bij de deur staan en negeerde de stoel die tegenover Gil aan de tafel stond.

'Lou. Jezus.'

Hij staarde me aan en zag de veranderingen in mijn uiterlijk waarover ik liever niet nadacht. Mijn bleke gezicht. Mijn gewichtsverlies. De donkere wallen onder mijn ogen vanwege slaapgebrek. Hij had diezelfde tekenen van stress ook, en nog meer: een spiertje in zijn wang trilde onwillekeurig en ik dacht dat hij zich inspande om kalm te blijven.

'Dat is lang geleden.'

'Bijna twee maanden.' Hij boog zich over de tafel heen. 'Ik wist niet of je me wel wilde ontvangen.'

'En hier zijn we dan.' Er zat weinig warmte in mijn houding.

'Ik wist niet of ik het zou kunnen verdragen je te zien.' Hij zei het alsof het een uitdaging was geweest en zocht op mijn gezicht naar een reactie.

'Ik begrijp het al. Je denkt dat ik het heb gedaan,' zei ik vriendelijk.

Hij zag er doodongelukkig uit. 'Ik weet echt niet wat ik ervan moet denken. Zou je me niet willen vertellen wat er werkelijk is gebeurd?'

Ik voelde aandrang om te gaan lachen. 'Jou dat vertellen? Waarom zou ik dat doen?'

'Volgens mij ben je me dat verschuldigd.'

Nu liet ik mijn lach de vrije loop; het geluid klonk zelfs mij schel en akelig in de oren.

Hij stak zijn hand uit. 'Kom nou, Louise. Ik vind dit heel moeilijk. Ik vind het vreselijk je hier zo te zien. Ik vond het vreselijk je in die rechtszaal te zien staan. Het klopt van geen kant.'

'Waarom ben je gekomen?'

'Omdat ik je moest zien. Ik moest zeker weten dat het allemaal echt is. Het lijkt een afschuwelijke nachtmerrie.'

'Ach, arme Gil. Wat moet je er verschrikkelijk onder lijden.' Elk woord klonk even ijzig.

'Het is natuurlijk veel erger voor jou,' zei hij vlug. 'Shit, ik doe het ook nooit goed, hè? Ik probeer je uit te leggen dat het niet zo was dat ik van je schuld overtuigd was; ik wist gewoon niet wat ik ervan moest denken. Ik probeer alleen maar te bedenken of je ertoe in staat zou zijn geweest, verdomme, en als je het wel hebt gedaan, of je mij dan voor de moord op Rebecca hebt willen laten opdraaien, en dat is verdomd moeilijk, hoor.'

'En waar ben je op uitgekomen?'

'Ik weet het niet.' Hij staarde me verbijsterd aan. 'Wat is de waarheid, Louise? Wat is jouw verhaal?'

'De waarheid is...' Mijn stem stierf weg. 'De waarheid is dat ik je niets te zeggen heb, niet daarover, niet over wat dan ook. Laat me gewoon met rust. Vergeet me, dat is veel beter voor je.' Ik draaide me om naar de deur en gaf er een paar tikken tegen.

'Ga nog niet weg,' smeekte Gil. Hij stapte naar voren. 'Ik heb je niet eens aangeraakt en ik mis je zo verschrikkelijk; ik word nog steeds midden in de nacht wakker en dan strek ik mijn arm naar je uit. Ik snap niet wat er tussen ons is misgegaan. Het lijkt wel alsof je een spelletje met me hebt gespeeld en ik kan maar niet bedenken waarom.'

'Dat is jammer.' Ik had hem willen zien kruipen; ik had hem willen zien smeken. In zekere zin had ik gekregen wat ik graag wilde, maar vreemd genoeg beleefde ik er geen plezier aan. Hoewel dat onder de omstandigheden misschien niet zo heel vreemd was.

De deur ging open en ik wilde de kamer uit gaan, maar bleef toen staan. 'Ooit zal ik je over Rebecca en mij vertellen hoe het echt in elkaar zat. Ooit zal ik je vertellen wat er precies is gebeurd. Maar nu nog niet.'

Hij riep mijn naam toen ik de kamer uit liep, maar ik reageerde niet. Ik keek niet eens achterom.

15

Lieve Gil,

Als je dit leest, ben ik dood. Volgens mij hoort een zelfmoordbrief zo te beginnen. Een duidelijke intentieverklaring. En wat ik wil, staat me volkomen helder voor de geest. Ik wil er niet meer zijn.

Ik kan het beste beginnen met je de waarheid te vertellen; die wilde je van me horen toen je me een paar weken geleden kwam opzoeken: ik heb het gedaan. Ik heb Rebecca vermoord. Je had helaas gelijk; ik was vast van plan jou voor de moord te laten opdraaien, als mijn poging de vuurmoordenaar na te bootsen niet zou slagen. Ik vraag me af of Rebecca het grappig zou hebben gevonden als ze had kunnen zien dat je ervoor werd veroordeeld. Ik had het niet helemaal onterecht gevonden. Geloof me, jij bent in moreel opzicht verantwoordelijk voor haar dood, ook al weet je dat niet. Maar dat was mijn plan: ik vond dat je het had verdiend. Hoe beter ik je leerde kennen, des te meer ik besefte dat je een veel heftiger les verdiend had, een lesje over bedrog. Ik heb mijn uiterste best gedaan perfect voor je te zijn, te zorgen dat je verliefd op me werd, en volgens mij ben ik daarin geslaagd, voor zover jij in staat bent te houden van iemand anders dan jezelf. Het is bijna de moeite waard geweest om gepakt te worden als ik je daarmee kan laten inzien hoe dom je bent geweest, hoe verkeerd je mij hebt beoordeeld. Je hebt me namelijk altijd onderschat.

Ik weet zeker dat je je afvraagt wat de aanleiding is voor dit alles. Ik heb net een bespreking met mijn advocaat achter de rug, waarin we de aanklachten die hij heeft ontvangen hebben doorgenomen. Hij zei het niet met zoveel woorden, maar ik begreep mijn situatie zo ook wel. Er is geen greintje hoop op vrijspraak. De auto is de crux. Ik dacht dat ik in dat opzicht wel goed zat. Ik dacht dat hij al zou zijn gesloopt, niet te achterhalen, verdwenen zou zijn. Maar je kunt er nooit van uitgaan dat mensen hun werk goed doen, vind je ook niet? Ik had het zelf moeten doen, had hem in een kanaal moeten dumpen of hem in brand moeten steken, maar daarvoor was ik te slim, te subtiel. Te stom, verdomme.

Thaddeus vind dat ik moet bekennen. Dat zou in zekere zin wel mooi zijn, want ik ben immers schuldig? Maar daar heb ik geen zin in. Dan zou ik misschien wel dertig jaar krijgen. Juist mijn dertig goede jaren. Dan zou ik alles moeten missen wat een leven betekenis geeft – reizen, werken, nieuwe ervaringen opdoen, misschien zelfs kinderen krijgen. Geen stabiliteit. Geen normaal leven. Geen huiselijk leven. Nee, dank je wel. Ik maak liever mijn eigen keuzes en die keuze is eruit stappen. Ik wil niet langer deel uitmaken van het juridisch systeem. Ik heb er genoeg van, ik heb overal genoeg van.

Maar voordat ik eruit stap, wil ik je vertellen wat er is gebeurd en waarom het is gebeurd. Ik vraag je niet om vergeving. Ik wil niet dat je om me treurt; waag het niet om te doen alsof je hart gebroken is, want we weten allebei dat je geen hart hebt. Ik wil dat je het begrijpt omdat ik me ervan wil verzekeren dat ik je de ogen open voor degene die je echt bent. Je hebt geld, charme die je naar behoefte inzet, en een knap gezicht, maar dat is allemaal niet meer dan uiterlijke schijn. Ik lachte me elke dag dat we samen waren een ongeluk, als ik zag hoe je probeerde me te manipuleren. Rechercheur Kerrigan dacht dat jij gevaarlijk voor me was, maar het was andersom. Jij dacht dat je de gevaarlijke van ons beiden was, maar je hebt er geen flauw idee van wat gevaarlijk is. Je bent niets meer dan een vrouwenhater die het leuk vindt vrouwen te dwingen tot seks. Je hebt mij verkracht en ik ben er vrij zeker van dat je ook Rebecca hebt verkracht; dat verhaal dat ze een ongelukje had gehad waarbij ze haar jukbeen had gebroken vond ik niet zo geloofwaardig, sorry. Je wordt daar niet bijzonder door, hoor Gil. Je wordt er niet slim door. En het maakt je mij onwaardig, Rebecca onwaardig en al die andere vrouwen die je in de loop der jaren hebt geprobeerd te onderdrukken onwaardig.

Ik heb geen idee wanneer je deze brief zult lezen en ook niet of ze het je zullen toestaan hem te lezen. Ik laat ook een briefje achter voor rechercheur Kerrigan als ik zover ben, en daarin zal ik haar vragen te zorgen dat je hem krijgt. Ik heb het idee dat ze dat wel voor me zal willen doen. En trouwens ook voor jou. Ze voelt zich waarschijnlijk schuldig dat ze jou heeft verdacht. Ik zou het haar maar niet kwalijk nemen. Ik kan heel overtuigend overkomen. Zoals je misschien hebt begrepen, kan ik erg goed liegen.

Ik probeer alles helder op te schrijven. 'Milder ze niet, maar schrijf ook niets in haat.' Was het zo niet? Ik herinner me niet veel van *Othello*, maar die frase is me altijd bijgebleven. Uiteindelijk blijft er niets anders over dan de waarheid. Het heeft geen zin meer verstoppertje te spelen. Nog een paar dagen en dan zal ik de antidepressiva die ik heb opgespaard kunnen innemen. Ik kan niet wachten tot na het proces; dan zullen ze me in de gaten houden. Ik moet het nu doen. Ik heb er veel tijd in gestoken om het vertrouwen van de bewakers te winnen. Ze doorzoeken mijn cel nooit. Verbluffend wat een simpel 'alstublieft' en 'dank u wel' kan opleveren. Opgesloten zitten is erg stressvol en het kostte me dan ook geen moeite de gevangenisarts ervan te overtuigen dat ik antidepressiva nodig had. Het moeilijkste was nog ze niet te nemen; dat vereiste pas echt wilskracht. Maar ik heb een hoop zelfbeheersing, vooral als het erom gaat te krijgen wat ik wil. Net zoals ik jou heel even wilde.

Wat ik wel meteen duidelijk gezegd wil hebben, is dat ik Rebecca niet wílde doden. Het leverde me geen prettige spanning op. Het was niet leuk. Ik moest het doen om mezelf te beschermen. Rebecca was zwak. Te zwak om te blijven rondlopen met wat ze over me wist. Te zwak om haar te kunnen vertrouwen. Te zwak om voor mij de vriendin te kunnen zijn die ik voor haar was.

Om het je te laten begrijpen moet ik bij het begin beginnen, en dat is niet makkelijk. Ik praat niet over mijn jeugd; dat heb ik nooit gedaan. Sinds mijn vertrek uit de stad waar ik ben opgegroeid ben ik nooit meer terug geweest, en ik zal je ook niet vertellen welke stad het was. Dat is niet relevant voor de persoon die ik ben geworden.

Ik woonde daar met mijn moeder en mijn grootmoeder. Geen vader – vraag niet waar hij is gebleven, maar hij was er nooit. Ik miste hem niet. Mijn moeder was een wrak, iemand die vrijwel nooit normaal functioneerde; ze had een bipolaire stoornis waardoor ze heel euforisch was of nauwelijks aanspreekbaar, en ik wist nooit wat ik zou aantreffen als ik 's ochtends mijn bed uit kwam. Ik heb geen idee hoe ik het volhield tot mijn grootmoeder bij ons kwam wonen toen ik vier was. Zij schiep een beetje orde in de chaos. Ze zorgde dat er eten was, dat er lakens op de bedden lagen en dat mijn kleren schoon waren, ook al waren ze niet nieuw of leuk, of wat ik graag had willen hebben. Maar ik was vanaf dat moment schoon, netjes gekleed en weldoorvoed, en ik vond het ook echt niet vervelend dat ik mijn kamer met oma moest delen. Toen in elk geval niet. Ik werd vaak midden in de nacht wakker en als ik haar dan hoorde ademhalen, wist ik dat er iemand bij me was. Pas toen ik ouder werd begon ik een hekel te krijgen aan dat gepuf en gesteun van haar als ze sliep. Ik kon nooit iets buiten haar om doen, had nergens ooit een plekje voor mezelf. Ze was er altijd, hield me voortdurend in de gaten en leverde commentaar op wat ik las, aanhad of zei. Oma had een valse tong en je wist nooit wanneer iets niet naar haar zin was, maar zodra dat het geval was, kon je er niet omheen. Ik deed voortdurend mijn best om niet haar aandacht te trekken. Dat wil zeggen dat ik veel tijd in de plaatselijke bibliotheek of op school doorbracht. Je kon nergens anders heen. Daardoor werd ik een lezer, een harde werker. Daardoor heb ik vermoedelijk meer bereikt dan ik misschien anders had gedaan, dus bedankt, oma.

Het andere probleem met oma was dat ze een enorme hypochonder was, die voortdurend bij de huisarts zat. Ze ging wel twee keer per week voor het een of ander naar het spreekuur. Ze kreeg elke pijnstiller die er bestond voorgeschreven, en daarbij nog iets tegen de zenuwen en andere tabletten tegen slapeloosheid en weer andere om te zorgen dat ze weer wakker werd… Op het laatst kreeg ze een nieuwe huisarts, die de diagnose *polymyalgia rheumatica* stelde. Ze was door het dolle heen en vertelde aan iedereen die het horen wilde dat ze pollie-mollie-dinges had en dat haar oude huisarts nooit had geweten wat haar scheelde. Ik heb het ooit op internet opgezocht. Weet je wat het is? Non-specifieke pijnklachten. Mijn rug. Mijn knieën. O, dokter, mijn heup doet zo zeer. Mijn nek. Ik kan vandaag nauwelijks staan.

Ach, neemt u maar wat pijnstillers.

Als u echt vindt dat het nodig is, dokter…

Ik had nooit overwogen gebruik te maken van oma tot Steve Wilmot van twee verdiepingen lager haar in het trappenhuis probeerde te overvallen. Steve was echt oliedom en heel traag in zijn bewegingen en hij had er niet op gerekend dat oma meer gesteld was op het bezit van haar handtas dan hij. Hij had een sjaal om zijn gezicht gewikkeld, maar ze wist heel goed wie hij was. Dat was niet zo moeilijk, want hij droeg elke dag hetzelfde sweatshirt met RUSSELL ATHLETIC erop. Het was niet bij hem opgekomen dat hij zich beter kon omkleden voordat hij haar overviel. Ze zei dat ze het aan zijn moeder zou vertellen en toen stoof hij weg. Hij was iets ouder dan ik, maar ik zei hem altijd gedag en de volgende keer dat ik hem zag toen hij voor onze flat aan het voetballen was, vroeg ik waar hij eigenlijk op uit was geweest. Hij wist net zo goed als ik dat oma niet veel contant geld bij zich droeg.

'Drugs. Medicijnen. Ze heeft er altijd heel veel bij zich, toch?'

'Maar die gebruik jij toch niet?' Dat klopte. Hij verbeeldde zich dat hij een atleet was en zijn drugsgebruik beperkte zich tot een enkele keer een beetje hasj.

'Ik wilde ze doorverkopen. Je kunt goed verdienen als je dat soort spul aan de juiste personen kwijt kunt.'

'Wat voor spul dan?'

Stevie, die nooit iets anders had weten te onthouden dan voetbaluitslagen en zijn vaste bestelling bij de afhaalchinees, produceerde opeens een spraakwaterval. 'Uppers, downers. Jelly's – je weet wel, valium, dat soort dingen. Alles waar codeïne in zit. Tramadol. Als ze haar echte morfine hebben gegeven, dan dat natuurlijk ook.'

Ik dacht aan het afgesloten kastje naast oma's bed, aan het leger potjes met in elk een handvol pillen, aan de kartonnen pakjes met de blisters van folie die eruit staken. Ze had alles geprobeerd wat op de markt was en had nooit iets weggegooid. Ik had het beschouwd als de rommeltjes van een oud vrouwtje, maar nu leek het meer op een nog niet aangeboorde bron van inkomsten.

Ik begon met af en toe een pilletje weg te nemen – niet zoveel dat het haar of de dokter zou opvallen, maar genoeg om een beetje geld opzij te kunnen leggen. Ik ging ook voor haar naar de apotheek en pikte dan zo nu en dan wat weg. Ik werd opeens heel hulpvaardig en was altijd bereid even haar medicijnen te gaan halen als ze tv zat te kijken. Ze raakte er helemaal aan gewend. Ze vond het wel leuk dat ik van alles voor haar haalde en droeg. En ik deed het graag, om voor de hand liggende redenen. Steve hield een percentage in, maar dat vond ik niet erg; zo was de kans kleiner dat ik werd gepakt. Ik had in mijn kamer een oude enveloppe vol geld liggen. Dat was mijn kostbaarste bezit. Ik stond weleens midden in de nacht op en dan legde ik hem op een nieuwe verstopplek. Al die tijd hield ik mijn adem in om oma niet te wekken. Op school dacht ik erover na en dan rende ik altijd naar huis om te kijken of iemand hem had gevonden. Nooit gaf ik er iets van uit. En ook al waren het steeds maar kleine bedragen, toch tikte het aan.

Je kunt zeggen wat je wilt over drugshandel, maar dit stelde me in staat voor mijn toelatingsgesprek naar Oxford te gaan. Ik zou nooit, echt nooit hebben gedacht dat iemand als ik naar zo'n universiteit zou kunnen gaan, maar ik had een leraar, meneer Palmer, die me na de wiskundeles even apart nam en me met een zuur riekende koffie-adem over Oxbridge vertelde en me het advies gaf een toelatingsverzoek te doen, en hij drukte me op het hart dat ik me door niets moest laten tegenhouden. Hij had zelf in Cambridge gestudeerd en vertelde me er van alles over. Over de 'Backs', de rivier de Cam. Over het vennengebied bij Cambridge. Ik had genoeg gehoord: daar wilde ik niet heen. Meneer Palmer was volgens mij niet ver genoeg weggegaan. En je kunt je niet in hetzelfde jaar bij beide universiteiten aanmelden; je moet kiezen. Dus werd het Oxford.

En Oxford koos mij ook. De deur stond in feite voor me open, had ik het maar geweten. Ze deden daar hun uiterste best om het percentage studenten die van een door de staat gefinancierde school kwamen, op te trekken. Ik had bij het schriftelijke toelatingsexamen alleen maar poppetjes hoeven tekenen, en dan nog had ik op gesprek mogen komen. Ik was doodsbenauwd toen die brief in november kwam. De gesprekken zouden begin december plaatsvinden. Er was accommodatie geregeld op het Latimer College, hoewel ik ook gesprekken zou krijgen in twee andere Colleges. Een routebeschrijving om in Oxford te komen, informatie over wat ik moest meenemen, hoe lang ik zou moeten blijven en wanneer ik zou horen of ik was aangenomen. Meneer Palmer bood me zelfs wat geld te leen aan zodat ik erheen kon, want hij besefte waarschijnlijk dat het voor mij geen enkele zin had mijn moeder of oma om hulp te vragen. Ik sloeg het aanbod af en zei dat het wel zou lukken, met in mijn achterhoofd de opgerolde enveloppe, die op dat moment in een van een paar oude sportschoenen onder mijn bed bivakkeerde, zo ver mogelijk weggeschoven tegen de muur. Hij was zacht geworden doordat ik hem vaak in mijn handen had gehad en het papier vertoonde al duizend kleine kreukeltjes, en er zat bijna negenhonderd pond in.

Ik vertelde thuis niet eens waar ik heen ging en mijn moeder vroeg er niet naar. Oma toonde meer belangstelling, maar ik wist haar af te wimpelen met een verhaal over een excursie voor aardrijkskunde. Ze leek niet eens te weten dat ik geen aardrijkskunde in mijn pakket had. Kleine uitingen van rebellie – leugentjes – maakten het leven draaglijk. Homeopathisch bedrog. Wat ze niet wisten, kon hun ook niet schaden. Ik besteedde een deel van het geld aan geschikte kleding voor de gesprekken, een eenvoudige zwarte jurk met een dikke panty en platte instappers, en stopte de rest van het geld diep in mijn rugzak. Ik zou het nooit hebben achtergelaten. Ik nam de bus naar Londen en stapte over op de trein naar Oxford, waar ik aankwam toen de zon net onderging. Het was zo'n winterse zonsondergang bij een strakblauwe hemel waarbij de zon donkerrood wordt, en mijn hart begon sneller te kloppen toen ik het licht door de bladloze takken langs de rivier zag schijnen. Ik had nog nooit zoiets moois gezien als de door de eeuwen aangetaste reliëfs op de gevels van de Colleges, de kromming van High Street die de volmaakte curve van een gespannen boog had, de rivier die groengrijs onder de Magdalen Bridge door liep. Niets was middelmatig, of pover, of akelig nieuw. Ik liep een poosje rond tot het licht was weggestorven en de goudgele stenen grijs waren geworden, vond toen de weg naar het Latimer College en betrad het terrein door het deurtje dat was uitgezaagd uit de enorme, zware eikenhouten deuren. Het steen onder mijn voeten was glanzend hol uitgesleten door generaties studenten die hierlangs waren gekomen en ik bezwoer mezelf dat ik een van hen zou worden, niet alleen maar de kandidaat die nerveus blatend bij de portiersloge vertelde dat ik op gesprek kwam, waarop ik een sleutel met een ronde metalen ketting eraan kreeg, die mijn zwetende handen naar muntgeld liet ruiken.

Mijn kamer bevond zich in Garden Building en keek uit op de rivier; hij had een hoog raam en boven het bed hingen lege boekenplanken. Ik ging op de bedrand zitten en keek naar buiten, naar de kale bomen die rondom Angel Meadow en Greyhound Meadow stonden, en de Magdalen Tower stond de wacht te houden, in het bleke licht van schijnwerpers. Er klonk lawaai op de gang van andere kandidaten, die hard en zelfverzekerd praatten, plannen maakten om uit te gaan naar de dichtstbijzijnde kroeg. Ik bleef waar ik was, te verlegen om een gesprek met iemand te beginnen. Niet dat ik daar behoefte aan had, overigens. Ik wilde elk detail van waar ik nu was in me opnemen, van de geuren, de geluiden en de sfeer daar, voor het geval ik nooit meer iets dergelijks zou mogen meemaken. Ik durfde me niet eens voor te stellen dat dit mijn kamer was en dat ik erin zou wonen. De studente die er tijdens de trimesters in woonde had elk spoor van haar aanwezigheid verwijderd, behalve de minuscule lichtgevende sterretjes die verstrooid zaten over het hele plafond en die ik ontdekte toen ik het licht uitdeed.

Mijn eerste gesprek zou de volgende ochtend om tien uur plaatsvinden, en als het aan mij had gelegen, zou ik het ontbijt waarschijnlijk hebben overgeslagen, maar het meisje in de kamer naast me bonsde om acht uur op mijn deur en vroeg of ik zin had om samen naar de ontbijtzaal te gaan. Ze zei dat ze wel wat morele steun kon gebruiken en bleef maar doorkletsen tot we er waren, alsof ze er al heel vaak was geweest, alsof ze daar thuis was. Ze was kandidaat voor een studie geschiedenis, had een breed gezicht vol sproeten en haar naam is me ontschoten. Ondanks al haar zelfvertrouwen is ze er trouwens niet in geslaagd een plaats te bemachtigen. Ik hield mijn mond en probeerde onderweg van Garden Building tot de eetzaal alles om me heen in me op te nemen, en toen we daar eenmaal waren, had ik het te druk om te praten; ik kon alleen maar kijken naar de eiken lambrisering, de prachtige portretten in vergulde lijsten aan de wanden, de lange solide tafels van massief hout. Er zaten honderden mensen op de banken aan die tafels, die elkaar probeerden te overschreeuwen, hoewel er ook een vrij groot aantal bij zat dat te zenuwachtig was om te praten. Ik deed mijn best wat toast en lauwe thee door mijn keel te krijgen terwijl ik luisterde naar… ik zal haar maar Joan noemen, want ik heb echt geen idee hoe ze heette… die zat te vertellen over haar vrienden en haar hobby's en dat ze eigenlijk niet zeker wist of ze wel naar Oxford wilde, omdat het daar hard werken was en al haar vriendinnen hadden haar toch al uitgelachen toen ze haar aanmelding had verstuurd.

Het lukte me Joan na het ontbijt af te schudden door te zeggen dat ik me klaar moest maken voor mijn gesprek, en ik nam onderweg door het College alles in me op, van de roeiuitslagen, die in krijt boven een paar deuren in de tweede quad waren opgeschreven, tot de geur van koperpoets buiten de kapel van het College. Het was een heldere, koude dag en de hemel was strakblauw; alle kleuren waren heel intens. Ik was al helemaal verliefd op deze plek, zo dat het pijn deed, en ging met een gevoel van opkomende paniek naar mijn gesprek; ze konden me toch niet uitnodigen en me laten zien wat in mijn ogen de hemel was en het dan weer afpakken…? Achteraf besef ik wel dat het me tijdens het gesprek heel makkelijk is gemaakt; het soort vragen als 'geef een definitie van de rede', dat andere kandidaten de keel snoerde, werd mij niet gesteld. Het laatste wat de docenten recht wilden weten voordat ze me weer in vrijheid stelden, was gewoon waarom ik aan het Latimer College wilde studeren. Ik keek door het glas-in-loodraam naar buiten en zag gouden schoorstenen die zo scherp afstaken tegen de blauwe hemel dat ze leken uitgesneden uit papier. Ik moest een antwoord verzinnen dat hun zou overtuigen, geen cliché of smeekbede. Maar wat ik zei was de waarheid.

'Ik had geen idee dat er iets als dit bestond, waar dan ook, maar het is precies waarvan ik altijd heb gedroomd.'

Ik liep het houten trapje vanaf de kamer van de docent recht af en passeerde de volgende kandidaat, een jongen in een pak die door me heen keek toen ik probeerde naar hem te glimlachen, en toen wist ik gewoon dat ik het niet goed genoeg had gedaan om te worden aangenomen. De rest van de gesprekken deed ik op de automatische piloot; ik knikte en glimlachte tot mijn wangen er pijn van deden en ik beantwoordde de vragen zo zacht dat de docenten voorover moesten buigen en heel vaak moesten vragen of ik mijn antwoord wilde herhalen.

'Geen kans. Geen kans. Geen kans,' dreunde het door mijn hoofd terwijl ik op de ochtend van de derde dag mijn spullen inpakte en mezelf moest dwingen dat kamertje te verlaten, nadat ik nog één keer het uitzicht had bewonderd.

En toen ik weer thuiskwam was daar alles net een beetje grauwer, lelijker en moeilijker te verdragen.

Je weet wat er vervolgens is gebeurd: totaal onverwacht, waarschijnlijk omdat ik deel uitmaakte van de juiste minderheid, kreeg ik een studieplaats aangeboden. Toen de brief was bezorgd heb ik mezelf opgesloten in de badkamer voor een beetje privacy en bleef ik maar naar die enveloppe staren, wetende dat ik volledig uit mijn dak zou gaan van blijdschap of totaal zou instorten als ik de brief eenmaal had gelezen. Mijn lot was bepaald, maar ik kende het nog niet, en ik herinner me als de dag van gisteren hoe mijn hart overuren maakte en mijn gezichtsveld aan de randen donker werd toen ik de enveloppe voorzichtig openmaakte en het opgevouwen briefpapier eruit haalde. Het zou in alle opzichten beter zijn geweest als ik geen plaats had gekregen; als ik nooit verder was gekomen dan de Co-op supermarkt waar ik een parttimebaantje had. Maar ik kreeg die plaats wel en daarbij nog een ruime studiebeurs, waardoor ik me geen zorgen hoefde te maken over collegegeld, boekengeld of een toga met een baret en al die andere dingetjes die horen bij een studie aan de universiteit van Oxford. Toch besefte ik al heel snel dat ik contant geld nodig had, en wel meer dan waarover ik beschikte, om al het andere aan te schaffen, zoals kleding die me niet zou laten opvallen tussen de andere studenten. Tijdens mijn verblijf daar had ik gezien wat de studenten droegen en hoewel Oxford echt niet de meest modieuze stad op aarde was, zagen ze er anders uit dan ik.

Ik heb oma niet om veel geld gevraagd. Ik wist dat ze geld had – ik had haar spaarbankboekje gezien. Ik zei dat ik geld moest lenen, maar niet waarvoor. En voordat ze nee zei, vroeg ze niet eens naar de reden.

'Je krijgt geld van me als ik dood ben en geen minuut eerder.'

Zo plantte ze het idee in mijn hoofd, dus eigenlijk was het min of meer haar eigen schuld, vind je niet?

Rustig maar, ik maak maar een grapje. Dat het haar eigen schuld was, bedoel ik. Maar ik heb het voor mezelf gerechtvaardigd door me voor te houden dat ze voortdurend veel pijn leed, een opgeblazen gezicht van de steroïden had en als een grijsharige trol door de flat liep, onophoudelijk scheldend op de wereld. Mijn besluit was snel genomen.

Ik had nog een paar maanden de tijd voordat ik het geld nodig had, dus begon ik een voorraad medicijnen aan te leggen. Ik gaf niet alles meer door aan Steve, maar hield hem met kleine beetjes van tijd tot tijd tevreden. Het was handig om iets achter de hand te hebben, voor het geval ik wat zakgeld nodig zou hebben. En ik had trouwens ook gemerkt dat mensen opeens heel aardig werden als ze dachten dat ik hun wel aan een paar geestverruimende middelen kon helpen. Het leek me wel goed om er wat van te hebben als ik eenmaal in Oxford zat. Oma heeft er nooit iets van gemerkt, zelfs niet toen ik haar Tramadol had vervangen door aspirientjes. Als ze klaagde dat ze zich niet goed voelde, gaf ik haar het advies nog maar eens naar de huisarts te gaan. Ze heeft er twee of drie gehad van de praktijk in de buurt. En ze bleven maar medicijnen verstrekken.

Twee maanden voor het begin van het studiejaar heb ik oma voor het slapengaan een lekker kopje thee gegeven met een dosis pijnstillers, op haar eigen verzoek. Behalve dan dat ik haar had verteld dat de dosering was aangepast en dat ze drie keer zoveel als tevoren moest nemen. O ja, en deze erbij. De apotheker heeft gezegd dat u deze samen met de andere moet nemen om het maximale effect te bereiken. Alles in één keer.

Ik wist niet helemaal zeker of het genoeg zou zijn. Ik bleef op de gang bij de deur wachten en luisterde naar haar trage, diepe ademhaling, en hoopte bij elke beverige uitademing dat het haar laatste zou zijn. Maar die ouwe tang bleef maar aan de gang. Ik werd woedend; ik werd woedend omdat ik haar een overdosis had gegeven die haar binnen enkele uren over de richel had moeten duwen, maar nee hoor, ze lag nog steeds te puffen. Uiteindelijk ben ik de kamer in gelopen, heb een kussen van mijn bed gepakt en heb het tegen haar gezicht gehouden terwijl ik al Madonna's nummer één-hits in de juiste volgorde probeerde op te noemen. Heel gek, wat er door je heen gaat op zo'n moment. Ik houd niet eens van Madonna.

Toen de huisarts kwam om de dood vast te stellen, had hij zijn twijfels over oma. Hij overwoog een lijkschouwing. Wat een wantrouwige man, die dokter Considine. Ik zei tegen hem dat ik bang was dat ze misschien niet meer goed had geweten welke medicijnen ze moest nemen. Ik liet hem een hele batterij lege potjes zien. Misschien had ze in de loop der jaren wel te veel voorgeschreven gekregen. Wat vond hij?

Gek genoeg vond hij dat hij maar beter de overlijdensakte kon tekenen.

Mijn moeder kreeg het geld volgens oma's testament. Ik kreeg een cameebroche die ik nooit mooi had gevonden. Het maakte me niet uit; ik had oma's bankpas al voor haar tragische overlijden weggenomen en mezelf in de weken ervoor een leuke portie van haar spaargeld toebedeeld. Arme oma, ze was enigszins onder de invloed geweest van de extra kalmerende middelen die ik haar gaf, en te verward om te merken dat ik haar had bestolen. Zodra ik het huis had verlaten, zou de mist in haar hoofd zijn opgetrokken en zou ze beseffen wat ik had gedaan, dus had ik geen keuze: ik moest van haar af. Op een vreemde manier miste ik haar; zo luisterde ik na het wakker worden steeds of ik haar hoorde snurken voordat ik me herinnerde wat er was gebeurd. Mijn moeder was er kapot van. Ze hebben haar in het plaatselijke gekkenhuis opgenomen voor verplichte 'rust', en ik heb van de gelegenheid gebruikgemaakt om mijn spullen te pakken en weg te gaan. Ik heb haar niet verteld waarheen ik ging of waarom ik wegging, maar ik heb wel een briefje achtergelaten waarin stond dat het goed met me ging. Ze had me via mijn school kunnen vinden, als ze eraan had gedacht het daar na te vragen, maar ik neem aan dat dat niet bij haar is opgekomen. Hoe dan ook, ik heb haar sindsdien niet meer gezien. Ik weet niet eens of ze nog leeft. En ik ga het nu ook niet meer uitzoeken. Het is wel raar. Ik heb me altijd voor haar geschaamd. En nu zal ze zich wel voor mij schamen.

Het begin van het studiejaar was prachtig; overdag was het zonnig en warm en 's avonds koel. Nu ik erover nadenk, moet het eind september zijn geweest toen ik erheen ging, maar het zal wel zo'n septembermaand zijn geweest waarin je nog een laatste beetje zomer proeft. Elk stukje groen werd bezet door studenten die lui op het gras lagen, elkaar met hallo begroetten en verhalen over verre reizen uitwisselden. Ik liep er met mijn hoofd in de wolken tussendoor, want ik kon nog steeds niet geloven dat ik er echt was, dat ik zomaar aan de oever van de rivier mocht gaan zitten, dat ik een collegerooster had en mijn eerste essay moest schrijven. Ik had nog een dag of twee voordat de boekenlijst in mijn postvakje zou zitten en die bracht ik door met het uitzoeken wat waar te vinden was in het College en in de stad en met het inrichten van mijn kamer; ik sprak niet echt veel met anderen. Het is niets voor mij om op mensen af te stappen en me aan hen voor te stellen. Alle anderen leken direct vriendschappen te sluiten alsof dat de allerhoogste prioriteit had. Ik drukte me voor het grootste deel van de introductieactiviteiten: de borrels, de kroegentocht die door de Junior Common Room, de algemene studentenvereniging, werd georganiseerd, de contactavonden. Ik was graag alleen. Ik hield van de stilte. Ik hield ervan niet te praten en de tijd door mijn vingers te laten glijden, zoals het water door de rivier stroomde.

En dat was het enige wat me niet lekker zat. Ik zat niet in Garden Building in een leuk klein kamertje met alle accommodatie zoals ik had gehoopt. Ik zat in de derde quad, een van de oudere delen van het College, in een appartement met twee slaapkamers, een grote zitkamer en, wonder boven wonder, een eigen badkamer. Dit waren gewilde verblijven; iedereen die hoorde waar ik woonde vertelde me direct hoe jaloers ze waren. Maar ik was woedend. De andere studente was nog niet aangekomen, maar stel dat ik niet met haar overweg zou kunnen? Stel dat het een luidruchtig type was? Of iemand die van harde muziek hield? Of misschien zelfs van luidruchtige seks? Stel dat we niets gemeen hadden? Stel dat ze me niet zou mogen?

Toen de dagen voorbijgingen en de andere slaapkamer onbezet bleef, begon ik te durven hopen dat ze niet zou komen. Er moest iets zijn misgegaan, dacht ik. Misschien was ze ziek. Misschien was ze tot de conclusie gekomen dat Oxford niets voor haar was. Toen het vrijdag werd, was ik er bijna zeker van dat ze nooit zou komen en dat ik het jaar in heerlijke eenzaamheid zou doorbrengen. Ik haalde een paar dingen uit mijn slaapkamer, een roze kussen met een strook gingang eromheen dat ik had gekocht toen ik had gezien dat anderen hun kamer veranderd hadden met eigen spulletjes, een poster van *De kus* van Klimt (mijn smaak was erg voorspelbaar), en probeerde daarmee wat kleur toe te voegen aan de saaie beige inrichting van de woonkamer. Ik ging in een van de fauteuils zitten om hem uit te proberen. Ik had geen televisie of stereo-installatie, maar ik miste ze niet. Ik hoorde flarden van een gesprek binnenkomen vanuit de quad beneden me en het tikken van mijn horloge en mijn ademhaling, en heel even voelde ik totale rust.

En toen waren er voetstappen op de trap. Een aantal mensen die snel en doelgericht kwamen aanlopen met zware dingen in hun handen die tegen de muren aan schuurden. Een zware mannenstem die werd beantwoord door een levendige uitroep.

'Hier is het!'

Ik stond op, had geen idee waar ik heen moest (Wegrennen? Me in mijn kamer verstoppen? In de badkamer? Te laat…), en zo kwam het dat ik Rebecca voor het eerst ontmoette toen ze struikelend door de deuropening kwam, lachend omdat ze over de drempel was gevallen. Haar huid was gebronsd en haar haar was een overvloed van glanzende krullen. Ze stopte met lachen toen ze me daar met gevouwen handen zag staan, alsof ik op haar had staan wachten.

'Sorry. Echt iets voor mij. Ik ben Rebecca.'

'Louise.' Ik maakte mijn hand vrij om haar onhandig toe te zwaaien, waar ik al meteen spijt van had, want het zag er vreselijk onbeholpen uit. Maar voordat ik me een houding kon geven kwam Rebecca's vader binnen met een grote doos; hij werd gevolgd door haar moeder, die kledingzakken over haar arm droeg.

'Wat ziet het er enig uit! Rebecca, wat een leuke kamer heb je gekregen. En wie is dit?' Toen ik haar beter had leren kennen, begreep ik dat Avril altijd open en vriendelijk was; ik had nog nooit zo iemand ontmoet, en ik was eerlijk gezegd doodsbang voor Rebecca's elegante moeder, die heel slank was in haar witte spijkerbroek met de gestreepte Bretonse trui. Ze zag eruit alsof ze net van een zeiljacht was gestapt, wat ook bleek te kloppen, want ze hadden een zeiltocht langs de Griekse eilanden gemaakt en daarom was Rebecca wat later gekomen.

'Dit is Louise,' zei Rebecca, nadat ze heel even had gewacht om mij de gelegenheid te geven te antwoorden. Ik stond met mijn mond vol tanden en kon niets uitbrengen.

'Louise. En jij wordt nu opgescheept met Rebecca. Arme ziel. Ben jij ook net aangekomen?'

Ik keek de kamer rond en snapte wel waarom ze dat vroeg. Ik had me de kamer niet eigen gemaakt. Rebecca was al bezig het meubilair te verschuiven; ze rolde een vloerkleed uit, zette een plant neer op een van de twee bureaus die er stonden, waardoor ze er leven in bracht, wat ik niet had gedaan. 'Ik ben hier al even,' zei ik ten slotte, want ik wilde niet toegeven dat ik er al bijna een week in eenzaamheid had gebivakkeerd. Ik had mijn stem lang niet gebruikt en hij klonk schor en mat, dat kon ik zelfs horen.

'Jezus, heb jij ook zo'n hekel aan de manier waarop zo'n College de kamers inricht?' Rebecca hield het roze kussen zo ver mogelijk van zich af. 'Kijk dit nu eens. Zullen we het weggooien?'

De vraag was aan mij gericht, de eerste gezamenlijke actie van ons samenwonen, en ik besloot ter plekke niet te reageren, geen spier te vertrekken om niet te laten merken dat ik het kussen zelf had uitgezocht en het mooi vond.

'Absoluut weggooien.'

'Oké dan.' Het vloog door de lucht en belandde naast de prullenbak in de hoek. Ik heb het geen blik meer waardig gekeurd. Het had niets meer met me van doen.

'Ik heb echt medelijden met je.' Avril sloeg een arm om haar dochter heen. 'Het is moeilijk om met haar te leven. Ze houdt ervan alles naar haar hand te zetten.'

'Ik wed dat Louise net zo is,' zei Rebecca; ze glimlachte naar me en ik slaagde erin terug te lachen, maar onder mijn ribbenkast voelde ik paniek opkomen. Er was geen enkele kans op dat ze me zou mogen. Geen kans dat ze me niet zou vergeten zodra ze alle andere studenten in het College leerde kennen – en dat zou zeker gebeuren; ze zou ze meeslepen en haar charme op hen loslaten zoals ze dat nu met mij deed.

Rebecca's ouders begonnen haar spullen uit te pakken en liepen met niet-aflatende energie en opgewektheid trap op, trap af. Ik hielp mee en droeg een paar tassen en dozen die Avril me had aangewezen naar de kamer.

'Hebben jouw ouders je ook geholpen bij het uitpakken?' Gerald zat even uit te rusten op het bankje onder het raam op de overloop nadat hij weer een lading spullen van Rebecca had afgeleverd.

'Nee. Maar ik had ook niet zoveel bij me.'

'Hebben ze je met de auto gebracht?' Ik voelde aan dat hij nieuwsgierig naar me was, naar mijn achtergrond. Dat wilde niet zeggen dat ik hem iets hoefde te vertellen. Laat staan de waarheid.

'Ik ben met de bus gekomen.' Ik glipte door de deur naar binnen en keek de echt onherkenbare kamer rond. 'Wauw.'

'Dat lijkt er meer op, vind je niet?' Rebecca stond met haar handen op haar heupen de kamer in ogenschouw te nemen. Ze droeg haar haar in een staart en zag er in haar lichtblauwe, nauwsluitende polo en haar denim minirok absoluut adembenemend uit, zonder het zelf te beseffen; ze had lange armen en benen en haar huid was prachtig gebruind. 'Ik heb dit bureau genomen omdat het het dichtst bij mijn slaapkamer staat; is dat oké?'

'Prima, hoor.'

Ze had al een reeks zwart-witfoto's neergezet, voornamelijk van architectonische details, en haar boeken stonden al op de planken van het boekenkastje naast haar bureau. Er lag een fraaie metalen designlaptop op haar bureau en naast de plant met kleine roosjes een stapel schriften in allerlei kleuren. Het was bijna intimiderend, zo goed georganiseerd allemaal, maar ook een weldaad voor het oog. Ik wilde dit voor mezelf ook. En ik wilde ouders die dol op me waren, mooie, welgestelde ouders die me steunden bij alles wat ik deed en die trots op me waren.

Gerald trok Rebecca naar zich toe voor een stevige omhelzing en ik wendde me van hen af om te voorkomen dat ze zouden zien hoe ik me voelde.

Gerald keek op zijn horloge. 'We nemen je nog even mee uit eten voordat we gaan. Om te zorgen dat je nog iets fatsoenlijks te eten krijgt voordat je aan al die snacks en te veel drank begint.'

Ze gaf hem een liefdevolle stomp. 'Je weet best dat ik dat niet ga doen. In elk geval niet de hele tijd.'

Er viel heel even een stilte. Ik mompelde dat ik even iets moest na-kijken en liep mijn kamer in. Ik trok de bovenste la van mijn com-mode open, keek erin en wachtte tot ze zouden vertrekken.

'Louise, heb je misschien zin om mee te gaan?' Avril stond in de deuropening achter me. 'We zouden het enig vinden om samen wat te gaan eten.'

Ik keek over haar schouder en zag Rebecca staan; ze keek me niet aan, luisterde alleen. Ik zei wat ik dacht dat ze wilde horen. 'O, dank u wel, maar dat kan ik niet doen. Dit is uw laatste avond samen.'

'Doe niet zo gek, joh. Ik kan ze bellen zo vaak ik wil.' Rebecca maakte haar haar los, schudde het en bond het weer tot een staart. Ze schonk me een vrijmoedige, warme glimlach. 'Doe het alsjeblieft. Je bent hier al een tijdje; heb je misschien een leuk restaurantje ont-dekt?'

Ik schudde treurig mijn hoofd. Alweer gefaald.

Haar vader zei daadkrachtig: 'We vragen het aan de portier. Je hebt Brown natuurlijk. Althans, daar ging je in mijn tijd naartoe. Maar ik zat aan die kant van de stad.'

Ik volgde de Haworths toen ze de derde quad uit liepen en luister-de naar Gerald, die herinneringen ophaalde. Ik was volledig voor hem gevallen en ik kon alleen maar hopen dat Rebecca tegen alle ver-wachtingen in mij toch zou accepteren als vriendin. Als ik genoeg voor haar zou doen – als ik haar op de eerste plaats zou zetten, als ik het verdiende –, dan wilde ze dat misschien wel. En het was de moei-te waard, want ik zou er zeker beter van worden; ik zou van Rebecca en van haar ouders kunnen leren. Ik zou iemand anders kunnen wor-den, met haar als voorbeeld om te volgen.

Jij weet evengoed als ik dat Rebecca niet het type was dat schreeuwde om aandacht. Ze was niet mijn vriendin omdat ik haar hielen likte. Het maakte haar niets uit of je je voor haar inspande; dat was wat ze altijd al had meegemaakt, en ze verwachtte het niet en eis-te het niet. Mijn aanwezigheid was vanzelfsprekend voor haar, op een heel lieve manier, als een deel van de achtergrond van haar leven, en ik hoefde eigenlijk nooit mijn best te doen dat te blijven. Maar in-gesleten gewoonten geef je niet zo makkelijk op. En ingesleten ge-dachtepatronen ook niet. Ik heb nooit echt het gevoel kunnen kwijtraken dat ze, als ik haar niet zou adoreren, iemand anders zou zoeken die dat wel deed. Misschien komt het doordat ik zelf zo zou zijn, als ik had wat zij had en was wat zij was. Rebecca was een stuk aardiger dan ik. Maar dat hoef ik misschien niet te zeggen.

Onze vriendschap was overigens wel een fantastische ervaring. Er ging veel tijd overheen, maar uiteindelijk begon ik haar te vertrouwen. Ik liet haar mijn kleren uitzoeken, maar meestal leende ik ze van haar in plaats van ze te kopen. Het deed pijn, maar ik had haar verteld dat ik te arm was om te gaan winkelen, en ze heeft me nooit het gevoel gegeven dat ik er minder om was. Oma's geld raakte snel op en nu besefte ik dat ik de verkeerde kleding, de verkeerde schoenen, de verkeerde noem-maar-op had gekocht. Uiteindelijk kreeg ik een baantje in de bar van het College, waardoor ik een deel van mijn kosten kon betalen, en later heb ik in de paas- en de zomervakanties nog gewerkt als gids en woonde ik in onderhuur in flats als de bewoners op reis waren en geen zin hadden hun huur door te betalen. En daarbij leverde de verkoop van oma's medicijnen me nog een extraatje op. Ik was de minst waarschijnlijke dealer die je je kon voorstellen; ik was boven elke verdenking verheven als bescheiden rechtenstudentje dat nauwelijks haar mond opendeed. Ik liet een paar doctoraalstudenten die er een nogal vrij leventje op na hielden weten wat ik bezat, en gebruikte hen voor de verspreiding; zoals eerder al, waakte ik ervoor mijn handen vuil te maken.

Rebecca wist hier niets van. Ze kleedde me aan en sleepte me mee naar de bars in andere Colleges en naar studentenfeestjes en treurige nachtclubs die het beste waren wat Oxford te bieden had. Ik was voor haar een luisterend oor, degene die haar jas aannam, haar hulpje voor van alles en nog wat. En met de kerstdagen, elk jaar weer, nam ze me mee naar huis om de vakantie bij haar ouders door te brengen in een huis dat volledig in kerststemming was: hulst op de schoorsteenmantels, mistletoe in de gang, een enorme dennenboom en overal kaarsen – zo'n geweldige Engelse kerst die niet echt bestaat, behalve hier en daar in kleine buurtjes waar de bevoorrechten wonen. Het klinkt vals, maar er was niets pretentieus aan de levensstijl van de familie Haworth. Ze waren echt en ik kon niet genoeg van hen krijgen.

Het eerste jaar brachten we in de grootste harmonie door, want ik raakte gewend aan Rebecca's dwangmatige behoefte om alles netjes en op z'n plaats te hebben. In ons tweede jaar woonden we samen in een huis en in ons derde jaar, toen we weer in het College waren ingetrokken – deze keer apart –, kon ze urenlang met een kopje thee opgekruld op mijn bed zitten en met glanzende ogen verzonnen verhalen vertellen. Ik stond in haar schaduw, zelfs als ze probeerde me in het licht te trekken. Ik keek toch liever toe. Ze brak harten zonder het te willen; iedereen was dol op haar. Ze lijkt nu wel Pollyanna, maar zo was ze beslist niet. Ze was briljant en grappig en een beetje gestoord. Ze had ook iets kwetsbaars, iets onschuldigs, een wens om aardig gevonden te worden die bijna kinderlijk was. De enige die haar uit haar evenwicht bracht – de enige die het ooit is gelukt dat ze aan zichzelf begon te twijfelen –, was tevens de enige die immuun voor haar leek te zijn. Hij had bedacht dat de beste manier om haar eronder te krijgen, was te doen alsof hij haar niet mocht, en dat vond ze zo gek en intrigerend dat ze er uiteindelijk hopeloos door geobsedeerd raakte. Als Adam Rowley iets goed kon, dan was het vrouwen gek maken, en Rebecca was geen uitzondering. Ik was zelf misschien niet zo ervaren, maar ik ben een geboren cynicus; ik heb geprobeerd haar duidelijk te maken dat haar gevoelens gewoon deel uitmaakten van het spelletje dat hij met haar speelde, maar ze wilde niet – of kon niet – luisteren. Toen we in ons laatste jaar zaten, gaf ze haar gevoelens volkomen roekeloos en openlijk bloot.

Je hebt Adam nooit gekend, en ik betwijfel of Rebecca het ooit over hem heeft gehad, maar jullie hebben veel gemeen. Hij was vanbuiten knap en vanbinnen verrot. De universiteit zat vol met gedumpte vriendinnen, meisjes die hij het hof had gemaakt, met wie hij het bed had gedeeld en die hij direct nadat hij had gekregen waar hij op uit was, liet vallen. Bij hem ging het niet om seks, maar om macht. Hij zorgde ervoor dat hij te weten kwam waar je grenzen lagen en dan begon hij je daaroverheen te duwen. Hij was een klootzak en een vrouwenhater, en als hij niet zo charismatisch was geweest – meer dan dat, het prototype van een cultheld –, zou hij vast niet veel vrienden hebben gehad. Hij wilde het beste van anderen afpakken, zodat ze met niets achterbleven. Het gerucht ging dat hij hepatitis had en dat hij die had doorgegeven aan een paar meisjes, terwijl hij heel goed wist dat hij voorzichtig had moeten zijn, maar niemand heeft daar ooit zekerheid over gekregen. Ik veronderstel dat geen van de slachtoffers wilde toegeven dat het verhaal klopte.

In Rebecca zag hij die onschuld, dat vertrouwen in de goedheid van de mens, en ik denk dat hij dat van haar wilde afnemen, alleen om te zien of het hem zou lukken. Hij maakte dat ze stil en op haar hoede werd, zenuwachtig als hij in de buurt was, behoedzaam in haar bewegingen, alles om hem te plezieren. Het was pijnlijk om te zien, maar meer nog voor haar, want zij begreep maar niet wat hij aan het doen was. Ik wel. Ik heb zulke mensen altijd direct goed ingeschat. Misschien omdat je in een ander jezelf herkent. Ik heb van Rebecca gekregen wat ik wilde, maar heb haar wel heel gelaten. Adam heeft haar ziel van haar afgepakt.

Je denkt waarschijnlijk dat ik overdrijf, maar jij kende haar voor die tijd niet. Niet voordat ik hem had doodgemaakt. Voordat hij haar dat had aangedaan. Weet je, je zou hem eigenlijk dankbaar moeten zijn; hij heeft Rebecca voor je ingereden. Ze mocht jou graag omdat ze van hem had gehouden, en jij herinnerde haar aan hem, op z'n minst fysiek. Doet het zeer te horen dat je niet de eerste bent geweest? Te horen dat Rebecca jou gebruikte om die slechte oude tijd terug te halen? Adam Rowley was veel erger dan jij, als dat een troost is. Om te beginnen was hij heel fantasierijk in zijn wreedheid. Rebecca zag het gevaar pas toen het al veel te laat was.

Het was het laatste semester voor ons bachelorexamen – onze periode in Oxford zat er bijna op en alles had iets bitterzoets, althans voor mij, als ik de kans had even van mijn boeken op te kijken. Rechtenstudenten komen niet veel buiten de bibliotheek en ik zette alles op alles om uitstekende eindcijfers te halen. Dan kon ik mijn oude leven voorgoed vaarwel zeggen. Voor het eerst had ik Rebecca's doen en laten uit het oog verloren. Ik zag haar wel elke dag, en we aten meestal op z'n minst één keer samen, maar ik had niet in de gaten dat ze steeds dichter naar Adam toe dreef en dat ze bereid was alles te doen wat hij wilde om te bewijzen wat ze voor hem voelde.

Het gebeurde op een zaterdagavond. Hij woonde in het College, maar hij had vrienden – volgelingen – in het jaar onder ons die een klein huisje in Jericho hadden. Hij zocht privacy voor wat hij van plan was, en die kreeg hij. Ze gingen gehoorzaam die avond uit, terwijl hij Rebecca daar voor het eten uitnodigde. Ze moet hebben gedacht dat haar droom werd verhoord. Ongetwijfeld heeft ze me er niets van verteld omdat ze wist dat ik het plan zou afkeuren. Ik kwam er pas achter toen ik in de vroege uurtjes van de ochtend een vederlicht gekras aan mijn deur hoorde en een zacht gejammer; ik wist direct dat het Rebecca was, hoewel ik haar nooit een dergelijk geluid had horen maken. Ik deed de deur open en ze viel onbedaarlijk trillend in mijn armen. Ze snikte zo heftig dat ik eerst niet verstond wat ze zei. Maar uiteindelijk kreeg ik het hele verhaal te horen. Ze waren niet eens aan eten toegekomen. Hij had haar bij aankomst een glas whisky ingeschonken, had gezien dat ze het, nerveus als ze was, te snel had leeggedronken, had haar nog een glas gegeven, en een derde, en Rebecca dronk nooit alcohol. Toen heeft hij haar het glas afgepakt en heeft hij haar op de vloer van de woonkamer verkracht. Hij heeft haar boven, in een van de slaapkamers, opnieuw verkracht. Hij heeft haar verkracht en tegen haar gezegd dat ze erom had gevraagd. Hij zei dat niemand haar zou geloven. Ze zat al zo lang achter hem aan. Ze was dronken; hij kon iedereen die het weten wilde vertellen dat ze met hem naar bed wilde en er later spijt van kreeg, toen hij geen relatie met haar wilde aangaan. Hij zei tegen haar dat ze lelijk was en dat hij haar alleen maar uit medelijden had geneukt, omdat ze zich zo zielig naar hem toe had opgesteld, en dat niemand die wist hoe ze echt was haar zou willen hebben.

Ze wist weg te komen toen hij in de badkamer stond te douchen, hoewel ik niet het idee heb dat hij het erg vond dat ze ging. Hij had precies zoveel kracht gebruikt als nodig was om haar te laten doen wat hij wilde. Ze had inderdaad blauwe plekken en ze bloedde ook, maar het lag allemaal nét binnen de grenzen van seks met instemming van beide partijen, al moet het ruwe seks zijn geweest. Hij had het heel goed ingeschat. Ik denk niet dat dit de eerste keer was dat hij dit had uitgehaald. Hij wist hoe hij het voor elkaar kon krijgen.

Maar Rebecca had karakter. Ze wilde naar de politie stappen, of op z'n minst naar de decaan om een formele klacht tegen hem in te dienen. Ze wilde dat hij van de universiteit zou worden gestuurd. Ze wilde dat hij gestraft zou worden. Ik had de vreselijke taak haar uit te leggen dat ze, als ze aangifte zou doen en er een rechtszaak van zou komen, door de eerste de beste advocaat van de tegenpartij de grond in zou worden geboord. Hij zou ermee wegkomen, precies zoals hij had gezegd. Ze had iedereen die het maar wilde horen verteld dat ze helemaal bezeten van hem was. Ze was er zelf naartoe gegaan. Ze had meer dan een beetje gedronken. Hij was goed van de tongriem gesneden, knap om te zien, charmant en geloofwaardig. Ze had heel weinig kans om er een veroordeling uit te halen, als ze er al in zou slagen de zaak voor de rechter te krijgen. Het kwam erop neer dat het haar leven jarenlang zou vergallen.

'Ga door met je leven,' raadde ik haar aan. 'Neem er de tijd voor het te verwerken en beschouw het als een levensles. Binnen de wet kun je niets doen om hem te straffen. Daarvoor is hij te slim.'

'Maar het is niet eerlijk.' Dat bleef ze maar zeggen. 'Het is niet eerlijk.' En het was ook niet eerlijk. Ze was totaal verbijsterd. Wat hij haar had aangedaan was zoiets als een jong katje een schop geven; ze had het niet verwacht en niet geweten hoe het voelde om bang te zijn, en nu was ze doodsbenauwd. Ze moest zich laten onderzoeken op soa's omdat hij uiteraard geen condoom had gebruikt, en ze moest behandeld worden. Ze gebruikte de pil, dat was een geluk bij een ongeluk, want een zwangerschap zou haar dood zijn geweest. Ze kon niet bij hem in de buurt zijn, niet in dezelfde kamer zitten als hij. Hij had zijn vrienden zo bewerkt dat ze het hilarisch vonden. Ze maakten opmerkingen over haar, zachtjes maar wel zo hard dat ze ze kon horen, dat ze er in bed niets van terecht had gebracht, dat ze een stom rund was. Ik zag aan hem dat hij ervan genoot; hij teerde op haar verdriet, raakte opgewonden van de macht die hij over haar had.

En ik vond dat hij het niet verdiende ermee weg te komen.

Het kwam mij goed van pas dat Adam een adrenalinejunk was, het type dat graag experimenteert en verboden dingen doet, bij voorkeur als hij er zelf heldhaftig uit komt. Voor één keer heb ik mijn regel over dealen overtreden. Ik heb hem rechtstreeks benaderd en gevraagd of hij er interesse in had iets te kopen wat de ochtend van 1 mei een beetje schwung zou geven. Ik deed alsof hij de enige was die ik kende die drugs zou durven gebruiken. Ik noemde hem een lachwekkend lage prijs om hem te laten geloven dat ik de waarde van wat ik verkocht niet kende. Hij dacht dat het speed was. Iets waarop hij kon doorfeesten. Ik beloofde hem te ontmoeten na sluitingstijd van de bar, bij de rivier, maar dan moest hij beloven dat hij het tegen niemand zou zeggen. Dat was het zwakke punt. Hij had rondverteld kunnen hebben dat we een afspraak hadden en ook waarom. Maar hij vond die geheimzinnigheid wel leuk. En hij was te arrogant om zich af te vragen waarom Rebecca's beste vriendin zelfs maar met hem wilde praten, laat staan waarom ze hem een gunst wilde bewijzen.

Ik hield hem de hele avond in de gaten van achter de bar en schonk hem het ene na het andere drankje in; ik zag hoe hij afwisselend zat te flirten en zich terugtrok met negatieve opmerkingen om te zorgen dat de meisjes nog meer hun best deden indruk op hem te maken. Ik heb nooit iets met sarcasme gehad, maar Adam Rowley had die avond de meeste meisjes in de bar kunnen hebben door met zijn vingers te knippen. Dat was vermoedelijk de reden dat hij geen moeite deed. Te makkelijk. Veel leuker om te zorgen dat ze hem tegen hun zin gaven wat hij wilde.

Hij heeft de vrienden die altijd om hem heen hingen afgeschud, zoals ik hem had gezegd. Hij kwam precies volgens plan naar de oever van de rivier. Hij nam de pillen die ik hem gaf in zonder er echt naar te kijken, en hij liet toe dat ik nogal gretig tegen hem bleef praten tot ze begonnen te werken. Ik was ervan uitgegaan dat hij zou denken dat ik hem wilde versieren, en dat hij mijn onbezonnenheid grappig genoeg zou vinden om er geboeid door te raken. En dat had ik goed ingeschat. Toen heb ik hem naar Rebecca gevraagd, want ik wist dat hij wist dat we bevriend waren. Hij lachte me in mijn gezicht uit. Ze had het verdiend, zei hij. Ze had ervan genoten, althans dat deel van haar waar haar stoute ik verborgen zat. Hij had nog gedacht dat ze het af en toe zelfs een beetje te fijn had gevonden. Dat had de pret voor hem bijna gedrukt.

Hij sprak met een dikke tong en verviel in herhaling, en ik hoopte maar dat de combinatie van diazepam en alcohol zijn reactievermogen zou dempen. Ik liet hem van me weglopen en sloeg hem hard op zijn achterhoofd met een champagnefles die ik uit de glasbak achter de bar had gehaald. Die was van versterkt glas en daardoor brak hij niet, en hij was ook zwaar genoeg om het gewenste effect te bereiken. Adam viel als een zoutzak neer. Het was kinderspel om hem de rivier in te laten rollen. Het enige waarvoor ik bang was, was dat hij zou bijkomen als hij in het koude water terechtkwam. Maar de medicijnen verhinderden dat. Hij gleed uit het zicht en de rivier nam hem mee. Ik ben niet blijven staan om hem te zien doodgaan, of om hem te vervloeken, of me te verkneukelen, of wat moordenaars ook doen in zo'n geval. Ik heb mijn tijd niet verspild. Binnen tien minuten was ik weer terug op mijn kamer en stond ik de sokken uit te wassen die ik over mijn schoenen had aangetrokken toen ik van het pad af liep, zodat er geen voetstappen op de rivieroever zouden achterblijven. Ik had de gok genomen dat het Adam, die ontzettend dronken was, niet zou opvallen in het donker, en ik had gelijk gekregen. De fles had ik al schoongeveegd en teruggegooid in de glasbak; ik wist toevallig dat die de volgende dag zou worden geleegd. Het geld dat hij me had gegeven heb ik verbrand, en de as heb ik in een toilet van een ander trappenhuis doorgespoeld.

Ik heb naderhand prima geslapen. Het was een misdaad zonder slachtoffer. Ik had andere vrouwen behoed voor hetzelfde lot als dat van Rebecca, en hij had het hoe dan ook verdiend om te sterven.

Mijn grote fout – die gigantische, enorme kutfout die heeft gezorgd dat ik hier zit – was dat ik haar heb verteld wat ik had gedaan. Ik wist heus wel dat het stom was. Ik wist dat ik niets had moeten zeggen. Maar ik kon al die gissingen niet verdragen. Misschien heeft hij zelfmoord door verdrinking gepleegd. Misschien voelde hij zich schuldig over het gebeurde. Misschien zou hij ooit zijn excuses hebben aangeboden. Misschien, misschien, misschien.

Wat belachelijk was, was dat ik dacht dat ze er blij om zou zijn. Ik dacht dat ze me zou bedanken. Maar toen ik haar vertelde wat ik had gedaan, hoe slim ik was geweest, keek ze me aan alsof ze geen idee had wie ik was. En zo heeft Adam zich gewroken, zelfs toen hij met zijn gezicht omlaag in de Theems dreef, want pas toen ik haar had verteld wat ik had gedaan doofde het licht in haar ogen echt. Ze stonden zo dof en mat als modder en dat bleef zo. (Ik heb ze nooit meer zien sprankelen tot ze jou ontmoette, wat maar weer aantoont dat ze haar lesje nog steeds niet had geleerd.)

Rebecca en ik kregen ruzie om Adam, dat is bekend. Ik ergerde me aan het feit dat ze niet kon waarderen wat ik voor haar had gedaan. En zij was er vermoedelijk van onderstebovel dat ik hem had vermoord. Het was het mooiste cadeau dat ik haar kon geven en zij smeet het zomaar terug in mijn gezicht. Toen hebben we een poosje geen contact met elkaar gehad. Zij heeft haar depressie gekregen en is voordat de tentamens begonnen weggegaan. Ik ben doorgegaan met de mijne.

Het jaar daarop haalden Avril en Gerald ons ertoe over om hen samen in Londen te ontmoeten. We zijn toen zo'n beetje doorgegaan vanaf het punt waar we waren gebleven. Het was allemaal niet meer zoals vroeger – dat kon ook niet –, maar we gingen goed met elkaar om. Ze was teleurgesteld over haar cijferlijst, maar zo slecht was die niet; ze kon er goed mee terecht in de public relations en dat werk paste uitstekend bij haar. Enthousiasme, organisatietalent, overtuigingskracht, charme – een rol die Rebecca op het lijf was geschreven. De nieuwe Rebecca, die overliep van energie en altijd opgewekt was. Het was allemaal nep, maar dat viel niemand anders op. Ze speelde voortdurend toneel; ze deed alsof ze gelukkig was, alsof ze voldoening haalde uit haar leven, terwijl ze in feite een leeg leven leidde.

Ik begon aan mijn carrière bij PG door indruk te hebben gemaakt op de juiste mensen tijdens mijn opleidingstraject, en was ondertussen bezig uit te zoeken welk specialisme ik zou kiezen. Fusies en acquisitie, het leuke onderdeel, het onderdeel waarbij je met de mensen die er echt toe deden tot laat in de avond deals sloot. Ik ging er helemaal in op. Ik zag Rebecca wel, maar niet vaker dan zo'n twee keer per maand. We e-mailden. Ik belde haar af en toe. Ze was 's avonds vaak op stap voor haar werk. Het leek erop dat ze haar plek had gevonden. Na enige tijd raakte ze vermoeid en kreeg ze van iemand een beetje cocaïne om op de been te blijven.

Ze vond coke wel lekker. Ze vond het iets te lekker. Tja, een zwak karakter.

En ze wist te veel over mij.

Zoals ik al zei, had mijn poging om jou te laten opdraaien voor Rebecca's dood iets fraai symmetrisch, want als je het maar ver genoeg doortrekt, had jij er schuld aan. Als je haar niet op die manier aan de kant had gezet, zou ze niet zo diepbedroefd zijn geweest. Misschien moest ze door die afwijzing terugdenken aan Adam. Misschien dacht ze dat jij iets bijzonders was of zo. Ik zou zelf mijn tijd niet hebben verspild met kniezen om jou, maar Rebecca zat anders in elkaar. Als jij haar niet zo'n rotgevoel had bezorgd, zou ze haar cocaïnegebruik niet zo uit de hand hebben laten lopen. Dan zou ze haar baan niet zijn kwijtgeraakt. Dan zou ze geen problemen hebben gehad om de huur en haar rekeningen te betalen. Dan zou ze niet zo wanhopig op zoek naar geld zijn gegaan om te zorgen dat haar ouders en haar vrienden er niet achter kwamen dat ze blut was. Ik was aanvankelijk de enige die ervan op de hoogte was, en ik was wel de laatste die ze het had moeten vertellen, want ik maakte me al ongerust over haar. Ik was stap voor stap op weg naar boven en zij gleed over de rug van een enorme slang naar beneden. Mijn slechte ik moest wel een beetje gniffelen – dit was het bewijs dat ze toch niet perfect was –, maar over het algemeen maakte ik me gewoon ongerust over haar.

Toen kreeg ze geld los van Caspian Faraday (die er een enorme kick van kreeg, vertelde ze me. Zo'n drama om te worden gechanteerd door zijn mooie jonge minnares…). Toen begonnen de alarmbellen echt af te gaan bij me. Ze zat over het verleden te piekeren, over Oxford, en zei dat ze overwoog om contact op te nemen met Adams ouders, alleen maar om even met ze te praten. Ik kon tussen de regels door lezen. Ze wist wat ik had gedaan en ik wist dat het onderzoek naar zijn dood makkelijk kon worden heropend als er nieuw bewijs op tafel kwam. Ze was wanhopig; ze zou vroeg of laat zeker om geld komen vragen. En ik wilde haar dat niet geven. Het was mijn geld en mijn leven dat ze zou kunnen verwoesten door iemand te vertellen wat ik had gedaan. Dat nooit.

Voor iemand die geen drugs gebruikt weet ik verdomd veel over illegale farmaceutica. Ik bestelde Rohypnol bij een internetapotheek en gebruikte daarvoor de creditcard van mijn secretaresse. Ik gaf als verzendadres een postbus op die ik op haar naam had gehuurd. (Ik heb ook vliegtickets naar Lagos en een flatscreentelevisie gekocht om de boel een beetje te vertroebelen. Geen enkel probleem; de creditcardmaatschappij heeft de betalingen opgemerkt en ze heeft er niets voor hoeven betalen.) Ik heb Rebecca uitgenodigd om op die woensdagavond te komen eten. Ze vertrouwde me zo, ze was me zo dankbaar dat ik haar te eten gaf. Ik zag dat ze erg was afgevallen. Ik kon haar schouderbladen door haar wollen trui heen zien. Ze zag er eerlijk gezegd niet geweldig uit. Jij zou niet onder de indruk zijn geweest, laat ik het zo formuleren.

Mijn plan was heel eenvoudig. Ik deed wat Rohypnol in haar drankje en ze verloor als een heel volgzaam slachtoffer het bewustzijn. De vierentwintig uur daarna heb ik haar in mijn logeerkamer ondergebracht. Telkens als ze maar even bewoog gaf ik haar een drankje waardoor ze weer buiten bewustzijn raakte. Ze heeft nooit geweten waar ze was of wat ze daar deed. Naderhand heb ik die kamer helemaal gestript. Weet je nog dat ik steeds maar geen tijd had om de kamer op te knappen? Het ging me niet om het opknappen ervan. Het ging om achtergebleven sporen. Vezels. Haren. Huidcellen. Vingerafdrukken. Ik had de kamer wel schoongemaakt, maar dat was niet voldoende. Dat bood geen zekerheid. En ik houd van zekerheid.

Die donderdagavond laat ben ik de kamer in gegaan. Ik overtuigde mezelf ervan dat ze buiten bewustzijn was; ze had geen idee wat er gaande was. Ik heb haar opgemaakt. Ik heb haar dure kleding aangetrokken van het soort dat ze zou hebben aangetrokken als ze met jou had afgesproken. Ik zorgde dat ze er prachtig uitzag en toen, nou ja, toen heb ik het gedaan.

Ik wil het niet hebben over de daad zelf. Het was afschuwelijk. Ik was erop gericht de seriemoordenaar getrouw te imiteren. Hij was iets te gewelddadig naar mijn smaak, iets te fysiek. Ik had alles nageplozen, maar ik had toch het idee dat ik het misschien niet helemaal goed zou doen, ook al zou het vuur moeten afrekenen met eventuele fouten die ik had gemaakt. Maar dat gaf niet. Ik had jou al klaarstaan als mijn aangewezen verdachte.

De volgende dag ging ik naar Rebecca's flat. Dat was niet gepland, maar toen ik eenmaal in bed lag, schoot me te binnen dat ze altijd van alles opschreef. Eten bij Louise. Waarschijnlijk stond dat ergens op een kalender. Op een post-it-briefje. Of in haar agenda. En dat wilde ik niet. Ik wilde geen bewijs van recent contact tussen ons. Dus ging ik naar de flat om ernaar te zoeken. Terwijl ik bezig was, heb ik meteen alles schoongemaakt, zodat niets erop zou duiden dat je er níét geweest was. Ik had een pen bij me met jouw initialen erop. Rebecca had hem voor je gekocht, maar jij maakte het uit met haar voordat ze hem aan je kon geven. Ik heb geen idee waarom ze hem heeft bewaard. Misschien hoopte ze nog dat je zou terugkomen. Je weet het misschien niet meer, maar ik heb hem aan je laten zien na de herdenkingsdienst; toen heb ik gezorgd dat je hem aanpakte, zodat je vingerafdrukken erop stonden. Ik was van plan hem ooit heel bezorgd aan de politie te overhandigen. Dan zou ik zeggen dat ik hem in Rebecca's flat had gevonden maar er op dat moment geen waarde aan had gehecht. Een duwtje in de goede richting. Richten jullie je aandacht eens op Gil. Laat mij maar zitten, ik ben niet belangrijk. Maar toen ik zover was, was het al te laat.

Het was wel heel vervelend dat de politie aan de deur kwam toen ik nog bezig was. En nog wel zo kort voor mijn vertrek. Ik moest een verhaal verzinnen over Rebecca's rommelige aard – terwijl ze de laatste was die ooit iets zou laten slingeren – en daarbij doen alsof ik kapot was van verdriet, zodat ik de flat verder kon nakijken op dingen waaruit zou kunnen blijken waar ze was geweest. Ik dacht dat ik redelijk overtuigend was geweest, in aanmerking genomen dat ik zo plotseling een leugen had moeten bedenken. Maar misschien toch niet overtuigend genoeg. Ik had moeten doen alsof ik een dwangneurose had of zoiets. Maar ik wist dat Rebecca's vrienden dachten dat ik haar slaafje was. Dat zouden ze ook aan de politie hebben verteld. Ik dacht dat ik er zo wel mee zou wegkomen.

De kleren waarin Rebecca naar me toe was gekomen voor ons etentje heb ik weggegooid. Ik heb ook alles weggedaan wat ik zelf droeg terwijl ze in mijn huis was, en uiteraard ook wat ik aanhad toen ik haar vermoordde. Hetzelfde geldt voor mijn auto. Vaarwel oude brik, met je DNA-deeltjes en stofvezels die me in verband brachten met Rebecca. Hallo, nieuwe schone sportwagen, zonder enig bewijsmateriaal erin. Het was een fraaie manifestatie van verdriet. Heel begrijpelijk ook, dat ik mezelf een prettig leven gunde nu Rebecca er niet meer was.

Maar ik heb over het hele traject fouten gemaakt. Ik heb te veel gezegd tegen de verkeerde mensen. Heb geprobeerd te slim te zijn. Dat heb ik altijd gehad. Ik kom tot een zeker niveau, maar niet verder. Ik mocht aan Oxford studeren en ben met gemiddeld ruim een zeven geslaagd, maar op het randje, en als allerlaatste van mijn jaar. En ik heb er hard voor moeten werken. Jezus, wat heb ik hard gewerkt. En toen ik bij PG begon, heb ik daar ook meer uren gemaakt. Ik heb meer uren gewerkt dan goed is voor een mens. Ik wilde niet dat iemand een excuus zou kunnen vinden om me weg te sturen. Het is treurig, maar ik zou nooit partner zijn geworden. Nu helemaal niet meer.

Maar ja, er zijn zoveel dingen die ik niet meer zal doen. Ik ben alles kwijt waarvoor ik heb gewerkt. Alles wat ik wilde bereiken. Het is allemaal weg vanwege Rebecca. Dus je zou kunnen zeggen dat ik het ernaar heb gemaakt.

Ik heb er genoeg van, Gil. Ik heb gezegd wat ik kwijt wilde. Ik heb mijn misdrijven bekend; ook mijn straf zal ik zelf bepalen. De staat kan niets doen voor mijn rehabilitatie. En de gevangenis is niets voor mij – al die mensen en geen enkel uitzicht op welke vorm van rust dan ook. De meeste vrouwen hier zijn junks en prostituees, of ze zijn geestesziek, instabiel in allerlei opzichten. Dit is juist de wereld die ik met zoveel moeite achter me had gelaten, maar ik begin te beseffen dat ik er nooit echt van ben losgekomen. Je kunt van alles aan jezelf veranderen – hoe je eruitziet, hoe je praat, hoe je je gedraagt –, maar er is geen ontsnappen aan je ware aard.

Het doet me verdriet dat mijn plan niet is gelukt. Het doet me verdriet dat ik niet meer de kans zal krijgen om je te laten boeten voor wat je hebt gedaan.

Ik zal je niet missen, en ik heb zo'n idee dat jij mij ook niet zult missen.

En nu is het tijd om te gaan.

L.

Maeve

Ik sliep toen de telefoon ging, wat gezien het tijdstip niet zo vreemd was. Volgens de wekker op mijn nachtkastje was het tien over vier. Niemand belt me ooit op een fatsoenlijke tijd, dacht ik terwijl mijn hand naar het toestel zocht. Ik nam het gesprek net op tijd aan voordat hij op de voicemail ging.

'Maeve?'

'Ja, chef.' Ik was onmiddellijk wakker toen ik Godleys stem herkende.

'Sorry dat ik je wakker maak. Ik heb net de directeur van de Hollowaygevangenis gesproken. Ze hebben ons beiden sinds een uur of twee proberen te bereiken. Het gaat over Louise North. Ze is daar alweer terug op de ziekenzaal, maar ze was met spoed opgenomen in het ziekenhuis.' Ik wist al voordat hij verderging wat hij zou gaan zeggen. 'Ze heeft een overdosis genomen.'

'Jezus. Ik wist gewoon dat ze zou proberen om onder het proces uit te komen, maar zelfmoord heb ik niet overwogen. Hoe is haar dat gelukt?'

'Daar ben ik nog niet achter.' Hij zweeg. 'Ze heeft je een brief geschreven, Maeve. En een soort bekentenis.'

Ik was mijn bed al uit en griste wat kleren bij elkaar. 'Ik ga naar de gevangenis.'

'Ze verwachten ons. Ik zie je daar wel.'

Ik had er niet lang voor nodig om weg te kunnen, maar dan moest ik mijn ontbijt overslaan en een enorme ravage achterlaten bij mijn vertrek. Ik was er niet geschikt voor om alleen te wonen. Ik had de discipline die uitging van een medebewoner nodig, anders kon ik het niet opbrengen netjes te zijn, en ik wenste dat Rob hier was en zijn armen om me heen zou slaan terwijl hij tegen me zei dat het niet mijn schuld was wat er was gebeurd. Ik zette die gedachte van me af en concentreerde me op de rit naar de gevangenis, terwijl ik me afvroeg wat ik zou aantreffen. Ik reed de koude donkere ochtend in onder begeleiding van klaaglijke vogelgeluiden die goed pasten bij mijn stemming.

Godley was al voor mij aangekomen en zat in het kantoor van de directeur te lezen met een stapel papieren voor zich. Hij overhandigde me een enveloppe met mijn naam erop in het krachtige handschrift dat ik herkende als dat van Louise North.

'Begin daar maar mee. Ik heb hem niet opengemaakt.'

Ik sneed de enveloppe zorgvuldig aan één kant open; uit gewoonte probeerde ik hem zo heel mogelijk te houden, en las vervolgens de korte brief snel door.

'Ze vraagt hierin alleen of ik ervoor wil zorgen dat Gil de brief in de grote enveloppe in handen krijgt.' Ik keek op en besefte dat ze de envelop in A4-formaat bedoelde die voor de hoofdinspecteur lag. 'Wat is het? Interessant om te lezen?'

'Heel interessant, ja.' Hij sloeg de bladzijden om en overhandigde me een deel van het dikke pak gelinieerd papier dat was beschreven met een lekkende balpen. Ze had steeds een lijntje overgeslagen, waardoor het grotendeels leesbaar was. 'Ik ben er bijna mee klaar. Zeg het maar als je klaar bent met jouw stapeltje.'

Ik knikte, zat al te lezen, was al verdiept in Louises brief. We lazen in stilte en Godley gaf me telkens de bladzijde waarmee hij klaar was. Toen ik uiteindelijk alles had gelezen, keek ik hem aan. Hij hield zijn handen met de vingertoppen tegen elkaar voor zijn gezicht en keek nadenkend voor zich uit.

'Zo zit het dus. Ze heeft het inderdaad gedaan. Ze heeft het allemaal gedaan.'

'Dat is inderdaad wat ze hier schrijft.'

'En ik had ook gelijk wat Gil betrof. Ik wist gewoon dat er iets aan hem niet klopte.'

Hij vertrok zijn gezicht. 'Dat we dat weten betekent niet dat we er veel mee kunnen.'

'Maar hij heeft haar verkracht.'

'Als getuige zou ze niet erg geloofwaardig zijn. Je kunt niet alles hebben, Maeve. Ze heeft keer op keer gelogen over de moord op Rebecca; dan is een aanklacht van haar wegens verkrachting niet geloofwaardig. Het is hoe dan ook een aanklacht die erg moeilijk te bewijzen is.'

'Gelooft u niet wat ze heeft geschreven?'

Hij glimlachte. 'Ik zou nooit iets aannemen als zij zegt dat het waar is, tot "hallo" aan toe.'

'Daar ben ik het niet mee eens. Ik denk niet dat ze onder deze omstandigheden zou liegen.'

'Jij hebt haar leren kennen. Ik niet.'

Ik trok een gezicht. 'Ik zou niet willen zeggen dat ik haar ken. Ik heb haar alleen vaker meegemaakt dan u, meer niet.'

'En wil je haar nu zien?'

Dat wilde ik niet. Ik wilde nee zeggen, dolgraag zelfs. Maar ik knikte en volgde mijn chef naar buiten, waar een bewaker stond te wachten. Hij leidde ons door bedompte gangen naar de ziekenzaal van de gevangenis, waar we een kort gesprekje voerden met de dokter. Godley bleef achter om hem nog wat vragen te stellen en gebaarde dat ik alleen moest gaan. Ik liep naar de andere kant van de zaal en daar lag een roerloze figuur, klein en kwetsbaar onder een wit laken. Ze zag er niet uit als een moordenares. Haar ogen waren gesloten, haar haar lag slap en vettig over het kussen. De dokter had gezegd dat ze haar een drankje met actieve kool hadden gegeven, dat alle eventuele resten van het middel dat ze zichzelf had toegediend zou binden, en daardoor waren de droge plekken op haar lippen zwart geworden. Haar gezicht was kleurloos, volkomen kleurloos, en ik keek met een enigszins treurig gevoel op haar neer.

En toen sloeg ze haar ogen open en keek me recht aan.

Ik zei niets; ik wachtte rustig af tot ze me herkend had. Dat duurde even. En toen zei ze iets, met een zwakke, ijle stem.

'Ik heb je een brief geschreven.'

'Ik heb hem gelezen.'

'Ik heb er een voor Gil geschreven.'

'Die heb ik ook gelezen.' Ik keek haar aan en zag haar reactie, het sprankje in haar ogen dat zei dat ze had begrepen wat ik wist, wat zij had geschreven. 'Eerlijk gezegd denk ik dat je er spijt van krijgt dat je dat hebt opgeschreven.'

Haar gezicht betrok en ze sloot haar ogen zodat ze me niet meer hoefde te zien. Er liep een traan over haar wang, die in haar haar verdween. Ik overdacht wat haar was overkomen, wat Gil haar had aangedaan, en probeerde medelijden te voelen. Maar als ik dan bedacht wat ze zelf had gedaan, vond ik dat moeilijk. Toen ze haar zelfbeheersing terug had, haalde ze diep adem.

'Ik dacht dat die pillen wel zouden werken. Waarom werkten ze niet?'

'Er lekte een leiding in de cel naast de jouwe. De bewaker kwam binnen om te controleren of jouw leiding nog droog was en heeft je gevonden.'

Ze knikte en wendde haar hoofd af. 'Ik wou dat het gelukt was. Ik wil de komende dertig jaar niet in de gevangenis zitten.'

'Dat wil niemand.' Ik boog me over haar heen, zodat niemand anders me zou horen. 'Ik ben blij dat je niet bent doodgegaan.'

Ze keek me verbaasd aan; volgens mij was ze blij met wat ik had gezegd. Ik kwam nog dichterbij.

'Jij hebt Rebecca van het leven beroofd om het jouwe veilig te stellen. Je hebt uitgezift wat ze heeft achtergelaten en hebt ervan gepakt wat je wilde hebben. Je hebt de man van wie ze hield ingepikt. Je hebt haar plaats ingenomen in het leven van haar ouders. Je bent je gaan kleden zoals zij. Je hebt haar manier van praten geïmiteerd, haar kapsel, haar make-up en haar sieraden.'

Louises blik was strak op mij gericht en haar pupillen waren groot en donker. Ze ging met haar tong nerveus over haar lippen en ook die was zwart, alsof hij van binnenuit aan het rotten was, alsof het slechte in haar lichaam woekerde.

'Ik hoop dat je nog lang mag leven, Louise. En ik hoop ook dat je geen minuut rust zult hebben tot de dag dat je sterft. Je hebt Rebecca van het leven beroofd,' zei ik nog één keer. 'Je bent haar op z'n minst verschuldigd het uit te leven.'

Eenmaal weer buiten bleef ik bij Godleys auto staan.

'Dus dat was het? We kunnen zelfs hiermee niet achter Maddick aan gaan?'

'Geef het maar door aan de afdeling zedenmisdrijven als je wilt. Laat hen het maar navragen bij zijn ex-vriendinnen, om te zien of er nog iemand anders is die een aanklacht wil indienen. Maar volgens mij moet je er maar gewoon in berusten, Maeve.'

'Dat is niet oké. Als wij het laten schieten, kunnen we er niet van uitgaan dat hij krijgt wat hij verdient.'

'Je denkt toch zeker niet dat dat onze taak is? Ervoor te zorgen dat iemand krijgt wat hij verdient?'

Ik fronste mijn wenkbrauwen. 'O nee?'

'Wij doen alleen ons best om de schade te beperken, Maeve. Voor elke moordenaar die wij grijpen is er één die we niet te pakken krijgen. Moordenaars die slim genoeg zijn om slachtoffers te vinden die niet belangrijk genoeg zijn. Verkrachters die zo gewiekst zijn dat ze van elke aanklacht worden vrijgesproken. Plegers van geweldsdelicten die tientallen jaren kunnen doorgaan zonder dat iemand het in de gaten heeft. We kunnen alleen iets doen aan de misdrijven waar we van weten, en in de helft van de gevallen is de straf die volgt, zelfs als de dader wordt veroordeeld, lager dan hij verdient.'

Ik schudde verbijsterd mijn hoofd. 'Als u zo cynisch bent ingesteld, waarom doet u dit werk dan eigenlijk?'

'Omdat het eind zoek is als niemand er iets aan doet.' Hij ging op de bestuurdersstoel zitten en keek me aan. 'Maddick gaat beslist weer in de fout, Maeve. Dat is vaste prik bij zo'n vent als hij. En als dat gebeurt…'

'… ben ik er klaar voor,' maakte ik zijn zin af.

De vuurmoordenaar
'zal nooit meer vrijkomen'

Razmig Selvaggi zal de rest van zijn leven in gevangenschap doorbrengen voor de moord op vier jonge vrouwen in Zuid-Londen.

Selvaggi heeft Nicola Fielding, 27, Alice Fallon, 19, Victoria Müller, 26, en Charity Beddoes, 23, gedood alvorens hun lichaam in brand te steken. Hij heeft de bewoners van de wijk Kennington, waar hij zijn slachtoffers zocht van september tot december 2009 geterroriseerd.

Rechter Cauldwell heeft ter zitting van de rechtbank de 24-jarige Selvaggi veroordeeld tot de maximumstraf. Hij zei: 'Dit was een reeks moorden met voorbedachten rade. Het is terecht dat u de rest van uw leven in de gevangenis doorbrengt. U zult nooit meer vrijkomen.'

Toen rechter Cauldwell zei dat hij kwetsbare jonge vrouwen had gekozen als slachtoffer, hoorde Selvaggi dit aan zonder enige emotie te tonen. 'Ze liepen 's avonds laat alleen naar huis. Dat zou moeten kunnen zonder gevaar te lopen. U hebt hen gedood, in brand gestoken en achtergelaten, omdat u daar plezier aan beleefde, zoals u zelf hebt gezegd.' De rechter zei dat aan de juridische vereisten voor een levenslange gevangenisstraf was voldaan, omdat de moorden waren gepleegd 'met een hoge mate van voorbedachten rade en planning'.

Selvaggi bekende opnieuw schuld, nadat hij al bij zijn arrestatie alle moorden had bekend. Hij werd gepakt toen hij een politieagente tijdens een undercoveroperatie aanviel. Een DNA-analyse bracht sporen van twee van de slachtoffers aan het licht op een hamer die in zijn woning werd gevonden; ook werden daar sieraden van alle vier de slachtoffers aangetroffen.

Hoofdinspecteur Charles Godley, die de leiding had over het rechercheteam, zei dat Selvaggi 'weerzinwekkende geweldsmisdrijven' had gepleegd, die de hoofdstad in staat van hevige angst hadden gebracht.

Om te voorkomen dat Selvaggi zichzelf iets aandoet, zal hij extra worden bewaakt en bovendien psychiatrisch worden onderzocht. Zijn advocaat overweegt in hoger beroep te gaan, wat gebruikelijk is bij dergelijke zaken.

De hoofdstedelijke politie onderzoekt nog of onopgeloste zaken op enigerlei wijze in verband staan met Selvaggi.

Gevangenisstraf wegens 'abusievelijke' steekpartij

De 20-jarige Kelly Staples uit Richmond, Surrey, is door het Kingston Crown Court veroordeeld tot twee jaar gevangenisstraf voor het 'abusievelijk' verwonden van een 56-jarige medewerker van een callcenter.

In januari gaf ze voor de rechtbank toe dat ze Victor Blackstaff had verwond, maar haar advocaat voerde als verzachtende omstandigheid aan dat ze zich bedreigd had gevoeld,

'De hoofdstad verkeerde destijds in een staat van hysterie vanwege de activiteiten van de seriemoordenaar die bekend stond als de vuurmoordenaar en die op dat moment nog vrij rondliep. Mijn cliënte was in de veronderstelling dat haar leven gevaar liep. Ze was behoorlijk beneveld na een avond met veel drank en geeft toe dat haar beoordelingsvermogen was aangetast. Ze heeft hem per abuis verwond.'

Rechter Steven Delaware zei dat hij bij het vonnis van twee jaar rekening had gehouden met het feit dat ze in een vroeg stadium schuld had bekend en met het feit dat ze geen eerdere veroordelingen op haar naam had, maar wees erop dat dit een waarschuwing voor anderen diende te zijn om geen mes bij zich te dragen. Hij toonde zich ook bezorgd om de gevolgen van de aanval voor het slachtoffer op de lange termijn. De heer Blackstaff staat nog altijd onder medische behandeling en is nog niet in staat zijn werk te hervatten.

Derde zelfmoord in
'overvolle' vrouwengevangenis

Voor de derde keer heeft er een zelfmoord plaatsgevonden in de gevangenis Mantham in Northumberland. Louise North, 29, had anderhalf jaar uitgezeten van haar levenslange gevangenisstraf voor moord. Gisteren keerde ze na het ontbijt terug naar haar cel op de bovenste verdieping van de gevangenis, toen ze over de reling sprong en twintig meter omlaag viel. Ze was op slag dood. De netten die zelfmoord moeten voorkomen waren verwijderd om op de verdieping onder de hare reparaties te kunnen uitvoeren. De gevangenisleiding stelt een onderzoek in naar de reden dat North zich zonder toezicht in het cellenblok kon verplaatsen.

Dit was de tweede zelfmoordpoging van North. Ze had eerder al een overdosis antidepressiva genomen toen ze in het huis van bewaring haar proces wegens moord op haar beste vriendin, Rebecca Haworth, afwachtte, maar dit werd op tijd ontdekt. Haar zelfmoordbrief van destijds was een belangrijk bewijsstuk tegen haar tijdens het proces, hoewel haar advocaat aanvoerde dat hij was geschreven toen ze depressief was en daarom niet mocht worden beschouwd als betrouwbaar bewijs voor haar schuld. In de beklaagdenbank verklaarde ze dat de brief bedoeld was om ervoor te zorgen dat haar vriend van dat moment niet om haar zou treuren, en dat ze op veel punten had gelogen of overdreven. Het proces kreeg veel media-aandacht vanwege de pogingen van North om de misdrijven van de beruchte seriemoordenaar Razmig Selvaggi, de vuurmoordenaar, na te bootsen, die ten tijde van de moord op Rebecca Haworth nog vrij rondliep.

Ondanks haar voorgeschiedenis had de gevangenisleiding niet de indruk dat er een risico bestond dat North een zelfmoordpoging zou doen, en ze stond dan ook niet onder bijzonder toezicht. Ze werd beschouwd als een modelgevangene.

Sinds 2009 hebben drie vrouwen zich in Mantham van het leven beroofd, ondanks inspanningen de leefomstandigheden van de gedetineerden te verbeteren en de instelling van een adviesspreekuur. Sophie Chambers, hoofd communicatie van Cell Out, de instantie die zich bezighoudt met het verbeteren van omstandigheden in penitentiaire inrichtingen, zegt dat er nog steeds ernstige problemen zijn in deze negentiende-eeuwse gevangenis, zoals slechte voorzieningen en een te hoge bezettingsgraad van de cellen, en ze dringt er bij de overheid op aan met spoed geld vrij te maken voor de bouw van een nieuwe penitentiaire inrichting.

North werd vorig jaar mei veroordeeld tot levenslange gevangenisstraf met een minimum van vijfentwintig jaar. Bij goed gedrag zou ze in 2035 voorwaardelijk zijn vrijgekomen.

Dankwoord

Mijn dank gaat uit naar iedereen bij Ebury, en in het bijzonder naar Gillian Green, die me van de eerste opzet tot de laatste proefdruk op het rechte pad heeft gehouden.

Veel dank ook voor Simon Trewin en Ariella Feiner, en alle anderen bij United Agents. Simon en Ariella zijn de eerste en de beste lezers; hun mening is altijd weloverwogen en interessant, en hun steun is ongelooflijk belangrijk.

Professor Derrick J. Pounder was zo vriendelijk me toe te staan hem te citeren; zijn heldere, informatieve geschriften over forensisch-pathologische wetenschap waren uitermate nuttig voor me bij mijn research naar de diverse moorden en de wijze waarop ze worden onderzocht.

Ik ben ook Janna Kenny, Chris Bowen en Nick Sheppard erg dankbaar voor hun adviezen en hun gidswerk in medische kwesties, en voor het feit dat ze me toestonden weg te komen met een paar dingen die misschien niet helemaal klopten, maar die voor het verhaal zo beter uitkwamen. Nicks hulp was van het grootste belang bij het uitwerken van de kernelementen van het plot. Ik waardeer in het bijzonder zijn enthousiasme bij het beantwoorden van vreemde vragen, wat hij gedetailleerder deed dan ik had mogen verwachten.

Op het juridische vlak heb ik hulp gekregen van diverse kanten; in het bijzonder wil ik Philippa Charles bedanken voor de manier waarop ze me een blik heeft gegund op het leven van een advocaat. Ik wil ook de rechercheurs noemen die zo snel en volledig antwoord gaven op mijn vragen maar hier niet wilden worden genoemd. Ook hun ben ik heel dankbaar.

Sommige lezers vragen zich misschien af of het Latimer College is gebaseerd op het College waaraan ik studeerde: dat is niet het geval. Het College is geheel aan mijn fantasie ontsproten, evenals de personages die het bewonen, en op de plaats van het College bevindt zich de Hortus Botanicus.

Ik had dit boek niet zonder mijn vrienden en familie kunnen schrijven. Speciale dank gaat uit naar R.P., die het verschil opviel tussen een glas water en een kop thee. Bridget en Michael Norman hebben me een 'thuis van huis' in Devon geboden en me aangemoedigd als dat heel hard nodig was. De bewoners van de slangenkuil hebben me zoals altijd enorm geholpen en geïnspireerd.

En ten slotte gaat mijn oprechte dank uit naar Edward omdat hij af en toe ging slapen, naar Fred voor zijn gezelschap tijdens vele lange avonden en naar James – voor alles.